編集復刻版

# 「秋丸機関」関係資料集成

## 第12巻

牧野邦昭 編

不二出版

〈編集復刻にあたって〉

一、使用した底本の所蔵館については、「全巻収録内容」に記載しております。ご協力に感謝申し上げます。

一、本編集復刻版の解説（牧野邦昭）は、第５回配本に別冊として付します。

一、資料の収録順については、牧野邦昭と不二出版の判断により分類毎に分けた上で、資料のシリーズ、作成年月日を元に整序しました。

一、本編集復刻版は、原本を適宜縮小し、白黒、四面付方式にて収録しました。ただし資料中、色がついていないと内容を理解することが出来ない部分に関してはカラーで収録しました。

一、本編集復刻版は、できるかぎり副本を求めましたが、頁の欠落、破損などを補充できなかった部分があります。また、より鮮明な印刷になるよう努めましたが、原本自体の状態によって、印字が不鮮明あるいは判読不可能な箇所があります。判読不可能な箇所については、不二出版の組版によって内容を補った場合があります。

一、資料の中には、人権の視点から見て不適切な語句・表現・論もありますが、歴史的資料の復刻という性質上、そのまま収録しました。

（不二出版）

# ［第12巻　収録内容］

資料番号――資料名●発行年月――復刻版頁

# [全巻収録内容]

## I　機関動向・総論

| 配本 | 巻 | 資料番号 | 資料名 | 分類 | 発行年月 | 底本所蔵館 |
|---|---|---|---|---|---|---|
| 第1回配本 | 第1巻 | 一 | 秘　経研目録第一号　資料月報 | 機関動向 | 一九四〇年四月 | 福島大学食農学類 |
| 第1回配本 | 第1巻 | 二 | 経研目録第三号　資料目録 | 機関動向 | 一九四〇年六月 | 福島大学食農学類 |
| 第1回配本 | 第1巻 | 三 | 経研目録第四号　資料目録 | 機関動向 | 一九四〇年七月 | 福島大学食農学類 |
| 第1回配本 | 第1巻 | 四 | 経研目年第一号　資料年報 | 機関動向 | 一九四〇年一二月 | 牧野邦昭所有 |
| 第1回配本 | 第1巻 | 五 | 秘　班報　第一号 | 機関動向 | 一九四〇年八月 | 福島大学食農学類 |
| 第1回配本 | 第1巻 | 六 | 秘　班報　第二号 | 機関動向 | 一九四〇年九月 | 福島大学食農学類 |
| 第1回配本 | 第1巻 | 七 | 班報　第三号 | 機関動向 | 一九四〇年一〇月 | 福島大学食農学類 |
| 第1回配本 | 第1巻 | 八 | 秘　経研訳第四号　マックス・ウエルナア著　列強の抗戦力 | 総論 | 一九四〇年七月 | 牧野邦昭所有 |
| 第1回配本 | 第2巻 | 九 | 経研資料工作第二号　第一次欧州戦争ニ於ケル主要交戦国経済統制法令輯録 | 総論 | 一九四〇年八月 | 東京大学経済学部資料室 |
| 第1回配本 | 第2巻 | 一〇 | 経研資料工作第二号　第二次欧州戦争ニ於ケル交戦各国経済統制法令輯録 | 総論 | 一九四〇年八月 | 東京大学経済学部資料室 |
| 第1回配本 | 第2巻 | 一一 | 極秘　第一　物的資源力ヨリ見タル各国経済抗戦力ノ判断 | 総論 |  | 福島大学食農学類 |
| 第1回配本 | 第2巻 | 一二 | 経研資料工作第一号　第二次欧州戦争に於ける経済戦関係日誌　第一年度（自一九三九年九月一日至一九四〇年八月三一日） | 総論 | 一九四〇年九月 | 東京大学経済学図書館 |
| 第2回配本 | 第3巻 | 一三 | 経研資料工作第一号ノ二　第二次欧州戦争に於ける経済戦関係日誌　第二年度（自一九四〇年九月一日至一九四一年八月三一日） | 総論 | 一九四一年九月 | 東京大学経済学図書館 |
| 第2回配本 | 第3巻 | 一四 | 経研資料工作第一号ノ三　第二次欧州戦争に於ける経済戦関係日誌　第三年度（自一九四一年九月一日至一九四二年八月三一日） | 総論 | 一九四二年九月 | 東京大学経済学図書館 |
| 第2回配本 | 第3巻 | 一五 | 経研資料調第四号　主要各国国際収支要覧 | 総論 | 一九四〇年一一月 | 国立公文書館 |
| 第2回配本 | 第3巻 | 一六 | 秘　経研報告第一号（中間報告）　経済戦争の本義 | 総論 | 一九四一年三月 | 防衛省防衛研究所 |
| 第2回配本 | 第3巻 | 一七 | 重要記事索引上ノ準拠項目一覧表（七、二九） | 総論 |  | 防衛省防衛研究所 |
| 第2回配本 | 第4巻 | 一八 | 極秘　経研資料調第十一号　抗戦力より観たる各国統治組織の研究 | 総論 | 一九四一年四月 | 東京大学経済学部資料室 |
| 第2回配本 | 第4巻 | 一九 | 秘　抗戦力判断資料第一号　抗戦力より観たる列強の統治組織 | 総論 | 一九四一年四月 | 北海道大学附属図書館 |
| 第2回配本 | 第4巻 | 二〇 | 部外秘　経研情報第一七号　海外経済情報　昭和十六年四月十五日 | 総論 | 一九四一年四月 | 国立公文書館 |
| 第2回配本 | 第4巻 | 二一 | 部外秘　経研情報第二二号　海外経済情報　昭和十六年六月三十日 | 総論 | 一九四一年六月 | 国立公文書館 |
| 第2回配本 | 第4巻 | 二二 | 部外秘　経研情報第二三号　海外経済情報　昭和十六年七月十五日 | 総論 | 一九四一年七月 | 国立公文書館 |
| 第2回配本 | 第4巻 | 二三 | 経研資料調第二十七号　レオン・ドーデの「総力戦」論 | 総論 | 一九四一年九月 | 東京大学経済学部資料室 |
| 第2回配本 | 第4巻 | 二四 | 経研資料調第三七号　経済戦争史の研究 | 総論 | 一九四一年一二月 | 防衛省防衛研究所 |

## Ⅱ　連合国

| 配本 | 巻 | 資料番号 | 資料名 | 分類 | 発行年月 | 底本所蔵館 |
|---|---|---|---|---|---|---|
| 第３回配本 | 第５巻 | 二五 | 英国の農産資源力 | イギリス | | 福島大学食農学類 |
| | | 二六 | 経研資料工第五号　第一次大戦に於ける英国の戦時貿易政策 | イギリス | 一九四一年一月 | 東京大学経済学部資料室 |
| | | 二七 | 極秘　経研資料調第十四号　英国に於ける統帥と政治の連絡体制 | イギリス | 一九四一年五月 | 東京大学経済学部資料室 |
| | | 二八 | 秘　抗戦力判断資料第二号（其一）　経済的抗戦要素としての印度及緬甸 | イギリス | 一九四一年八月 | 防衛省防衛研究所 |
| | 第６巻 | 二九 | 秘　抗戦力判断資料第二号（其二）　経済的抗戦要素としての印度及緬甸 | イギリス | 一九四一年八月 | 防衛省防衛研究所 |
| | | 三〇 | 秘　抗戦力判断資料第二号（其三）　経済的抗戦要素としての印度及緬甸 | イギリス | 一九四一年八月 | 防衛省防衛研究所 |
| | | 三一 | 秘　抗戦力判断資料第二号（其四）　経済的抗戦要素としての印度及緬甸 | イギリス | 一九四一年八月 | 防衛省防衛研究所 |
| | | 三二 | 極秘　第一部　物的資源力ヨリ見タル英国ノ抗戦力 | イギリス | 一九四〇年一一月 | 福島大学食農学類 |
| | | 三三 | ［英国　綿花・大麻・亜麻・黄麻・ヒマシ油・桐油・生綿・生護謨］ | イギリス | | 福島大学食農学類 |
| | 第７巻 | 三四 | 秘　抗戦力判断資料第四号（其一）　第一編　物的資源力より見たる英国の抗戦力 | イギリス | 一九四一年一二月 | 東京大学経済学部資料室 |
| | | 三五 | 秘　抗戦力判断資料第四号（其二）　第二編　人的資源より見たる英国の抗戦力 | イギリス | 一九四二年二月 | 東京大学経済学部資料室 |
| | | 三六 | 抗戦力判断資料第四号（其三）　第三編　資本力より見たる英国の抗戦力 | イギリス | 一九四二年九月 | 北海道大学附属図書館 |
| 第４回配本 | 第８巻 | 三七 | 抗戦力判断資料第四号（其四）　第四編　生産機構より見たる英国の抗戦力 | イギリス | 一九四二年一月 | 北海道大学附属図書館 |
| | | 三八 | 部外秘　抗戦力判断資料第四号（其五）　第五編　貿易及び配給機構より見たる英国の抗戦力 | イギリス | 一九四二年七月 | 防衛省防衛研究所 |
| | | 三九 | 抗戦力判断資料第四号（其六）　第六編　交通機構より見たる英国の抗戦力 | イギリス | 一九四二年八月 | 北海道大学附属図書館 |
| | 第９巻 | 四〇 | 秘　経研資料調第三九号　濠洲の政治経済情況 | イギリス | 一九四二年一月 | 国立公文書館 |
| | | 四一 | 秘　経研資料調第四〇号　生産機構ヨリ見タル濠洲及新西蘭ノ抗戦力 | イギリス | 一九四二年一月 | 国立公文書館 |
| | | 四二 | 秘　経研資料調第六九号　南阿連邦経済力調査 | イギリス | 一九四二年四月 | 国立公文書館 |
| | | 四三 | 秘　経研資料調第七〇号　南阿連邦政治経済研究 | イギリス | 一九四二年四月 | 東京大学経済学部資料室 |
| | | 四四 | アメリカ合衆国の農産資源力 | アメリカ | | 福島大学食農学類 |
| | | 四五 | 極秘　経研資料調第十六号　一九四〇年度米国貿易の地域的考察並に国別、品種別 | アメリカ | 一九四一年五月 | 東京大学経済学部資料室 |
| | | 四六 | 極秘　第一部　物的資源力ヨリ見タル米国ノ抗戦力 | アメリカ | 一九四〇年一一月 | 福島大学食農学類 |
| | | 四七 | 抗戦力判断資料第五号（其一）　第一編　物的資源力より見たる米国の抗戦力 | アメリカ | 一九四二年三月 | 東京大学経済学部資料室 |
| | 第10巻 | 四八 | 抗戦力判断資料第五号（其二）　第二編　人的資源より見たる米国の抗戦力 | アメリカ | 一九四二年三月 | 東京大学経済学部資料室 |
| | | 四九 | 秘　抗戦力判断資料第五号（其三）　第三編　生産機構より見たる米国の抗戦力 | アメリカ | 一九四二年四月 | 防衛省防衛研究所 |
| | | 五〇 | 抗戦力判断資料第五号（其四）　第四編　資本力より見たる米国の抗戦力 | アメリカ | 一九四二年六月 | 北海道大学附属図書館 |
| | | 五一 | 抗戦力判断資料第五号（其五）　第五編　配給及貿易機構より見たる米国の抗戦力 | アメリカ | 一九四二年六月 | 北海道大学附属図書館 |
| | | 五二 | 抗戦力判断資料第五号（其六）　第六編　交通機構より見たる米国の抗戦力 | アメリカ | 一九四二年八月 | 北海道大学附属図書館 |
| | | 五三 | 経研報告第一号　英米合作経済抗戦力調査（其一） | 英米 | 一九四一年七月 | 東京大学経済学部資料室 |
| | | 五四 | 極秘　経研報告第二号　英米合作経済抗戦力調査（其二） | 英米 | 一九四一年七月 | 東京大学経済学部資料室 |
| | | 五五 | 極秘　経研報告第二号別冊　英米合作経済抗戦力戦略点検討表 | 英米 | 一九四一年七月 | 大東文化大学図書館 |

| 部 | 配本 | 巻 | 資料番号 | 資料名 | 分類 | 発行年月 | 底本所蔵館 |
|---|---|---|---|---|---|---|---|
| Ⅱ　連合国 | 第５回配本 | 第11巻 | 五六 | 極秘　ソ連経済抗戦力判断研究関係書綴 | ソ連 | 一九四一年二月 | 防衛省防衛研究所 |
| Ⅱ　連合国 | 第５回配本 | 第11巻 | 五七 | 極秘　経研資料工作第十三号　極東ソ領占領後ノ通貨・経済工作案 | ソ連 | 一九四一年八月 | 防衛省防衛研究所 |
| Ⅱ　連合国 | 第５回配本 | 第11巻 | 五八 | 極秘　経研資料工作第一八号　東部蘇連ニ於ケル緊急通貨工作案 | ソ連 | 一九四二年三月 | 防衛省防衛研究所 |
| Ⅱ　連合国 | 第５回配本 | 第11巻 | 五九 | 極秘　経研資料調第七二号　蘇連邦経済力調査 | ソ連 | 一九四二年五月 | 防衛省防衛研究所 |
| Ⅱ　連合国 | 第５回配本 | 第11巻 | 六〇 | 極秘　経研資料調第七三号（其二）　蘇連邦経済調査資料（下巻） | ソ連 | 一九四二年四月 | 石巻専修大学図書館 |
| Ⅱ　連合国 | 第５回配本 | 第11巻 | 六一 | 部外秘　経研資料調第七四号　ソ連農産資源の地理的分布の調査 | ソ連 | 一九四二年五月 | 防衛省防衛研究所 |
| Ⅱ　連合国 | 第５回配本 | 第12巻 | 六二 | 経研資料工作第四号　支那事変経済戦関係日誌　第一輯 | 中国 | 一九四一年三月 | 一橋大学経済研究所資料室 |
| Ⅱ　連合国 | 第５回配本 | 第12巻 | 六三 | 経研資料工作第一六号　支那事変経済戦関係日誌　第二輯 | 中国 | 一九四二年一月 | 静岡大学附属図書館 |
| Ⅱ　連合国 | 第５回配本 | 第12巻 | 六四 | 極秘　経研資料調第十二号　支那民族資本の経済戦略的考察 | 中国 | 一九四一年四月 | 東京大学経済学部資料室 |
| Ⅱ　連合国 | 第５回配本 | 第12巻 | 六五 | 秘　経研資料調第二〇号　支那沿岸密貿易の実証的研究 | 中国 | 一九四一年六月 | 国立国会図書館 |
| Ⅱ　連合国 | 第５回配本 | 第12巻 | 六六 | 秘　経研資料工作第一七号　上海市場ノ再建方策 | 中国 | 一九四二年三月 | 防衛省防衛研究所 |
| Ⅲ　枢軸国 | 第６回配本 | 第13巻 | 六七 | 極秘　［「独逸組」研究項目、分担者、委嘱者の表］ | ドイツ |  | 福島大学食農学類 |
| Ⅲ　枢軸国 | 第６回配本 | 第13巻 | 六八 | 独逸の農産資源力 | ドイツ |  | 福島大学食農学類 |
| Ⅲ　枢軸国 | 第６回配本 | 第13巻 | 六九 | 極秘　第一部　物的資源力ヨリ見タル独逸ノ抗戦力 | ドイツ | 一九四〇年一一月 | 福島大学食農学類 |
| Ⅲ　枢軸国 | 第６回配本 | 第13巻 | 七〇 | 抗戦力判断資料第三号（其一）　第一編　物的資源力より見たる独逸の抗戦力 | ドイツ | 一九四一年一〇月 | 東京大学経済学部資料室 |
| Ⅲ　枢軸国 | 第６回配本 | 第13巻 | 七一 | 秘　抗戦力判断資料第三号（其二）　第二編　人的資源力より見たる独逸の抗戦力 | ドイツ | 一九四二年二月 | 東京大学経済学部資料室 |
| Ⅲ　枢軸国 | 第６回配本 | 第13巻 | 七二 | 秘　抗戦力判断資料第三号（其三）　第三編　資本力より見たる独逸の抗戦力 | ドイツ | 一九四二年一月 | 牧野邦昭所有 |
| Ⅲ　枢軸国 | 第６回配本 | 第14巻 | 七三 | 秘　抗戦力判断資料第三号（其四）　第四編　生産機構より見たる独逸の抗戦力 | ドイツ | 一九四二年二月 | 東京大学経済学部資料室 |
| Ⅲ　枢軸国 | 第６回配本 | 第14巻 | 七四 | 秘　抗戦力判断資料第三号（其五）　第五編　配給及び貿易機構より見たる独逸の抗戦力 | ドイツ | 一九四二年一月 | 東京大学経済学部資料室 |
| Ⅲ　枢軸国 | 第６回配本 | 第14巻 | 七五 | 秘　抗戦力判断資料第三号（其六）　第六編　交通機構より見たる独逸の抗戦力 | ドイツ | 一九四二年三月 | 東京大学経済学部資料室 |
| Ⅲ　枢軸国 | 第６回配本 | 第15巻 | 七六 | 経研資料調第一七号　独逸食糧公的管理の研究（要約篇）―戦時食糧経済の防衛措置― | ドイツ | 一九四一年六月 | 国立公文書館 |
| Ⅲ　枢軸国 | 第６回配本 | 第15巻 | 七七 | 経研資料調第一八号　独逸食糧公的管理の研究 | ドイツ | 一九四一年六月 | 東京大学経済学図書館 |
| Ⅲ　枢軸国 | 第６回配本 | 第15巻 | 七八 | 経研資料調第二一号　独逸の占領地区に於ける通貨工作 | ドイツ | 一九四一年七月 | 東京大学経済学部資料室 |
| Ⅲ　枢軸国 | 第６回配本 | 第15巻 | 七九 | 極秘　経研報告第三号　独逸経済抗戦力調査 | ドイツ | 一九四一年七月 | 静岡大学附属図書館 |
| Ⅲ　枢軸国 | 第６回配本 | 第15巻 | 八〇 | 経研資料調第二十八号　独逸戦時に活躍するトツド工作隊 | ドイツ | 一九四一年一〇月 | 東京大学経済学部資料室 |
| Ⅲ　枢軸国 | 第６回配本 | 第15巻 | 八一 | 経研資料調第三五号　第一次大戦に於ける独逸戦時食糧経済 | ドイツ | 一九四一年一二月 | 東京大学経済学部資料室 |
| Ⅲ　枢軸国 | 第６回配本 | 第15巻 | 八二 | 秘　経研資料調第六五号　独逸大東亜圏間の相互的経済依存関係の研究　―物資交流の視点に於ける― | ドイツ | 一九四二年三月 | 東京大学経済学図書館 |

## Ⅲ　枢軸国

| 配本 | 巻 | 資料番号 | 資料名 | 分類 | 発行年月 | 底本所蔵館 |
|---|---|---|---|---|---|---|
| 第７回配本 | 第16巻 | 八三 | 部外秘　経研資料調第六八号（其一）　独逸に於ける労働統制の立法的研究（上巻） | ドイツ | 一九四二年四月 | 東京大学経済学図書館 |
| | | 八四 | 部外秘　経研資料調第六八号（其二）　独逸に於ける労働統制の立法的研究（下巻） | ドイツ | 一九四二年四月 | 東京大学経済学図書館 |
| | 第17巻 | 八五 | 部外秘　経研資料調第八九号　ナチス独逸に於ける人口並に厚生政策立法の研究 | ドイツ | 一九四二年一一月 | 昭和館 |
| | 第18巻 | 八六 | 秘　経研資料調第三三号　伊国経済抗戦力調査 | イタリア | 一九四一年一二月 | 国立国会図書館 |
| | | 八七 | 経研資料調第八八号　ファシスタイタリアの国家社会機構の研究　第二部　政治編 | イタリア | 一九四二年一一月 | 東京大学経済学図書館 |
| | | 八八 | 経研資料調第二三号　全体主義国家に於ける権利法の研究 | 独伊 | 一九四一年七月 | 東京大学東洋文化研究所 |
| | | 八九 | 経研資料調査第一号　貿易額ヨリ見タル我国ノ対外依存状況 | 日本 | 一九四〇年九月 | 東京大学経済学部資料室 |
| | | 九〇 | 秘　経研資料調第二四号　日米貿易断交ノ影響ト其ノ対策 | 日本 | 一九四一年七月 | 東京大学経済学図書館 |
| 第８回配本 | 第19巻 | 九一 | 経研資料調第三〇号　南方諸地域兵要経済資料 | 日本 | 一九四一年一二月 | 防衛省防衛研究所 |
| | | 九二 | 極秘　経研資料調第五一号　占領地幣制確立方策 | 日本 | 一九四二年二月 | 東京大学経済学図書館 |
| | | 九三 | 部外秘　経研資料工作第二三号　南方労力対策要綱 | 日本 | 一九四二年六月 | 東京大学東洋文化研究所 |
| | | 九四 | 極秘　経研資料調第七九号　昭和十七年度ニ於ケル南方物資流入ニヨル帝国物的国力推移ノ具体的検討 | 日本 | 一九四二年六月 | 防衛省防衛研究所 |
| | 第20巻 | 九五 | 経研資料調第九〇号ノ一　東亜共栄圏の政治的経済的基本問題研究（上巻） | 日本 | 一九四二年一二月 | 一橋大学附属図書館 |
| | | 九六 | 経研資料調第九〇号ノ二　東亜共栄圏の政治的経済的基本問題研究（下巻） | 日本 | 一九四二年一二月 | 一橋大学附属図書館 |
| | | 九七 | 経研資料調第九一号　大東亜共栄圏の国防地政学 | 日本 | 一九四二年一二月 | 昭和館 |
| | | 九八 | 経研資料調第三四号　戦争指導と政治の関係研究 | 全体 | 一九四一年一二月 | 専修大学図書館 |

※極秘、秘等の表記については、底本とした資料の記載に拠りました。
※収録順は、牧野邦昭と不二出版の判断により分類毎に分けた上で、資料のシリーズ、作成年月日を元に整序しました。
※第五回配本、第六回配本の巻割りに一部変更がございます。
※刊行開始後に発見された資料を資料番号九八として追加収録しました。

經研資料工作第四號

# 支那事變經濟戰關係日誌

第一輯（自昭和十二年七月七日 至同 十五年十二月末日）

昭和十六年三月調
陸軍省主計課別班

凡　例

一、本日誌ハ支那事變ニ於ケル經濟戰關係事項ヲ記錄シ研究資料ヲ整理スルヲ目的トス

二、戰況ノ推移ニ應シ日本側、蔣政權側及援蔣國側ノ戰時對策ヲ比較對比シ得ル如ク區分セリ

三、爾後一ヶ年毎ニ續編ヲ刊行ス

昭和十六年三月

陸軍省主計課別班

昭和十二年

[illegible]事変經濟戦関係日誌

| 月日 | 戰況 | 日本側 | 蔣政權側 | 援蔣國側 |
| --- | --- | --- | --- | --- |
| [illegible] | [illegible]盧溝橋附近ニテ二十[illegible]我軍ヲ不法射撃ス | | | |
| 七、八 | 天津駐屯軍經過発表。盧溝橋ノ支那軍増援ヲ得テ我軍ニ挑戦、我軍直ニ應戦。 | 平津両市ニ戒厳令布カル。 | 國府主脳部盧溝橋事件ノ対策ヲ協議ス。盧溝橋事件ニ対シ外交部ヨリ我大使館ニ抗議ヲ提出。北平ニ戒厳令布カル。 | |
| 七、九 | | 支那駐屯軍司令部 | 南京、上海、漢口等 | 〔米〕モーゲンソー |

| | | | | |
|---|---|---|---|---|
| 七、一〇。 | 「蒋介石ハ四個師ヲ石家荘附近ニ北上スルヤウ命令ヲ発シ、同時ニ全飛行隊ニ対シ出動命令ヲ下シタルモノノ如シ」ト陸 | 「盧溝橋ノ支那部隊ハ我ガ要求ヲ入レ撤退セルヲ以テ、我軍ハ戦闘行動ヲ中止シ事件ノ善後処理ニ関スル交渉ヲ開始スルコトトセリ」ト発表。支那駐屯軍参謀長橋本少将善後処理交渉ノタメ北京ニ向フ。<br>盧溝橋事件ニ関シ日高南京駐在参事官王寵恵外交部長訪問。 | 等各地ノ公私団体、二十九軍ニ慰労激励電ヲ発ス。<br>汪外交部長廬山ヨリ南京ニ帰ル。<br>南京政府外交部盧溝橋事件ニ関シ我ガ大使館ニ対シ文書ヲ以テ正式抗議シ来ル。何応欽重慶ヨリ南京ニ帰ル。 | 財務長官、孔祥熙財政部長ト共同声明ヲ以テ、米支銀協定拡充ヲ発表。 |

二

| | | | | |
|---|---|---|---|---|
| 七、一一 | 軍省ニ公電着。<br>支那軍盧溝橋附近ノ我ガ部隊ニ対シ迫撃砲ヲ集中射撃ス。 | 政府北支事変ニ関シ中外ニ重大声明。<br>政府、言論機関代表、貴衆両院議員代表、財界代表ノ参集ヲ求メ北支事変ニツキ説明ノ上協力ヲ求ム。<br>台湾軍司令部北支事変ニツキ重大声明。<br>陸軍省支那駐屯軍司令官ノ更迭ヲ発表。<br>橋本支那駐屯軍参謀 | 蒋介石、馮治安、秦徳純、張自忠等ニ激励慰労電ヲ打電ス。<br>冀察側我方ノ要求承認、松井特務機関長ニ対シ解決条件提示。宋哲元山東省楽陵ヨリ天津帰還。<br>盧溝橋事件ニ関シ国民政府外交部声明ヲ発表。 | |

三

| | | | | |
|---|---|---|---|---|
| 七、一二 | 盧溝橋一帯ニ両軍対峙ス。 | 長北京ヨリ帰津。<br>旅順要塞、要港司令部「北支ノ情勢ニ鑑ミ関東州内ニ防空及ビ所要ノ警備ヲ実施ス」ト発表。 | 国民政府軍事徴発令十七ヶ條ヲ制定公布。<br>外交部董日本科長、日高参事官訪問「地方当局ノ約諾ハ中央ノ容認ヲ得ザレバ承認シ得ズ」ト通告。<br>宋哲元、冀察要人等、天津ニ於テ盧溝橋事件ノ対策ヲ協議。 | 米支銀協定調印。 |
| 七、一三 | | 陸軍省去ル十一日支那側第二十九軍代表張自忠、張允栄ノ調印セル盧溝橋事件解 | 蒋介石盧溝橋事件緊張ノタメ各部会長ニ返京ヲ命ズ。 | 〔米〕ハル国務長官記者団トノ会見ニ於テ十二日英国ヨリ日支問題ニ関ス |

四

| | | | | |
|---|---|---|---|---|
| | | 決條件摘要発表。 | | ル通告接受ノ旨言明。 |
| 七、一四 | | 南京政府ノ抗議ニ対シ反駁書　手交。 | | |
| 七、一五 | 陸軍省内地ヨリ一部ノ部隊ヲ派遣スルコトニ決定ノ旨発表。 | 橋本天津参謀長、張自忠ト重要会見。 | 南京市党部ヲ主体トシ南京各界抗敵後援会設立サル。 | 〔英〕ヒューゲッセン駐支英大使王寵恵外交部長ヲ訪問北支善処要望。 |
| 七、一六 | 通州街道平安附近ニ於テ我ガ部隊支那軍ノ猛撃ヲ受ク。 | | 各国政府ニ九ヶ国條約援用ヲ要請。<br>全国各界指導分子ヲ網羅スル廬山談話会挙行サル。 | 〔米〕王正廷支那大使、須磨日本参事官ト会談後、平和的解決ヲ切望スル旨声明書発表。 |
| 七、一七 | | 日高参事官、王外交 | 廬山談話会第二次会 | 〔米〕ハル国務長官大 |

五

| | | | | |
|---|---|---|---|---|
| | | 部長訪問、「挑戦的言動ヲ即時停止シ並ニ現地当局ノ解決條件実行ヲ妨害スルコトナキヤウ要請ス」ル旨ノ覚書手交。<br>大城口南京駐在武官中央軍ノ梅津何應欽協定無視ニ関シ我軍ノ決意通告。 | 開催。<br>軍政部長何應欽等汪外交部長ト北支問題ヲ討議。 | 統領ト北支問題協議 |
| 七、一八 | | 香月天津軍司令官宋哲元ト会見。 | 冀察ノ現銀二百万元天津ヨリ積出サル。 | |
| 七、一九 | | 支那駐屯軍司令部「依然態度ヲ改メズ八二十日以後独自ノ | 宋哲元天津発北京ニ向フ。<br>十七日ノ日高参事官 | |

六

| | | | | |
|---|---|---|---|---|
| | | 行動ヲトル」旨重大声明。<br>喜多武官、何應欽ト北支問題ニツキ会談。 | 手交ノ覚書ニ対シ「同時撤退」ヲ要求セル回答ヲナス。<br>蒋介石「日本ノ態度如何ニヨリ全面的開戦モヤムヲ得ズ」ト声明書発表。<br>許世英支那大使、東京帰任。 | |
| 七、二〇 | 我軍不法発砲ノ蘆溝橋支那軍ニ対シ攻撃ノ火蓋切ル。宛平城ノ支那軍沈黙。 | 外務省十九日ノ支那側回答ニツキ声明書発表。 | 許支那大使広田外相訪問、<br>蒋介石廬山ヨリ南京ニ帰ル<br>宋哲元支那側新聞記者ニ対シ談話発表。 | 天津ベルギー総領事館ニ於テ在天津英、佛、米各国領事、時局対策協議会開催。 |

七

| | | | | |
|---|---|---|---|---|
| 七、二一 | 日支両軍蘆溝橋以西、以北ニ双方撤兵協定成立。 | | 許支那大使再度広田外相訪問。<br>蒋介石英大使ト会見。<br>冀東政府今次事変ニツキ声明書発表。 | |
| 七、二二 | 八宝山方面ノ馮治安部隊協定ヲ無視シテ撤兵セズ。 | | | |
| 七、二三 | 支那軍協定ヲ無視シテ撤退セズ反ツテ陣地構築。 | 陸軍省現地協定内容発表。 | 南京ノ抗日団体活動。 | |
| 七、二四 | | 上海北四川路、思威路角ニ於テ我陸戦隊水兵拉致サル。 | 漢口、広東等中南支都市ニ抗日運動盛ンニ行ハル。 | |

八

| | | | | |
|---|---|---|---|---|
| 七、二五 | 廊坊附近ニ於テ電線修理中ノ我軍第三十八師ノ不法射撃ヲウク。 | 第七十一特別議会開カル。 | | |
| 七、二六 | 鯉登部隊廊坊ヲ占領、我軍爆撃敢行。<br>北京入城ノ我軍広安門附近ノ支那軍ノ不法射撃ヲ受ケ交戦。 | 香月支那駐屯軍司令官宋哲元ニ対シ期限附最后通牒手交。 | 蒋介石ハ馮玉祥、何應欽、程潜等ト重要協議。<br>在南京中央執行、監察両委員会ハ時局対策ノ全権ヲ蒋介石ニ一任スル一決定。 | |
| 七、二七 | 南苑ノ三十八師兵営附近ヨリ猛撃シ来ル、我カ軍空陸呼応シ敵 | 緊急閣議後「自衛行動ヲトルノ止ムナキニ至レル」旨声明。 | 宋哲元南京政府ニ対シ辞意表明。<br>行政院会議廊坊事件 | 〔英・米〕英米両大使ハ王外交部長訪問一時間ニ亘リ会 |

九

| | | | | |
|---|---|---|---|---|
| | ヲ沈黙セシム。 | | ヲ協議。 | 談 |
| 七、二八 | 我軍二十九軍ヲ総攻撃。<br>我軍南苑占領 | 香月支那駐屯軍司令官「和平ノ手段ツク」ト決意表明。 | 宋哲元保定ヘ逃亡。 | 〔米〕戦闘行為回避ヲ日支ニ要望ス。 |
| 七、二九 | 支那軍天津日本租界砲撃、我空軍爆撃ヲ敢行。<br>大沽ニ於テ我陸海軍支那軍ト激戦。<br>南開大学我軍ノ砲撃ニヨリ灰燼ニ帰ス。<br>通州城内ニ保安隊ノ叛乱勃発シ居留邦人 | 北支事変費成立 | 蒋介石新聞記者団トノ会見ニ於テ「敗北ハ余ノ責任、挙国アクマデ抗戦」ト言明。 | |

一〇

| | | | | |
|---|---|---|---|---|
| | 虐殺サル。<br>我軍花村、宛平城占領。 | | | |
| 七、三〇 | 我軍大沽占領。<br>我軍西沽一帯ヲ占據。<br>我軍空陸呼應西山ヲ猛撃。<br>我軍長辛店占領。 | | | |
| 七、三一 | 冀東保安隊ノ敗残兵一千名武装解除サル。<br>我軍通州確保。 | 北平治安維持会成立 | 南京ニ学生抗敵後援会組織サル。 | |

一一

| | | | | |
|---|---|---|---|---|
| 八、一 | 我軍北苑ノ独立第三十九旅武装解除。 | 張家口ノ我官民引揚ゲ。<br>日本軍警備ノ下ニ北京城門開カル。 | 汪兆銘二十九日ノ廬山談話会ニ於テ試ミタ「最后ノ関頭」ト称スル強硬演説全文発表。<br>中央党部、全国抗敵後援会組織。<br>中国婦女慰労自衛抗戦将士会発会サル。 | |
| 八、二 | 天津市内ノ掃蕩完了。 | 北支事変臨時増税案要綱発表サル。<br>天津治安維持会成立。<br>北京治安維持会成立宣言発表。<br>冀東政府北京ニ臨時弁事処設置執務開始 | | |

一二

| | | | | |
|---|---|---|---|---|
| 八、三 | | 満洲国政府暴利取締令公布、<br>重慶、宜昌、沙市ノ邦人居留民漢口ニ引揚グ。 | | |
| 八、四 | 我軍北京入城。<br>我軍飛行機平綏線ノ支那軍用列車爆撃。<br>岡崎部隊良郷附近ニテ敵部隊ト遭遇コレヲ潰走セシム。 | 中村広東総領事居留民婦女子ノ引揚ゲ勧告。 | | 〔米〕民主党議員ルイス、上院ニ於テ米国天津駐屯軍ノ引揚ヲ強調。 |
| 八、五 | 漢口ノ支那軍日本租界包囲ノ態勢ヲトル。 | 北支事件費第二次追加予算閣議ニ於テ決定（四億一千九百六 | 張自忠冀察代理委員長辞職。<br>孔祥熙ロンドンヨリ | |

一三

八、六

十万円）衆議院提出。

川越大使大連発上海ニ向ケ赴任。

衆議院北支事件費第二次追加予算案、臨時増税案通過。

衆議院北支事変ニ関スル決議可決。


パリー着記者團トノ会見ニ於テ日支問題ニツキ西欧諸國ガ戦争防止ニ蹶起スルヤウ要望スルト語ル。

南京中央常務委員会全國ノ中央執監委員ニ対シ緊急召集令ヲ発ス。

支那國防会議、南京軍事委員会ニ於テ開カル。

沈鈞儒等人民戦線派領袖、陳立夫ト会見國民党ト人民戦線トノ妥協合作ニ基ク抗



敵後援運動ニ関シ協議。

八、七

支那軍爆撃機十機漢口日本租界上空ヲ威嚇飛行。


貴族院北支事件費、臨時増税案可決。

陸軍将校百三十一名航空兵科ニ転科発表。

川越大使上海着。

漢口邦人引揚グ。

松平総領事代理漢口市長呉国楨ト会見、居留邦人引揚後ノ日本租界管理ノタメ弁法取極メヲナス。


張自忠北平市長及ビ綏靖主任代理ヲ辞職。

八、八

我軍北京入城、安居楽土ノ布告ヲ発ス

南京在留邦人引揚ゲ。

冀東新政府首脳決定、



杉浦部隊馬家齋ノ保安隊千八百名武装解除。

南京ニ待機中ノ中央軍機械化部隊津浦線ニヨリ北上開始。


池宗墨新長官支那駐屯軍司令部ヲ訪問挨拶。

八、九

上海陸戦隊第一中隊長大山勇夫中尉、及斉藤一等水兵共同租界越界路モニュメント路ニ於テ支那保安隊ニ射殺サル。


海軍省、副官談ヲ以テ揚子江流域居留邦人ノ引揚完了ヲ発表。

日清汽船長江筋ノ航行停止。


宋哲元保定ヨリ河間ヘ落チ延ブ。

八、一〇

上海支那街一帯ニ戒厳令布カル。

北京公安局長、市政府管下各学校ニ対シ三民主義ノ教科書ヲ

行政院会議大山事件ヲ地方的事件トシテ解決スルコトニ方針

上海領事団會議開カル。




直ニ抹殺スベキ旨厳命。

大山中尉遭難ノモニュメント路実地検証行ハル。

岡本総領事工部局ニ対シ、大山事件ニ関シ注意ヲ喚起ス。


決定。

ロサンゼルスノパシフィック石油会社トノ間ニ航空用ガソリン二千ガロン購入ノ契約成ル。

八、一一

南口一円ノ中央軍第十三軍第八十九師ノ挑戦ニ対シ我軍砲撃ヲ開始。

上海保安隊虹橋路ノ滬杭鉄道線ニ進出。

第三艦隊「当面ノ警備ニ必要ナル若干兵

岡本総領事兪市長訪問保安隊ノ侵入ニツキ二要求提出。

武者小路大使独外務省訪問、対支武器供給問題ニツキ警告的申入レヲナス。

満洲國政府、臨時國

上海総領事団主席ノールウェイ領事ハ岡本総領事ヲ訪問、領事館会議ノ決議ヲ手交戦火ノ上海租界ニ及バヌ様要請ス。

カヲ増加」ノ旨発表ス。

務院会議ニ於テ日満共同防衛ノ見地ヨリ満州国側軍事費ニ充当ノ追加予算三百五十七万八千百八十三円ヲ計上可決。

**八、一二**

我軍南口駅占領。

上海陸戦隊出動警備ニツク。

支那側水上保安隊汽船ヲ自沈、黄浦江上流ヲ閉鎖ス。


汕頭在留邦人高雄ニ向ヒ引揚グ。

停戦協定委員会上海工部局ニ於テ開カル。

海軍省大山事件ノ日支共同調査ノ結果ヲ発表。

政府四相会議ニ於テ自衛権発動ニ決ス。


国民政府外交部声明書発表、事件拡大ノ責ヲ日本ニ帰ス。


英米仏伊独五国大使外交部及ビ我日高参事官ニ対シ上海外人保護ニ関スル共同申入レヲナス。

上海工部局義勇軍二千、租界ニ配備。



**八、一三**

上海ニ於テ日支両軍火蓋ヲ切ル。

支那空軍上海租界上空ヲ示威飛行ス。

閘北ノ敵我陸戦隊本部攻撃。

上海碇泊ノ我ガ軍艦砲撃ヲ開始ス。

我軍南口鎮ノ残敵ニ対シ一斉砲撃ヲ開始ス。

支那軍海底電線ヲ切断ス。


政府閣議ニ於テ上海事態ノ悪化ニ対処スル方針決定書記官長談ヲ以テ発表。

日高参事官王外交部長訪問上海租界附近ノ正規軍並ニ保安隊ノ撤退ヲ要求ス。

斉藤駐米大使十六日ノハル声明ニ対スル日本政府ノメッセーヂ手交。


愈上海市長岡本総領事ニ対シ公文書ヲ以テ我軍ノ八字橋方面進出ニ抗議ス。

国民政府財政部上海ニモラトリウム施行、支那全銀行ニ対シ二日間ノ休業ヲ命ズ。


〔米〕東洋艦隊旗艦上海入港。

〔英〕アジヤ艦隊、

**八、一四**

支那空軍、我陸戦隊本部及江上軍艦ヲ空襲。

政府臨時閣議ニ於テ自衛権ノ発動強化ヲ決定。

許大使広田外相訪問日本側ノ意向ヲ打診ス。




南京キャセイホテルニ支那軍爆弾落下外人負傷者続出。

我ガ海軍飛行隊虹橋飛行場爆撃。

江上艦隊呉淞砲撃ヲ開始ス。

青島ニ於テ我水兵四名支那人ニ狙撃サレ一名絶命。


参謀次長更迭、多田中将新任。

海軍重大決意声明。

ロンドン大使館上海ニ於ケル日支交戦ニ関シ日本側ノ公正ナル立場ニツキコムミユニケ発表。

長谷川第三艦隊司令長官断乎自衛権発動ヲ声明。


旗艦呉淞沖着。

香港ヨリ派遣ノ三ケ大隊上海上陸

**八、一五**

海軍航空隊南京、南昌、蕎司、蘇州、沼興、筧橋、杭州等ヲ爆撃敵空軍ニ大打撃ヲ与フ。


緊急閣議ニ於テ断乎膺懲スルニ決シ重大声明ヲ発ス。

ロンドン大使館コムミユニケ発表。支那

愈上海市長四ケ国総領事ニ対シ租界内ニ於テ高射砲陣地ヲ発見セル場合ハ租界ニ対シ軍事行動ヲナス

英米仏三国大使国民政府ニ対シ支那軍ノ盲爆ニ関シ厳重抗議ス。




支那機上海上空ニ飛来米艦オーガスタ号附近ニ投弾。

支那軍虹口ノ日本人密集地帯砲撃。


空軍盲爆ノ真相闡明。

旨通告。


〔仏〕上海仏租界防衛ノタメ仏領印度ヨリ一ケ大隊派遣ヲ公表。

上海ノ外国銀行休業ニ決定。

〔米〕ルーズヴェルト大統領ハハル国務長官、及ビ陸海軍主脳部ヲ召致日支問題対策協議。

**八、一六**

海軍航空隊嘉興、虹口飛行場及大場鎮、江湾鎮方面ノ敵砲兵陣地爆撃。

支那空軍我ガ陸戦隊本部、総領事館、軍艦等ヲ目標ニ投弾。

閘北、江湾方面ニ激戦展開。

支那水雷艇我ガ軍艦ニ魚雷発射。


上海邦人婦女子引揚。

日高参事官等館員二十二名南京脱出。

広東ノ残留邦人香港ニ引揚グ。


国民政府立法院総動員法可決。

海軍省十四、十五両日ノ海軍航空隊支那各地爆撃ノ状況発表。

八、一七

海軍航空隊蚌埠、淮陰、海寧ノ飛行場爆撃、尚江湾鎮、南翔、大場鎮方面ノ敵砲兵陣地爆撃。敵機虹口上空ニ飛来。陸戦隊閘北、北停車場ノ敵猛撃。

臨時議会九月三日召集会期五日間。日高参事官一行済南ニ到着。済南在留邦人引揚グ。華北青年党排日政策ニヨル新政府樹立ヲ声明ス。

浦東ニ繋留中ノ日清汽船六隻ヲ黄浦江閉塞ノ目的ノタメ撃沈ス。支那政府系銀行佛租界ニ於テ開店。天津支那側銀行、銭業両公会預金引出臨時弁法実施。

〔英〕上海情勢急転ノタメ緊急五相会議開催。〔佛〕レジエ外相代理米大使ト上海事態ニツキ意見交換。〔米〕ハル長官記者團ニ対シサンデーゴ駐屯マリン軍千二百名ヲ上海ニ急派ノ旨発表。

八、一八

海軍航空隊南京始メ敵軍重要地十数ケ所爆撃。我陸戦隊増援部隊上海着。敵機虹口、北四川路等ニ投弾。浦東ノ敵乱射シ来ル。支那兵租界突破ヲ企テ米国兵ニ阻止サル。

北京治安維持会江朝宗ノ北京市長兼任ヲ決定。

戦時糧食管理令公布。自国船ノ主要港湾集結ヲ命令。ニューヨーク在住支那人團体ルーズベルト大統領ニ中立法発動ニ反対打電。

〔英〕上海中立化案ヲ我ガ方ニ提示ス。



八、一九

海軍航空隊南京、嘉興ヲ猛爆。我東部々隊招商局碼頭占領。我北支部隊長辛店南方ニ於テ北上ノ中央軍ト衝突激戦。

英ノ上海中立化案ヲ拒絶。北京治安維持会徴税機関接受。

防空法公布。米英佛伊軍艦ノ日本軍艦ヨリ五浬地点へ転錨要求。

〔佛〕英國ノ上海中立化案正式受諾。



八、二〇

海軍航空隊広徳、九江飛行場爆撃、江南機器局モ爆破ス。江上軍艦浦東ノ敵砲撃。上海碇泊中ノ米旗艦オーガスタ号ニ支那軍高射砲弾落下、水兵十数名負傷。関東軍飛行機張家口空爆。

福州在留邦人全部引揚グ。

英米当局支那側ノ軍艦転錨要請ヲ拒絶。

八、二一

海軍航空隊漢口、揚州、徐州、筧橋空爆。敵機十数機上海襲来。揚樹浦方面ニ戦車、迫撃砲ヲ有スル大部隊襲来、我方邀撃。北支部隊良郷西南方ニ於テ激戦、同地西方ノ高地占領。津浦線ノ北支部隊七里堡占拠。

日高参事官帰鮮。青島邦人紡績同業会二十二日ヨリ閉鎖。

ソ支不可侵條約南京ニ於テ調印サル。上海外銀側ト中央三銀行トノ間ニ為替取極メニ諒解成立。

〔英〕我外務省ニ対シ書面ヲ以テ在上海居留民ノ損害補償ヲ要求。英米佛三艦隊司令長官我軍艦ノ虹口クリーク以東ヘノ転錨ヲ要請シ来ル。（我方拒絶）



八、二二

海軍航空隊江陰方面及ビ真茹、獅子林砲台、嘉定等空爆、又大場鎮、江湾鎮ノ敵砲兵陣地猛爆。北支部隊延慶其他要地爆撃。北支部隊張北ノ南方長城線ヲ越エ萬全ニ

九月三日臨時議会招集ノ詔書公布サル。閣議ニ於テ國民精神総動員実施要綱決定。中國亜細亜協会北支ノ自治確立宣言。

八、二三

進出。
北支部隊居庸関占領。
陸軍部隊海軍ノ協力下ニ上海附近ニ敵前上陸。
海軍航空隊南京江南機器廠、大場鎮、浦東敵砲兵陣地猛爆。
支那機投下ノ爆弾永安公司、先施公司ニ落下死傷数百。

満洲帝国協和会主催ノ満洲国民大会新京ニ開催支那軍膺懲ノ気勢アグ。
満鉄北支臨時総合機関設置決定。
青島邦人総引揚完了。

中国共産党領袖陳独秀ヲ釈放。
駐米大使王正廷、宋美齢ノ米国民ニ発テタルメッセージ発表。

〔米〕ハル長官日支両国ガ戦争ニ訴ヘザルヤウ要請ノ声明書発表。

八、二四

北支部隊八達嶺ノ敵戦線突破。
北支部隊大同方面爆撃。
津浦沿線ノ赤柴部隊静海県城占領。
海軍航空隊南京、昆山、嘉定、太倉、寧波、安慶爆撃。

北京治安維持会宛平県長ニ晋環成任命。

戦時軍律条例公布。
在英支那大使館英国ノ上海中立化案受諾ノコムミュニケ発表。

〔伊〕アヂスアベバ駐屯兵一千上海ニ向フ。

八、二五

湯浅部隊張家口占領。
蒙古軍長城線ニ沿ヒ中央軍三ケ師ヲ包囲潰走セシム。
北支部隊平須山占領。
海軍航空隊上海来襲ノ敵機三機ノ中二機撃墜。

長谷川第三艦隊司令長官支那沿岸一定区域ニ支那船舶ノ航行遮断ヲ宣言。

八、二六

海軍航空隊南昌爆撃。
上海上陸々軍部隊着々進出。
平綏線ノ北支部隊八達嶺及ビ上関占領。
北支部隊馬廠及ビソノ他要地爆撃。
南京ヨリ上海ニ向ケ戦線突破ノヒューゲッセン駐支大使遭難負傷。

外務省支那船舶ノ支那沿岸航行遮断ニツキ声明書発表。
陸軍教育総監更迭。
長谷川第三艦隊司令長官、支那人ノ上海避難復帰当分禁止ヲ布告。

〔ソ聯〕、オデッサ、ノヴォシビルスクノ両地ノ日本領事館ヲ九月十五日迄ニ閉鎖スルヤウ要請通告。

八、二七

陸軍部隊殷行鎮占領。
陸軍後続部隊上陸。
海軍航空隊南京爆撃。
平漢線ノ北支部隊揚子南南方ノ三八二高地奪取。
平綏線ノ北支部隊懐来占領。
関東軍張家口入城。

川越大使ヒューゲッセン大使ヲ見舞フ。
長谷川第三艦隊司令長官リットル英艦隊長官訪問、大使負傷ニツキ見舞。
青島居留民ニ引揚命令。
吉田駐英大使イーデン外相訪問、ヒューゲッセン大使ノ遭難ニツキ見舞。

〔米〕ハル国務長官米国ノ損害ハ日支ガ責任ヲ負担セヨト発表。

八、二八

陸戦部隊羅店鎮占領。
平漢線ノ北支部隊、北里西方高地及ビ石片ヲ占領。
平綏線ノ北支部隊懐来西方六里ノ沙城入城。

厦門ノ我官民引揚ゲ

王正廷駐米大使平和的処理ノ用意アル旨声明。

八、二九

倉永部隊長戦死。
津浦線ノ北支部隊唐官屯占領。

日高参事官上海着

国民政府ソ支不可侵条約全文発表

〔英〕ドッツ代理大使広田外相ニ対シヒューゲッセン大

二八

二九

北支部隊大同爆撃。
関東軍平綏線宣化入城。

八、三〇

支那軍首目爆弾米船プレシデントフーバア号ニ落下七名負傷。
江上軍艦市政府方面砲撃。
海軍航空隊徐州爆撃。
平綏線ノ北支部隊七〇〇高地占領。
北支部隊張家口西南

外務省ヒューゲッセン大使負傷事件ニ関スル英国ノ対日通牒内容発表。

国民政府国際聯盟事務局ニ対シ日支紛争ニ関スル覚書提出。

使遭難ニ関スル通牒手交ス。
〔米〕陸戦隊千三百名サンディーゴ発上海ニ向フ。
〔仏〕上海仏租界戒厳令ヲ施行ス

三〇

方ノ郭磊荘占領。

八、三一

海軍航空隊広東福州広徳爆撃。
陸海軍協力、呉淞砲台占領。
北支部隊王口鎮、小王荘並ニ滄州爆撃。

九、一

呉淞砲台奪回ノタメ来襲セル敵ト激戦。
我ガ後続有力部隊呉淞方面ニ上陸。
陸海空軍協力ノモトニ大場鎮、江湾鎮方面ノ敵陣地砲撃ヲ開始。

国民政府、団匪賠償金ヲ我ニ償還ニ決定。
王正廷ハル国務長官訪問、フーヴァ号事件ニツキ陳謝。
許世英駐日大使広田外相訪問、ソ支不侵略条約ニツキ「軍事密約ナシ」ト釈明。
前察哈爾省主席劉汝耕我ガ察哈爾作戦部隊ノ下ニ降伏ヲ申出ヅ（我方断乎拒絶）

三一

陸軍部隊上海上陸、共同租界市中ヲ行進。
海軍航空隊真茹無電台附近一帯ヲ爆撃。
我ガ軍獅子林砲台攻略。
平綏線ノ北支部隊懐安、永嘉ヲ占領。

九、二

海軍航空隊閘北、江湾、大場鎮方面ノ敵砲兵陣地爆撃。
閘北ノ敵虬口方面ニ砲撃シ来ル。陸戦隊直ニ応戦。

臨時閣議ニ於テ今次事変ヲ「支那事変」ト称スルコトニ正式決定。
広田外相在京外国新聞記者団招待、支那事変ヲ中心トスル帝国政府ノ態度方針ヲ

三二

声明。

九、三

敵ノ首目爆弾ニ静安寺路、イエーツ路角ニ於テ外人十六名負傷。
浦東側ノ敵我総領事館ヲ射撃シ来ル。陸海軍之ヲ反撃。

張学良一門ノ満鉄列車顛覆事件記事解禁。
察南自治政府張家口ニ成立、声明書発表。
北京治安維持会、徴税機関ノ統轄並ニ財政管理機関トシテ財務総管理処設置ニ決定。
懐来ニ治安維持会成立。

〔米〕ハル国務長官英米提携説ヲ否定。

九、四

海軍航空隊浦東及ビ閘北方面ノ敵ニ対シ徹底的爆撃ヲ敢行ス。

第七十二臨時議会開院式。
臨時資金調整法案、

英米仏三国現地海軍長官連名ヲ以テ兪上海市長ニ対シ、浦東

三三

我ガ軍艦、航空部隊ト呼應、汕頭南方ノ汕尾、及媽宮ヲ猛攻撃。

北支部隊唐官屯占領。

外國為替管理法改正案、出征軍人減免税法案家議院ニ提出サル。

察南自治政府成立式首政府ニ於テ挙行サル。

九、五

海軍航空隊南北支振路鉄道又其附近一帯ノ敵ヲ爆撃。其茄方面偵察中ノ部隊ハ北新涇附近ニ於テ移動中ノ敵大密集部隊発見爆撃ス。別動隊ハ隴海線東端ノ軍事要矣タル海州ニ出動

皇軍感謝決議案両院満場一致可決。

近衛首相帝國政府ノ方針ヲ全國ヘ放送。

海軍省、支那船舶ノ支那沿岸航行遮断拡大ヲ発表。

ノ支那軍撤退ヲ希望同時ニ長谷川艦隊司令長官ニ対シテモ日本江上艦隊ノ転錨ヲ懇憑。



敵ノ軍事施設爆撃。

陸軍部隊宝山城占領。

九、六

赤柴部隊静官屯占領。

北支部隊河北省境ノ要害千君台占領。

北支部隊馬廠河鉄橋附近ノ敵陣地猛撃開始。

陸海軍協力ノモトニ軍工路ノ頑敵掃蕩開始。

飯田部隊虹江碼頭占領。

我ガ警備艦広東珠江入口ノ赤湾猛攻、航空部隊モ赤湾砲台、

広田外相クレーギー英大使ニ対シヒューゲッセン事件ニ関スル中間回答通達。

アウリッチ伊大使堀内外務次官訪問支那事変ヲ中心ニ意見交換。

軍政府組織改正ニ関シ「軍事委員会ニ軍法施行総監ヲ設置スル」旨公布。



九、七

空安城爆撃。

海軍航空隊汕頭爆撃。

陸軍機上海戦線初飛翔。

海陸空軍上海随所ニ猛威ヲ揮フ。

陸軍部隊宝山カラ一斉ニ進出、クリーク線突破。

陸軍部隊羅店鎮西北方楊家店周宅ニ於テ第五十一師ノ約一千ヲ包囲殲滅ス。

海軍東沙島ヲ占領。

二十億二千二百万円ノ臨時軍事費事変関係各省所管経費四千二百余万円、並ニ特別会計追加予算案家議院通過、家議院戦時経済各案通過。

政府、院内閣議ニ於テ「事変終了ノ意義」決定。

外務省ヒューゲッセン事件ニ関スル対英

王正廷駐米大使記者團ト会見、日本軍ノ爆撃ニツキ逆宣傳ノ上米ノ同情ヲ求ム。

〔米〕上海米人商業会議所緊急理事会ヲ開催「支那ニ於ケルアメリカノ商業利権ノ撤退若クハ抛棄ヲ意味スル如何ナル政府ノ声明ニ対シテモ反対スルモノデアル」トノ決議文ヲハル國務長官ニ打電。



同答全文発表。

九、一八

十萬ノ共産軍北上ニ決定（UP上海電）

海軍航空隊厦門、杭州、広徳、嘉興ヲ爆撃。

陸軍部隊軍工路ノトーチカニ向ツテ突進第一、第二トーチカヲ奪取、沈家行鎮ヲ攻略。

臨時軍事費外各省追加予算案貴族院ヲ通過成立、戦時経済各案モ通過。

家議院、聖旨奉体、東亜安定ニ関スル決議案満場一致可決。

國民政府外交部我方ノ支那沿岸航行遮断ニ対スル報復手段トシテ支那沿岸ニアル日本艦船ハ支那空軍ノ爆撃目標トナルベキ旨、列國駐支代表ニ通告、同時ニ列國ノ艦船ハ日本艦船ニ近寄ラザルヤウ警告。

九、一九

北支部隊聚楽堡爆撃。

我海軍、海空呼應汕頭潮州ヲ猛攻。

虹口上空ニ敵機飛来

第七十二臨時議会閉院式挙行サル。

広東軍当局広東ト海岸ノ交通路タル珠江

南京ニ開催中ノ中央政治、常務両委員会聯合会議ニ於テ戦時最高政府会議法可決。

〔伊〕アウリッチ伊大使、在支伊國民ノ安全保護方ニツキ帝國政府ニ種々

我江上艦隊猛射撃退。

ノ夜間航行ヲ禁止スル旨発表。

須磨駐米大使館参事官ハミルトン極東部長訪問日支情勢説明。

九、一〇

北支部隊流河鎮占領。平綏線ノ北支部隊陽高県入城。津浦線方面ノ北支部隊馬廠総攻撃開始。陸戦隊陸家宅占領。陸軍部隊敵ノ重大作戦基点タル月浦鎮完全占領。

近衛首相、官邸ニ於テ内閣記者団ト会見、支那事変ニ対処スル内政問題其ノ他ニツキ談話発表。

依頼。

〔米〕ハル国務長官記者団トノ定例会見ニ於テ「米国政府ハ紛争ノ継続スル限リ支那カラ軍艦ヲ引上ゲル意図ハナイ」ト声明。

〔英〕クレーギー英大使堀内外務次官訪問在支英人ノ保護ニツキ種々打合。

三八

九、一一

平漢線方面ノ北支部隊房山高地占領。北支部隊察哈爾南部ノ要衝蔚山県占領。北支部隊馬廠占領更ニ潰走ノ敵ヲ急追青県ヲモ占領。北支部隊聚楽堡占領。羅店鎮、月浦鎮附近ノ陸軍部隊進撃開始。海軍機紅海湾、媽宮矢会爆撃。

国民精神総動員大演説会日比谷公会堂ニ於テ開催。

防空法施行令案要綱及官庁防空令案要綱決定。

外務省英米仏伊出先官憲ヨリ申出ノ浦東中立地帯案ニ関シ十日附ヲ以テ「帝国政府ハコノ種取極メハ先ヅ現地官憲ノ間ニ於テ研究セシムルコトガ最モ実際的ナリト思考スル」旨回答

国民政府、教育部学生ノ戦時服務規則ヲ決定発表。

三九

九、一二

北支部隊陽原占領。海軍航空隊江湾鎮、大場鎮、楊行鎮、上海市政府附近、及ビ浦東並ニ南北ポケツト地帯ノ敵陣地爆撃尚杭州筧橋飛行場、恵陽飛行場ヲモ爆撃。我ガ駆逐艦バイヤス湾ノ敵陣地破壊。陸軍部隊空軍ト協力、楊高鎮占領。

九、一三

北支部隊大同、広霊、興済鎮占領。陸戦隊遠東競馬場占領。

外務省日独伊防共協定締結ノ流説ニ対シ当局談発表コレヲ否定。

日支問題ヲ聯盟ニ提訴。

〔ソ聯〕オデッサ及ビノヴオシビルスクノ我領事館ニ対スル公認ヲ九月十五日ヲ以テ取消ス旨発表。

四〇

上海東部方面ノ敵第一線ヨリ嘉定ニ向ケ退却開始。上海市政府占領。

ソ聯ノ我二領事館

九、一四

北支部隊石家荘大爆撃。我軍艦虎門砲台砲撃敵ニ軍艦ヲ擱坐セシム。

〔伊〕エチオピヤヨリ派遣ノ伊太利軍一千名上海着。

九、一五

北支部隊固安入城。北支部隊太原済陽爆撃。北支部隊懐仁県占領。海軍機広東飛行場夜

寺内大将ヲ北支方面最高指揮官ニ松井大将ヲ上海方面最高指揮官ニ任命、両大将ハ現地ニ於テ指揮ヲ

顧維鈞支那代表、国際聯盟総会席上、日支紛争ニ関スル支那ノ聯盟提訴理由説明。

英米仏伊和各国艦隊司令官連名ヲ以テ日支両当局ニ対シ「日支両軍飛行機ハ租界上空ノ飛翔ヲサケ、

四一

| | | | | |
|---|---|---|---|---|
| | 襲。陸戰隊海州湾ノ要地東牛山島占領。 | トリツヽアル旨陸軍省発表。外務省支那側ノ支那事変聯盟提訴ニ対シ支那側ノ根據ナキ主張ヲ反駁。 | | 併セテ租界内ニ高射砲彈ノ落下セザルヤウセラレ度キ」旨申入レ。〔英〕ハウ代理大使王外交部長訪問。 |
| 九、一六 | 北支部隊保定大爆撃。涿州平原ノ敵総崩レ大追撃戦展開。海軍航空隊劉家行、江湾鎮、浦東、閘北方面ノ敵陣地爆撃。陸軍部隊羅店鎮東南ノ要地馬橋奪取。 | | | 國際聯盟理事会非公式会議ニ於テ、支那ノ提訴ヲ審議ノ結果二十三國委員会ヘ移牒ニ決定。 |
| 九、一七 | 北支部隊涿州豊鎮占 | | 王正廷大使ハル国務 | 〔米〕支那機ノ不法 |

四二

| | | | | |
|---|---|---|---|---|
| | 領。海軍航空隊嘉定、劉家行、大場鎮、江湾鎮 浦東、閘北方面ノ敵陣地爆撃。駆逐艦海口猛撃。 | | 長官訪問、米政府所有船舶ニヨル軍需品輸送禁止撤回ヲ懇願。 | 爆撃ヲ蒙ツタフウバー号ノ公式調査査問会サンフランシスコニ開催。 |
| 九、一八 | 閘北方面敵陣地ヨリ虹口方面ニ対シ砲撃シ来ル。敵機月明ヲ利シ虹口、楊樹浦方面ニ空襲、我艦猛然反撃、佛艦モ上空飛翔ノ支那機ニ砲口ヲ開ク。 | 外務省、國籍移転仮装ノ支那船ニ対シテハ臨機適当ナル措置ヲ講スベキ旨在京各國大公使館宛覚書傳達。 | | |
| 九、一九 | 北支部隊太原、石家 | | 支那事変ニヨリ鉄道 | |

四三

| | | | | |
|---|---|---|---|---|
| | 荘大爆撃。北支部隊蒙古高原ノ要地興和ヲ占領。北支部隊易州入城。海軍航空隊午前午后ノ二回南京ヲ空襲、敵二十六機ヲ撃墜。 | | 交通ニ大支障ヲ来シタルタメ、滬杭甬線玉萍線ヲツナギ更ニ湖南省株州ニ於テ粤漢線ニ連路スル新交通路ヲ二十日ヨリ開通スル旨発表。 | |
| 九、二〇 | 平漢線ノ北支部隊固城鎮入城。北支部隊石家荘爆撃。平漢線ノ北支部隊徐水占領。海軍航空隊南京、徐州、海州ヲ爆撃。敵機虹口方面ヲ夜襲。 | 長谷川長官、十九日附ヲ以テ南京及ビ附近在住ノ第三國人及ビ支那非戦闘員ニ対シ避難ノ通告及ビ勧告ヲ発ス。 | | 〔英〕クレーギー大使堀内外務次官訪問、長谷川司令長官ノ南京避難通告内容ニ関スル帝國政府ノ方針ヲ質ス。 |

四四

| | | | | |
|---|---|---|---|---|
| 九、二一 | 北支部隊保定及ビ滄州爆撃。平綏線ノ北支部隊旧平地泉占領。海軍航空隊広東空襲。陸軍部隊、羅店鎮、前線及ビ附近一帯ノ敵軍ニ対シ総攻撃開始。 | ヒューゲッセン事件ニ関スル最后的回答送附。 | 去ル十五日、日支両國ニ対シナサレタ英、米、佛、独、伊、和五ケ國海軍当局ノ申入レニ対シ二十日附拒絶ヲ回答。 | 聯盟総会席上ブルース豪洲代表支那事変ニツキ極東ニ重大利害関係ヲ有スル列強会議ヲ理事会ガ招集スベキ旨提案。聯盟二十三國諮問委員会日支独豪四國ノ参加ヲ要請スルニ決定。 |
| 九、二二 | 海軍航空隊南京大空襲、江陰砲台、広東ヲモ爆撃。海軍機初ノ山東空襲、兗州、済寧、徐州爆撃。 | 北京天津両治安維持会ヨリ委員二名ヲ選出シテ組織ノ北方治安維持会聯合会発会式天津ニ於テ挙行。 | 中國共産党「抗日救國ノ為ニ全國同胞ニ告グルノ書」発表國共合作ノ態度表明。 | 〔米〕我ガ軍ノ南京爆撃ニ対シ第二回目ノ抗議ヲ提出セル旨発表。 |

四五

| | | | | |
|---|---|---|---|---|
| 九、二三 | 海軍航空隊広東大爆撃。 | ヒューゲッセン事件ニ関スル対英回答全文発表サル。ヒューゲッセン事件解決ス。 | 蔣介石、中國共産党ノ國共合作声明ニ呼応シ「目下中國ノ進ムベキ方向ハ三民主義革命以外ニナイ」ト談話発表。 | 〔独〕二十三國諮問委員会招請ヲ拒否。〔英〕共産党員約二百名我ガ大使館前ニテデモ。 |
| 九、二四 | 北支部隊保定、平地泉、滄州占領。海軍航空隊広東爆撃。 | | | 〔仏〕我海軍ノ海南島砲撃ニ関シ説明ヲ求ム。 |
| 九、二五 | 海軍航空隊、南京、広東爆撃。 | 二十三國諮問委員会ノ参加招請ニ対シ拒否回答。天津治安維持会教育局、排日図書ヲ焼却 | | 〔米〕米國ハ和平團体、中立法発動要望ヲ打電。 |

四六

| | | | | |
|---|---|---|---|---|
| 九、二六 | 北支部隊慶州、河間、献県爆撃。内蒙軍陶林占領。海軍航空隊浙贛鉄道、広東、海口ヲ爆撃。 | ニ決定。 | | 〔ソ聯〕南京爆撃ニ対シ抗議申入。 |
| 九、二七 | 北支部隊河間爆撃。海軍航空隊広東市街及ビ北方粤漢鉄路、並ニ南京、浦口ヲ爆撃。 | 外務省外人記者團トノ定例会見ニ於テ南京、広東、空爆ニ対スル列國ノ非難攻撃ニ関シ情報部長談発表。 | 南京軍事委員会共産党首領朱徳ヲ察綏ノ抗日前敵総指揮官ニ任命。二十五日モスコウ駐劄支那大使館ヲ通ジソ聯ノ干渉ヲ要請。 | 國際聯盟二十三國諮問委員会我ガ空爆ニ対シ非難的決議文採択。 |
| 九、二八 | 山西ノ北支部隊朔県 | 陸軍省陸軍々人ノ服 | | 二十三國諮問委員会 |

四七

| | | | | |
|---|---|---|---|---|
| | 占領。海軍航空隊南京、広徳、蕪湖、句容、杭州爆撃。陸軍部隊劉行鎮ノ北端占領。我軍艦赤湾砲撃、東砲台ヲ破壊。 | 役又ハ在営期間ヲ全面的ニ延長スル省令公布。國際聯盟帝國事務局、我空軍ノ広東、南京爆撃ニ関シ我ガ真意説明。 | | 日支紛争問題審議ノ小委員会任命。 |
| 九、二九 | 北支部隊東光献県占領。海軍航空隊広東、南翔、嘉定、広徳、江陰爆撃。南北一帯ノ頑敵掃蕩ノタメ陸戦隊行動開始。 | 國際聯盟諮問委員会ノ非難決議ニ対シ外務省反駁声明書発表。 | 國民政府交通部大北電信、ソノ他外國通信機関ニ対シローマ字、日本語打電ヲ禁止スル旨布告。 | 〔英〕閣議ニ於テ聯盟英代表ノ提案ニヨル太平洋関係國際会議ノ提案ヲ承認。 |

四八

| | | | | |
|---|---|---|---|---|
| | 浦東側ノ敵陣地共同租界虹口方面ニ対シ砲撃シ来ル。 | | | |
| 九、三〇 | 山西ノ北支部隊代州占領。海軍航空隊南翔及ビ杭州附近ノ交通要地爆撃。上海北四川路ニ激戦展開。 | 帝國政府ハ我ガ南京爆撃ニ対シ二十二日附ヲ以テ抗議シ来レル英米仏三國ニ対シ二十九日附正式回答ヲ発ス。 | | |
| 一〇、一 | 津浦線ノ北支部隊山東省ニ突入。平漢線ノ北支部隊曲陽占領。北支部隊太原、徳州 | 外務省、列國ガ漸ク支那側ノ宣傳戦ニ採ラレントスルニ鑑ミ情報部長談発表。海軍省支那ジャンク | 上海市総商会対日経済断交ヲ議決宣言発表。聯盟分科委員会ニ対シ日本ヲ侵略國トシ | 聯盟二十三國諮問委員会十三ヶ國ヨリナル分科委員会任命。 |

四九

附近爆撃。
海軍航空隊大場鎮、劉行鎮附近ノ敵砲兵陣地爆撃。
陸軍部隊劉行鎮完全占領。
広東当局珠江ノ水路ヲ遮断各所ニ水雷敷設ス。

取締リニ関スル誤解一掃ノタメ副官談発表。
天津諸団体中日各界聯歓大会開催、明朗華北建設ヲ決議ス。

テ策動スル決議文草案提出。

一〇、二

北支部隊石家荘、太原爆撃。
内蒙軍百霊廟占領。
海軍航空隊、陸軍部隊ニ協力、嘉定、大場鎮、劉家行方面ノ敵陣地爆撃、江陰ヲモ

保定治安維持会成立。
献県治安維持会成立。

五〇

空襲敵艦ヲ爆沈。
海軍、海空呼応シテ虎門砲台攻撃。

一〇、三

津浦線ノ北支部隊滄州占領。
上海街道ノ敵主力南翔、大場鎮ノ線ニ退却開始。
上海戦線陸軍部隊一斉ニ進撃、海軍航空隊南翔、広東行宮、安慶爆撃。

支那政府系四銀行本日南京ヘ移転予定中ノ所英国側ノ反対ニヨリ中止サル。

一〇、四

宝興路ヨリ進出ノ陸戦隊、白保羅路ノ崇徳女学校占領。

貿易審議会初総会開催、臨時、輸出入品許可規則要綱ヲ承認、

国民政府十一月十二日招集予定ノ国民大会無期延期ヲ発表。

〔米〕グリーンAFL会長日本品ボイコット決議案ヲ大

五一

輸出入制限、及ビ禁止品目ノ全貌発表サル。

国民政府羅店鎮方面ノ第十師長李默庵ヲ罷免。

会ニ提出。

一〇、五

北支部隊洛陽爆撃。
陸戦隊三義里占領。
海軍航空隊上海戦線反覆爆撃。
陸戦隊中山県沿岸ノ一島ニ上陸。

定例閣議ニ於テ全国民ニ消費節約ヲ奨励スル根本方針決定。

団匪賠償金八九月分ヨリ支拂ヲ停止シ香上銀行ニ供託スル旨通告。

二十三国諮問委員会ノ報告書及ビ決議案聯盟総会ニ上程サル。シャム、ポーランド棄権宣言。
日支紛争報告書大国起草委員会決議案ノ起草アル。
〔米〕ルーズベルト大統領シカゴニ於テ国際政局ノ危機ヲ指摘、平和愛好諸国民ノ協力ヲ要

五二

請

〔英〕カンタベリー大僧正議長トナリロンドンニ反日大会開カル。

一〇、六

我装甲列車平原ニ進入同地占領。
海軍航空隊、南京、蕪湖、安慶等各地ヲ爆撃。

外務省米大統領ノ演説及ビニューヨーク・タイムスノ所論ニ関シ情報部長談発表。

張自忠済南ヨリ南京着、何應欽ト会見。

聯盟総会、諮問委員会提出ノ日支紛争ニ関スル決議案（九国会議招集ヲ提案）ヲ可決。
アガ・カン聯盟総会議長九国條約締結国タル聯盟各国ニ招請状発送。
〔米〕国務省日本ノ行動ハ九国條約、

五三

| | | | | |
|---|---|---|---|---|
| 一〇、七 | 海軍機広東及ビ粤漢鉄道爆撃。 | 斉藤駐米大使ハル国務長官訪問、六日ノ国務省声明ニ関シ会談。 | 蒋介石、AP南京特派員ト会見、ルーズベルト大統領ノ演説ニ呼応シ談話発表。<br>上海抗敵後援会軍法執行総監宛、張自忠ノ銃殺ヲ電請。 | ケロッグ不戦条約ニ抵触スト声明書発表。 |
| 一〇、八 | 北支部隊、正定、平督、崞県城ヲ占領。<br>内蒙軍武川ヲ占領。<br>海軍航空隊広東株州ノ要所爆撃。 | 軍報導部、松井軍司令官ノ声明発表ト同時ニ「中華民国人ニ告グルノ書」ヲ発表。<br>天津軍、叛逆間諜行 | 杜月笙、康光浦等上海財界有力者二十名、軍事委員会ノ招電ニヨリ南京着。 | 〔英〕イーデン外相ルーズベルト大統領ノ演説ニ対シ満足ノ意ヲ表明。 |

五四

| | | | | |
|---|---|---|---|---|
| | | 為取締リノ軍律、軍罰令公布。 | | |
| 一〇、九 | 北支部隊石家荘占領。<br>海軍航空隊、広東、従化、及ビ天河飛行場爆撃。一部ハ津浦線滕県及ビ徐州爆撃。<br>海軍省、事変勃発以来ノ戦果発表。 | 天津在住白系ロシヤ人、反共団体、極東ロシヤ人会ヲ結成ス。 | 非常時期印紙税暫定弁法制定実施。<br>孔祥熙シンガポールニ寄港、華僑総商会主催歓迎午餐会ニ於テ抗日演説。 | |
| 一〇、一一 | 海軍航空隊粤漢、広九両線ノ連接地帯及ビ南昌爆撃。<br>陸戦隊許山電信所占領。 | 臨時輸出入許可規則公布即日実施。<br>枢密院審査委員会、内閣参議官制承認。 | | |

五五

| | | | | |
|---|---|---|---|---|
| 一〇、一二 | 北支部隊寧晋占領。<br>海軍航空隊南京、広徳、蕪湖及ビ粤漢線爆撃、浦東ノ敵、迫撃砲機関銃ヲ以テ虹口地区ヲ攻撃シ来ル。江上艦隊直ニ反撃。 | 北平地方維持会「北平」ヲ「北京」ト改称スルコトニ決定発表。 | 孔祥熙シンガポール発帰国ノ途ニツク。 | 〔英〕上海英総領事、我ガ総領事館ニ対シ日本海軍飛行機ガ英人搭乗ノ自動車ヲ襲撃セリト抗議申入。<br>〔白・英〕駐日大使ヲシテ九国条約会議開催ニツイテノ我方ノ態度打診。 |
| 一〇、一三 | 北支部隊綏遠飛行場占領。<br>北支部隊太原忻口爆撃。<br>海軍航空隊粤漢線ノ要地衡陽爆撃。 | 京津地方治安維持会聯合会、国民政府ニ対シ和平停戦勧告ノ通電ヲ発ス。<br>枢密院本会議臨時内閣参議官制案可決。 | 李宗仁南京着。 | |

五六

| | | | | |
|---|---|---|---|---|
| 一〇、一四 | 北支部隊綏遠城及ビ帰化城、内邱、平原占領。<br>海軍航空隊衡陽爆撃。<br>浦東ノ敵軍虹口方面ヲ砲撃シ来ル、江上艦隊直ニ反撃。 | 斉藤駐米大使ワシントンノ全国記者倶楽部午餐会席上日支問題ニツキ演説。 | 孔祥熙香港着。 | 〔白〕九国条約会議開催国タルコトヲ正式ニ受諾。<br>〔英〕マンチェスターニ開催ノ英国商業会議所聯合会総会席上、同聯合会会頭ジオフレー・クラーク対日経済制裁ニ反対ス。 |
| 一〇、一五 | 京漢線ノ北支部隊順徳占領。<br>海軍航空隊潮州、粤漢線沿線要地、閘北、江湾、南翔ノ敵陣地 | 晋北自治政府成立式大同ニ於テ挙行サル。<br>北支ト満洲主要都市間ノ長距離電話開通。<br>臨時内閣参議官制公 | 王外交部長対米放送ヲ行ヒ日本軍誣告。 | 〔英〕十二日ノ英国人乗用車遭難事件ニツキ我方ニ抗議的通牒提出。<br>〔白〕来ル三十日 |

五七

五八

| | | | | |
|---|---|---|---|---|
| | 爆撃。 | 布、参議十名発令サル。 | | ブラッセルニ九国條約会議ヲ開催ニ決シタ旨発表。〔米〕ギブソン駐日大使ヲ通ジ九國條約会議ニ参加ヲ回答。 |
| 一〇、一六 | 北支部隊山西ノ飛行基地太谷、汾陽、臨汾爆撃。海軍航空隊南京、無錫、嘉善、崑山爆撃。 | 京綏線客車運転開始。 | | |
| 一〇、一七 | 北支部隊包頭、邯鄲ヲ占領。北支部隊太原、娘子 | 包頭ニ治安維持会結成サル。京漢線大興縣宛平縣、 | | 〔英〕労働党ロンドン支部、並ニロンドン労働組合評議 |

五九

| | | | | |
|---|---|---|---|---|
| | 関爆撃。海軍航空隊上海戦線並ニ蘇州爆撃。 | 良郷縣、房山縣ノ四鉄道愛護自治会発会式挙行サル。 | | 会共同主催ノ反日大会開催サル。 |
| 一〇、二八 | 京漢線ノ我ガ装甲列車、河南省境突破。我ガ艦隊所属機津浦線、隴海線ノ要地爆撃。海軍航空隊南京、漢口、上海戦線爆撃。海軍北海ノ軍事施設砲撃。敵飛行機虹口方面空襲。 | | 孔祥熙上海着。 | 〔米〕ボラー、ジョージ、ラフォレットノ三上院議員対日制裁反対ノ旨ノ警告ヲ政府ニ発ス。 |
| 一〇、一九 | 北支部隊正太、同蒲 | | | 〔米〕ルーズベルト |

六〇

| | | | | |
|---|---|---|---|---|
| | 沿線要地爆撃、一部ハ五原爆撃。海軍航空隊南京無錫爆撃。陸軍部隊着々敵ヲ西方ニ圧迫。 | | | 大統領、九國條約会議ニ関シ白紙ヲ以テ臨ムト公式声明。〔英〕全國被服業従業員組合、各組合員ニ日貨ボイコットヲ指令。 |
| 一〇、二〇 | 北支部隊忻口、娘子関、長治爆撃。海軍航空隊、南京、南昌、粤漢沿線及敵上海後方陣地爆撃。海軍省副官談ヲ以テ事変勃発以来本二十日迄ノ彼我飛行機ノ | 徳州治安維持会韓復榘ニ対シ和平勧告ヲ決定。 | | 〔仏〕労働総同盟執行委員会、日貨ボイコットノ指令ヲ発ス。〔米〕ジョンソン駐支大使、國民政府ニ対シ支那軍用飛行機ノ租界上空飛 |

六一

| | | | | |
|---|---|---|---|---|
| | 損害累計ヲ発表。 | | | 翔ニツキ警告 |
| 一〇、二一 | 海軍航空隊南京爆撃。上海陸戦隊新宅、戴家宅占領。正太線方面ノ北支部隊、井陘南方一〇三三高地占領。 | | 軍法執行総監部、各戦区内ニ軍法執行分処ヲ設ケ、多数ノ督察官ヲ派遣シ前線将兵ノ取締リニ任ズル旨発表。 | 〔英〕議会ニテ日支問題論戦。〔白〕九國條約会議参加ヲ我方ニ招請。 |
| 一〇、二二 | 津浦線ノ北支部隊、済南街道ノ要衝陵縣占領更ニ鳳凰城攻略。北支部隊京漢線漳河鉄橋確保。太原攻略戦ニ協力ノ航空隊娘子関、新関及ビ忻口鎮山嶽地帯 | 文部大臣更迭、木戸侯親任サル。閣議ニ於テ九國條約会議招請拒否ニ決定。商工省、棉花同業会、紡績聯合会、綿糸商組合聯合会、取引所、綿糸布輸出組合聯合会 | | |

| | | | | |
|---|---|---|---|---|
| | 敵陣地爆撃。海軍航空隊、南京、英莪爆撃、更ニ上海戦線ヲ爆撃。敵機虹口、楊樹浦方面ヲ夜襲シ来ル。 | 会及ビ綿織物、メリヤス、タオルノ各工業組合聯合会等関係諸団体ノ代表者招致、非常時綿業調整案決定、大要発表サル。 | | |
| 一〇、二三 | 北支方面臨邑爆撃、正太線ヲモ蹂躙。海軍航空隊南京、安慶、閘北方面、粤漢線沿線爆撃。大場鎮、江湾鎮ニ対スル我総攻撃開始。 | 東京陸軍航空学校ノ新設及ビ熊谷陸軍飛行学校ノ増強発表サル。 | 戦線視察ノ宋美齢重傷ヲ負フ。宋哲元済南ヨリ南京着、蒋介石ト会見北方事態ニ関シ協議。 | 〔ノルウエー〕ノルウエー国際平和委員会日本ノ対支行動非難ヲ決議。 |
| 一〇、二四 | 北支部隊忻口、娘子関方面爆撃。 | 第三艦隊報道班我海軍機ノ英軍陣地誤射 | | |

六二

| | | | | |
|---|---|---|---|---|
| | 海軍航空隊退却ノ敵主力追撃、真茹、江橋、南翔鎮、松江等爆撃。海軍渡洋部隊南京、漢口、南昌爆撃。上海全線敵軍総崩レ。 | 事件ニツキ当局談発表。 | | |
| 一〇、二五 | 海軍航空機津浦線、隴海線ノ各所爆撃、南、大場鎮、江湾鎮、南翔、松江、真茹方面ノ敵陣地、粤漢、広三、新寧各鉄路ヲ爆撃。我軍南京、上海間鉄路遮断。 | 企画院官制公布、川越大使トラウトマン駐支大使ト重要会見。長谷川長官、英兵誤射事件ニツキ遺憾ノ意ヲ表明。 | 国民政府軍事委員会宣傳部長陳公博ヲ罷免、後任ニ黄顕光ヲ任命。 | 〔佛〕滇越鉄道ヲ支那向軍需品輸送ニ使用セシメナイ旨言明。 |

六三

| | | | | |
|---|---|---|---|---|
| 一〇、二六 | 北支部隊娘子関占領、太原、済陽爆撃。海軍航空隊南京、句容爆撃。我軍大場鎮、廟行鎮、真茹無電台占領。空陸呼応シ厦門砲台猛撃。我陸戦隊金門島ヲ確保。 | 広田外相上海ニ於ケル米人誤射事件ニツキ米国大使館宛此種事件再発防止ノタメ必要ナル手段ヲ講ジタル旨公文ヲ以テ申入レ。 | 孔祥熙南京着、蒋介石等中央要人ト重要会見。 | |
| 一〇、二七 | 北支部隊太原猛攻撃。我軍真茹鎮閘北全区占領。陸戦隊北停車場、商務印書館占領。 | 我国ノ九国条約会議招請拒否正式回答発セラル。政府声明書発表。英兵誤射事件解決。 | 国民政府財政部、本日附河北省銀行紙幣ノ流通禁止ヲ発表。 | |

六四

| | | | | |
|---|---|---|---|---|
| | 我軍江湾鎮占領。陸軍省戦果発表。 | 綏遠公会堂ニ於テ蒙古大会開カル。 | | |
| 一〇、二八 | 北支部隊正太線上寿陽、楡次駅爆撃。海軍航空隊松江方面、南翔、嘉定、真茹、及ビ常州駅爆撃。 | 蒙古大会ニ於テ蒙古聯盟自治政府正式成立、政府主席ニ雲王、副主席ニ徳王ヲ推戴。 | 王外交部長、AP特派員ニ「日本ノ九国条約会議不参加ハソノ侵略ノ意図ヲ確認スルモノダ」ト語ル。 | 〔白〕独ソ両国ニ九国条約会議参加招請状ヲ発セル旨発表。 |
| 一〇、二九 | 北支部隊太原忻口鎮爆撃。北支部隊平定県占領。我軍蘇州河南岸一帯並ニ竜華方面ノ敵ニ対シ砲撃開始。 | 満洲国内全重工業日満合弁デ経営ニ決定。 | 蒋介石AP特派員ニ支那ハ今後五ケ年戦争ニ堪エ得ルト豪語ス。 | 〔英〕ジェスフィールド公園ニ於テ盲彈ノタメ英兵一名即死四名負傷セル事件ニツキ我方ニ抗議ス。〔独〕九国会議参加招請ヲ拒絶セル |

六五

六六

| | | | | |
|---|---|---|---|---|
| 一〇、三〇 | 正太線ノ北支部隊陽泉占領。陸海軍機蘇州河南岸ノ敵ヲ猛攻。 | 海軍省ジエスフィールド公園ノ英兵死傷事件ニツキ我軍ニ関係ナキ旨発表。 | 李済琛、蔡廷鍇等中華民族革命同盟ヲ正式解散スル旨支那紙ニ宣言発表。 | 旨発表。〔ソ聯〕九国会議ニ参加回答。 |
| 一〇、三一 | 北支部隊太原楡次等爆撃。海軍航空隊福州爆撃。我軍蘇州河ノ敵前渡渉開始。 | | | 〔米〕マニラ民主々義擁護同盟日貨ボイコット等反日決議ヲナス。 |

六七

| | | | | |
|---|---|---|---|---|
| 一一、一 | 正太線ノ北支部隊測石占領。艦隊所属機帰徳飛行場格納庫ヲ爆撃、泰安、兗州間ニ於テ軍用貨車数輛並ニ鉄路ヲ大破。 | | 国民政府外交部、九国会議ヲ前ニ長文ノ宣言書発表。 | 〔英〕イーデン外相九国会議ニ於テ米国ガイニシヤチーブヲトル事ヲ期待スル旨議会ニ於テ演説。 |
| 一一、二 | 北支部隊寿陽占領。海軍航空隊上海附近各敵陣地ヲ爆撃。南市ノ支那軍西方ニ退却開始。 | | 英米仏三国駐支海軍当局ヲ通ジ我方ニ対シ南市及ビ浦東ノ中立地帯化案ヲ提議シ来ル。共産党中央委員会国民党ニ対シ、(一)民衆運動ノ喚起、(二)国共両党公認ノ政治綱領 | |

六八

| | | | | |
|---|---|---|---|---|
| 一一、三 | 北支部隊忻口鎮占領。海軍渡洋部隊粤漢線数ケ所ヲ爆撃。海軍航空隊浦東ノ敵陣地猛爆。 | | 発表ノ件、(三)政府ノ改造、(四)軍政ノ革新等重大提言。支那赤十字協会日支双方ニ南市中立案提示。香港ノ中国、交通、農民、広東、広西、各銀行、日本側銀行トノ取引ヲ断絶シ日本貨幣ノ取扱ヒ禁止。 | 九国条約会議ブラッセルニ於テ開カル。 |
| 一一、四 | 北支部隊青竜鎮、閣城鎮、楡次、彰徳占領。上海戦線八字橋占領。 | | | |

六九

| | | | | |
|---|---|---|---|---|
| 一一、五 | 温州附近海岸ニテ作業中ノ我陸戦隊玉環島ニ上陸。同蒲線ノ北支部隊太原城北門ニ肉迫。 | 我国ノ満洲国ニ対スル治外法権撤廃、並ニ満鉄附属地行政権移譲ニ関スル条約、及ビ附属協定、ソノ他了解事項等日満間諸取極メ調印サル。 | | |
| 一一、六 | 北支部隊太原北門ヲ占領。海軍航空隊松江大爆撃。陸軍省公表、我軍ハ | 外務省、日独伊三国防共協定ニ関スル議定書全文並ニ右議定書ノ附録トシテ添附サレテヰル昨年十一 | | 九国条約会議対日回答文可決、事務総長ヨリ我来栖駐白大使ニ通達サル。 |

| 月日 | | | | |
|---|---|---|---|---|
| | 五日未明杭州湾北岸ニ敵前上陸ヲ敢行。 | 月二十五日ノ日独伊防共協定及同附属議定書全文発表。 | | |
| 一一、七 | 杭州湾上陸部隊六日早クモ黄浦江岸ニ達セル旨陸軍省発表。太原総攻撃開始。北支部隊南太原占領。黄浦口ヲ越エテ北進中ノ我軍、松江西方地区ニ於テ滬杭甬鉄道遮断。 | | 蔣介石ハ中央通信社ヲ通ジ日支直接交渉ハ今次事変ヲ解決スルモノデハナイトノ談話発表。 | |
| 一一、八 | 太原陥落。我軍江橋鎮攻略。蘇州河ノ敵総退却開始。陸海軍機各地ヲ猛撃。 | 九國会議ノ再招請ヲ拒否ニ決定。 | 政府系四銀行ニ対シ上海ヨリ南京引揚ヲ命令。 | |
| 一一、九 | 北支部隊太原、忻県ヲ占領。我軍上海ヲ完全ニ包囲、竜華、虹陽飛行場、七宝鎮、松江占領。我軍南市ノ咽喉ヲ扼ス。杭州湾上陸部隊楓涇鎮、青浦県城占領。海軍渡洋部隊蘇州、呉江、平望鎮、嘉興ノ軍事施設及ビ軍用列車爆撃。 | | | |





| 月日 | | | | |
|---|---|---|---|---|
| 一一、一〇 | 南市総攻撃開始。我軍嘉興占領。海軍、空海ヨリ廈門猛撃。 | | 九國会議支那代表部上海戦線ノ退却ハ戦略的理由ニヨルモノダトノ蔣介石ノ声明発表。 | |
| 一一、一一 | 北支部隊大名占領。陸軍部隊南市ニ突入。我軍浦東ニ上陸。海軍航空隊南京爆撃。我軍南翔駅占領。 | 松井軍司令官、英、米、仏、伊、独各国新聞記者團ト会見、上海ノ治安維持ニ列國ノ協力期待セズト語ル。 | | 〔英〕英国守備兵ガーデンブリッヂニ於テ我輸送船ノ蘇州河通航ヲ阻止ス。 |
| 一一、一二 | 北支部隊武定占領。我軍南市、南翔完全占領。尚広福鎮ヲモ占領。 | 北支内蒙ニ作戦ノ将兵ニ対シ優渥ナル勅語ヲ賜フ。九國條約再招請拒絶ノ正式回答ヲ発ス。上海工部局租界内ノ抗日團体ニ解散ヲ命ズ。第二艦隊報道班発表――本日午后五時半帝國海軍ハ支那側ノ閉鎖セシ黄浦江ノ防材ヲ除去シ船舶ノ通行ヲ可能ナラシメタリ。 | 軍事委員会政治訓練所及ビ上海市長俞鴻鈞支那紙上ニ上海支那人民家ニ告別ノ辞発表。 | |
| 一一、一三 | 北支部隊西安爆撃。北支部隊蒋梅店占領黄河ノ線ニ進出。陸軍新兵團揚子江岸白茆口ニ上陸。 | | | 九國條約会議再開。 |

七四

| | | | | |
|---|---|---|---|---|
| | 我軍嘉定、嘉善占領。黄浦江遡航ノ我ガ軍艦支那砲艦四隻鹵獲。 | | | |
| 一一、一四 | 北支部隊偏鎮、臨邑占領。我軍太倉、平望鎮占領。 | | | |
| 一一、一五 | 北支部隊晏城、邱県鶴山占領。我軍常熟、崑山占領。渡洋部隊蘇州爆撃。 | 満独二百万ポンドクレヂット成立。上海居留民、避難命令解除サル。 | | 九国条約会議英米仏三国代表起草ノ宣言案ヲ上程採択。 |
| 一一、一六 | 北支部隊威県占領。白茆口上陸部隊揚子江岸ノ福山要塞占領。 | | 国民政府最高首脳部会議行政機関ノ奥地移転ヲ決定、重慶臨 | |

七五

| | | | | |
|---|---|---|---|---|
| | | | 時首都トナル。蒋介石行政院各部ニ対シ十六日ヨリ三日以内ニ移転準備ヲ完了スベキヲ命令。政府、官吏並ニ雇員ノ八割ニ解雇ヲ申渡。 | |
| 一一、一七 | | 大本営令制定サル。 | 国民政府、首席林森南京発水路重慶ニ向フ。 | 〔米〕中立法発動論議、決議案委員会ニ附託サル。 |
| 一一、一八 | 我軍嘉興ノ一角占領。 | | 汪兆銘南京放送局ヨリ長期抗日演説。 | |
| 一一、一九 | 我軍常熟、嘉興ヲ完全確保滬南潯ヲモ占 | | | |

七六

| | | | | |
|---|---|---|---|---|
| | 領。我軍蘇州ニ突入。 | | | |
| 一一、二〇 | 北支部隊臨清占領。陸軍省本日迄ニ判明セル彼我ノ損害発表。 | 大蔵省ノ予算省議開始サル。共同租界内ノ抗日分子掃蕩ヲ要求。 | 国民政府遷都宣言発表。国民政府張自忠ヲ湖南省主席ニ呉鼎昌ヲ貴州省主席ニ任命。 | |
| 一一、二一 | 我軍太湖南方ノ要衝湖州ヲ占領。 | 石家荘ノ豫豊製紗公司並ニ石家荘電灯公司ハ興中公司ノ管理ニ移サレルコトニナリ引継アル。 | | |
| 一一、二二 | 海軍航空隊河南省周家口飛行場空襲。 | 察南、晋北、蒙古聯盟ノ三自治政府ヨリ | | 〔ソ聯〕ボゴモロフ駐支大使罷免。 |

七七

| | | | | |
|---|---|---|---|---|
| | 我軍無錫占領。 | ナル蒙疆聯合委員会成立。対英国民大会日比谷公会堂ニ開カル。 | | |
| 一一、二三 | 広東空襲。我軍艦、五通、高林ノ新要塞砲撃。 | 上海共同租界工部局当局、共産党機関紙「救亡日報」「申報」ニ対シ休刊命令。 | | |
| 一一、二四 | 海軍航空隊南京爆撃。渡洋部隊長沙爆撃。我軍湖州攻略。 | 上海共同租界工部局中華日報、神州日報、時事新報ニ対シ二十四日ヨリ民報、立報ニ対シテハ二十五日ヨリ夫々停刊スルヤウ非公式通告ヲ発ス。 | 孫科漢口ヨリ香港着暗躍。 | 九国条約会議報告書採択ノ上、無期休会ニ入ル。 |

マタ中央通訊社上海支社ニ対シテモ即時閉鎖命令。

一一、二五
海軍航空隊広東及粤漢線爆撃。

渡洋部隊南京猛襲。

河南省彰徳ニ各地代表民衆大会開カレ、自治政府樹立ヲ決議。

蒋介石外人記者團ト会見、吾人ハ一握ノ土、最後ノ一人ヲ失フマデ抗戦スルト語ル。

上海市長俞鴻鈞上海発香港ニ向フ。

一一、二六
海軍航空隊広徳爆撃。

太湖西南岸ノ要衝長興陥落。

國民政府諸機関ノ漢口移転完了。

江蘇省主席ニ顧祝同ヲ浙江省主席ニ黄紹雄ヲ任命。

七八

林森重慶着。

一一、二七
北支部隊山東省溥陶占領。

長興ヨリ西進ノ我軍浙江省境突破安徽省ニ入ル。

外務省ソ聯ノ我ウラヂオ総領事館圧迫ニツキ厳重抗議。

天津―黄河左岸ノ津浦線開通。

河南省自治政府成立式安陽縣城ニ於テ行ハル。

各國大使館ニ南京下流ニ強力ナル封鎖設備ヲ設定スルヲ以テコレガタメ揚子江ノ航行ハ遮断サレル旨公式通告。

南京衛戍司令官唐生智南京在留外人ニ避難ヲ勧告。

一一、二八
海軍機広東及粤漢線爆撃。

上海軍共同租界内ノ支那側新聞検閲所ヲ接收セル旨発表。

一一、二九
我軍江陰縣城及砲台
イタリー政府満洲國

七九

占領。

我軍常州、宜興攻略。

正式承認。

一一、三〇
我軍広徳占領。

閣議ニ於テ明年度予算総額二十八億六千八百万円可決。

陸軍当局十三年度一般会計陸軍予算ニツキ談話発表。

一二、一
大本営海軍報道部海軍ノ戦果発表。

スペイン、フランコ政権ヲ承認。

我ガ満洲國ニ於ケル治外法権撤廃実施。

聯合艦隊司令長官更迭、吉田善五中将新任。

八〇

氷沢香港総領事、香港政廳訪問抗日取締リヲ要求。

一二、二
海軍航空隊南京、広東爆撃。

我軍溧陽、金壇占領。

外務省ニ於テ満洲國スペイン間ノ相互承認公文交換サル。

一二、三
陸軍航空隊南京襲撃八機撃墜。
海軍航空隊広九、粤漢線爆撃。
我軍丹陽、郎渓占領
我軍上海共同租界行進、南京路事件勃発。
工部局側ノ我方要求承認ニヨリ円満解決。

一二、四
海軍航空隊南京及蘭州飛行場爆撃。
我軍溧水縣水陽鎮占
外務省日蘇漁業改訂條約折衝ニツキソ聯側ノ誠意アル態度要
在漢口國民政府外交部、二日蒋介石トトラウトマン駐支独大

八一

| 日付 | 軍事 | 政治 | 外交 |
|---|---|---|---|
| | 領。<br>我海軍敵艦平海鹵獲。 | 望ノ声明書発表。 | 使トノ間ニ重要会見ガ行ハレタト発表。<br>國際聯盟事務局ニ対シイタリーノ満洲國承認ニ関シ抗議提出。 |
| 一二、五 | 我軍句容占領。 | | |
| 一二、六 | 北支部隊隴海線開封爆撃。<br>海軍航空隊南京蕪湖ノ敵陣地猛爆。 | | 南京衛戍司令唐生智南京城門一斉閉鎖ヲ命令。 |
| 一二、七 | 海軍航空隊南京、蕪湖、潼関爆撃。<br>我軍棲霞山、青竜山、方山、宜城占領。 | | 蔣介石、宋美齢ト共ニ飛行機デ南京脱出。 |

八二

| 日付 | 軍事 | 政治 | 外交 |
|---|---|---|---|
| 一二、八 | 北支部隊山東省冠縣占領。<br>陸海軍航空隊南京爆撃。<br>我軍揚子江、江陰対岸ニ敵前上陸靖江ニ突入。 | 蒙古聯盟自治政府暫行組織法発表サル。政府機構及ビ主席以下人事決定。<br>駐支大使館、南京中立地帯設置問題ニツキ不可能ナル旨声明。<br>上海―蘇州間鉄道開通。 | |
| 一二、九 | 陸海軍航空隊南京爆撃。<br>海軍航空隊南昌空襲十六機撃墜。<br>我軍蕪湖、鎮江占領。<br>敵機上海上空ニアラ | 松井最高指揮官南京防衛司令官ニ対シ投降勧告十日正午マデニ回答ヲ要求。 | |

八三

| 日付 | 軍事 | 政治 | 外交 |
|---|---|---|---|
| | ハル。 | | |
| 一二、一〇 | 海軍航空隊粤漢線韶関爆撃。<br>我軍南京攻略ノ火蓋切ル、各城門占領。<br>我軍當塗占領。 | 政府閣議ニ於テ事変対策根本方針決定。 | |
| 一二、一一 | 海軍航空隊洛陽爆撃。<br>大本営海軍報道部事変発生以来ノ撃墜敵飛行機四八六ト発表。 | 天津治安維持会南京政府否認通電、新政権要望ノ声明発表。 | |
| 一二、一二 | 海軍航空隊南昌爆撃。<br>我軍南京城南側城壁全部占領。<br>我軍南京西南方ノ江 | | |

八四

| 日付 | 軍事 | 政治 | 外交 |
|---|---|---|---|
| | 浦城攻略。<br>我軍浦口占領。 | | |
| 一二、一三 | 海軍航空隊江西省、吉安、玉山飛行場爆撃。<br>我軍南京ヲ攻略、十一日我空軍ノ誤認ニヨリ米砲艦パネー号撃沈サレタル旨艦隊報道部ヨリ発表。 | 大本営、政府連絡会議開催。<br>広田外相グルー米大使訪問パネー号事件ニ関シ遺憾ノ意表明。<br>外務省英艦レディバード号事件ニ関シ情報部長談話発表。 | |
| 一二、一四 | 海軍航空隊南昌及ビ広九、粤漢線爆撃。<br>我軍揚州占領。 | 内相更迭末次海軍大将新任。<br>外務省パネー号事件、レディバード号事件ニ関ズル外交措置ニ | （米）パネー号事件ニツキ我國ニ抗議提出。 |

八五

| | | | | |
|---|---|---|---|---|
| | | 関シ発表。<br>近衛首相我國ノ國民政府ニ対スル態度ニツキ談話ノ形式ヲ以テ声明発表。 | | |
| 一二、一五 | | 京津地方治安維持会聯合会解散宣言。<br>冀東防共自治政府、中華民國臨時政府ニ合流ニ決定。<br>天津治安維持会解散ヲ宣言天津市政府ト改称。 | 宣傳部長邵力子、外人記者團トノ会見ニ於テ、支那ハ列國ノ援助ハ如何ナル形式デモ受諾スルガ日本ニ対シテハ飽クマデモ抵抗スルデアラウト語ル。 | |
| 一二、一六 | | 中華民國臨時政府天津、秦皇島両海関接收。 | 蒋介石漢口ヨリ抗日演説放送。 | 〔英〕レディバード号事件ニ関シ抗議 |

八六

| | | | | |
|---|---|---|---|---|
| | | | | 提出。 |
| 一二、一七 | 南京入城式 | 閣議電力國家管理要綱承認。 | 蒋介石広東軍ニ徹底的抗戦厳命。 | |
| 一二、一八 | 青島ノ情勢逼迫、支那軍邦人紡績工場焼却。<br>松井軍司令官「支那軍民ノ反省ヲ促スタメ暫ク時日ヲ藉サン」ト声明。 | 外務省日蘇漁業交渉督促ニ関シ談話発表。<br>社大党解党期成同盟声明書発表。 | | |
| 一二、一九 | | | | |
| 一二、二〇 | 渡洋部隊九江飛行場爆撃。 | | 國民政府新政権否認ノ声明書発表。 | 〔英〕駐支大使更迭。ジョン・カー・ク |

八七

| | | | | |
|---|---|---|---|---|
| | 我軍滁縣占領。 | | 南京ヨリ漢口ヘ移転ノ國民政府更ニ重慶ト長沙ニ分散移転ヲ開始。 | ラーク・カー任命。<br>イーデン外相下院ニテ中華民國臨時政府否認ヲ示唆。<br>英國ガ極東ヘ軍艦ヲ増派スル場合地中海ノ警備ヲ担当スルヤウ佛國ニ要請。<br>〔ソ聯〕元駐支大使カラハン以下政府高官七名ヲ反乱罪ニテ銃殺セル旨発表。 |
| 一二、二一 | | 政府閣議ニ於テ対支最高方針決定。 | | 〔佛〕國務会議ニテ印度支那ヘノ増兵 |

八八

| | | | | |
|---|---|---|---|---|
| | | | | 協議。 |
| 一二、二二 | 海軍航空隊南昌空襲。 | 大本営陸軍部パネー号事件ニ関シ我方ノ調査事実発表。 | 國民政府戦時農工商管理條令公布。 | 〔英〕海相ノ反対ニヨリ極東艦隊増強見合セ。 |
| 一二、二三 | 天津派遣軍青島、済南ヲ中心トスル山東軍ニ断乎タル処置ヲトル旨発表。<br>我軍余杭占領。 | 南京地方自治委員会組織完了。<br>京滬鉄道復旧開通。 | | |
| 一二、二四 | 我軍杭州占領。 | 通州事件解決。<br>閣議ニ於テパネー号事件ニ関スル対米正式回答決定。米大使ニ手交。 | | 〔米〕國務省パネー号艦長ノ報告公表。 |

八九

| 月日 | | | |
|---|---|---|---|
| | | 大本営海軍部パネー号事件ニ関シ我方ノ調査事実発表。第七十三議会成立。 | |
| 一二、二五 | 海軍航空隊海州、連雲港、沂州、襄陽其他爆撃。 | | |
| 一二、二六 | 長谷川長官廿六日午前八時以降青島ニ対シテモ航行遮断ヲ宣言 | ハルビンニテ極東ユダヤ人大会開カレ、日満両国支持ヲ決議、宣言発表。 | |
| 一二、二七 | 海軍航空隊兗州、徐州、ソノ他爆撃。 | 昭和十三年度一般会計予算綱要発表サル。 | 汪兆銘、張群ノ辞表提出説傳ヘラル。 |

〔米〕ハル國務長官パネー号事件ニ関スル我回答ニ満足ナル旨声明。

〔米〕パネー号事件ニ関スル対日回答手交。

九〇

| 月日 | | | |
|---|---|---|---|
| | 我軍済南、淄川占領。 | | |
| 一二、二八 | 北支部隊泰安、博山爆撃。 | レディバード号事件ニ関スル帝國政府ノ回答公文英大使ニ手交。<br>大本営陸軍部レディバード号事件ノ調査結果ニツキ発表。 | |
| 一二、二九 | 上海派遣軍南京攻略戦ニ於ケル彼我ノ損害発表。 | | |
| 一二、三〇 | 海軍航空隊広東、洛陽、津浦線、隴海線爆撃。 | レディバード号事件ニ関スル対英回答要旨発表。 | |

九一

| 月日 | | | |
|---|---|---|---|
| | 済南入城式。 | 日ソ漁業条約暫行協定再延長ノ議定書モスクワニ於テ正式調印了ル。<br>日伊通商追加協定ローマニ於テ調印。 | |
| 一二、三一 | 我軍博山占領。 | レディバード号事件円満解決、英政府ノ回答広田外相宛傳達サル。 | |

九二

# 昭和十三年

| 月日 | 戦況 | 日本側 | 蒋政権側 | 援蒋国側 |
|---|---|---|---|---|
| 一、一 | 海軍航空隊粤漢線爆撃。山東ノ我軍泰安及ビ肥城占領。 | 南京自治委員会、済南治維会、杭州治安維持会成立。 | 国民政府、政府ノ改組、国内諸政策ノ刷新ヲ発表。 | |
| 一、二 | 海軍航空隊南昌安慶等爆撃。 | | | |
| 一、三 | | | | 〔米〕大統領ハ教書ニ於テ世界ノ平和維持ノタメニハ軍備強化コソ急務ナル旨強調。 |
| 一、四 | 海軍航空隊漢口空襲、四機撃墜十機爆破。我軍曲阜、兖州占領。 | 中華民国臨時政府組織大綱正式発表サル。 | | 〔米〕香港湾内ニ大空軍根拠地建設ヲ発表。 |
| 一、五 | 海軍航空隊粤漢線沿線爆撃。我軍鄒県占領。 | | 国民政府上海工部局ノ抗敵行為取締リ布告ニ関シ英米仏三国ニ抗議。 | 〔米〕ルーズベルト米大統領議会ニ対シ予算教書提出、国防費九億九千百万ドル。 |
| 一、六 | 渡洋部隊漢口空襲、海軍航空隊武昌爆撃。 | 政府書記官長談ヲ以テ対支態度ニツキ声明書発表。 | | |
| 一、七 | 海軍航空隊南昌爆撃、七機撃墜。 | 中華民国臨時政府、聯合準備銀行設立ヲ声明、設立委員発表。 | | |
| 一、八 | 海軍航空隊南寧空襲、六機撃墜、我軍膠済線青州占領。 | | 財政部上海銀行公会及ビ銭業公会ニ対シ各金融業者ノ昨年度ニ於ケル利益金ノ自由処分ヲ禁止 | |
| 一、九 | 海軍航空隊南昌空襲。 | | | |
| 一、一〇 | 海軍航空隊吉安、衢州爆撃。我軍済寧占領。海軍陸戦隊青島占領。 | | | |
| 一、一一 | 海軍航空隊漢口空襲。 | 御前会議ニ於テ抗日根絶ノ我対支最高方針決定。厚生省開設、木戸文相兼摂。 | 武漢衛戍司令部組織条令公布サル。司令ニ陳誠就任。 | |
| 一、一二 | 海軍航空隊南昌、海南島爆撃。陸軍部隊青島上陸。 | | 孫科ヘーグ着、ソ聯代表ト密議。 | |
| 一、一三 | 海軍航空隊広東各地爆撃。 | | ヘーグ支那公使館ニ於テ孫科司会ノモトニ在欧支那大公使会議開カル。 | |
| 一、一四 | 海軍航空隊粤漢線沿線爆撃。膠済線ノ我軍高密占領。 | 閣議ニ於テ対支強硬策遂行ニ決定。 | 国民政府行政組織改造ヲ発表。 | |
| 一、一五 | 海軍航空隊南昌、漢 | 大本営政府連絡会議 | | ブラツセルニ開催ノ |

一　二　三　四

五

一、一六
口、長沙等爆撃。

開カル。

陸軍省朝鮮ニ志願兵制施行ヲ発表。

外務省、ソ聯ノ在ウラヂオ、哈府、ブラゴヴェスチエンスク帝国総領事館ニ対スル不当措置ニ関シ当局談発表。

政府「爾後、国民政府ヲ相手トセズ」ト対支方針声明。

満洲国政府、我政府ノ対支方針ニ賛同ノ旨声明。

国際労働組合聯盟、第ニインターナショナル、合同会議日貨排斥ヲ決議。

六

一、一七
青島治安維持会発会式挙行。

孫科モスクワ着。

一、一八
広田外相川越大使ニ帰朝命令。

国民政府我対支声明ニ対シ反駁的声明発表。

〔米〕ルーズベルト大統領記者団トノ会見ニ於テ中立法不発動ヲ言明。

一、一九
閣議、電力国家管理案可決。

外務省独大使ノ斡旋ニヨル日支和平交渉経過ニツキ当局談発表。

一、二〇
海軍航空隊広東省諸地点爆撃。

緊急地方長官会議開カル。

許世英支那大使横浜出帆帰国。

〔米〕シアトル碇泊中ノ邦船日枝丸爆

七

一、二一
中華民国臨時政府行政委員長王克敏、関税改正ノ理由及ビ改正品目税率発表。政府改正税率布告。

支那大本営、任務遂行ニ失敗シタル罪ニヨリ、軍団長一名、軍法会議判事二名、少将一名、電信主任一名、団長二名、営長三名、合計九名ヲ死刑ノ旨発表。

沈陰謀発覚。

一、二二
海軍航空隊衢州玉山ヲ空襲。

第七十三通常議会開カル。

首相、外相共ニ一、一六声明ニ関スル質問ニ対シ蒋政権ト断絶、防共単一政権ヲ待望

八

一、二三
スル旨声明。

衆議院本会議ニ於テ宣戦布告問題ニ関スル質問ニ首相、絶対ニ宣戦布告ヲ奏請セヌ考ニ非ズト言明。

国家総動員法案要綱発表サル。

一、二四
海軍航空隊宜昌空襲、十六機撃墜、南長沙、徐州爆撃。

蒋復渠銃殺サル。

孫科ソ聯ヨリ戦車二百台購入調印ヲ了スト傳ヘラル。

一、二五
津浦線北進部隊張家営占領。
中華民国臨時政府日支提携ノ指導的機関
〔英〕労働党首、労働評議会代表ハ首

| | | | | |
|---|---|---|---|---|
| | | トシテ日支経済協会ヲ北京ニ常設ニ決定。 | | 相ニ対日経済制裁ヲ進言。 |
| 一、二六 | | 衆議院デ外相ハ日支経済工作ニ関スル方策ニ関シ北支中支ニ国策会社設置ノ意向ヲ答弁。 | 隴海、京漢両沿線地区ノ支那軍最高司令官ハ漢口デ合同軍事会議開催。 | |
| 一、二七 | 海軍航空隊南昌空襲 | 貴族院本会議デ首相外相ハ冀東自治政府ハ中華民国新政府トハ別個ノ存在トシテ発展スル旨言明。 | 康沢ハ隴海線防衛軍総司令兼河南省政府主席ニ任命サル。 | |
| 一、二八 | 陸軍飛行隊ハ津浦、隴海線ヲ爆破更ニ徐 | 満洲移民ノ具体案決定。 | | 聯盟理事会ニ日支問題上程ニ決定。 |

九

| | | | | |
|---|---|---|---|---|
| | 州飛行場ヲ空襲。 | | | |
| 一、二九 | 陸軍航空隊ハ洛陽、鳳陽ヲ空襲。 | | | 〔米〕ハル長官ハ対支武器供給案ニ米国ハ参加セズト言明。〔仏〕対支武器供給案ニ反対ヲ表示。 |
| 一、三〇 | | 通州事件賠償金残額八十万円ハ臨時政府支弁ニ決定、臨時政府冀東政府ノ合流協定正式調印行ハル。 | | 聯盟理事会支那側上程ノ対支援助案黙殺ス。 |
| 一、三一 | 陸軍航空隊洛陽爆撃。 | 上海白系露人ガ防共 | 孔祥熙ハ漢口デ聯盟 | 〔英〕シンガポール |

一〇

| | | | | |
|---|---|---|---|---|
| | | 団体ヲ組織積極的反共運動ヲ開始。 | ニ対スル希望不棄ヲ演説。 | 中心ニ海、陸、空聯合演習行ハル。国際聯盟上程ノ対支援助義案不採択ニ終ル。 |
| 二、一 | 津浦線北進部隊臨淮関占領。海軍航空隊寧波空襲。 | 衆議院予算総会デ外相ハ対支賠償要求ハ駐屯軍ノ経費モ包含スル旨言明。 | | |
| 二、二 | 津浦線北進部隊蚌埠占領。 | 衆議院予算総会デ海相ハ帝国軍備ハ自主的、米ノ軍拡暫ク静観スト言明。 | 武漢衛戍司令部ハ罷工ヲ惹起シ煽動ヲ図ル者ヲ厳罰ニ処ス旨ヲ発令。 | 聯盟理事会ハ利害関係国間ノ対支援助ヲ期待スト対日決議案可決　閉幕。 |
| 二、三 | 我軍芝罘占領。 | 衆議院赤字公債委員 | 汪兆銘ハ漢口デ外人 | |

一一

| | | | | |
|---|---|---|---|---|
| | 津浦線北進部隊ハ淮河ノ敵前渡河ニ成功シ懐遠城占領。海軍航空隊厦門爆撃。 | デ陸相、事変以来ノ戦死者二万余名ト発表。満洲国ハ産業五ケ年計画ノ大修正ヲ行フニ決定。 | 記者団ニ対シ対日長期抗戦決意強調。 | |
| 二、四 | | | 四川将領間ニ張群主席就任反対ノ声高ク成都ニ戒厳令布カル。 | 〔米〕北支駐屯軍ノ一部ヲ引揚ニ決定。 |
| 二、五 | 我軍蓬莱占領。海軍航空隊広東、及ビ粤漢、広九鉄道沿線爆撃。 | 衆議院赤字公債委員会デ蔵相ハ中国聯合準備銀行設立ニ関シ発表。 | 成都、昆明間ノ鉄道建設ニ決定。蒋介石、余漢謀ニ広東沿岸防備ヲ命ズ。 | 〔英、米〕建艦問題対日通告文ヲ我ガ外務省ニ通達。 |
| 二、六 | 津浦線北進部隊懐遠 | 建艦通告文ニ関シ海 | | |

一二

占領。沖快速部隊竜口占領。海軍航空隊麗水ヲ猛爆。

…軍首脳部協議。國家総動員法案ニ政党側大局的諒解。

対英米佛建艦通報案回答文ハ海外両相間デ打合セノ結果意見一致ス。

二、七

外人編成支那爆撃機七機蚌埠淮南ノ我陣地ニ飛来。京漢線南進部隊南楽縣城占領。

衆議院第四分科会ニ於テ陸相ハ國防六ケ年計画ハ修正ノ要アリト答弁。衆議院第一分科会デ外相ハ対支講和交渉内容タル賠償ノ件ニ関シ答弁。中華民國臨時政府ハ中國聯合準備銀行條令ヲ公布。

國民政府罹災者ノ為「救済委員会」設立ニ決定。

〔佛〕英米ト同趣旨ノ建艦通報案ヲ発ス。



二、八

海軍航空隊宜昌、武漢ヲ爆撃。津浦線北進部隊ハ敵前渡河ヲ敢行対岸ニ進出シテ淮河ヲ確保。京漢南進部隊清豊縣城占領。

英、米、佛建艦計画通告要求ニ関シ外、海相協議ノ結果回答文案作成完了。対支新機関ノ初代長官ニ白鳥公使決定。谷公使ヲ上海ニ派遣。

CC團ノ首領陳立夫ハ「三民主義青年團」ヲ組織。蔣介石ハ漢口デ主権ト名誉ノ毀損セザル平和ハ考慮出来ヌト豪語。

二、九

海軍航空隊長沙空襲、更ニ海城、襄陽、南陽等ノ各飛行場爆撃。

陸海軍当局、中支占領地区一帯ノ支那側財産ハ軍事管理ニ決定。

二、一〇

衆議院ハ予算委員会各分科会ヲ開キ明年度予算案ヲ原案通リ可決。



二、一一

海軍航空隊武昌軍官学校爆撃。京漢線南進部隊ハ湯陰總攻撃ヲ敢行。

中國聯合準備銀行創立総会開催。北支開発指導機関ニ日支経済協議会設立ニ決定。

二、一二

敵機蚌埠、済南ニ飛来。海軍航空隊鄱陽湖畔星子ヲ空襲。

明年度予算案衆議院ヲ通過。対英米佛建艦通報案回答文手交。企画院ノ北支開発会社法原案成ル。

蔣介石「國府命令」ヲ以テ四川軍慰撫ニ鄧錫侯ヲ利用。

〔米〕我政府ノ建艦通告拒否ニ関シ官辺ハU・P記者ニ対シ五月迄ニロンドン條約ノエスカレーター條項ヲ援用スル旨ヲ明ニス。



二、一三

京漢線部隊長垣ヲ占領。海軍航空隊広東省各地ヲ爆撃。

衆議院ニ支那事変特別税法案、臨時利得税法中改正法律案、臨時租税措置法案、日満國税徴収事務共助法案ヲ提出。

國民政府ハ事変ノ犠牲トナツタ支那避難民ヲ陝西、甘粛、湖南、広西等ニ移植スルニ決定。

二、一四

杭州ノ残敵ゲリラ戦デ我軍ニ逆襲。

二、一五

京漢線方面ノ我軍衛輝附近ノ敵陣地突破。

二、一六

京漢線部隊輝縣、封邱、大平鎮占領。

〔英〕在支英國汽船ハ支那防衛ニ援助

| | | | | |
|---|---|---|---|---|
| | 海軍航空隊粤漢、広九両鉄道爆撃。陸軍航空隊ハ京漢線黄河鉄橋爆破ヲ敢行。 | | | セシムル旨当局上院デ声明。 |
| 二、一七 | 山西方面部隊汾陽占領。 | 臨時軍事予算四十八億五千万円大蔵省議デ決定。 | | |
| 二、一八 | 海軍航空隊衡陽飛行場並ニ重慶飛行場爆撃。 | 大本営陸軍部新情勢ノ作戦ニ即応シ出動部隊ノ一部交代整理ヲ行フ旨発表。 | | |
| 二、一九 | 海軍航空隊重慶飛行場爆撃。北支部隊潞安占領。 | 在華紡績同業会ハ委員会開催、青島紡績復興計画具体案検討。 | | |

一七

| | | | | |
|---|---|---|---|---|
| 二、二〇 | 陸軍航空隊山西省高平、沁源ヲ爆撃更ニ京漢、同蒲西線ニ集結中ノ共産軍ニ大打撃ヲ与フ。北支部隊清化鎮占領。 | ドイツ満洲國ヲ正式承認ス。 | | |
| 二、二一 | 京漢線部隊懐慶占領。陸軍航空隊隴海線洛陽、鄭州間ノ連絡遮断。海軍航空隊衡陽、宜昌、麗水、吉安各飛行場爆撃。 | | | |
| 二、二二 | 海軍航空隊広東虎門、 | 彰徳、湯陰間鉄道修 | 許世英全國難民救済 | |

一八

| | | | | |
|---|---|---|---|---|
| | 粤漢鉄道沿線爆撃。 | 復成ル。 | 会委員長ニ就任。蒋介石、トラウトマン独大使ト会見。 | |
| 二、二三 | 敵機台湾ニ襲来。海軍航空隊吉安飛行場空襲。 | 上海方面軍最高指揮官松井大将畑大将ト交代。杭州湾上陸司令官柳川中将交代帰還。 | | |
| 二、二四 | 敵機漸衛ニ飛来。陸軍航空隊離石、中陽、霍州各地ヲ爆撃。海軍航空隊福州、漳州、五山等爆撃。我軍長江ヲ遡江シテ敵前上陸シ直ニ魯港 | 國家総動員法案衆議院ニ上程。敵機東進ノ報ニヨリ西部防衛司令部、北九州、南九州ニ警戒警報発令。 | ドイツノ満洲國承認ニ対シテ抗議提出。 | |

一九

| | | | | |
|---|---|---|---|---|
| | 鎮、三山鎮ノ残敵掃蕩。 | | | |
| 二、二五 | 海軍航空隊南昌飛行場空襲、敵機三十七ヲ撃墜。山西ノ我軍離石占領。陸軍航空隊臨汾停車場爆撃。同蒲線霊石陥落。 | 日本銀行ハ満洲國産業開発資金トシテ満洲中央銀行ニ一億円程度ノクレヂット供与ニ決定。 | | （英）外相後任ニハリファックス氏正式決定。 |
| 二、二六 | | 対中國聯合準備銀行ノクレヂット意見一致シ條件内定。中國臨時政府ハ北支災害地区ノ農民救済ノ為、行政委員会振 | 國府教育部ハ昆明ヲ支那教育ノ中心トナスベク学生三百名ガ長沙ヨリ昆明ニ向ツタト傳ヘラル。 | |

二〇

| | | | | |
|---|---|---|---|---|
| | | 済部ニ農鉱事務処ヲ設置、積極的救済ニ乗出スニ決定。 | | |
| 二、二七 | 山西ノ我軍霍県占領。中村部隊臨汾占領。森本部隊趙城占領。 | 陸海外三省デ協議中ノ対支経済局ノ新機関ノ大綱内定。臨時軍事費追加案衆議院ニ提出サル。 | | |
| 二、二八 | 陸軍航空隊曲沃鉄路爆撃。海軍航空隊襄陽宜昌等爆撃。 | ソ満国境満領ノルミ山ニ於ケルソ聯兵ノ越境事件ニ関シ満洲國外交部当局ハソ聯政府ニ厳重抗議。 | | |
| 三、一 | 大本営海軍報道部ニ | 上海総領事ニ日高信 | | |

二一

| | | | | |
|---|---|---|---|---|
| | 月中及ビ事変以来ノ海軍航空隊ニヨル彼我ノ損害ニツキ発表。<br>二月中<br>支那側　一五六機<br>日本側　一三機<br>事変以来<br>支那側　八四六機<br>日本側　七八機 | 六郎氏任命。北支経済委員会々長ニ平生氏内定。 | | |
| 三、二 | 石黒部隊沁水占領、金剛部隊ハ曲沃突破。岡崎部隊汾城占領。 | 衆議院予算総会デ蔵相臨時軍事費支出額ハ一ケ月約四億円ナル旨答弁。同蒲線平遥、汾陽間ノ支線修理完成開通。 | 航空委員会主席ニ宋子文就任。第五路軍副総司令白崇禧軍事委員会軍事訓練部長ニ新任。 | 〔英〕一九三八、三九年度軍事予算ヲ総額三億四千三百万磅ト発表。 |

二二

| | | | | |
|---|---|---|---|---|
| 三、三 | | 中國臨時政府山東山西両省ヲ其治下ニ編入 | | 〔英〕明年度陸軍予算案一億六百五十万磅ト発表。〔米〕下院海軍委員会ヴインソン建艦法案採択 |
| 三、四 | 森本部隊侯馬鎮占領。 | | 重慶ニ開催サレタ中常会デ青海省主席馬麟ヲ陳立夫後任國府委員ニ、青海省保安署長兼第百師々長馬歩芳ヲ青海省主席ニ、呉開先ヲ中央組織部副部長ニ、黄顕光ヲ中央宣傳部副部長ニ任命。 | 〔英〕明年度海軍予算案ハ一億二千三百七十万七千磅ト発表。〔米〕二月中対外武器輸出四百十二万弗ト発表。〔和〕下院ニテウインロープ共産党領袖ハ蘭領東印度ノ |

二三

| | | | | |
|---|---|---|---|---|
| | | | | 敵ハ日本ノミト誹謗。 |
| 三、五 | 久野村、千田、若田各部隊、河曲県城占領。岡崎部隊黄河左岸ノ河津占領。 | | 雲南、ビルマ間ノ鉄道敷設ニ関スル英支借款成立、中英公司ガ建設スルニ決シタト傳ヘラル。 | |
| 三、六 | 金剛部隊蒲州占領。 | 中國臨時政府ハ北支農村復興ノ為建設局設置ニ決定。任支外交機関統轄ノ重要任務ヲ帯ビ谷公使上海着。青島港開港式挙行サル。 | | 〔米〕英領南太平洋フエニックス群島中ノエンダベリー、カントン両島ノ公式継承ニ関スル行政命令ニ大統領ノ署名ヲアシタ旨言明。 |

二四

| | | | | |
|---|---|---|---|---|
| 三、七 | 金岡部隊渭水渡ヲ占領。 | 衆議院予算総会デ外相、英國ノ日支和平交渉斡旋説ハ事実無根ナル旨答弁。<br>中國聯合準備銀行ノ一億元クレヂット設定要求ニ我金融團係件付デ供與應諾ニ決定。 | | |
| 三、八 | 陸軍航空隊襄陽飛行場ヲ空爆四機撃墜。<br>陸軍航空隊西安飛行場空襲十五機撃墜、七機地上爆破。 | 衆議院デ四十八億五千万円ノ臨時軍事費追加予算案及ビ十三年度追加予算案可決サル。 | | |



| | | | | |
|---|---|---|---|---|
| 三、九 | | | | 〔英〕下院ニテ國軍次官シンガポールドック使用ヲ外國ニ許可スル旨言明。 |
| 三、一〇 | 我軍陝西省ニ突入。 | 中國聯合準備銀行開業。 | 昆明ビルマ間ノ新設道路ハ十五日完成スル旨発表。 | |
| 三、一一 | 陸軍航空隊西安飛行場空襲。 | | | |
| 三、一二 | | 臨時軍事費予算案貴族院通過。 | | |
| 三、一三 | 海軍航空隊陝西省南鄭飛行場空襲。 | 北支那開発株式会社中支那振興株式会社 | | |



| | | | | |
|---|---|---|---|---|
| | | ノ二法案要綱原案法制局審議終了。<br>独墺合邦正式決定。 | | |
| 三、一四 | 陸軍航空隊西安飛行場爆撃。<br>津浦線南下ノ福栄部隊界河占領。 | 北支産業開発株式会社及ビ中支振興株式会社ノ払込金ハ前者第一回デ全額、後者ハ二千万円ニ決定。 | 國民政府財政部ハ上海ニ於ケル為替ノ統制売ヲ停止シ漢口中央銀行ニ集中セシメテ弁事処ヲ香港ニ設置スル旨発令。 | 〔英〕首相ハ下院デ欧洲情勢ニ対処シ軍備拡張ヲナス旨言明。<br>〔佛〕チエッコヲ独乙ガ侵略スル場合ハアクマデ相互援助條約ヲ守ル旨ノ決意ヲ表明。<br>〔佛〕墺國、スペインノ情勢悪化ニ伴ヒ緊急國防会議 |
| 三、一五 | 海軍航空隊麗水飛行場爆撃。<br>金岡部隊完全ニ隴海 | 外務省十三年度追加予算ニ北支領事館増設費六十七万円要求。 | | |



| | | | | |
|---|---|---|---|---|
| | 線ヲ遮断。<br>海軍航空隊、吉安、天河台、雲従、南昌漢口ノ各飛行場爆撃。 | | | 開催。 |
| 三、一六 | 長谷川部隊蕪湖、湖州街道ノ孫家埠占領。 | 北支開発、中支振興両会社法案院内閣議デ決定。<br>國家総動員法案衆議院無修正通過。 | | 〔ソ聯〕日独伊三國ヲ除キ國際会議招請。<br>〔英〕シンガポール軍港ニ八十万磅ヲ投ジ充実ヲハカル |
| 三、一七 | 海軍航空隊南昌飛行場爆撃。<br>佐藤支隊海軍協力下ニ揚子江北岸ニ上陸直ニ北進、平湖占領 | 伊訪日親善團長崎上陸。 | | |

三、一八　三、一九　三、二〇

谷川部隊海軍協力ノモトニ崇明島ニ上陸。

我軍安吉（浙江省）占領。

鯉登部隊吉縣占領。


増税案修正妥協ナリ所得税ニ割五分五厘引下ゲ減収額千二百六十六万七千円。衆議院予算総会デ外相、中國臨時政府ノ承認ハ時期尚早ノ旨答弁。

増税諸法案衆議院ニ上程可決。

中支占領北域内ノ内河航行ニ関シ軍事上取締リヲ設ケルニ決

ニ決定。

〔波〕リスアニアニ軍隊ノ集結開始。

二九

三、二一　三、二二　三、二三

我軍嶽樹頭占領。


シ我陸、海、外三当局必要事項ヲ発表。

臨時政府関税改正ヲ実施ス、天津、秦皇島海関ハ直ニ適用、青島、芝罘ハ四月一日ヨリ実施ニ決定。

臨時政府排日教育ヲ根絶セシメル旨ノ方

國民政府財政部ハ在上海支那民間銀行ニ対シ、一口英金二十磅ヲ限度トシテ其用途ヲ明記セルモノニ限リ為替ヲ売却スベシト発令。


〔米〕新ヴィンソン建艦案米下院通過。

〔佛〕下院國家総動員法案ノ審議開始。

〔英〕緊急閣議ニテ佛國ガ侵略ヲ蒙ムル事アラバ英佛白三國作戦協定ニ基キ積極的防衛ニ当ル旨意見一致。

三〇

三、二四　三、二五

陸軍航空隊帰徳空襲空中戦ニテ十六機撃墜。


針闡明。

貴族院本会議國家総動員法可決。衆議院本会議北支開発、中支振興両会社案可決。

外相、閣議ニ於テ中支政権誕生ニ就テ、中支政権ハ自発的ニ北支政権傘下ニ帰属統合サルベキモノトノ根本方針ヲ決定。

上海軍当局、上海附近ノ土地ニ関スル管理及ビ一切ノ権利得

孫科ロンドンニテ支那ハ長期抗戦ノ決意ト能力ヲ有スル旨声明。

蒋介石ハ共産党ト陳立夫一派ノ軋轢ニ鑑ミ第八路軍ヲ改編シ

〔英〕下院デ首相ハチェコ独立保障ニ英國ハ公約ヲ與ヘ得ヌ旨言明。

三一

三、二六　三、二七

佐藤支隊東台占領。

海軍航空隊武漢ヲ空襲。

我軍台児荘占領。


矢ニ関シ将来大上海建設ヲ前提トスル布告文及ビ当局談ヲ発表。

電力法案成立シ第七十三議会閉幕。日支経済委員会ハ寺内大将ト王克敏トノ間ニ覚書ノ調印ヲ了シ正式成立。北京ニ日華経済協議会創立。


テ第十八路軍トシ、朱徳ヲ指揮官ニ任命セシ旨傳ヘラル。

中國文藝会抗敵協会漢口ニ開催。

三二

| 日付 | 軍事 | 臨時政府・維新政府 | 国民政府 | 外国 |
| --- | --- | --- | --- | --- |
| 三、二八 | 航空隊徐州宿縣空爆。 | 中華民國維新政府成立。王克敏氏兇漢ニ狙撃サレタルモ無事。 | | |
| 三、二九 | 海軍航空隊玄州一帯ヲ空襲甚大ナル効果ヲアグ。陸軍航空隊台児荘ノ敵ヲ爆撃。 | | 國民党臨時全國代表大会漢口ニ開催。 | 〔英〕ロンドンニ開催ノ英米佛三國海軍専門家会議デエスカレーター條項援用ニ正式決定。 |
| 三、三〇 | 海軍航空隊福州飛行場爆撃、更ニ粤漢線爆破。 | | | 〔英〕下院デ上海共同租界、上海海関問題検討サル。 |
| 三、三一 | 我軍向城占領。海軍航空隊長沙南方ノ粤漢鉄路鉄橋、新道及ビ白泥塘ノ軍需品工場ヲ爆撃。 | 臨時政府、維新政府ノ政策統合調整ノタメ両政府間ニ権威アル暫定的連絡機関ヲ創設ニ決定。 | 國民政府雲南ヲ最后ノ防備線ニ決定。國民政府財政部ハ為替操作ノ敏活ヲ図リ近ク上海ニ弁事処ヲ設置スル旨発表。 | |
| 四、一 | 我軍官荘、蘭陵占領。海軍航空隊粤漢鉄道順徳軍需品工場、吉安飛行場、衢州飛行場ヲ爆撃。ソ聯飛行機続々蘭州ニ到着ノ旨傳ヘラル。 | 英米佛ノエスカレーター條項援用ニ関シ海軍当局ハ日本モ亦巨艦建造ヤムナシトノ見解ヲ表明。 | 國民党臨時全國代表大会左ヲ決議。一、総裁制ノ制定。二、青年團ノ設立。三、國民参政会組織。四、抗戦建國綱領。五、戦時教育実施法案。六、戦時生産増加法案。 | 〔英〕海軍省ハ新主力艦ノ噸数四万二千噸（備砲十六吋）ナル旨ヲ示唆シ非公式ニ談話発表。 |
| 四、二 | | 維新政府梁行政院長ハ合流時期、方法等協議ノタメ北京臨時政府訪問。 | 広東港移入ノ國産品ニ対シテ課税スベク財政庁令ヲ以テ布告。 | |
| 四、三 | 福系部隊台児荘南門占領。海軍航空隊福州飛行場、韶関飛行場、黄沙駅内ノ貨車群ヲ爆撃。 | | | 〔米〕米海軍政策ヲ闡明シタハル國務長官ノ書簡ヲ発表。 |
| 四、四 | 敵機台児荘ニ飛来。海軍航空隊河南省固始飛行場爆撃。陸軍航空隊西安及三橋飛行場爆撃。龍登部隊安沢占領。 | 臨時政府維新政府連絡機関ヲ北京ニ設置ニ決定。臨時、維新両政府首脳部会談ニ於テ南北ノ交通杜絶解消ヲ待ツテ両政権合流ニ意見一致。 | 第五期第四次中央執行、監察両委員全体会議漢口デ開催。中國青年記者学会創立大会挙行。 | 〔ソ聯〕重光大使ノ援蒋抗議ニ対シ支那空軍ノ援助ハ関知セヌト発表。 |
| 四、五 | 上窰対岸ノ過河ヲ渡リ敵七百逆襲、我軍直ニ反撃。 | 厚生省ハ現下長期戦ニ対応スベキ戦時労働政策確立着手ニ決定。 | 隴海線方面ノ支那軍総指揮官程潜漢口デ記者團ニ支那軍ハ津浦線一帯カラアクマデ退却セヌ旨豪語。 | |
| 四、六 | | 日高上海総領事フランクリン共同租界市参事会々議長ヲ訪ヒ工部局改革ノ覚書ヲ | 列國ノ対支援助乃至同情的支援獲得ノモトニ特使派遣。滞英中ノ孫科駐英ソ | |

三三　三四　三五　三六

手交

联、米両大使ニ対支援助ヲ要請。

四、七

海軍航空隊宜昌、信陽飛行場爆撃。空中戦デ三機撃墜。更ニ広東ヲ空襲。

中國臨時政府八日華経済協議会ト協議行政委員会ニ実業部新設ニ決定。

四、八

我軍沁源占領。工藤部隊襄垣、余吾鎮占領。

中國聯合準備銀行済南、青島両分行開業。海相英米佛三國ガ安全感ヲ脅威セバ我方ニモ建艦増補ノ用意アル旨車中談ヲ発表。

第五期、第四次中央、執監両委員会全体会議開会。総裁制新設ニ伴フ國民党機構改革ニ基ク中央常務委員十五名及ビ各部長ヲ決定。共産党ハ全大会延安ニ開催サル。

〔佛〕第二次ブルム内閣総辞職、ダラディエ國防相後継内閣ノ委嘱ヲ受ク。〔英〕首相　軍拡ノ必要ヲ強調。

三七

四、九

海軍航空隊粤漢鉄道琶江附近、梅縣飛行場、漳州飛行場、梅州ヲ爆撃。

商相、輸出振興策樹立ニ民間側代表ヲ招ジ意向ヲ打診

〔ソ聯〕　軍事会議デ極東軍司令官対日開戦ヲ主張。

四、一〇

陸軍航空隊帰徳東方上空デ敵三十機ト交戦ニ十四機ヲ撃墜。蚌埠南方武店方面ニ約五百ノ敵逆襲、我反撃ニ潰走。海軍航空隊長沙爆撃ニ引続キ白雲飛行場、沂州城内ヲ爆撃。我軍太原南方ノ共産党本拠沁縣占領。

狭蒙合邦國民投票開始。中支占領区域ノ海南線、海杭線、蘇嘉線ノ三鉄道一斉ニ開放サル。

〔佛〕ダラディエ組閣ニ成功。

三八

四、一一

海軍航空隊中山飛行場爆撃。海軍航空隊衢州飛行場、竜巌飛行場、梅縣ヲ空襲。

北支開発、中支振興

漢口ニ擁護討逆除奸民衆大会挙行サル。

四、一二

海軍航空隊漢口、南昌、寧波飛行場ヲ爆撃。蒙古國境ニ蘇聯飛行機約三百台待機支那ヘ空輸セラレルモノト傳ヘラル。

蘇聯側ノ我駐在蘇領事館三館閉鎖要求ニ対シ外務当局ハ政府ノ態度ヲ闡明。北支軍当局ハ重大声明ヲ中外ニ発表、支那軍ノ第三國國旗濫用ニ厳重注意ヲ喚起。

漢口軍当局ハ十六名ノ将校ヲ死刑、徒刑軍職剥奪等ノ刑ニ処シタル旨傳ヘラル。國民政府ハ重慶ニ交通、浙江興業、上海商業三銀行ノ支店開設ニ次ギ中南、塩業、江蘇農民、大陸、四明商業、中國実業、

三九

墾業ノ諸銀行ノ開設準備中。孫科英首相ト会見対支援助ヲ嘆願。

四、一三

山東省東部山嶽地帯ノ共産軍掃蕩中ノ我軍楡社占領。海軍航空隊広東方面天河、白雲、従化飛行場爆撃。

外相、日蘇関係ニツキ特ニ急迫シテヰル事実ナク、懸案問題ハアルガ順ヲ追ッテ解決ニ当ル方針ナル旨報告。

〔米〕ボーン上院海軍委員ハ海軍当局ハ最少限十八吋砲九門ヲ搭載スル五万噸級大主力艦二隻ノ建造計画ヲ考慮中ナリト言明。

四、一四

國府ハ上海工業ノ奥地移転、新工業区ノ建設ニ狂奔ノ結果、香港ニ戦時経済建設

〔佛〕山海関駐屯佛軍満洲國内ニ武装越境、我方直ニ厳重抗議。

四〇

四、一五　上野部隊林縣占領。

科学的調査、代用品研究ノ為内閣ニ科学審議会設置ニ決定。

佛守備軍ノ満洲國越境事件円満ニ解決。

ノ機関トシテ生産建設委員会設置ニ決定。

〔米〕上院海軍委員会デ総額十一億五千六百万弗ノ新海軍拡張案採決。

四、一六　海軍航空隊南昌、粤漢鉄路爆撃。

〔英〕英伊協定成立。

四、一七　海軍航空隊漢口ヲ二回ニ亘リ爆撃。陸軍航空隊、南京上流揚林鎮附近ニ集結中ノ敵爆撃。



海軍航空隊孝感飛行場爆撃。

四、一八　陸軍航空隊南京上流対岸和県ヲ爆撃。海軍航空隊、漢口、武昌飛行場、琶江口兵工廠ヲ爆撃。

北支雑貨貿易促進ノタメ日華貿易公司設立サル。北支開発、中支振興両会社設立委員長ニ郷誠之助氏就任ヲ受諾。

四、一九　我軍沂州占領。海軍航空隊広九鉄道及ビ徐州ヲ爆撃。

蒋介石黄浦商港建設方ヲ工業督弁曾養甫ニ督促、蔵金道ニ第一期工事開始サルト傳ヘラル。



四、二〇　竹内部隊水東鎮占領。

天津陸軍特務部発表。
— 北支金融攪乱、枚擬ヲ目的トスル紙幣（日本紙幣ヲ含ム）ノ輸送ヲ取締ルタメ臨時政府ハ海関ニ対シ護照ヲ附スルニ非ザレバ之ヲ没収シ得ル事トセリ。但シ日本紙幣千円以下其他ハ五百円以下ノ旅人携行ハ此限リニ非ズ。

四、二一　海軍航空隊広九鉄道石竜附近デ鉄橋、鉄道、広東附近ノ自動車道路等爆撃。

近衛首相記者團トノ会見ニ於テ対支政策一元化ヲ強調。

國民政府ハ國務公債條令ヲ公布。



四、二二　近藤、柵田各部隊馬連沢ニ於テ馬占山軍主力ヲ潰滅。

パネー号賠償金、米貨二百二十万弗ヲ支払フ。
臨時政府河南省ヲ正式編入。

〔佛〕ローマニ於テ佛伊会談行ハル。

四、二三　今次事変戦没者ニ対スル第一次論功行賞行ハル。

國府五億六千三百万元外貨債発行ヲ発表。

四、二四　海軍航空隊粤漢鉄路琶江口附近、広東市附近ノ爆撃ヲ敢行。蕪湖対岸ニ敵前上陸敢行ノ中野部隊和県ヲ占領。

護國ノ英霊四千五百三十三柱ヲ合祀スル靖國神社臨時大祭開始サル。

〔英〕日貨ボイコット強化ノ反日大会ロンドンニ開催サル。

| | | | |
|---|---|---|---|
| 四、二五 | 海軍航空隊粤漢鉄道、衢州飛行場爆撃。眞野部隊汾西城占領。 | 維新政府ハ招商局ノ所有スル碼頭、倉庫、船舶其他、一切ノ財産譲渡ヲ認メザル旨声明。 | 孫科ロンドンニ於テ日支事変ノ解決ハ西欧列國ノ調停アルノミダガ其機未ダ熟セズ旨語ル。 |
| 四、二六 | 飯塚、津田両部隊伍祐城占領。 | 臨時政府特別市公署組織條例ヲ公布。 | 蒋介石徐州ニ赴キ軍事会議ヲ招集同方面ノ督戦的激励ヲ行フ。 |
| 四、二七 | 佐藤支隊塩城占領。海軍航空隊隴海鉄路蘭封、広九鉄路、福州飛行場ヲ爆撃。 | クレーギー駐日英大使堀内次官訪問上海々関ニ対スル最後的折衝ヲ行フ。<br>一、海関監督者ハ維新政府ヨリ日本人 | |

四五

| | | | |
|---|---|---|---|
| | | ヲ任命。<br>一、関税收入ハ正金銀行上海支店ニ保管スルコト。<br>一、其他外債担保負担率ノ算定基準並ニ其支拂形式等。<br>一、五月一日ヨリ維新政府ガ正式ニ接收スルコト。<br>科学審議会第一總会開催、鉄、金属、燃料、化学品ノ各部門別ニ特別委員会設置ニ決定。<br>維新政府財政部ハ國府発行ノ五億元國防 | |

四六

| | | | | |
|---|---|---|---|---|
| | | 公債及ビ外貨公債ニ関シテ布告ヲ発ス。 | | |
| 四、二八 | 海軍航空隊徐州駅爆撃。海軍航空隊中南支方面ニテ竜巌、梅県、従化各飛行場爆撃。 | 新任駐日オットー独大使信任状捧呈。満洲ニ準特殊会社満洲石綿株式会社創立ニ決定。北支軍当局、北支ニ於ケル経済建設工作ノ指導精神ニ関シ諸外國ノ在北支権益駆逐ノ意図ナキ旨闡明。 | | 〔英〕ロンドンニ於テ英仏会談ヲ行フ。 |
| 四、二九 | 海軍航空隊漢口空襲、敵五十一機撃墜、尚白雲飛行場爆撃。 | 上海々関問題ニ関スル堀内クレーギー会談続行サル。 | 蒋介石ハ全党員ニ対シ党内ノ諸種ノ党派別組織ノ解消並ニ | 〔英仏〕両國会談ハスペイン問題、対独和協問題、チエ |

四七

| | | | | |
|---|---|---|---|---|
| | | | 今後ノ党内小党派組織ノ厳禁令ヲ発ス。 | コ問題、英仏軍事提携問題、スイス中立保障問題、極東問題ヲ討議。 |
| 四、三〇 | 海軍航空隊、隴海線帰徳附近猛爆・更ニ粤漢鉄路英徳以南各所、福建興地ノ長汀飛行場、浙江省衢州等ヲ爆撃。 | 支那方面艦隊司令長官長谷川中将ハ及川中将ト上海々軍特別陸戦隊司令官大川内少将ハ宍戸少将ト交代ス。 | 第五戦区總司令李宗仁ハ屡次ノ敗戦ニ悲鳴ヲアゲ蒋介石ニ救援ヲ哀訴。 | |
| 五、一 | 我軍胡山ヲ占領、海軍航空隊粤漢鉄道爆撃。 | ガソリン配給ノ切符制実施。王克敏来朝。 | | |
| 五、二 | 海軍航空隊隴海線爆 | 上海々関問題日英間 | | |

四八

撃。

二円満解決。

五、三　海軍航空隊徐州爆撃。

王克敏、近衛首相ト重要会見。

ソ聯ノ挑撥行為ニ対シ厳重抗議。

五、四

五、五　支那側、隴海線及ビ津浦線方面ヘ兵力ヲ

四九

〔米〕上院ニテヴィンソン案ニ対シ十一億五千六百万弗ニ達スルヴァンデンバーグ修正案可決、制限外巨艦ノ建造権ハ大統領ニ附与。

〔仏〕五日ヨリ平価切下ゲヲ行フニ決定。

〔仏〕フラン切下ゲヲ発表、対米三五

増強。

海軍航空隊津浦、粤漢鉄道爆撃。

五、六　陸軍航空隊、京漢線、津浦線爆撃、我軍阜寧占領。

オツト独大使ハ本国ト重要打合セノタメ帰国。

五、七　海軍航空隊隴海線爆撃。

出動命令ヲ受ケタ雲南軍重慶ニ到着ノ旨伝ヘラル。

五、八　陸軍航空隊帰徳飛行場爆撃。

海軍航空隊宿縣阜寧

王克敏離京。

五〇

フラン八〇、対英一七九フラン。

附近爆撃。

五、九　我軍縣城占領。

陸軍航空隊安徽省北部爆撃。

我軍蒙城占領。

海軍航空隊宿縣新安鎮爆撃。

臨時物資調整局開局

五、一〇　海軍部隊厦門ニ上陸。

五、一一　我軍厦門市ニ突入。

海軍航空隊四回ニ亘リ徐州爆撃。

五、一二　海軍航空隊陸軍作戦

顧維鈞聯盟理事会デ援蒋ヲ泣訴。

四川省出兵宣誓会議重慶ニ開カル。

五一

聯盟理事会開催。

〔米〕陸戦隊在留米

ニ協力宿縣猛爆。

五、一三　陸海軍航空隊徐州大爆撃。

五、一四　我軍隴海線ヲ完全ニ遮断。

海軍航空隊徐州攻撃ニ協力。

満洲国政府ハ重大会議ヲ開キ産業五ケ年計画ノ具体的実行対策ヲ協議。

五、一五

五、一六　我南北西軍隴海線碭山附近ニ於テ完全連絡。

我軍ノ徐州包囲作戦、

陳立夫ヲ部長トスル社会部ヲ設立。

五二

人保護ノタメ鼓浪嶼ニ上陸。

聯盟理事会閉会、チリー国脱退。

着々進ミ海軍航空隊ハ密接ニ協力各地ヲ猛爆。

五、一七　徐州城砲撃開始。

五、一八　我軍徐州総攻撃開始。我軍表庄、宿県占領。

五、一九　我軍徐州占領。

五、二〇　徐州入城式。海軍部隊連雲港ニ敵前上陸敢行。陸海軍航空隊徐州退

国民政府行政院会議ニテ難民救済公債一億元ヲ発行ニ決定。

広東軍政会議広東ノ危機ハ軍事ニ非ズシテ財政ノ窮乏ニアリト悲鳴ヲアグ。

五三

却ノ敵ヲ猛撃。支那機九州ニ飛来アヂビラ撒布。

五、二一　我軍桃山集、関賢集占領。陸海軍航空部隊駐馬店爆撃。

五、二二　陸軍航空隊開封爆撃。

五、二三　我軍蘭封占領。陸軍航空隊開封鄭州爆撃。

北京臨時政府皇軍慰問トシテ銀十万元ヲ北支軍ニ提供。商工省ハ銅、鉛、錫、亜鉛、鉄、硫黄、銅

今事変ニヨル支那側罹災民三千万ト発表。

〔欧〕チェッコ問題急ヲ告ゲ情勢トミニ急迫。

〔英〕首脳部チェッコ問題協議。

五四

ノ増産ニ対シ二十四日ヨリ奨励金交付ニ決定。

ヒトラー総統ハ支那ニ於ケル独人軍事顧問ニ本国帰還ヲ命令。

五、二四　海軍航空隊海州方面爆撃。

五、二五　帰徳総攻撃開始、陸軍航空隊帰徳周辺ノ敵ヲ猛爆。

五、二六　我軍虞城（帰徳東北方）占領。陸軍航空隊順河集、

臨時政府ハ旧法幣ニ対シ六月十日以降流通禁止ヲ告示。

内閣一部改造。外務大臣、宇垣一成　大蔵兼商工大臣池田

〔英〕下院ニ於テ日支問題討議。

五五

季口ノ敵爆撃。

五、二七　海軍航空隊広九鉄道爆撃。

五、二八　我軍帰徳城占領。海軍航空隊東莞、南雄、広昌、南城、寧波等ノ飛行場爆撃。

五、二九　海軍航空隊広東爆撃。陸軍航空隊、蘭封附近、開封市政府爆撃。

成彬　文部大臣荒木貞夫。

厦門総領事館再開。

内務省ニ「防空専門委員会」設置ニ決定。

蒋介石各将領ニ督戦防備命令ヲ発ス。

蒋介石南方軍総司令ニ陳誠ヲ任命シタト伝ヘラレル。

国民政府ハ重慶昆明間ニ鉄道ヲ敷設、四川、雲南省ヲ連結、更ニ滇越鉄道ニヨリ海防ニ出ントスル計画発表。

〔米〕ハル国務長官ハ独及ビチェッコニ対シ平和的解決ヲ要望。

五六

| | | | | |
|---|---|---|---|---|
| 五、三〇 | 海軍航空隊広東爆撃。 | | | 〔チエッコ〕ズデーテン・ドイツ党ハ独乙少数民族ノ自治要求ニ関スルコンミユニケ発表。 |
| 五、三一 | 海軍航空隊漢口ヲ空襲、空中戦ニテ敵二十機撃墜。大本営陸軍部徐州会戦ノ戦果発表。 | 一日ヲ期シ我軍占領地域ニ於ケル全海関ニ対シテ統一的新関税率ヲ実施スルニ決定、北支臨時政府及ビ帝国外務省ハ各々当局談ヲ発表併セテ改正関税率発表。 | 英国トノ間ニ借款交渉中ノ旨伝ヘラル。 | |

五七

| | | | | |
|---|---|---|---|---|
| 六、一 | 我軍杞縣城一角占領、陸軍航空隊ハコレニ協力。 | 臨時、維新両政府新輸出入税則及ビ転口税則ノ実施ヲ開始。 | 漢口ニ銀行家会議ヲ開催。<br>蒋介石ハ漢口ニ軍事最高会議ヲ開催。 | 〔米〕日本軍占領地域ニ於ケル米人財産ノ返還要求ヲ日本ニ申込ム。 |
| 六、二 | | | | |
| 六、三 | 我軍杞縣城完全占領。 | 陸軍大臣更迭後任ニ板垣中将。 | 銀行家会議ハ日本軍占領地区ニ対スル送金制限等ヲ決議閉幕。 | |
| 六、四 | 海軍航空隊広東空襲。 | | 国民党中央監察委員会ハ重慶ニ第十四次常務会議開催、毛沢東等二十六名ノ国民党々籍復帰ヲ決議。 | 〔英〕広東爆撃ニ関シ抗議。 |

五八

| | | | | |
|---|---|---|---|---|
| 六、五 | 我軍開封占領。<br>海軍航空隊麗水飛行場爆撃。 | | | |
| 六、六 | 陸軍航空隊南陽爆撃。<br>海軍航空隊広東爆撃。 | 外務当局ハ支那大使館ノ閉鎖ハ我方ノ関知セヌトコロデアルト発表。<br>経済団体聯盟ハ常任委員会ヲ開催池田蔵相ヲ積極的ニ支援スベク決議。 | 国民政府諸官廳ハ移転準備ヲ開始、交通部ハ衡陽、経済部ハ重慶ヘ逃避ヲ開始セル旨伝ヘラル。<br>楊駐日代理支那大使ハ日本引揚ヲ通告。 | 〔仏〕広東爆撃ニ抗議。 |
| 六、七 | 海軍航空隊二回ニワタリ広東爆撃。 | | | |
| 六、八 | 海軍航空隊広東、河南、黄沙ヲ空襲。 | | 国民政府ハ輸入統制ヲ実施スルコトトナリ七月一日以降為替買入ノ認可ヲ与ヘヌコトニ決定。 | |

五九

| | | | | |
|---|---|---|---|---|
| 六、九 | 海軍航空隊広東爆撃。 | 定例参議会ニ於テ国民精神総動員ノ強化策協議。 | 国民政府ハ漢口在留ノ政府機関ニ重慶及昆明ヘ移転スベキ旨ヲ命令。<br>蒋介石長文ノ声明書発表。対支援助ヲ列国ニ要請。 | 〔蘭印〕領内ニ於テ国府ノ救国公債発売ヲ禁止。 |
| 六、一〇 | 我軍鄭州南方ニ於テ京漢線ヲ爆破、漢口ヘノルートヲ完全遮断。 | 北支ニ於テ旧法幣ノ流通禁止サル。<br>閣議ニ於テ五相会議開催ヲ決定。 | 中央銀行ヲ通ジ十三日ヨリ上海ニ於ケル外貨売制限ヲ一段強化スル旨各組合為替 | |

六〇

| | | | | |
|---|---|---|---|---|
| | | | 銀行ニ通達。茶、アンチモニー輸出振興ノ目的ヲ以テ國際通商局設置ニ決定。 | |
| 六、一一 | 海軍揚子江上漢口ヘ進攻開始。海軍航空隊ハ広東西村発電所ヲ爆撃。 | | | 〔米〕ハル長官ハ対日輸出対象ノ爆撃機製造ニ警告。 |
| 六、一二 | 陸海軍協力安慶ヲ占領。 | | | |
| 六、一三 | 安慶占領ノ海軍上流進撃開始。 | 宇垣外相、外交界ノ長老先輩ト懇談。 | | |

六一

| | | | | |
|---|---|---|---|---|
| 六、一四 | 海軍航空隊広西省桂林ヲ爆撃。 | 中支振興総裁ニ児玉謙次氏。 | | |
| 六、一五 | 佐藤部隊ノ一部安慶対岸ノ黄河嘴ニ敵前上陸。 | | 行政院会議開催、実業部長ニ孔祥熙ヲ財政部長ニ宋子文ヲ外交部長ニ陳友仁ヲ任命ニ内定ノ旨傳ヘラル。 | |
| 六、一六 | 海軍航空隊竜南附近空中戦ニ於テ三機撃墜。 | 第一回全國貿易組合大会開催サル。 | | |
| 六、一七 | 海軍航空隊海南島空襲。 | 五相会議開催。 | | 〔ソ聯〕満ソ國境南別里三角山附近ニテ赤軍歩兵満洲國 |

六二

| | | | | |
|---|---|---|---|---|
| | | | | ヶ埠警備隊ニ発砲。 |
| 六、一八 | | 臨時、維新両政府蒋介石ニ和平ヲ勧告。 | | |
| 六、一九 | 安慶ニ敵七機飛来。海軍ハ空海ヨリ海南島海口砲台ヲ爆撃。 | | 外貨濫費防止ノ爲メ留学生ニ学資送金制限令ヲ発ス。臨時、維新両政府ノ声明ニ反駁。 | |
| 六、二〇 | 海軍航空隊汕頭要塞爆撃。海軍航空隊粤漢鉄路、広九鉄路爆撃。 | 宇垣外相ハ在京各國大公使ニ公文ヲ以テ今後ノ戦闘拡大区域ヲ指定。 | 國府スポークスマンハ佛ノ対支積極的援助ヲ承諾、外國軍需品ガタエズ支那ニ輸入サレテヲル旨正式発表。 | 〔佛〕対支援助ハ事実無根ト弁明。〔米〕國内ノ輸出業者ニ日本向輸出ニ対シ警告。 |

六三

| | | | | |
|---|---|---|---|---|
| 六、二一 | 海軍航空隊南城、広昌、長汀飛行場、梧州飛行場等ヲ爆撃、尚揚子江上ニ於テ敵機雷敷設艦ヲ擱座セシム。 | | 國民政府ハ広東紙幣ノ商業取引上ニ於ケル使用ヲ禁止シ一律ニ國幣ヲ本位トスル旨ヲ布告且ツ二百元以上持出ヲ厳禁。 | |
| 六、二二 | 海軍航空隊黄沙駅並ニ汕頭爆撃。海軍陸戦隊南澳島占領。 | | | |
| 六、二三 | 海軍航空隊福州火薬廠攻撃。 | 臨時閣議デ物資動員計画原案決定。一般國内需要ニ就キ使用制限ヲ強化スベ | | |

六四

六、二四

六、二五

海軍航空隊ハ揚子江両岸ニ於ケル敵陣地及ビ南支方面爆撃。

海軍航空隊中支南支ノ広範囲ニ亘リ爆撃敢行。

キ主ナル資源三十三種目発表サル。

中央物価委員会第四次総会ニ於テ暴利取締令発動ノ基準、最高物価水準ヲ決定。

政府ハ大谷拓相ヲ北支開発総裁ニ転出セシメ後任拓相ハ宇垣外相兼任。

〔ソ聯〕リトヴィノフ外務人民委員ハ日独伊三国ヲ非難攻撃。

六五

六、二六

六、二七

六、二八

海軍航空隊南昌飛行場空襲敵十九機撃墜。

支那軍昭関覇高郵南方ノ大運河堤防ヲ破壊。

海軍航空隊安慶上流沿岸敵陣地並ニ南昌爆撃。

厚生省職業部ハ熟練工争奪防止ノタメ総動員法戦時規定第六條及第二十一條ヲ発動スルニ決定。

佛支鉄道（鎮南関－南寧）借款一億五千萬法成立、二十二日パリーニ於テ調印セル旨傳ヘラル。

〔ソ聯〕スターリン新憲法ニ基クソ聯邦各共和国ノ最高会議代表議員地方選挙行ハル。

六六

六、二九

六、三〇

高橋部隊ハ彭沢城占領。

我軍山東西南東阿占領。

商工省ハ七月一日ヲ期シ綿ノ内地民需向供給ヲ一切禁止スルニ決定。

有價証券取締法（七月一日施行）勅令及ビ施行規則発布サル。

商工省ハ七月ヨリ実施ノ綿業新計画ニ備ヘ輸出入品臨時措置法ニ基キ四省令ヲ公布即日実施。

國家総動員審議会創立サレ七月一日官報デ発令ニ決定。

宋子文上海中國建設銀公司ヲ百五十万元デ佛國ニ売却。

蒋介石ハ漢口デ英字紙記者トノ会見デ第三國ノ調停拒否ヲ語

〔英〕エスカレータ－條項発動ニ伴フ主力艦ノ新制限ヲ

六七

七、一

海軍航空隊揚子江上ニ於テ支那艦底寧爆撃。

商工省ハ皮革使用制限令ヲ公布即日実施。

陸軍省ハ日本ノ保護ヲ求ムルタメ、ソユシコフ大将、フロントヤルマル砲兵少佐ガ脱走シ来レル旨発表。

津浦線黄河鉄橋完成。

蒙古聯盟自治政府主席ニ徳王推戴。

ル。

四万三千噸、十六吋砲トナス旨ノ議定書ロンドンニ於テ調印サル。

六八

七、二　支那軍復興鎮附近デ揚子江ノ堤防ヲ決潰。
日蒙、通商新協定成立。

蒋介石ハ官吏逃亡厳禁令ヲ発ス。

七、三
〔佛〕西沙島占領ヲ英国政府ニ通告セシ旨傳ヘラル。

七、四　海軍航空隊南昌ヲ空襲、空中戦ニ於テ敵四十五機ヲ撃墜。我軍揚子江沿岸湖口占領。
〔佛〕西沙島占領ニ関シ非公式ニ同島保護ヲ言明。

七、五　海軍航空隊ハ太湖方面ノ敵ヲ爆撃。
事変ヲメグル対外問題ニ関シ五相会議開催。

政府ハ産業対策委員

六九

会設置ニ決定。

蒙古聯合委員会石油類配給管理令ヲ制定。

七、六
国民参政会議開催。

七、七
大蔵省ハ事変発生以来一ケ年間ニ於ケル新公債ノ発行額ハ合計三十一億三千万円ナル旨発表。

上海全市十数ケ所ニテロ事件発生租界内ニテ邦人二名射殺サル。

蒋介石抗日演説ヲ国内ニ放送、更ニ「友邦ニ告グルノ書」ヲ発表。

国民参政会議第二日ハ漢口陥落後ノ処置ニツキ討議政府機関ノ重慶移転ヲ満場一致可決。

七、八
商工省ハ広範囲ノ物
国民参政会議第三日

七〇

資管理ノ省令ヲ制定スルト共ニゴムノ非常管理、銅、亜鉛、錫、アンチモニー、ニツケルノ民需使用禁止、米松ノ民需販売禁止、工作機械ノ平和産業供給遮断ヲ発表。

ハ武漢死守ヲ決議。

七、九　海軍航空隊南昌衡陽、揚子江岸ヲ猛爆。
商工省輸出入品臨時措置法ニ基キ物品販売、價格取締規則ヲ公布、即日実施。

臨時物資調整局ハ今同非鉄金属中鉛、亜鉛、錫等ノ使用制限

七一

規則ヲ制定公布、十五日施行ニ決定。

七、一〇

七、一一　海軍部隊ハ蕪湖ヨリ遡江湖口ヘ進撃開始。我軍ハ曲 一帯ヲ占領。
商工省工作機械製造事業法施行令ヲ発表。

北支邦人ノ金融機関統制方針ハ内地銀行ノ進出ヲ認メズ、対外為替業務ハ正金、対日為替ハ鮮銀ニ行ハシムルニ決定。

国民参政会ハ国民政府ノ擁護、建国綱領ノ支持、長期抗戦民力ノ動員、生産ノ拡充等ヲ決定。

〔ソ聯〕本年度予算ハ一千二百七十億留ニ決定。

七、一二　海軍航空隊ハ漢口、武昌、広東ヲ爆撃。陸軍航空隊潼関爆撃
陸軍臨時参謀長会議開催。失業対策委員会官制
国民参政会共産党主張ノ民衆総動員案ヲ通過。
〔米〕ル大統領ハ予算教書ニヨリ一九三八年、一九三九

七二

| | | | | |
|---|---|---|---|---|
| | | 決定。 | 国府ハ財政調達ニ窮シ対英支弗ノ関匪債金ノ一部ヲ充当スベク両国商ニ諒解成立ノ旨傳ヘラル。 | 年度歳出六十八億六千九百万弗、歳入五十九億一千九百万弗、赤字九億五千万弗ヲ提出。〔佛〕西沙島ニ対スル主張ヲ公文ヲ以テ日本ニ提出。 |
| 七、一三 | 我軍通曲ヲ完全占領。海軍航空隊広東、石竜、英徳爆撃。 | 商工省ハ広汎ナ価格表示制ヲ採用シ暴利取締令ヲ強化。 | 国民参政会議ハ蒋政権ノ対日抗戦国内建設ニ関スル綱領、外交政策ニ対スル支持ノ決議案ヲ採択。 | 〔英〕閣議デ国府ノ二千万磅借款要求 |
| 七、一四 | | 商工省暴利取締令改正ヲ発表。 | 南支防衛司令ニ余漢謀任命。 | |

七三

| | | | | |
|---|---|---|---|---|
| | | 臨時、維新両政府ハ北中支ニ於テ円資金インフレノ恐アルヲ以テ鮮銀券ノ撤去ヲ行フ方針決定。 | | ヲ拒絶ニ決定。 |
| 七、一五 | 海軍航空隊漢口、大冶、南昌空爆。 | | | 〔ソ聯〕張鼓峰ニ於ケル不法越境事件ニ対スル我抗議ヲ拒絶、更ニ兵力ヲ集結中ト傳ヘラル。 |
| 七、一六 | | 張鼓峰事件ニ関シ政府厳重抗議。 | | |
| 七、一七 | | | | 〔英〕シンガポール島西方テンガニ空 |

七四

| | | | | |
|---|---|---|---|---|
| | | | | 軍基地ヲ完成。 |
| 七、一八 | 海軍航空隊南昌飛行場爆撃。不法越境ノソ聯兵煙秋附近ニ陣地ヲ構築。 | | 蒋介石ハ江南一帯北支ニ於ケル重要産業部門各種工場主ニ対シ四川省移転ヲ命令。 | |
| 七、一九 | | 商工省デハ輸出入臨時措置法ニ基キ工作機械供給制限規則ヲ制定二十日公布即日実施ニ決定。 | | |
| 七、二〇 | 海軍航空隊岳陽ノ敵艦艇ヲ爆撃。 | 大谷前拓相、松井大将ヲ参議ニ補充。 | | |
| 七、二一 | 森本部隊ハ運城西南 | 綿製品販売加工制限 | | |

七五

| | | | | |
|---|---|---|---|---|
| | ノ解県城占領。 | 一部解除サル。 | | |
| 七、二二 | 海軍航空隊漢口、宜昌、長沙等各飛行場爆撃。 | 商工省人絹リンク制細目ヲ決定。 | | |
| 七、二三 | 我軍ハ鄱陽湖西岸ニ敵前上陸九江進撃ヲ開始。海軍航空隊長沙飛行場空襲。陸軍航空隊南昌空襲。 | 陸上交通事業調整法施行令公布。商工省、人絹糸ノ太サ制限令、人造絹糸販売価格取締リ規則ヲ公布。中央物價委員会ニ綿製品、石炭及ビ米標準價格ヲ決定。 | 軍事委員会ハ国内諸軍需工業技術専門家養成ノタメ工業技術部ヲ創設ニ決定。 | |
| 七、二四 | | | | 〔ソ聯〕我ガ防衛当 |

七六

| | | | | |
|---|---|---|---|---|
| 七、二五 | 海軍陸戦隊ハ九江西方ニ敵前上陸敢行。海軍遡江部隊九江ノ敵陣地ニ猛砲撃開始。 | 商工省転業対策委員会設置。 | | 局ニ対シ二十六日正午長岺子ニ於テ使者ヲ引渡ス旨通告。 |
| 七、二六 | 我軍九江占領。 | | | 〔ソ聯〕琿春ソ満国境、小八岺高地附近ニ於テ不法越境。 |
| 七、二七 | | 中央失業対策委員任命サル。 | | 〔チェコ〕ズデーテン問題ニ関スル英政府ノ提案ヲ受諾ニ決定。 |

七七

| | | | | |
|---|---|---|---|---|
| 七、二八 | | 重要鉱物委員会官制公布サル。<br>商工省物品販売取締規則ヲ改正。<br>政府ハ輸出資金前貸損失補償制ヲ新設スルニ決定、商工省ヨリ要領ヲ発表。 | 漢口政府当局ハ武漢三鎮一帯ノ全非戦闘員ニ避難ヲ勧告。 | 〔ソ聯〕極東ゲ・ペ・ウ長官ニ極東ノヴオシビルスク地方ゲ・ペ・ウ長官ゴルバックヲ任命。 |
| 七、二九 | 支那軍ハ南潯鉄路九江、徳安間約六十キロノレールヲ破壊。 | 日銀デハ為替差金利用ノ輸入品目ヲ決定。<br>大蔵省デハ予約為替ノ限月制限撤廃ヲ発表。 | | |
| 七、三〇 | | 第一回転業対策委員 | 財政部ハ上海銀行同 | |

七八

| | | | | |
|---|---|---|---|---|
| | | 会同会、転業政策樹立ノ根本方針ニ就キ協議。 | 業公会ノ請願ヲイレ、中央銀行ニ対シ公債ノ償還ヲ法幣ヲ以テナス様訓令ヲ発ス。 | |
| 七、三一 | 我軍ハ張鼓峰、沙草峰ヲ占領。 | 華中電気通信株式会社創立総会上海ニ於テ開催サル。 | | |
| 八、一 | 我軍ハ張鼓峰附近越境ノソ聯機四機ヲ撃墜。 | 張鼓峰事件ニ関シ厳重抗議ス。 | 上海為替ハ片ヲ割ル。<br>漢口ノ軍事委員会政治部ハ武漢防衛ニ民衆武装案ヲ採択。 | 〔ソ聯〕張鼓峰事件ニ関シ駐日ソ大使ニ抗議方ヲ訓令。 |
| 八、二 | 我軍黄梅県城占領。<br>我軍ハ張鼓峰逆襲ノ敵ヲ撃退、戦車九台 | 中部防空管区全地区ニ亘リ、ネオンサイン類灯火並ニ警報類 | | |

七九

| | | | | |
|---|---|---|---|---|
| | ヲ鹵獲ス。 | 似ノ音響管制ノ一部ヲ実施。 | | |
| 八、三 | 海軍航空隊漢口空襲、空中戦ニ於テ三十二機ヲ撃墜、地上七機ヲ爆破、我方二機未還。 | | | |
| 八、四 | | 東部防衛司令部管下ノ大部分ノ地域ニ対シ一般屋外灯ノ管制ヲ行フ。<br>中央物価委員会ハ綿製品、ゴム、家賃、地代標準価格決定。<br>重光大使ハリトヴィ | 国府ハ波蘭ノ満洲国承認ノ報ニ接シ非公式ニ抗議提出。<br>広東政府ハ五千万弗ノ通貨増発ヲ行フニ決定。 | |

八〇

| | | | |
|---|---|---|---|
| 八、五 | 陸軍航空隊西安ヲ空襲。<br>我軍ソ聯軍ノ砲撃ニ抗戦。 | ノフト会見、我方戦闘行為停止ヲ提議。 | |
| 八、六 | 海軍航空隊漢口ヲ空襲。<br>ソ聯機鮮満国境各地ニ投弾。 | | 各国外交團ハ漢口発重慶ニ移転 |
| 八、七 | 海軍航空隊南昌飛行場空襲。 | 臨時政府ハ中國交通両銀行紙幣切下ニ関スル政府声明書ヲ発表。 | 〔ソ聯〕ソ聯機北鮮古城ニ投弾。<br>〔米〕米ソ協定ハ一ケ年延長ニ決定。 |

八一

| | | | |
|---|---|---|---|
| 八、八 | 海軍航空隊広東爆撃。 | 中國聯合準備銀行北方券一割切下ゲ実施サル。 | |
| 八、九 | 海軍航空隊江西省吉安爆撃。 | 日本発送電会社関係勅令公布。 | 蔣介石ハ漢口残留市民五十万ニ対シ八月十五日迄ニ全部撤退ノ命令ヲ発ス。 |
| 八、一〇 | 我軍山西黄河渡河兵ヲ制圧ス。<br>海軍航空隊広東爆撃。<br>張鼓峰デ両軍対峙。 | 國家総動員審議会医薬剤師登録、学校卒業生使用制限ノ二勅令決定。<br>重光・リトヴィノフ第三次会見デ停戦協定成立。 | 藍衣社ハ蔣ニ反共意見書ヲ提出。 |

八二

| | | | |
|---|---|---|---|
| 八、一一 | 海軍航空隊武漢三鎮爆撃。 | 張鼓峰ニテ現地交渉開始サル。 | 広東省政府ハ広東ヨリ二百元以上ノ法幣持出ヲ禁止。 |
| 八、一二 | 海軍航空隊ハ武漢三鎮ヲ猛爆。 | 大蔵省ハ金使用ヲ一切禁止。<br>鉛、亜鉛、アンチモンノ配給ニ関シ各品目ニツキ統制組合ヲ組織。<br>國境事件第二次現地交渉行ハル。 | |
| 八、一三 | | 陸軍デハ物資動員ニ伴フ失業防止救済ニ関シ失業対策要綱ヲ | 八・一三記念日ヲ期シ漢口ノ日本租界ヲ回收漢口市第四特別 |

八三

| | | | |
|---|---|---|---|
| 八、一四 | | 定メ陸軍一般ニ通知ス。 | 区ト改メ漢口市直轄トス。 |
| 八、一五 | 海軍航空隊ハ黄沙駅ニ集合セル軍用貨車群ヲ爆撃。 | | |
| 八、一六 | 海軍航空隊武漢三鎮爆撃。<br>朝鮮軍報道班張鼓峰ニ於テ敵ニ与ヘシ損害発表。 | | |
| 八、一六 | 真野部隊ハ同蒲線ノ終点蒲州県城占領。 | 政府ハ支那事変公債（額面三億九千七百 | |

八四

| | | | | |
|---|---|---|---|---|
| | 海軍航空隊長沙空襲。 | 万円）ヲ八月二十二日発行スルニ決定。 | | |
| 八、一八 | 海軍航空隊ハ衡陽飛行場空襲。 | 中央失業対策委員会ハ失業防止救済対策ヲ決定。中央物價委員会ハ買上綿製品、麻製品、木炭、鶏卵等ノ標準價格決定。 | 武漢一帯ノ工場ハ成都方面ニ移転ヲ完了。 | 〔佛〕ダラディエ佛首相ハフラン切下説ヲ否定。 |
| 八、一九 | 海軍航空隊ハ瑞昌粤漢鉄路方面ヲ爆撃。 | 厚生省ハ軍需品工場ニ交替制ヲ採用セシメ労働時間ノ短縮ト労働力ノ培養ニ努メルニ決シ各地方長官宛通牒ヲ発ス。 | | |

八五

| | | | | |
|---|---|---|---|---|
| 八、二〇 | 海軍航空隊ハ広東及ビ粤漢鉄道爆撃。 | 五相会議ニ於テ漢口攻略前後ニ処スル我対支最高方針ヲ討議。 | 武漢警備司令部ハ軍事徴発令ヲ発布。 | |
| 八、二一 | 陸軍部隊ハ海軍ト協力、星子県城占領。陸海軍航空隊ハ夫々漢口、武昌爆撃。 | 重光大使ハリトヴィノフ訪問、國境確定委員会設置案ヲ提議。 | | 〔チェコ〕チェコスロヴァキヤ、ユーゴースラヴィア、ルーマニア三國ノ小協商國会議開カル。 |
| 八、二二 | | 満洲國政府ハ暫行資金統制法案ヲ制定。 | 蒋介石ハ漢口デ外人記者ト会見、漢口防衛其他ニ関シ豪語。 | |

八六

| | | | | |
|---|---|---|---|---|
| 八、二三 | | | 軍事委員会ハ徴兵令改正ヲ発表シテ徴兵年齢ヲ拡張。 | 〔佛〕蒋政権ニ対シ一億五千万法ノ借款ヲ供与セル旨傳ヘラル。 |
| 八、二四 | 我軍瑞昌占領。海軍航空隊ハ宜昌、広東爆撃。 | 中央物價委員会ハ木炭ノ標準價格及ビ毛糸ノ最高價格ヲ発表。 | 孫科ハ蒋介石ト面接訪欧米巡歴報告ヲナス。 | |
| 八、二五 | 海軍航空隊ハ長沙、吉安、南昌、梧州等爆撃。 | 商工省ハ軍需用鉄鋼ノ供給確保ノタメ國内休眠鉄鋼買上ゲ及ビ献鉄運動方針ヲ決定、 | | |
| 八、二六 | 海軍航空隊ハ黄沙、 | 学校卒業者使用制限 | | 〔チェコ〕ズデーテ |

八七

| | | | | |
|---|---|---|---|---|
| | | 令施行規則公布。 | | ン党強硬ナ声明書ヲ発表、断乎自衛行為ニ出ル旨ヲ闡明ス。 |
| 八、二七 | 我軍多雲山、排子山高地一帯ノ敵要塞ヲ占領。 | 航空機製造事業法施行令公布。日満伊貿易協定全文公布サル。満鉄ハ東部東辺道開発鉄道完成九月一日ヨリ仮営業ヲ開始スル旨発表。 | 國府ハ漢口退却後ノ西南各省ノ経済開発ノタメ西南経済建設委員会ヲ設立。 | |
| 八、二八 | 我軍六安城南門ヲ占領。海軍航空隊ハ瑞昌西 | | | |

八八

| | | | | |
|---|---|---|---|---|
| | 方全面ニ亘ル敵陣地爆撃。 | | | |
| 八、二九 | 海軍航空隊ハ京山、漢口ヲ爆撃。<br>我軍、独山鎮、黄庄ヲ占領、 | 商工省ハ三月限綿花、純綿糸、國用綿糸ノ最高價格発表即日実施、<br>臨時輸出入許可規則改正サル。 | 國府ハ從軍記者待遇規則ヲ改正。 | 〔英〕チェコ問題ニ関シ緊急閣議ヲ開催。 |
| 八、三〇 | 我軍霍山縣城占領。<br>海軍航空隊南雄飛行場空襲、敵十七機撃墜。 | 池田蔵相ハ漢口陥落後ノ戦時物資統制ニ関シ談話発表。 | 軍事委員会ハ國共軋轢ニ関シ新華日報紙ニ否定文ヲ掲載。 | 〔英〕臨時閣議ニ於テチェコ問題ノ最高方針ヲ決定。 |
| 八、三一 | 江北進撃部隊ハ隻城駅占領。 | 日満伊貿易協定公布サル。 | | 〔チェコ〕反独宣傳禁止ヲ言明。 |

八九

| | | | | |
|---|---|---|---|---|
| | | 商店法施行令（十月一日実施）公布<br>中央物價委員会ハ貨物自動車運賃、綿製品、手編毛糸、洋紙、氷、ゴム製品、琺瑯鉄器等ノ各標準最高價格決定。<br>重光大使ハリトヴィノフ委員ト会見、國境委員会組織細目ニ亘リ交渉。<br>天津当局ハ天津英佛両租界当局ノ反日態度ニ鑑ミ租界内ノ邦人ニ引揚命令ヲ発ス。 | | |

九〇

| | | | | |
|---|---|---|---|---|
| 九、一 | 我軍河南省境桃李廟、周岡子、梁家集ノ各地ヲ占領。 | 伊國ハユダヤ人追放ニ関シ方針ヲ決定。 | | |
| 九、二 | 我軍、合掌山、鳳凰山、孫家集、鶏公岑ヲ占領。 | 大蔵省ハ円、外貨ノ利鞘稼キ防止策トシテ両替商ノ統制ヲ決定。 | 國府ハ國民参政会駐漢委員会ヲ招集当面ノ対策ニツキ協議。 | 〔チェコ〕大統領ハズ・ド党代表者ト会見。 |
| 九、三 | 我軍、招賢鎮、馬廻岑ヲ占領。 | | | |
| 九、四 | 我軍太康城、武山、沙婆山占領。<br>支那軍ハ温縣地方デ黄河ノ堤防ヲ決潰。 | | | |

九一

| | | | | |
|---|---|---|---|---|
| 九、五 | 我軍淮陽、洪山、占領。<br>海軍航空隊ハ岳陽駅岳州、南昌、粤漢線蒲圻附近ノ鉄橋爆撃。 | 政府ハ支那軍ノ奸策排除ヲ関係第三國駐日大使ニ通達。 | | 〔佛〕チェコ問題ノ急迫化ニ伴ヒ予備兵ノ一部ヲ召集。 |
| 九、六 | 我軍順河店、富金山、広済縣城占領。 | 商工省ハ古叉ハ屑鉄ノ價格昂騰抑制ノタメ公定販賣價格決定。<br>商工省ハ人絹糸ノストック調査ヲ命令。 | | |
| 九、七 | 我軍清河駅、固始縣城、蜘蛛山占領。 | 政府ハ満洲事件公債一億円、歳入補填公債三億円、八日発行ニ決定。 | 駐米大使王正廷ノ後任ニ胡適ヲ任命。 | |

九二

| | | | |
|---|---|---|---|
| 九、八 | 海軍航空隊武穴ノ敵陣地爆撃。 | | |
| 九、九 | | | |
| 九、一〇 | 海軍航空隊ハ許昌ヲ爆撃更ニ広九鉄路ノ数ヶ所ヲ爆破。 | 外務省ハ外交顧問制ヲ設置、佐藤、有田八郎両氏顧問ニ就任。 | |
| 九、一一 | 我軍遊村、三角岩、富金山占領。 | | |

（佛）休暇中ノ全將兵ニ原隊復帰ヲ命令。

（英）チエコ問題ニ関シ緊急会議ヲ開。

（チエコ）新妥協案ノ要旨ヲ発表。

（ソ聯）チエコ問題ノ悪化ニ鑑ミ西部

九三

| | | | |
|---|---|---|---|
| 九、一二 | 我軍三角山、團子山、松山、仙女池高地、西孤峯金山ヲ制覇。 | 中央物價委員会ハ煉炭鮮除綿製品及冬物足袋、紙ノ最高價格決定。 | 広東省当局ハ広東省防衛強化ノタメ壮丁ヲ強制的ニ徴集。 |
| 九、一三 | 我軍山西ヨリ陝西ニ入ル黄河渡河点ヲ占領。 | 政府ハ第二次新物資動員計画樹立ニ決定。 | |
| 九、一四 | 我軍方家集馬頭占領。 | 商工省当局ハ絹、人絹交織物ニリンク制 | 宋子文ハ借款交渉ノタメ渡米セル旨傳ヘ |

國境方面ノ軍備ヲ強化。

（白）独白國境方面ニ部隊ヲ集結。

（カナダ）全カナダ労働会議大会ハ日独伊三國ノ商品ボイコット、及ビ軍需品輸出禁止ヲ決議。

九四

| | | | |
|---|---|---|---|
| | | ヲ適用セシムルコトニ決定。 | ラル。 |
| 九、一五 | 我軍四望山、余家台占領。<br>海軍航空隊ハ田家鎮、馬鞍山ヲ猛爆。 | 商工省ハ物價統制ノ第二段階策トシテ当業者ノ自治的監視制度ヲ設置シ物價統制ヲハカルコトニ方針決定。 | 武漢衛戍司令部ハ全市ニ戒厳令ヲ布キ交通遮断、各戸ノ人口調査ヲ施行。 |
| 九、一六 | 我軍商城ヲ占領。<br>海軍航空隊ハ黄石南方ノ鉄橋爆破。 | | 聯盟総会ニ於テ顧維鈞代表ハ対将援助ヲ要請。 |
| 九、一七 | 海軍陸戦隊武穴占領。 | 商工省ハ石炭配給統制規則ヲ公布。 | |

（チエコ）ズ・ド党首ヘンライン氏ノ逮捕令ヲ発セル旨発表。

（英）チエンバレン首相訪独ヒトラー総統ト会談。

（チエコ）全國ニ非常戒厳令ヲ施行。

九五

| | | | |
|---|---|---|---|
| 九、一八 | | 農林省ハ石炭聯合会ニ対シ坑木用材ヲ拂下ゲルコトニ決定。 | |
| 九、一九 | 我軍、王嵩突破 | 北支臨時政府行政機構改革発令。<br>國際聯盟ヨリ招請状ヲ接受。 | |
| 九、二〇 | 我軍、陳家岑、沙窩一帯占領。 | | |
| 九、二一 | 我軍羅山占領。 | | |
| 九、二二 | 我軍不石巷、金輪峰、 | 中華民國政府聯合委 | |

（チエコ）内閣ハ英

九六

| 月日 | 軍事 | 政治・経済 | 支那側 | 外国 |
|---|---|---|---|---|
| | 息縣占領。 | 員会成立。国際聯盟ノ招請ヲ拒絶。 | | 佛案受諾ノ責任ヲ負ヒ総辞職、シロヴイ将軍内閣ヲ組織 |
| 九、二三 | 我軍朱婆山、老大寺占領。 | | | 〔チエコ〕総動員令発令。 |
| 九、二四 | 我軍頭王山、富池口、彭山占領。 | | | |
| 九、二五 | 海軍航空隊貴州省内数ケ所ヲ初空襲。 | | 蔣介石重慶市民ニ立退ヲ命ズ。<br>香港、重慶間ニ直通電話開始。 | |
| 九、二六 | 我軍[illegible]岱山占領。 | | 延安ニ於テ中共中央 | 〔波蘭〕チエコニ対 |

九七

| 月日 | 軍事 | 政治・経済 | 支那側 | 外国 |
|---|---|---|---|---|
| | | | 委員会全体会議開催。 | シテッシェン割譲ヲ要求。 |
| 九、二七 | | 五相会議ニテ対支中央機関設置ニ関スル事務的諒解成立。<br>陸軍新聞班ヲ陸軍情報部ト改称。<br>厚生省失業対策部新設決定。 | | |
| 九、二八 | 陸、海空協力田家鎮大要塞攻略。<br>海軍機昆明爆撃。 | 満洲国経済部康徳四年度満洲国際収支輸出入総額十五億三千二百万円細目発表。 | | |
| 九、二九 | 我軍下馬関大坂占領。 | 宇垣外相ハ首相訪問 | 財政部ハ英佛貸債ノ | 〔チエコ〕チエコ問 |

九八

| 月日 | 軍事 | 政治・経済 | 支那側 | 外国 |
|---|---|---|---|---|
| | | ノ上、対支中央機関成案ニ反対ヲ表明。 | 償還ヲ延期ノ旨発表。 | 題ニ関シ英、佛、独、伊四巨頭会談。 |
| 九、三〇 | 我軍山西省垣曲ヲ占領。 | 宇垣外相対支中央機関設置問題ニ関シ辞職。<br>商工省令ヲ以テ鉄鋼配給統制規則改正（十月十一日ヨリ実施） | | 〔チエコ〕四国協定ニ同意。<br>聯盟理事会ハ日本ニ対シ第十六條制裁適用ヲ採択。 |
| 一〇、一 | | 首相、外、拓相兼任。<br>臨時閣議対支院要綱成文決定。<br>商店法実施。<br>中支振興総裁ニ児玉氏就任。<br>満洲国臨時資金統制 | | 〔チエコ〕四国協定ニ基キ独軍チエコ国ニ進駐開始。 |

九九

| 月日 | 軍事 | 政治・経済 | 支那側 | 外国 |
|---|---|---|---|---|
| | | 法実施。 | | |
| 一〇、二 | 我軍排市、東頭山占領。 | 外務省情報部長談「国際聯盟第十六條適用問題ニ関シ制裁実行国ニ対シ対抗措置ノ決意アル旨及聯盟所属各技術機関ヨリ脱退スル旨発表。 | | |
| 一〇、三 | 我軍鉢巻山一帯確保。 | | | |
| 一〇、四 | 我軍一文字山占領。 | | | |
| 一〇、五 | 我軍大宮鎮占領。<br>海軍航空隊四川、湖北ヲ大爆撃。 | | | 〔チエコ〕ベネシユ大統領辞職。 |

一〇〇

一〇一

| | | | | |
|---|---|---|---|---|
| 一〇、六 | 我軍御林驛占領京漢線南段ヲ遮断。 | | | 〔チェコ〕ズデーテン地方接収ニ関スル國際委員会ニ於テ人民投票ニヨラズシテ第五地区ヲ独乙ニ引渡スコトニ決定。 |
| 一〇、七 | | | | |
| 一〇、八 | | 貿易外自由送金限度ヲ一ケ年百円ニ改正。 | | 〔香港〕非常時取締條例公布。 |
| 一〇、九 | 我軍坊主山、白山石占領。 | | | |

一〇二

| | | | | |
|---|---|---|---|---|
| 一〇、一〇 | 我軍七二一高地、二〇一高地占領。 | | 中央国府改造ニ要求提出。 | |
| 一〇、一一 | 我軍雀尖山、白石岩占領。 | | 広東当局ハ有防衛ノタメ安全居住区二十五縣ヲ指定食糧ノ貯蔵ヲ命ズ。 | |
| 一〇、一二 | 我軍白耶士湾上陸ニ成功直ニ広東ニ向ケ進撃。 | | | |
| 一〇、一三 | | | 漢口市政府緊急布告ヲ以テ自動車全部奥地ヘ移動スベキ旨発令。 | |

一〇三

| | | | | |
|---|---|---|---|---|
| 一〇、一四 | 我軍鉄兜山占領。 | | 広九鉄道当局ハ支那領ニアル機関車貨車ノ英領引揚ヲ命ズ。 | |
| 一〇、一五 | 我軍恵州占領。 | 農林省米價昂騰ニ備ヘ政府所有米四十万石売却決定。 | 広東軍当局ハ公務放棄者ヲ銃殺ニ処スル旨布告。 | 〔香港〕防空法公布。 |
| 一〇、一六 | 我軍広九鉄道遮断。 | | | |
| 一〇、一七 | | | | |
| 一〇、一八 | 我軍陽新占領。 | | 広東省政府ハ広東市公私立銀行ニ奥地移転ヲ命ズ。 | |
| 一〇、一九 | 我軍増城、石竜占領。 | | | |

一〇四

| | | | | |
|---|---|---|---|---|
| 一〇、二〇 | 我軍大冶鉄山占領。 | 徳王一行入京。 | | |
| 一〇、二一 | 我軍鄂城占領戦車部隊広東市ニ入城。 | | | |
| 一〇、二二 | | | | |
| 一〇、二三 | 我軍虎門砲台占領。 | 職業紹介所國営移管ニ決定。<br>維新政府、国府ノ米国向銀塊輸出不許可。 | 武漢警備司令部戒厳令実施。 | |
| 一〇、二四 | | 満洲国米穀管理法案成ル。 | | |
| 一〇、二五 | 我軍漢口ノ一角ニ突 | 大蔵省事変公債ニ總 | | 〔米〕維新政府ニ対 |

| | | | | |
|---|---|---|---|---|
| | 入。 | 円発行。 | | シ銀塊輸送差止メノ件ニ付キ抗議。 |
| 一〇、二六 | 我軍武昌占領。 | | | |
| 一〇、二七 | 武漢三鎮ヲ完全ニ占領。 | 日満経済懇談会大阪ニ開催。 | | 〔米〕対日通牒内容発表。 |
| 一〇、二八 | | 駐日佛大使ニ対蒋武器輸送禁止方ヲ申込。 | | |
| 一〇、二九 | 我軍咸寧占領。珠江遡江部隊広東ニ入ル。 | 外相ニ有田八郎氏、拓相ニ八田嘉明氏新任。 | | |
| 一〇、三〇 | | | | |

一〇五

| | | | | |
|---|---|---|---|---|
| 一〇、三一 | | | 蒋「全國民ニ告グルノ書」ヲ発表。 | |
| 一一、一 | 我軍永修占領。 | | 國民参政会擁護諸案可決。 | 〔英〕首相下院ニ於テ支那ハ英國ノ投資ナクバ再建不能ナル旨発表。 |
| 一一、二 | | 政府ハ國際聯盟トノ協力終止ノ通告ヲ発ス。 | 四川省政府、省内ヨリノ銀輸出ヲ禁止ス。 | |
| 一一、三 | 我軍嘉魚占領。 | 帝國政府武漢陥落後ノ新態勢ニ対処シテ帝國不動ノ態度ヲ声明。 | | |

一〇六

| | | |
|---|---|---|
| 一一、四 | 我軍通山占領。 | 満洲國政府維新政府ト通商代表交換ヲ決定。 |
| 一一、五 | 海軍航空隊深山飛行場爆撃。 | |
| 一一、六 | | |
| 一一、七 | 海軍遡江部隊赤壁ニ達ス。 | 北支開発、中支振興両会社創立総会開催。 |
| 一一、八 | 海軍航空隊成都ヲ初空襲。 | 我軍広東税関円滑接収。 |
| 一一、九 | 我軍通城占領。 | |

一〇七

| | | |
|---|---|---|
| 一一、一〇 | | |
| 一一、一一 | 我軍岳州突入。 | |
| 一一、一二 | | |
| 一一、一三 | 我軍隴海線ヲ潼関附近ニ於テ遮断ス。 | |
| 一一、一四 | 海軍遡江部隊岳州入城。 | 有田外相公文ヲ以テ英米佛三國ニ対シ揚子江ニ於ケル第三國船通航権要求ヲ拒絶ス |
| 一一、一五 | 陸軍航空隊蘭州、寧夏、西安、五原、成都猛爆。 | 維新政府行政院長梁鴻志氏入京。 |

一〇八

| | | | | |
|---|---|---|---|---|
| 一一、一六 | 陸軍航空隊西安急襲。 | | | |
| 一一、一七 | 大別山戦線ノ我軍羅田占領 | 池田蔵商相商工会議所総会ニ於テ戦時経済体制強化ヲ説ク。 | 前外交部長康友仁英首相ニ対シ公開状ヲ送リ泣訴ス。 | |
| 一一、一八 | 陸軍航空隊西安爆撃。 | 有田外相、米国政府ノ支那ノ門戸開放ニ対スル申入レニ対シ回答文ヲ発シ九ケ国条約ヲ事実上否認ス。南支方面軍最高指揮官古荘中将安藤利吉中将ト交代ス。対支中央機関ヲ興亜院トシ興亜院官制閣議 | | |



| | | | | |
|---|---|---|---|---|
| | | ニ於テ決定。 | | |
| 一一、一九 | | | | 〔ソ聯〕日魯漁業経営ノ三安定漁区閉鎖ヲ通告シ来ル。 |
| 一一、二〇 | 陸軍航空隊延安初空襲。 | | | |
| 一一、二一 | 陸軍航空隊再度延安空襲。 | | | 〔比島〕邦人漁夫警察官ニ射殺サル。 |
| 一一、二二 | | 日満支経済懇談会東京ニテ開催。 | | 〔米〕ハル長官対日申入レニ対スル日本側回答ニ不満ノ意ヲ表明。 |



| | | | | |
|---|---|---|---|---|
| 一一、二三 | 陸軍航空隊西安空襲。 | | 四川省政府外人旅行制限ヲ実施。 | |
| 一一、二四 | 陸空軍延安爆撃。 | | | |
| 一一、二五 | 我軍香港東方北方ノ残敵包囲線完成。 | 日独文化協定調印。 | | 〔波〕チェコ国境ヲ越エ、ツアカ市占領。 |
| 一一、二六 | 南支派遣軍英国境ニ進出。 | 日満支大阪懇談会開催。天津棉花同業会成立ス。 | | |
| 一一、二七 | | | | |
| 一一、二八 | 陸海軍航空隊常徳空 | 臨時政府棉花輸出ニ | | |



| | | | | |
|---|---|---|---|---|
| | 襲。 | 許可制ヲ実施。 | | |
| 一一、二九 | 陸空軍常徳空襲。 | 揚子江航行再開問題ニ関シ現地陸海軍当局談ヲ以テ現状維持ヲ表明ス。 | | |
| 一一、三〇 | 陸海軍賀縣空襲。 | 御前会議ニ於テ帝国ト更生支那ノ国交調整方針確定サル。 | | |
| 一二、一 | 海空軍玉山、楽昌爆撃。 | | | |
| 一二、二 | 南支軍潭水州道渡河前進。 | 閣議ニテ、防空施設整備ノ件決定。 | 重慶、昆明間「特別外交便貨物自動車」ニヨリ定期交通連絡 | |

| | | | | |
|---|---|---|---|---|
| 一二、三 | 我軍九江占領。 | | ナル。 | |
| 一二、四 | | | 贛州ニテ中ソ文化協会発会。 | |
| 一二、五 | | 国家総動員審議会、労働、船員能力調査、雇入制限等ノ四勅令案可決。日ソ漁業条約ノ改訂ニ関シ重ネテ促進訓電ヲ発ス。 | | |
| 一二、六 | | 国家総動員団体結成組織大綱決定。 | | 〔米〕大統領、国防計画ノ拡充ヲ言明。 |

一一三

| | | | | |
|---|---|---|---|---|
| 一二、七 | | 満波領事交換協定公表。満洲国明後年ヨリ徴兵制実施ニ決定。 | | |
| 一二、八 | | 外相ハ英米両大使ニ東西新秩序建設ノ態度ト門戸開放新原則ヲ闡明ス。東郷大使漁業問題ニツキリトヴィノフ人民委員ト会見。 | | 〔米〕駐支ジョンソン大使ニ至急帰国命令ヲ発ス。 |
| 一二、九 | | 北支最高指揮官更迭杉山元大将親補サル。 | | 〔米〕汎米会議。ペルーニ開催。 |

一一四

| | | | | |
|---|---|---|---|---|
| 一二、一〇 | | 我北樺太石油利権ヲソ聯側否認態度ニ出デタル行為ニ対シ外務当局厳重抗議。 | | |
| 一二、一一 | 陸空軍英蘇[illegible]襲 | | | |
| 一二、一二 | | | | |
| 一二、一三 | 陸空軍延安空襲 | 大蔵省ニ於テ国家総動員法第十一条三項目発動ニ決定。 | | |
| 一二、一四 | | | | |
| 一二、一五 | | | | 〔米〕対蒋二千五百万弗借款供與。 |

一一五

| | | | | |
|---|---|---|---|---|
| 一二、一六 | | 興亜院官制並ニ関係勅令公布。 | 蒋介石ハ最高国防会議ニテ全国ヲ四大軍区ニ分ツコトニ決定。 | 〔ソ聯〕極東ニ強制移民ヲ行フ旨傳ヘラル。 |
| 一二、一七 | | 興亜院会議ニ於テ今後ノ対支方針処理ヲ計ルニ決定。 | | |
| 一二、一八 | | | 汪兆銘重慶脱出昆明飛来。 | |
| 一二、一九 | | 漁業条約問題ニ関シ外相重大訓電ヲ発ス。 | 昆明ニ於テ各地銀行代表ヲ招集金融会議ヲ開催。 | 〔米〕財務長官米支銀協定ヲ無期限ニ延長スル旨言明。 |
| 一二、二〇 | | 汪兆銘仏印河内ニ到 | 汪派ノ要人続々政府 | |

一一六

一二、二一

着。

ニ辞表提出。

一二、二二

首相談ヲ以テ日支国交調整ニ関スル帝国政府ノ根本方針ヲ闡明。

天津英仏租界内ニ於ケル抗日共産分子一掃ノタメ我方ハ租界内外ノ交通ヲ遮断。

一二、二三

一二、二四

陸空軍西安猛爆。

海空軍桂林爆撃。

〔ソ聯〕日ソ漁業問題ニ関聯シテソ聯

一一七

一二、二五

函館領事館閉鎖。

一二、二六

陸空軍重慶爆撃。

宣伝部長周仏海香港到着。

〔米〕在支権益ニ関スル爆撃ニ対シ対日抗議ヲ行ヒタル旨発表。

一二、二八

一二、二九

汪兆銘和平ニ関スル重大声明ヲ発ス。

北支軍特務部廃止、軍司令部ニ編入。

一二、三〇

汪兆銘蒋介石一派ニ

一一八

対シ重大声明ヲ発表抗戦停止ヲ主張ス。

一二、三一

蒋介石、各司令官宛訓令ヲ発シ汪声明ニ依ル士気ノ沮喪ヲ防止ス。

漢口仏租界ニテ営業中ノ中国、中央、交通三銀行閉鎖サル。

〔波〕波、チェコ両国関係悪化ス。

〔米〕国務省有田外相ニ提出セル文書全文ヲ発表、新事態ノ不承認対支権益現状維持強調。

一一九

昭和十四年

| 月日 | 戰況 | 日本側 | 蔣政權側 | 援蔣國側 |
|---|---|---|---|---|
| 一、一 | | | 國民党臨時会議召集、汪ノ党籍ヲ剝脱、政府逮捕令ヲ発ス。 | |
| 一、二 | | | | |
| 一、三 | | 臨時政府旧法幣ノ第二次切下ヲ布告<br>中支最高指揮官ニ山田中將親補 | 孫科汪兆銘ノ逮捕令ヲ発セル旨発表。 | |
| 一、四 | | 近衛内閣総辞職 | | |
| 一、五 | | 平沼内閣成立 | | |
| 一、六 | | | | (英) 英蘭銀行ハ為替平衡資金ヘ三億五千万磅移管スル旨発表。<br>(チエコ) 洪・チエコ交戦開始。 |
| 一、七 | 陸空軍重慶爆撃。 | | | |
| 一、八 | 海空軍衡陽爆撃。 | 汪兆銘中央宛第二次書簡発表。 | | |
| 一、九 | | | | |
| 一、一〇 | 陸空軍重慶爆撃。 | 洪政府満洲國ヲ正式承認。 | | |
| 一、一一 | | | 蔣政府西南各省主席ヲ召集西南省政会議ヲ開催。 | |
| 一、一二 | | | | |
| 一、一三 | | | | |
| 一、一四 | | | | |
| 一、一五 | 陸軍航空隊重慶爆撃。 | 英國政府対日通牒公文内容外務省情報部発表。 | 國民政府外債利払中絶ヲ駐英大使館ヨリ発表。 | |
| 一、一六 | 漢口西北方ノ京山城占領。 | 満洲國防共協定ニ参加ノ旨張國務総理声明ヲ発ス。 | 國民政府ハ外債利子支払中絶ノ責ヲ日本ニ転嫁声明ヲ発表。 | 聯盟理事会開会。 |
| 一、一七 | | | | |
| 一、一八 | 陸軍機西安空襲。 | | | |
| 一、二〇 | | | | 聯盟理事会ニ於テ対蔣援助決議案採択。 |
| 一、二一 | | 議会再開。<br>鮮米昭和十三年度実収高二千四百万石ト発表。 | | (豪) 対日銑鉄積込開始。 |
| 一、二二 | | | 國民政府戦時消費税賦課実施 | (仏) 極東艦隊広州湾ニ集結中 |
| 一、二三 | | 昭和十三年度内地米実収高六千五百余万 | | |

| | | | | |
|---|---|---|---|---|
| | | 石ト発表。 | | |
| 一、二四 | 陸軍機洛陽爆撃。 | | 五中全会ニ於テ共産党員ノ三民青年團加入ヲ承認。蒋介石各戰区ニ攻勢命令ヲ発ス。 | 〔ソ聯〕重工業委員部改組。 |
| 一、二五 | | | 孔祥熙英支直通航空路開設ヲ発表。 | |
| 一、二六 | 南支方面ニ於テ敵測量艦ヲ爆沈。 | 呉佩孚全國ニ通電シ和平救國ニ邁進スル旨宣言。 | | 〔佛〕谷公使ノアグレマン拒否。 |
| 一、二七 | | | | |

五

| | | | | |
|---|---|---|---|---|
| 一、二八 | | | | |
| 一、二九 | 海空軍南寧空襲。 | | | |
| 一、三〇 | | 汪兆銘救國ノ方途闡明。呉佩孚ヲ推戴和平救國会成立。宣言書発表。 | | 〔ソ聯〕第三次五ケ年計画全貌発表。 |
| 一、三一 | | 臨時政府ハ山西票ヲ三月ヨリ流通禁止スル旨発表。満洲國産金奨励ニ百八十万円計上 | | |
| 二、一 | | 自動車タイヤチューー | 五中全会ノ決議ニ基 | |

六

| | | | | |
|---|---|---|---|---|
| | | ブ配給切符制 | キ経済計画大綱四項ヲ決定発表。 | |
| 二、二 | | | | 〔ソ聯〕洪國ノ防共協定参加ノ報復手段トシテソ聯ブダペスト公使館ヲ閉鎖。 |
| 二、三 | | | | |
| 二、四 | | 軍当局英汽船ノ山東ニ於ケル軍需品密輸事件発表。 | | |
| 二、五 | | | | |

七

| | | | | |
|---|---|---|---|---|
| 二、六 | | | | |
| 二、七 | | | | 〔米〕國務当局対日投資阻止ヲ言明。 |
| 二、八 | 海軍機広西爆撃。 | 時局関係減免税大蔵省具体案発表。我軍当局天津英佛租界ノ交通制限ヲ解除。維新政府駐満通商代表弁事処開設決定。 | | 〔佛〕フランコ政府ヲ承認。 |
| 二、九 | | 海運関係、船舶業組合法案及海運融資補給及損失補償法案政府原案発表。 | 國民政府自沈船九十九隻ニ達スル旨発表。 | |

八

| | | | |
|---|---|---|---|
| 二・一〇 | 陸海軍協力ノモトニ海南島ニ上陸。 | 衆議院予算総会十四年度予算案可決。北支為替管理案成立、第三國輸出為替ヲ中國聯銀ニ集中スルコトニ決シ内容発表。 | |
| 二・一一 | | | |
| 二・一二 | | | |
| 二・一三 | | 海南島占據ニヨル佛國ノ申入レニ対シ外相ハ軍事上ノ必要以外ニ何等領土的野心ナキ旨説明。 | 〔米〕 ハル長官ハ米國対外政策ニ付十一ヶ條文ヲ声明。 |

九

| | | | |
|---|---|---|---|
| 二・一四 | 我陸戦隊海南島南端ニ敵前上陸、三亜、楡林ヲ占領。 | | |
| 二・一五 | | | |
| 二・一六 | | | |
| 二・一七 | | | 〔豪〕 対日銑鉄輸出荷役開始。 |
| 二・一八 | 海軍機浙江省蘭谿ヲ爆撃。 | 眞茹無電台復活。 | |
| 二・一九 | 海南島安定占領。 | | |
| 二・二〇 | 陸軍航空隊蘭州大爆 | | |

一〇

| | | | |
|---|---|---|---|
| | 撃敢行。 | | |
| 二・二一 | 陸軍機深圳附近英領誤爆。 | | |
| 二・二二 | 海軍浙江省海門封鎖。 | 上海ニテロ事件頻発ニツキ陸戦隊警備ニツク。 | |
| 二・二三 | | 外相英大使ニ対シ誤爆事件ニ付遺憾ノ意ヲ表明。我軍上海テロ事件ニ関シ工部局ノ無責任ナル態度ニ不満ノ意ヲ表明嚴重抗議ヲナ | 汪兆銘脱出ニ関スル記事掲載禁止。 |

一一

| | | | |
|---|---|---|---|
| | | ス。 | |
| 二・二四 | 九龍半島深圳爆撃。 | 物品税免税案決定発表。滿洲國防共協定参加調印ヲ了ス。 | 〔米〕 議会ニ於テ軍需資源確保法案通過。 |
| 二・二五 | | 洪國防共協定参加。 | 〔佛印〕 カムラン湾封鎖公布。〔佛〕 佛國西班牙協定成立。 |
| 二・二六 | | | |
| 二・二七 | | | 〔英〕 フランコ政府承認発表。 |

一二

一三

| 月日 | | |
|---|---|---|
| 二、二八 | | |
| 三、一 | | |
| 三、二 | 海軍江蘇省射陽河地帯ニ於テ新行動ヲ開始シ第三國艦船ニ退避ヲ要求。 | 軍事費追加予算五十二億七千万円衆院ヘ上程。 |
| 三、三 | 漢水ノ要衝旧口鎮ヲ完全占領。 | |
| 三、四 | | |

〔佛印〕総督令ヲ以テカムラン湾一般航行ヲ禁止シ要塞構築ノ本格的工事開始。

一四

| 月日 | | |
|---|---|---|
| 三、五 | 陸軍安陸県城占領。 | |
| 三、六 | 陸空軍延安ヲ急襲。 | 興亜院現地主要人事決定。<br>我上海憲兵隊工部局警察ヲ包囲テロ團主魁ヲ逮捕ス。<br>北京聯銀ニ為替局ヲ設置。 |
| 三、七 | 陸軍亭寧占領。 | 総予算案三十六億九千余万円成立。 |
| 三、八 | 海空軍宜昌爆撃。 | |

〔英〕下院ニ於テサイモン蔵相ハ支那ノ法幣安定ヲ計ルタメ英蒋共同出資

一五

| 月日 | | |
|---|---|---|
| 三、九 | 海軍陸戦隊フレンチ島ニ上陸。 | 帝國鉱業開発会社法案要綱発表。 |
| 三、一〇 | | 英國ノ法幣援助問題ニ就テ情報部長談発表。 |
| 三、一一 | | 臨時政府金融攪乱暫行処罰法公布。<br>北支聯銀、北支旧通貨ノ流通ヲ禁止ス。 |

ニテ総額一千万ポンドノ特別資金設定ヲ決定セル旨発表。

〔ソ聯〕全聯邦共産党第十八回大会開催。

一六

| 月日 | | |
|---|---|---|
| 三、一二 | 陸軍沐陽占領。<br>陸空軍洛陽、潼関、朝邑爆撃。<br>海空軍雷州爆撃。 | |
| 三、一三 | | 臨時軍事費予算成立。<br>維新政府ハイギリスノ対蒋一千万磅借款其他ニ付強硬抗議ヲ発ス。 |
| 三、一四 | 陸空軍西安爆撃。 | |
| 三、一五 | | 独政府公式コンミュニケヲ以テチエコ國民ヲドイツ國ノ保護 |

〔英〕バトラー外務次官ハ下院ニ於テ北支ニ於ケル幣制問題ニ関シ日本政府ニ申入レヲナセル旨発表。

〔英〕支那法幣安定資金法案提出

〔ソ聯〕漁区競売ヲ

| | | | |
|---|---|---|---|
| | | 下ニ置クコトトナレル旨発表。 | ウラヂオニ於テ実施ス。 |
| 三、一六 | | | |
| 三、一七 | | ドイツ政府初代チエコ総督ニノイラート男ヲ任命。 | |
| 三、一八 | | 外務当局ソ聯ノ満区不法越境ニ対シ厳重抗議ヲナサシムル為東郷大使宛重要訓電ヲ発ス。 | 〔英・佛〕チエコ併合ニツキドイツヘ抗議。 |
| 三、一九 | | | |

一七

| | | | |
|---|---|---|---|
| 二、二〇 | | | 〔米〕チエコ併合不承認ヲドイツニ通告。 |
| 三、二一 | | | |
| 三、二二 | 江南戦線安義、奉新占領。 | 独メーメル進駐。 | |
| 三、二三 | | 日伊文化協定調印。 | |
| 三、二四 | 海軍陸戦隊鄱陽湖畔ニ敵前上陸敢行。呉城鎮占領。 | 満洲國スフ混用ヲ強制。<br>満独修好追加條約調印。 | 〔英〕法幣安定資金法議会通過。 |
| 三、二五 | | 第七十四議会終了。 | |

一八

| | | | | |
|---|---|---|---|---|
| | | 陸軍軍需品價格対策委員会設置。<br>満洲國原棉、綿製品統制法公布。<br>関東州綿業統制法実施。 | | |
| 三、二六 | 江西戦線靖安占領。 | | | |
| 三、二七 | 南昌占領。 | | 國府重慶各機関ニ分散移転命令ヲ発ス。 | |
| 三、二八 | | | | |
| 三、二九 | 江南修水戦線武寧占領。 | | | 〔米〕米國航空機会社援蒋借款成立。 |

一九

| | | | | |
|---|---|---|---|---|
| 三、三〇 | 海空軍四川省梁山空襲。 | 燃料、繊維、金属食料品ニ公定價格決定。<br>満洲國経済部為替料新設ヲ発表。 | 國府海門港封鎖ヲ各國へ通告。 | |
| 三、三一 | | 汪精衛第三次声明発表。 | | 〔米〕上院軍需品貯蔵法案修正可決。 |
| 四、一 | | 大蔵省銀買上ゲ実施。<br>商工省産金奨励規則、及輸出補償法施行規則改正公布。 | | |
| 四、二 | 江南江安城占領。<br>陸軍機西安爆撃。 | | | |
| 四、三 | | 日ソ暫定協定成立。 | | |

二〇

四、四　海軍機衡陽、長沙爆撃。

四、六　海軍機衡陽爆撃。

四、七　伊陸海空軍アルバニヤ占領。

四、八　海軍機広西省資陽及昆明空襲。汪精衛第四次声明発表。

國府國防最高委員完成。秘書長ニ張群就任。

〔英〕英、波相互援助條約成立。

〔米〕南太平洋フェニックス群島中カントン及エンダーベリ島ハ英米共管ノ旨発表。

二一

四、九　陸軍機山西省各地爆撃。海軍機南寧及海南島ノ瓊州、嶺口爆撃。

四、一〇　陸軍機山西省蒲縣、故城鎮、西安ヲ爆撃。海軍省海軍需品價格引下対策要領ニ関スル通牒ヲ部内各廳長ニ発ス。

四、一一

四、一二　海軍機海南島爆撃。

四、一三　海南島福山市橋頭占領。満洲國政府人民総服役制調査準備ニ関シ声明ヲ発表。

二二

四、一四　海軍陸戦隊潭州北西方地区ニ上陸。陸軍軍需品價格応急引下決定。

四、一五　海南島嘉積市占領。

四、一六　軍需公債六億元発行。

四、一七　華北交通会社創立。

四、一八　陸軍盧山占領。

四、一九　改正青年学校令枢密院ニ於テ可決。〔英〕独伊包囲体制企図ヲ言明。

二三

四、二〇　従業者雇入制限令実施。満洲國日満共同防衛委員会官制公布。南京維新政府黄浦江岸ノ不動産ヲ接收。

四、二一

四、二二

四、二三

四、二四

四、二五　陸軍機山西東部総攻撃。

二四

| | | | | |
|---|---|---|---|---|
| 四・二六 | | 陸軍傭船料引下ゲ決定。 | | |
| 四・二七 | | 満洲國建設計画資金内債二億円発行。 | | |
| 四・二八 | | 独ヒ総統ハ國会演説ニ於テ一、独波不可侵條約廃棄、一、ダンチヒ返還要求声明、一、英独海軍協定廃棄ヲ声明。 | | |
| 四・二九 | 陸軍機南鄭ヲ大空襲 | 蒙疆聯合委員会首班トシテ徳王ヲ推戴。 | | 〔英〕対ルーマニヤ借款五百万磅成立。 |
| 四・三〇 | | | | 〔ソ聯〕英佛トノ軍 |

二五

| | | | | |
|---|---|---|---|---|
| | | | | 事協定ニ極東包含ヲ撤回ス。 |
| 五・一 | 海軍機寧波空襲。 | 地方長官会議召集。上海工部局参事会議長ノ名ヲ以テ共同租界内政治結社禁止ノ布告ヲ発ス。 | | |
| 五・二 | 陸戦隊海南島鋪前港占領。 | | 重慶開催緊急國防最高委員会ハモスコーニ於ケル孫科リトヴィノフ間ニ成立セルソ支秘密協定案ヲ承認 | |
| 五・三 | 重慶空襲。 | 沢田外務次官駐日英 | | 〔英〕首相ソ聯ノ軍 |

二六

| | | | | |
|---|---|---|---|---|
| | | 米大使ヲ招致上海租界工部局ノ改組ヲ主張スル重大申入ヲナス。 | | 事同盟案ニ反対ヲ声明。〔佛〕日本品輸入禁止ノ特別法令ヲ発布。 |
| 五・四 | 海軍機再度重慶空襲 | 有田外相独伊両大使ヲ招キ欧洲問題ニ付重要会談ヲトグ。 | | |
| 五・五 | 海軍機重慶及汕頭爆撃。 | 政府金集中運動開始。満洲國國務院会議ニ於テ國境建設所要資金ノ主要財源トシテ三年間二億円限度ノ公債発行可決。 | | |

二七

| | | | | |
|---|---|---|---|---|
| 五・六 | | | | 〔英〕英土間地中海安全保障ニ関スル相互援助協定成立。 |
| 五・七 | 陸軍機漢中ヲ連爆。 | 臨時五相会議欧洲問題ニ付重要協議<br>独伊軍事同盟成立。 | | |
| 五・八 | 海軍機重慶北方合川空襲。 | | | |
| 五・九 | | 臨時五相会議欧亜情勢ニ付重要協議ヲ行フ。 | | 〔北欧諸國〕ノルウエー、スエーデン、デンマーク、フインランドハ欧洲問題ニ関シ厳正中立ヲ保持スル旨共同 |

二八

| | | |
|---|---|---|
| 五、一〇 | 海軍機雷州半島徐聞其他ヲ空爆. | |
| 五、一一 | | 上海共同佛租界当局ハ我ガ要望ヲイレ政治運動取締ノ緊急布告ヲ発ス. |
| 五、一二 | 海軍機重慶大空襲. | |
| 五、一三 | | |

コムミユニケ発表.

（佛印）カネテ禁止中ノ日本向鉄鉱輸出ヲ暫定一万噸ヲ限度トシテ許可スル旨領事館宛通告.

二九

| | | |
|---|---|---|
| 五、一四 | | |
| 五、一五 | | |
| 五、一六 | | 天津佛租界布告ヲ以テ政治集会ヲ禁止ス. |
| 五、一七 | | |
| 五、一八 | | |
| 五、一九 | | |
| 五、二〇 | | 緊急五相会議開催欧洲対処策協議. |

（英米）鼓浪嶼ニ陸戦隊揚陸.

三〇

| | | |
|---|---|---|
| 五、二一 | 我軍南昌磨子山ヲ占領. | |
| 五、二二 | 海軍機厦門対岸ヲ爆撃. | 首相、陸相、外相欧洲問題ニツキ協議. 鼓浪嶼工部局ニ対シ内田総領事「工部局ノ眞意」ニツイテ抗議. 独伊軍事同盟伯林ニテ正式調印. |
| 五、二三 | | 首相日独伊三國ノ連繋強化ノ声明ヲ発ス. 陸軍材料資金特別会計法施行決定. |

（佛）退役軍人八名軍事顧問トシテ重慶ニ向フ。

（英）我ガ警備区域浦東ニ英兵揚陸.

三一

| | | |
|---|---|---|
| 五、二四 | | 満洲國昭和製鋼所法公布. 欧洲情勢ニ関シ軍事参議官会議ヲ開催. 鼓浪嶼問題ニ関シジヤンク航行遮断ヲ各國租界側ニ通告. |
| 五、二五 | 海軍機第四次重慶爆撃. | 大陸、鼓浪嶼間ノ交通遮断. 東郷大使ソ聯外相ニ外蒙兵越境ヲ抗議. 満洲國本年度物動計画決定. |
| 五、二六 | 陸軍機韶関爆撃. | 十四年度物動計画決定. |

（英）浦東上陸ノ英兵撤退.

（英）海軍次官支那艦隊ノ増強ヲ言明.

三二

| | | | | |
|---|---|---|---|---|
| | | 日満支運輸連絡審議会終了。満洲國地域別ニ食料品価格統制実施。 | | |
| 五、二七 | 南昌南方敵本據ヲ完全ニ占領。外蒙機九機撃墜。 | 対蒙務民國策大綱日満政府間ニ意見一致。事変國債四億円発行。 | | 國際聯盟理事会援蔣決議採択。 |
| 五、二八 | 関東軍司令部外蒙機百機中四十二機撃墜ヲ発表。 | | 反戦派ヲ大検挙。 | 〔米〕作戦部長太平洋ヘ全力集中ノ旨放送。 |
| 五、二九 | 陸軍機蘭州ヲ爆撃。 | 関東軍外蒙事件ニ関シ自衛権ノ発動ナル旨発表。 | | |

三三

| | | | | |
|---|---|---|---|---|
| 五、三〇 | 武漢西方ノ軍事據点潛江ヲ占領。満領侵入ソ聯機十七機撃墜ノ旨関東軍発表。 | 大蔵省物動計画実施対策決定。落綿、スフ製品等最高価格決定。欧洲問題ニ関シ三相会議開催。 | | |
| 五、三一 | | 北樺太石炭確保ノ勅令公布実施。天津租界犯人引渡要求ニ付英ヘ期限付回答要求。 | | |
| 六、一 | | 再生ゴム、屑ゴム粉末ゴム配給規則実施サル。満洲國米ノ生産配給 | | |

三四

| | | | | |
|---|---|---|---|---|
| | | 統制実施。 | | |
| 六、二 | 関東軍外蒙軍ヲ國境外ニ撃退シ敵情ヲ監視中ト発表。 | | | |
| 六、三 | 魯南掃蕩戦開始。満洲國長山嶺子附近ニソ聯兵越境。 | | | |
| 六、四 | | | | |
| 六、五 | 山西ノ柳林鎮占領。 | | | |
| 六、六 | | | | |
| 六、七 | 山東戦線蒙陰占領。 | 日濠通商條約更改交 | | |

三五

| | | | | |
|---|---|---|---|---|
| | | 渉開始。東満重工業地帯建設計画発表。 | | |
| 六、八 | 山西戦線平陸占領。 | | 國民政府汪兆銘逮捕令ヲ発ス。 | |
| 六、九 | 魯南作戦進捗敵本據沂水ヲ攻略。海軍機重慶第五次空襲。 | | | |
| 六、一〇 | | | | |
| 六、一一 | 海軍機重慶、成都空襲。 | | | |

三七

| | | | | |
|---|---|---|---|---|
| 六、一二 | | 汪兆銘和平ニ関シ長文ノ声明発表. | | |
| 六、一三 | | | | |
| 六、一四 | | 在天津日本軍午前六時ヲ期シ英佛租界隔絶断行. | | |
| 六、一五 | | | | |
| 六、一六 | | | | 〔英〕在支権益擁護ニ関スルコムミュニケ発表. |
| 六、一七 | 外蒙機不法越境ハロンアルシヤンヲ爆撃. | | | |

三八

| | | | | |
|---|---|---|---|---|
| 六、一九 | 外蒙機十数機不法越境. | | 重慶政府復興、金融両公債ノ元利拂停止ヲ発表. | 〔米〕天津英佛租界封鎖問題ニ関心ヲ有スル旨公式声明. |
| 六、二〇 | | 興亜院華中連絡部上海ノ四貨対策ヲ発表. | | |
| 六、二一 | 陸海軍協力汕頭ニ敵前上陸. | | 上海支那側諸銀行三日間支拂停止声明. | |
| 六、二二 | 外蒙ソ聯機百五十機越境、我方十八機ヲ以テ四十九機撃墜. | | 上海華商銀行預金拂出制限. | 〔英佛〕シンガポールニ於テ英佛極東共同防衛会議開始. |
| 六、二三 | 外蒙ソ聯機越境一機撃墜.<br>海軍機湘陰、常徳空襲. | | | |

三九

| | | | | |
|---|---|---|---|---|
| 六、二四 | 外蒙ソ聯機六十機越境十二機撃墜.<br>陸戦隊舟山島敵前上陸、定海及岱山島占領. | | | |
| 六、二五 | 海軍機浙江、福建、江西、広東四省ノ各地爆撃. | | 蘇支通商條約締結ヲ両國政府発表. | |
| 六、二六 | 外蒙ソ聯機越境十六機撃墜. | 日豪通商協定更改成立. | | 〔英〕天津問題ニ関シ東京交渉ヲ提議.<br>シンガポール英佛極東軍事会議終了.<br>〔ソ聯〕満蒙國境問題ニ関シ重大会議開催. |

四〇

| | | | | |
|---|---|---|---|---|
| 六、二七 | 我空軍外蒙機二百機ト交戦、九十八機撃墜、タムスクヲ空襲、三十機ヲ爆砕.<br>海軍温州、福州ニ新作戦ヲ開始ス.<br>陸戦隊虎頭、王環、川石占領. | | | |
| 六、二八 | 海軍機四川省奉節空襲. | 外務省天津租界問題ニツキ現地ヨリ関係官ヲ招致、東京ニテ交渉ヲ行フ旨発表. | | |

| | | |
|---|---|---|
| 六、二九 | 満蒙國境日満軍一斉ニ反撃開始。 | |
| 六、三〇 | | 満洲移民政策大綱決定。 |
| 七、一 | | 金ノ國勢調査。<br>外國為替管理法強化。<br>総動員法第十六條業務事業設備令公布。 |
| 七 二 | 外蒙軍ハルハ河畔ニテ総攻撃開始. | |
| 七 三 | 山東省南端曹州占領.<br>日満軍ノモンハン大進撃開始. | 枢府軍事保護院官制案可決. |

(英)　陸戦隊ヲ福州ニ揚陸。



| | | |
|---|---|---|
| 七. 四 | 外蒙ボイル湖東方ニ於テ敵五十余機ヲ撃墜.<br>武漢地区黄梅占領. | 対支政策樹立上ノ最高諮問機関トシテ興亜委員会設置、官制並ニ委員発表. |
| 七. 五 | 満蒙國境ソ聯機十二機撃墜.<br>山西戦線沁縣占領. | |
| 七、六 | ボイル湖上ニテソ聯機二十六機撃墜. | 軍中央部天津問題ニツキ態度表明. |
| 七、七 | 海軍機重慶爆撃. | 國民徴用令公布. |
| 七、八 | | 國民徴用令施行規則公布. |

(英)　蔵相下院ニテ支那法幣安定ニ関スル態度不変ナル旨発表.



| | | | |
|---|---|---|---|
| 七、九 | ソ聯機二十八機撃墜. | 生糸ノ最高價格一千三百円ト決定. | 重慶政府所得税ノ外ニ非常時超過利得税ヲ徴収スル旨発表. |
| 七、一〇 | ソ聯軍ヲ國境外ヘ撃退.<br>ハルハ上空ニテソ聯機七十機撃墜. | 汪兆銘日本ト協力蔣介石ト絶縁スル旨発表。 | |
| 七、一一 | | 青島会議ニテ王克敏、梁鴻志ハ全力ヲアゲテ汪ヲ支持スル旨発表. | |



| | | |
|---|---|---|
| 七、一二 | 海軍当局福建新作戦ニ付第三國ヘ通告、 | |
| 七、一三 | 山西省潞安城占領。 | 閣議日英会議不動ノ方針承認。 |
| 七、一四 | | |
| 七、一五 | 海軍汕尾、興化新作戦ノタメ第三國船撤退ヲ通告ス。 | 日英第一次会談開始サル。<br>國民徴用令実施。<br>軍事保護院新設サル。 |
| 七、一六 | | |
| 七、一七 | | |

| | | | | |
|---|---|---|---|---|
| 七、一八 | 海軍福建、三都澳、羅源、沙埕三港閉塞通告。 | 五相会議外交事件対策ニツキ重要協議。 | | |
| 七、一九 | 山西省沢州城占領。 | 日英第二次会談。 | | |
| 七、二〇 | 陸軍機洛陽爆撃。 | 第一回興亜院会議開催。 | | |
| 七、二一 | ボイル湖上ニテ三十九機撃墜。 | 日英第三次会談。 | | 〔米〕ピットマンノ対日制裁案ハ来議会マデ審議延期ト決定。 |
| 七、二二 | | 日英第四次会談。 | 法幣不安ノタメ漢口佛租界内ノ中國、交通、中央ノ三銀行支 | |

四五

| | | | | |
|---|---|---|---|---|
| | | | 店ニ取付騒ギオコル。 | |
| 七、二三 | ソ聯機四十四機撃墜。 | | | |
| 七、二四 | 重慶空襲。 | 日英会談ノ結果原則協定ナリ共同声明発表。 | 蒋介石國民党聯合記念週ニ当リ依然英國ヲ信頼スル旨発表。 | |
| 七、二五 | 満蒙國境ソ聯機四十二機撃墜。 | 満洲國防衛令ヲ公布即日実施。 | 八月一日建設公債三億元ヲ発行ノ旨発表。 | |
| 七、二六 | 広西省梧州空襲。南支派遣陸海軍珠江封鎖ヲ通告。 | 治安問題ヲ中心トスル日英第三次会談開催。 | | 〔米〕日米通商航海條約廃棄ヲ通告。 |
| 七、二七 | 陸戦隊蛾州ニ上陸。 | 日英第四次会談。 | | |

四六

| | | | |
|---|---|---|---|
| 七、二八 | 珠江作戦部隊ノ一部陸戦隊岐山ニ上陸。 | 米國ノ日米通商航海條約廃棄ニ関シ声明書発表。<br>日英第五次会談、経済問題ニツキ行キ悩ミノ状態ニナル。 | |
| 七、二九 | | 日独貿易協定仮調印完了。 | パリー滞在中ノ孫科ニ至急米國出張ヲ電命。<br>國共重要会議ヲ開催。 |
| 七、三〇 | 我空軍洛陽爆撃。 | | |
| 七、三一 | | 日英第六次会談。 | 重慶政府ハ奥地ヨリ送金ノ法幣制限ヲ断行。 |

四七

| | | |
|---|---|---|
| 八、一 | | 日英会談小委員会開催、現銀法幣問題ニ難色ヲ示ス。 |
| 八、二 | | 陸軍首脳部対支政策ニ付重大協議ス。 |
| 八、三 | 海軍機重慶夜間空襲。 | 臨時政府通貨ノ持出、持込額ヲ五百元ニ制限。 |
| 八、四 | | |
| 八、五 | 海軍機重慶大空襲。満蒙國境ホロンバイル空中戦デ四十七機撃墜。 | 対支海運統制ノタメ東亜海運株式会社設立 |

四八

| | | | | |
|---|---|---|---|---|
| 八、六 | | | | |
| 八、七 | 珠江作戦完了ニ付封鎖ヲ解除ス. 海軍浙江省海門ノ再封鎖ヲ各国ヘ通告. | | | |
| 八、八 | | 対欧第五相会議開催. 日英会談、英政府回訓ハ治安問題ノミニシテ金融問題ハ米、仏ト協議中ニ付会談猶予ヲ申込 | | |
| 八、九 | | 日英会談、英ノ申入ニ対シ現地軍代表ハ天津ノ現地交渉ニ移スコトヲ決定重大申入ヲナス. | | (米) 蔣政権ト銀塊六百万オンス購入方契約シタル旨発表. |
| 八、一〇 | 五原城ヲ空襲. | 南支軍汪支持ヲ声明. 日英会談ノ法幣問題ニ関シ米仏ノ申入アリタルモ断乎介入ヲ拒絶ス. | | |
| 八、一一 | | | | |
| 八、一二 | | 対欧策ニツキ陸軍首脳部協議. | | |
| 八、一三 | 我憲兵、中支占領地ニ於ケル抗日分子百数十団ヲ一斉ニ検挙. | | | |
| 八、一四 | 我空軍広西省各地ヲ爆撃. | 日英会談ノ我方軍現地代表引揚. | | (米) ウエルズ国務次官対日軍需品禁輸ヲ考慮中ノ旨発表. |
| 八、一五 | 我空軍梧州、龍州等ヲ爆撃. | | 重慶政府ノ軍事委員会我軍占領地ノ後方撹乱ノ目的ヲ以テ経済遊撃隊組織ヲ決シ弁法十ケ條ヲ公布. | (香港) 香上海行内ニ於テ法幣問題ニ関スル経済会議ハ中央銀行南方券ノ新紙幣一千万元発行、北方券ハ闇相場ニ放任方針ヲ決定. |
| 八、一六 | 我軍宝安ニ敵前上陸深圳ヲ占領. | | | |
| 八、一七 | 京漢線信陽西北三十数粁平方地区内ノ粛正完了. | | | |
| 八、一八 | | | | |
| 八、一九 | 海軍機嘉定初空襲. | 南支軍援蔣行為ヲ中止セズバ香港封鎖モ止ムナシト発表. | | |
| 八、二〇 | | | | (ソ聯) 独ソ通商條約成立. |
| 八、二一 | 陸軍機常徳ヲ空襲. 海軍機沅陵ヲ猛爆. | 日米通商航海條約破棄ニ関シ外務省強硬声明発表. 首相、陸相ト欧州問 | | (独) 独ソ不可侵條約発表. |

題ニ付重大協議。

八、二二
陸軍機吉安飛行場空襲。

八、二三
陸軍機広信爆撃。

帝國政府、独ソ不可侵條約ニヨル欧州新情勢ニ対シ一応白紙ニカヘリ自主的外交ヲ推進スルコトニ決定。

〔独〕独ソ不可侵條約調印。

八、二四
〔英〕在独英人ニ引揚ヲ訓令

八、二五
有田外相独ソ條約ハ防共違反ニ付枢軸強

〔英〕英波相互援助條約調印。

五三

化打切ヲオツト大使ニ通告。

八、二六
陸軍今後ノ國際関係ニツキ防共精神ニ変化ナク支那事変処理ニ邁進スル旨所信表明

八、二七

八、二八
海軍機重慶西部ノ小龍坎ヲ空襲。

平沼内閣総辞職。阿部信行大將ニ大命降下。

八、二九
〔波〕総動員令ヲ下ス。

〔和〕欧洲情勢ニ鑑

五四

ミ今後石油ノ輸出ヲ禁ズル旨公布。

八、三〇
海軍機柳州、南寧空襲。

満蒙國境敵二十三機撃墜。

阿部内閣成立。

八、三一
満蒙國境パルシヤガル平原ニ激戦展開。

海軍機重慶西南二十キロノ白市駅附近ノ飛行場空爆。

〔波〕独ノ十ケ條要求ヲ拒絶。

九、一
満蒙國境ノ口高地ニ激戦展開。
〔独〕独波間ニ激戦展開
〔英〕陸海軍ニ総動

五五

員。

九、二
福建省中部海岸湄州浦封鎖ヲ各國ニ通達。

海軍機重慶、広陽、梁山各飛行場爆撃。

〔英・佛〕鼓浪嶼ニ揚陸中ノ陸戦隊総引揚。

九、三
陸軍機湖南省湘潭空爆。

我政府欧洲動乱ニ対シ静観ヲ堅持スル態度決定。

〔英〕独ニ宣戦布告。

〔佛〕独ニ最後通牒手交。

〔米〕中立ヲ宣言。

九、四
広東省従化縣ヲ占領。

海軍機重慶空襲。

満蒙國境ハンダガヤ上空ニテ二十二機撃墜。

阿部首相欧洲戦不介入ヲ声明。

〔佛〕対独戦ヲ発表。

〔伊〕戦時輸出禁制品約二百品目ノ追加ヲ発表。

五六

| 日付 | | | |
|---|---|---|---|
| 九、五 | 陸軍機沙市ヲ空襲。 | | |
| 九、六 | | | |
| 九、七 | | 維新政府欧洲戦ニ中立ヲ表明。 | |
| 九、八 | 陸軍機湖南省衡載ヲ爆撃。 | 臨時政府欧洲戦ニ中立ヲ表明。 | (独) ワルソーニ突入。 |
| 九、九 | | | |
| 九、一〇 | | 上海ニ投弾事件起リ死傷者ヲ出ス。 | (加) 対独宣戦布告。 |
| 九、一一 | | | |

五七

| 日付 | | | |
|---|---|---|---|
| 九、一二 | 四川省万縣ヲ空襲 | 支那派遣軍総司令部編成西尾大将総司令官ニ補セラレ板垣中将総参謀長被仰付。 | |
| 九、一三 | | 阿部内閣新政綱発表。 | |
| 九、一四 | | | (独) 海上封鎖ヲ海軍ニ命令。 |
| 九、一六 | | ノモンハン停戦協定成立。 | |
| 九、一七 | | 汪兆銘和平救國南京会談ヲ前ニシテ重慶ノ同志ニ勧告ヲ通電ス。 | |

五八

| 日付 | | | |
|---|---|---|---|
| 九、一八 | | 多田中将杉山大将ノ後任トシテ北支軍最高指揮官ニ補セラル。<br>満蒙國境日ソ軍代表決定停戦交渉開始。 | |
| 九、一九 | | 物價抑制緊急策價格停止令発動ニ決ス。<br>日ソ停戦現地細目協定成立。 | |
| 九、二〇 | 陸軍機高安城西南地区猛爆。<br>我空軍大編隊ヲ以テ河北省成安ヲ爆撃。 | | (波) 波蘭分割ノ新國境線独ソ間ニ成立。 |
| 九、二一 | | 汪兆銘・王克敏・梁 | (豪) 英佛軍援助ヲ |

五九

| 日付 | | | |
|---|---|---|---|
| | | 鴻志ト協力和平実現、憲政実施ニ邁進スル旨声明。 | 声明。 |
| 九、二二 | | 日本官憲ト鼓浪嶼工部局トノ諸懸案細目協定承認シ終局的解決ニ到達。 | |
| 九、二三 | | 商工省石油配給統制令公布即日実施。 | |
| 九、二四 | 江南ノ第九戦区殲滅ノ作戦行動九月中旬ヨリ開始セル旨中支軍発表。 | | |

六〇

| | | |
|---|---|---|
| 九、二五 | 海軍陸戦隊洞庭湖東岸高石山ノ一角占領 | 野村大将外務大臣 |
| 九、二六 | 陸軍泊水南岸一帯確保。 | 閣議貿易省設置ヲ決定、 |
| 九、二七 | | |
| 九、二八 | 陸軍平江縣城制圧。海軍機重慶附近爆撃。 | 國家総動員法等ノ施行ノ統轄ニ関スル勅令案公布。 |
| 九、二九 | | |
| 九・三〇 | | |

（米）新中立法案ヲ上院外交委員会ニ提出。

（波）ワルソー陥落。

（米）新中立法案上院外交委員会通過。



| | | |
|---|---|---|
| 一〇・一 | | 汪代理周佛海来朝。 |
| 一〇・二 | | 閣議貿易省設置要綱決定、 |
| 一〇、三 | 支那方面艦隊司令長官温州南方古鼇頭ニ新作戦展開ニ付第三國船ニ立退ヲ通告、 | |
| 一〇、四 | | 満洲國日満支物動再編成ノ目的ヲ以テ新動員体制ノ確立ヲ要請。 |
| 一〇・五 | | 貿易省設置ニ関シ外務省内ニ反対意見行ハル。 |



| | | |
|---|---|---|
| 一〇、六 | | |
| 一〇、七 | 中山縣城占領。 | |
| 一〇、八 | | |
| 一〇、九 | 大本営陸軍部敵軍潰滅ノ目的達成セリト湖南作戦ノ意義ヲ闡明。 | |
| 一〇・一〇 | | |
| 一〇・一一 | 陸軍機西安空襲、陸軍湖北省九宮山占領。 | 外務省高等官一同辞表ヲ提出。 |

（ソ芬）エストニヤへ進駐開始。

（英）英ソ通商協定成立ヲ発表。



| | | |
|---|---|---|
| 一〇、一二 | | |
| 一〇・一三 | 我空軍成都、南川、四川省各都市ヲ爆撃。 | 閣議價格等統制令、其他六勅令案正式決定。 |
| 一〇・一四 | | 上海共同租界ニテ口事件発生。 |
| 一〇・一五 | 我空軍延安爆撃。 | |
| 一〇・一六 | | 專任農相酒井忠正伯親任。 |
| 一〇、一七 | | |
| 一〇、一八 | | 電力調整令公布。 |

| 一〇、一九 | 海軍機広西省境爆撃。 | 汪兆銘日支経済提携ニ関スル所論披瀝。 |
|---|---|---|
| 一〇、二〇 | | 板垣総参謀長上海ニテ汪兆銘ト会見。 |
| 一〇、二一 | | 日本、イラン修好條約調印。 農林省戦時食糧政策確立ノタメ食糧局新設決定。 ノモンハン現地交渉終結ノ旨関東軍発表。 |
| 一〇、二二 | | |
| 一〇、二三 | | |

〔英〕英佛土相互援助條約調印。

六五

| 一〇、二四 | | 大蔵省為替基準ヲ磅リンクヨリ弗リンクニ変更ノ旨発表（二十三弗十六分ノ七） |
|---|---|---|
| 一〇、二五 | | |
| 一〇、二六 | 陸軍機西安飛行場爆撃。 | |
| 一〇、二七 | 陸軍機南陽空襲。 | |
| 一〇、二八 | 陸軍機洛陽爆撃。 | 政府米ノ偏在防止ノタメ公定價格ニテ買入レ需給調整ノ方針決定。 |

〔ソ聯〕ラトヴィヤヨリ旧領回收完了。

六六

| 一〇、二九 | | |
|---|---|---|
| 一〇、三〇 | 陸軍機洛陽南鄭空襲。 | |
| 一〇、三一 | | 汪兆銘南京ニテ西尾総司令官、板垣総参謀長ト会見。 |
| 一一、一 | | 興亜院事変処理具体案決定。 維新政府臨時議政会議ニ於テ支那新政権ニ合流スベキ旨ノ申合ヲナス。 |
| 一一、二 | | 農商両省農山漁村用 |

〔ソ聯〕ソ聯最高会議ニテモロトフ外相「日ソ國交調整考慮スル」旨演説。

〔佛印〕佛印経由支那内地向商品輸送禁止令実施。

六七

| | | 材配給調整大綱発表。 満洲國政府臨時資金統制法改正強化。 |
|---|---|---|
| 一一、三 | | |
| 一一、四 | 陸軍機淡水、恵州爆撃。 海軍機成都爆撃。 | 野村外相グルー大使ニ國交調整ニ関スル正式文書手交。 |
| 一一、五 | | |
| 一一、六 | | 臨時閣議米穀緊急措置決定最高價格五四引上ゲ強制買入制設定。 |

〔米〕新中立法成立。

六八

| | | | | |
|---|---|---|---|---|
| 一一、七 | | 閣議兵役法施行令改正決定（第三乙種新設） | | 〔白・和〕英佛独三國ニ和平ヲ提議。 |
| 一一、八 | | | | |
| 一一、九 | 陸軍杭州残敵包囲殲滅戦ニ於テ合山占領 | 國家総動員審議会七分揭米勅令案可決。 | 重慶政府要人会議ニ於テ「國共分裂モ辞セザル旨」蒋介石重大決意表明。 | 〔ソ聯〕羅國ニベッサラビヤ返還要求。 |
| 一一、一〇 | | | | |
| 一一、一一 | | 汪兆銘孫文誕辰日ニ際シ「万難ヲ排シ和平遂行」ノ旨声明。 | | |

六九

| | | | | |
|---|---|---|---|---|
| 一一、一二 | | 厚生省女子労働者特殊保護ノ通牒ヲ発ス。 | 重慶ニ於テ第六次國民党中央執監委員全体会議開催定数以下ノタメ本会議開催不能。 | 〔英〕北支駐屯軍ノ引揚ヲ発表。 |
| 一一、一三 | | 外務省支那事変中発生シタル日米六懸案解決ノ旨発表。 | 六中全会共産党側出席ナシ。 | 〔英佛〕北支駐屯軍ノ一部引揚ヲ我方ニ通告。 |
| 一一、一四 | | | | |
| 一一、一五 | 陸海軍精鋭部隊北海ニ奇襲上陸、猛進中。 | 野村外相駐日蘇スメターニン大使ト会見日蘇交渉開始ニ付意見交換。 | 六中全会予備会議ニ於テ中國共産党問責案討議。 | 〔独〕白・和ノ和平提案受諾不可能ナル旨回答。 |

七〇

| | | | | |
|---|---|---|---|---|
| 一一、一六 | 北海上陸軍防城占領。 | 大蔵省煙草値上実施。 | | |
| 一一、一七 | 陸軍欽州縣城完全占領。 | | | |
| 一一、一八 | | | | |
| 一一、一九 | 北海上陸部隊要衝唐報及ビ那麗圩占領。 | | | |
| 一一、二〇 | | | 重慶六中全会閉会ニ際シテ防共参加絶体拒否ノ党政策及党部新役員発表。 | |
| 一一、二一 | 海軍機広西省各地爆撃。 | 外務省ノモンハン事件國境劃定委員会ニ関シ声明発表。 | | |

七一

| | | | | |
|---|---|---|---|---|
| 一一、二二 | | 総動員審議会ニ於テ商相低物價政策ヲ放棄セヌト語ル。<br>満洲國資金統制法強化ヲ決定。 | | |
| 一一、二三 | 海軍機南寧爆撃。 | | 白崇禧広西省民ニ「人民ニ告グル書」発表。 | |
| 一一、二四 | 我軍南寧ヲ占領。 | 造船事業法施行令閣議ニ於テ決定。 | | |
| 一一、二五 | 海軍機西安ヲ爆撃。 | 米穀搗精等制限令及ビ農林省令米穀搗精 | | |

七二

| | | | | |
|---|---|---|---|---|
| | | 制限規則公布。独船拿捕令ニ政府対英抗議。 | | |
| 一一、二六 | 海軍機西安咸陽ヲ爆撃。 | | | 〔英、佛〕独貨拿捕令ヲ公布。 |
| 一一、二七 | 海軍機蘭州爆撃。 | 日泰航空協定締結。 | | |
| 一一、二八 | 海軍機蘭州爆撃。 | 日ソ漁業條約改訂ニ関シソ聯ノ回答督促。中央物價統制協力会議結成。 | 行政院会議ニテ交通運輸ノ統合会社設立決定。 | |
| 一一、二九 | 海軍機南陽飛行場爆撃。 | 鉄道大臣永田秀次郎厚生大臣秋田清 | | 〔ソ聯〕フィンランドニ國交断絶ヲ通 |

七三

| | | | | |
|---|---|---|---|---|
| | | | | 告 |
| 一一、三〇 | 海軍機蘭州飛行場並ニ西安爆撃。陸軍機河南省遂平、舞陽爆撃。 | | 四川興業銀行ノ設立ヲ準備。 | 〔ソ聯〕フィンランドニ四ケ所ヨリ進駐開始。 |
| 一二、一 | 海軍機蘭州及桂林飛行場爆撃。陸軍機南陽、固始爆撃。 | 参議四名補充 | 工場奥地移転促進ノタメ財政部一千万元支出ニ決定。 | |
| 一二、二 | 海軍機桂林、三江、興安ヲ爆撃。 | 汪兆銘重慶ノ三民主義歪曲ヲ駁撃。 | | |
| 一二、三 | | | | 〔英〕天津駐屯軍引揚開始。 |

七四

| | | | | |
|---|---|---|---|---|
| 一二、四 | 海軍機嚢陽、八塘関敵ヲ続爆撃。 | 日米問題ニ関シ外相グルー大使ト会見。政府五党首ト会談。 | | 〔米〕戦債支払ヲ十ニケ國ニ要求。 |
| 一二、五 | 陸軍機韶関以北ノ粤漢線各地ヲ爆撃。 | 閣議ニ於テ税制改革要綱決定。 | | 〔米〕戦債支払金ヲ対芬援助ニ使用ト大統領語ル。 |
| 一二、六 | 海軍機長沙、湘潭急襲。 | 米穀応急対策ノタメ食糧委員会設置。臨時政府物資ノ中支移出取締ヲ決定（七日ヨリ実施） | 龍雲中央軍ノ雲南撤退ヲ要求。 | |
| 一二、七 | | 臨時資金調整法改正案決定（十五日ヨリ実施） | | |

七五

| | | | | |
|---|---|---|---|---|
| | | 第一回東亜経済懇談会開催。 | | |
| 一二、八 | | 身分保障令撤廃ハ無期延期。 | | 〔伊〕中立堅持ヲ重ネテ表明。〔米〕ソ聯ノ対芬封鎖ヲ認メズト声明。 |
| 一二、九 | 海軍機湖南省黔陽ヲ爆撃。 | 米穀応急対策連絡協議会開催。外務省情報部ハ満蒙國境確定委員会開催ニツキ発表。 | | |
| 一二、一〇 | 海軍機広西省都安飛行場爆撃。 | | | |

七六

| | | | | |
|---|---|---|---|---|
| 一二・一一 | | | 占領地区製品ノ奥地流入ヲ禁止、蒋介石行政院長ニ正式就任。 | 國際聯盟総会ソ聯糾弾除名ヲ決議。 |
| 一二・一二 | 陸軍機紹興、富陽周辺ヲ爆撃。 | 軍機保護法施行規則中改正公布、即日実施。閣僚ト物價委員懇談共同委員会設置申合。 | 明春ヨリ超過利得税徴収決定。 | |
| 一二・一三 | | | | 〔英〕揚子江警備ノイギリス砲艦引揚 |
| 一二・一四 | 陸軍機京漢線信陽西方地区ノ敵集團部隊爆撃。 | 小麦、松脂等最高價格決定。 | | |

七七

| | | | | |
|---|---|---|---|---|
| 一二・一五 | 陸軍機、梧州、南建封川、信陽西北方等ノ敵陣地爆撃。 | 第七次中華民國聯合委員会開催。東郷大使、モロトフ外務委員ト日ソ漁業問題協議。 | 対米軍用機発註。 | |
| 一二・一六 | | | | |
| 一二・一七 | 陸軍機安徽省青陽爆撃。 | | | |
| 一二・一八 | 海軍機四川省梁山、湖北省恩施ノ飛行場爆撃。 | 野村外相揚子江閉鎖解除ヲグルー大使ニ申入。木炭配給統制規則決定（二十日公布） | | |

七八

| | | | | |
|---|---|---|---|---|
| 十二・一九 | 海軍機恩施、梁山、宜賓ノ各飛行場爆撃。 | | 川滇鉄道建設佛支借款成立。 | |
| 一二・二〇 | 海軍機衡陽、芷江、吉安飛行場爆撃。 | | | |
| 一二・二一 | | | 第三次金融通貨会議二十五日開催ニ決定。 | |
| 一二・二二 | 海軍機衡陽、桂林、義寧、柳州各飛行場爆撃。 | 閣議肥料公定價格据置ニ決定。大豆、曹達灰、スフ等最高販売價格決定。閣議、工場事業場使用収用令決定。 | | |
| 一二・二三 | 陸軍機韶関、三鎮爆 | 暴利取締規則 | | |

七九

| | | | | |
|---|---|---|---|---|
| | 擊。海軍機柳州、桂林、義寧各飛行場爆撃。南支派遣軍二十一日龍州、鎮南関占領ヲ発表。 | | | |
| 一二・二四 | | 十五年度米價決定最低値二円六十銭引上。 | | |
| 一二・二五 | 広東省従化東方二十キロノ良口墟占領。 | | | |
| 一二・二六 | 陸海軍航空隊蘭州爆撃。 | 議会開院式挙行。 | | |
| 一二・二七 | 陸空軍航空隊重ネテ | 物資物價懇談会低物 | | |

八〇

| 月日 | 戦況 | 日本側 | 蒋政権側 | 援蒋国側 |
|---|---|---|---|---|
| | 蘭州爆撃。 | 疆基本方策決定。満蒙國境確定チタ会議終了。 | | |
| 一二・二八 | 陸海軍航空隊蘭州大爆撃。 | | | |
| 一二・二九 | | | 新財政部長ハ陳光甫ニ内定。 | |
| 一二・三〇 | 珠江ノ航行禁止ヲ解除。粤漢線ノ要衝英徳占領。海軍機柳州飛行場空襲二十二機撃墜。 | | | |

八一

| 月日 | 戦況 | 日本側 | 蒋政権側 | 援蒋国側 |
|---|---|---|---|---|
| 一二・三一 | 我軍三華鎮占領。海軍航空隊柳州飛行場空襲、地上ノ五機爆破。 | | 蒋介石精神総動員強化ノ必要ヲ強調。 | |

八二

# 昭和十五年

| 月日 | 戦況 | 日本側 | 蒋政権側 | 援蒋國側 |
|---|---|---|---|---|
| 一・一 | 海軍航空隊ハ湖南省湘潭、広西省賓陽南方各地、滇越線ノ主要橋梁ヲ爆撃ス | | | |
| 一・二 | 海軍航空隊ハ陸軍部隊ノ作戦ニ呼応シ安徽省貴池南方水塘湖附近ノ敵陣地爆撃、更ニ湖南省南部宝慶、衡陽飛行場ヲ急襲ス。 | 日ソ漁業條約暫定協定十二月三十一日調印ノ旨外務省情報部ヨリ発表。 | 國防最高会議開催。 | 〔米〕日米間ノ航海ニ従事スルアメリカ船舶会社十二社（内日本七社）ニツキ積荷其他ノ調査命令ヲ発ス。 |
| 一・三 | 海軍航空隊ハ宝慶、湘潭、長沙等ノ各飛行場爆撃。 | 満ソ・満蒙國境確定委員会設置ニ関シソ聯当局ト大綱ニ於テ | | |

| | | | | |
|---|---|---|---|---|
| | | 意見一致セル旨外務省情報部ヨリ発表。 | | |
| 一・四 | 海軍航空隊ハ雲南省蒙自飛行場其他各地ヲ爆撃。 | 北鉄最終割賦金ノ支拂完了。 | | |
| 一・五 | 海軍航空隊宜慶飛行場、滇越鉄道ヲ爆撃。 | 汪精衛氏ノ新支那中央政権援助ニ関シ陸軍ノ方針決定。 | | |
| 一・六 | 海軍航空隊贛州、吉安ノ飛行場爆撃。 | 汪氏ノ中央政権樹立援助ニ関シ興亜院モ意見一致。 | | 〔英〕イギリス北支駐屯軍司令部香港ヘ引揚。 |
| 一・七 | 海軍航空隊山東半島広西省各地ヲ爆撃 | 満蒙國境確定ニ関スルハルビン会議開催。 | | |

二

| | | | | |
|---|---|---|---|---|
| | 更ニ滇越線路ノ重要橋梁爆破。 | | | |
| 一・八 | 海軍航空隊ハ広西省九塘其他各地ヲ銃爆撃ス。 | 新支那中央政権樹立ニ対スル我ガ廟議決定。 | 中央、中國、交通、中國農民ノ四銀行聯合弁事総處ハ戦事金融経済統制強化ノタメ戦時金融、戦時経済両委員会ヲ設置ス。<br>一、戦時金融委員会ハ発券、手形為替、特殊儲蓄、金銀受理ノ五處ヲ設ク、<br>二、戦時経済委員会ハ特殊投資、物資、物價調整ノ三處ヲ設ク、 | 〔米〕スターク海軍作戦部長ハ下院海軍委員会ニ於テグアム島防備ノ必要ヲ力説ス。 |

三

| | | | | |
|---|---|---|---|---|
| 一・九 | 海軍航空部隊ハ引続キ広西省賓陽附近ノ九塘其他各地ノ敵拠点ヲ爆撃。 | 生糸配給統制規則公布サル。 | | |
| 一・一〇 | 海軍航空隊ハ桂林ヲ急襲、敵四十機ト空中戦ヲ演ジ内十四機ヲ撃墜、地上ノ九機ヲ爆破ス。 | 満蒙國境確定委員会ハルビン第二回会議ヲ開催。<br>日ソ通商交渉開始サル。 | 重慶ヨリノ情報ニヨレバ日本製品ノ流入阻止ノタメ重慶政府ハ「経済的長城」ノ構築ヲ企図シツツアルト傳ヘラレル。右長城ノ戦区ハ河北、山東、河南区、山西、陝西区、江蘇、浙江、安徽、江西区、湖南湖北区、広東、広西区ノ五区ニ分チ各区 | |

四

| | | | | |
|---|---|---|---|---|
| | | | ニ監察処ヲ設ケル。 | |
| 一・一一 | | 上海郵政局軍票受入承認ニ決定、十五日ヨリ実施、換算率ハ軍票一円ニ付法幣一元二角五分。 | 行政院ハ非常時期ニ於ケル水陸ノ物資運輸ノ能率ヲ増進スルタメ水陸運輸聯合設計委員会ヲ組織。 | 〔米〕スチムソン前國務長官ハタイムス紙上ニ於テ対日制裁ヲ強調。 |
| 一・一二 | | 和平救國軍結成式ヲ挙行。 | 外交部スポークスマンハ外人記者團トノ会見ニ於テ新中央政権ヲ否認ス。 | |
| 一・一三 | | 日ソ漁業暫定協定批准案枢密院本会議ニ於テ可決。<br>**日ソ通商第二次会見** | 元イギリス労働党左翼派領袖クリップス氏ハ昆明ヨリ飛行機ニテ重慶ニ向フ | |

五

| | | | | |
|---|---|---|---|---|
| | | ハ日本側案文ヲ中心ニ会談ヲ行フ。青島港ノ第三國船舶ノ岸壁使用制限ヲ緩和ス。 | | |
| 一・一四 | | 阿部内閣総辞職。 | 價格安定購買処ヲ設立、内外ノ物資ヲ購入、各地ノ小売商人ニ公定適正價格ヲ以テ分配スルコトニ決定シタ。同処ノ取扱物資ハ多分、衣類、食料品、燃料、其他日用品ノ四種ニ限定サレテヰル。 | |

六

| | | | | |
|---|---|---|---|---|
| 一・一五 | | | | |
| 一・一六 | | 米内内閣成立ス。汪精衛氏ハ蔣介石ニ対シ抗戰継続ノ迷妄ヲ指彈シ日本ト停戰講和スベキ旨ノ通電ヲ発ス。 | | |
| 一・一七 | 海軍航空部隊ハ山東半島安邱、諸城方面ニ出動シ有力ナル敵所圍ニ対シ銃爆撃ヲ加フ。 | | 滞米中ノ陳光甫ニ訓令ヲ発シ対米新クレヂット交渉ヲ命ズ | |
| 一・一八 | 海軍航空隊山東省安邱ノ敵拠点ヲ爆撃。 | | | |

七

| | | | | |
|---|---|---|---|---|
| 一・一九 | 海軍航空隊寧波飛行場ヲ爆撃。封鎖艦艇ノ一部ハ杭州湾、鎮海方面ノ敵ヲ攻撃ス。 | | 西南地方開発ノタメ支那人資本家ニ対シ投資勧誘ノ要請状ヲ発ス。 | |
| 一・二〇 | | 日智バーター協定交渉ヲ開始ス。 | 蔣介石重慶政府首脳部会ニ於テ行政院長辞職ノ意ヲ表明ス。 | |
| 一・二一 | | 高宗武、陶希聖ノ両名ハ汪精衛ノ中央政権ヨリ脱退ヲ聲明ス。 | | 〔英〕浅間丸ヲ臨検二十一名ノドイツ人船客ヲ拉致ス。 |
| 一・二二 | 我ガ軍ハ午前零時銭塘江渡河戰ヲ敢行シ一部ハ正午蕭山ヲ完 | 浅間丸事件ニ対シ外務省ハ英國政府ニ対シ厳重抗議ス。 | | 〔米〕日米通商條約失効後ト雖モ日本品ニ特別課税ノ意 |

八

| | | | | |
|---|---|---|---|---|
| | 全占領。海軍航空隊ハ海南島各地ヲ爆撃ス。 | | | ナキ旨財政長官言明ス。 |
| 一・二三 | 銭塘江渡河部隊ハ臨浦鎮、義橋鎮ヲ占領。陸軍航空部隊ハ右作戰ニ協力ス。海軍航空部隊ハ浙贛線ノ要衝諸暨ヲ攻撃シ飛行場並ニ附属軍事施設ヲ爆撃ス。 | 外務省、浅間丸事件ニ関スル対英抗議ヲ発表。蒙古聯合自治政府代表李守信ト周佛海トノ青島会談ニ於テ来ルベキ中央政治会議ニ蒙古聯合自治政府代表ヲ派遣スルコトニ決定。 | | 〔佛〕北支駐屯軍ノ引揚完了。 |
| 一・二四 | | 汪精衛、王克敏、梁鴻志、李守信ノ青島 | | |

九

|  |  |  |  |  |
|---|---|---|---|---|
| 一・二五 | 我ガ軍ハ浙江省龕山及ビ衛前鎮ヲ占領、陸軍航空部隊ハ五原ノ軍事施設並ニオルドス東辺ノ哈拉脊ノ馬占山軍司令部ヲ爆砕ス。海軍航空部隊ハ江西省吉安飛行場ヲ空襲、他部隊ハ安慶上流香口鎮附近ニテ敵集團並ニ陣地ヲ爆破シタ | 会談開始サレ、中央政府樹立大綱、中央政府政綱等ニ関シホボ意見ノ一致ヲ見ル。青島会談ハ汪氏ヨリ日本側トノ和平交渉経過ニツキ諒解ヲ求メタル後中央政治会議組織弁法ヲ上程之ヲ可決、引続キ中央政府樹立ノ時期、政治委員会組織ノ件、新中央政府機構等ニ関シ完全ナル意見ノ一致ヲ見ルニ至ッタ。日米通商條約ハ本日 | 蔣介石ハ第八路軍林彪ノ百十五師、賀竜ノ百二十師、劉伯誠ノ百二十九師ニ対シ二月八日以降四月一日マデ山西省ヨリ撤退、満蒙國境方面及ビ外蒙ヘノ移駐ヲ命ジタト傳ヘラレル。 | 〔印〕日本向雲母ノ輸出ヲ禁止ス。 |

一〇

|  |  |  |  |  |
|---|---|---|---|---|
|  | ルホク鳳鎮、経公橋、南抗橋等ノ軍用倉庫群ヲ爆撃ス。 | 午後十二時ヲ以テ失効。 |  |  |
| 一、二六 | 陸軍航空隊ハ安陸北方長寿店附近ノ敵ヲ爆撃、海軍航空隊ハ安慶上流香口湖南方ノ軍需品倉庫及ビ陣地ヲ爆撃ス。 |  |  |  |
| 一・二七 |  |  |  | 駐米胡適大使ハ新聞記者團トノ会見ニ於テ近ク対米借款ヲ要求スル旨言明。 |

一一

|  |  |  |  |  |
|---|---|---|---|---|
| 一・二八 |  |  |  |  |
| 一・二九 |  |  |  |  |
| 一・三〇 | 陸軍航空隊ハ五原北方ノ烏沈、陰山々脈ノ中間ニアル西山墓並ニ桃李廟ヲ爆撃ス。 | 満蒙國境確定委員会ハ日満代表トソ聯代表ト全面的ナ見解ノ対立ヲ招致シ遂ニ解散ノヤムナキニ到ル。 | 汪精衛氏ヲ中心トスル新政府否認ヲ各國ニ通達ス。 |  |
| 一、三一 |  |  |  |  |
| 二・一 | 海軍航空隊滇越線爆撃、南寧奪回ヲ企テル白崇禧ノ大軍ヲ包囲殲滅中。 | 青少年雇入制限令公布(三月一日ヨリ実施)第七十五議会開催。谷外務次官浅間丸事 |  |  |

一二

|  |  |  |  |  |
|---|---|---|---|---|
|  |  | 件ニ対スル帝國政府ノ回答公文ヲクレーギー大使ニ手交ス。満蒙國境劃定委員会結論ヲ得ズ解散。 |  |  |
| 二・二 | 海軍航空隊南寧方面陸軍部隊ニ協力、海南島掃蕩戦完了、我軍ハ烏沈東北方二十キロ及ビソノ北方狼山ニ於ケル敵據点ヲ占領、五原ニ向ケ進撃中 | 谷クレーギ会談ヲ続行。衆議院本会議ニ於ケル斉藤隆夫ノ支那事変処理ニ関スル質問演説問題化ス。 |  |  |
| 二・三 | 五原ヲ占領 | 斉藤隆夫懲罰委員会ニ附サル。 |  | 〔米・佛〕日本軍ノ海防雲南間滇越鉄道 |

一三

| | | | | |
|---|---|---|---|---|
| 二・四 | 五原攻略ノ我部隊ハ敗敵ヲ急追先鋒烏河ニ達ス | | | 爆撃ニ対シ抗議申入 |
| 二・五 | | 桜内蔵相衆議院ニ於テ支那中央政権下ニ新ニ中央銀行設立ノ計画ヲ言明。 | | |
| 二・六 | | 有田外相議会ニ於テ浅間丸事件ノ独人九名ノ身柄引渡ヲ英國ガ容認セル旨報告。 | | |
| 二・七 | | | 國共紛争調停委員会設置ヲ馮玉祥提議。 | (米) 対外融資法案上院委員会ヲ通過<br>聯邦融資局長官ハ対將借款交渉中ナルコトヲ言明。 |
| 二・八 | | | | |
| 二・九 | 大本営陸軍報道部南寧方面ニ於ケル戦果ヲ発表。 | | アメリカ上院外交委員会ノ可決シタ借款ハ輿地公路再建ニ使用スル旨発表 | (米) 和平促進ノタメウエルズ國務次官ヲ欧洲派遣ニ決定 |
| 二・一〇 | 海軍航空隊浙江省諸曁飛行場及ビ漢口ノ倉庫ヲ爆撃。 | 衆議院予算総会秘密会ニ於テ支那新政府トノ和平條件ヲ説明 | | |
| 二・一一 | | 紀元節ヲ迎ヘ時難克服ノ大詔渙発サル。 | | |




| | | | | |
|---|---|---|---|---|
| 二・一二 | 南寧東北方ノ大殲滅戦終了。 | 汪精衛氏ハ愚園路ニ於テ在野政党ノ首脳者ト会見 | | |
| 二・一三 | 海軍航空隊ハ滇越線ヲ襲ヒ鉄橋及ビ附近線路ヲ爆破 | | 憲政実施ニ関シ反國民党運動ヲ警戒各省市党支部ニ訓令ヲ発ス。 | (米) ハル國務長官ピットマン上院外交委員長ニアテタ書翰ニ於テ中立法ヲ日本ニ適用スルコトニ反対ノ旨ヲ表明。 |
| 二・一四 | | 汪精衛氏ハ西尾総司令官ヲ訪問和平問題ヲ中心ニ重要会談ヲナス。<br>上海特別陸戦隊上海蘇州河以北ノ交通制限撤廃ヲ声明 | 行政院定例会議ニ於テ民國二十九年度軍事、復興公債発行ヲ決定。 | (米) 対日輸出禁止ヲ討議スベキ本日ノ上院外交委員会無期延期トナル。 |
| 二・一五 | 浙東方面ニ待機中ノ我ガ軍ハ十四日夜半行動ヲ開始セル旨中支軍当局談発表。 | 北支方面艦隊最高指揮官山東省沿岸諸港ヲ封鎖スル旨布告。<br>衆議院本会議秘密会ニテ米内首相新中央政府支援方針説明 | | |
| 二・一六 | | 滬西越界路警察権帰属問題ニ関スル暫定取極成立。 | | |

| | | | | |
|---|---|---|---|---|
| 二・一七 | 海軍航空隊滇越鉄道ノ爆撃実施。 | 衆議院予算分科会ニ於テ柳川興亜院総務長官、支那事変終熄ノ時期認定ニ関シ答弁。 | 日貨ノ奥地流入阻止ノタメ日貨検査並ニ輸入禁止法制定。 | 〔米〕ウエルズ使節出発。 |
| 二・一八 | 海軍航空隊滇越線爆撃。陸海軍ノ緊密ナル協力ノモトニ山東半島東南端ノ要衝石島ノ敵前上陸ヲ決定之ヲ完全ニ占領。 | | 新生活運動六周年記念日ヲ前ニ蔣介石ラジオ放送ニヨリ抗日ヲ強調。 | |
| 二・一九 | | | | |
| 二・二〇 | | 重光大使ハリフアックス外相訪問日英國交調整ニツキ懇談 | | 〔佛〕アンリー大使ヲ通ジ滇越鉄道爆撃ニ抗議<br>〔米〕日支戰ニ中立法発動ノ意志ナキ旨表明。 |
| 二・二一 | 山崎部隊栄成ヲ占領。 | 日米國交調整ノ経過ニ関シ外務省情報部長談ヲ発表。 | 中國共産党國共聯合ノ國防政府組織其他ヲ要求 | |
| 二・二二 | 海軍航空隊広西省東方四キロノ平角山ヲ急襲。 | 予算案衆議院通過。青島興亜院当局青島特別市域一帯ニ於ケル物資物價需給調整ヲ計ル物資対策青島委員会ヲ新設スル事ニ決定。 | | |

一八　一九

| | | | | |
|---|---|---|---|---|
| 二・二三 | | | | |
| 二・二四 | | | | |
| 二・二五 | 海軍航空隊ハ浙贛線鉄道ヲ襲ヒ貴溪鷹潭停車場ヲ爆撃。我ガ軍ハ広西省上思縣城ニ突入。 | | 重慶大公報、重慶政府側ノ和平條件発表。 | |
| 二・二六 | | | 蔡元培・李石会反共ヲ標榜シテ重慶脱出ヲ伝ヘラル。 | 〔米〕ウエルズ使節ムッソリーニ首相ニ大統領ノ親書ヲ手交。 |
| 二・二七 | | | | |
| 二・二八 | | | | |
| 二・二九 | | 浅間丸事件ノ独乙人九名ノ身柄引渡シ完了。 | | |
| 三・一 | | 旧中央党部、旧考試院、旧中國貨幣銀行ヲ南京還都準備委員会ニ還附。 | | |
| 三・二 | 陸軍航空隊南寧東方貴縣附近ヲ猛爆。 | | | |
| 三・三 | | 臨時閣議ニ於テ石炭増産案ヲ承認予算八千余万円ヲ計上ス。 | | |

二〇　二一

| 日付 | | | | |
|---|---|---|---|---|
| 三・四 | 海軍部隊ハ陸海軍協力ノモトニ海南島ノ残敵掃蕩ヲ開始ス | | 広東省銀行香港分行取付． | |
| 三・五 | 海陸軍協力中山攻略ヲ開始 | 興亜院会議デ新政府ニ特派大使ヲ派遣ニ決定．<br>日羅協定成立． | 中央監察委員蔡元培急逝．<br>新政府参加ノ黄大偉等ニ逮捕命令ヲ発ス | |
| 三・六 | 陸軍部隊澳門東北方香州湾ニ敵前上陸ヲ敢行． | 斎藤隆夫氏懲罰委員会ニ於テ除名ニ決定． | | 〔佛〕 海防フランス海軍ハ大阪商船バンコツク丸ヲ強制臨検。 |
| 三・七 | | | | 〔米〕 輸出入銀行ヲ通ジ二千万ドルノ借款ヲ重慶政府ニ |

二二

| 日付 | | | | |
|---|---|---|---|---|
| 三・八 | 中山縣攻略部隊ハ中山縣ヲ完全占領． | 米ノ対重慶借款ハ非友誼的ト須磨情報部長言明． | | 供与． |
| 三・九 | 汕頭方面ノ部隊ハ楓渓ヲ占領． | 衆議院本会議デ聖戦貫徹決議案ヲ可決．<br>新中央政府ノ國旗ハ青天白日満地紅旗ト決定． | | |
| 三・一〇 | | | | |
| 三・一一 | | | | 〔ソ聯〕 樺太國境デ二度越境．<br>フインランドトノ |

二三

| 日付 | | | | |
|---|---|---|---|---|
| 三・一二 | 海軍航空隊ハ磐石店附近ニ潜伏中ノ敵一ケ師ヲ発見銃爆撃ヲ加フ。 | 汪精衛氏ハ和平運動ノ眞意ト和平方案ノ眞相ニ関シ重大宣言ヲ発表。<br>外米ノ公定價格ヲ発表． | 重慶國民精神総動員一週年記念日 | 和平協定成立．<br>〔ソ聯〕 フインランドトノ軍事行動ハ十三日正午ヲ以テ停止スル旨発表．<br>〔米〕 大僞五十五百万弗ノ海軍拡張案下院ヲ通過。 |
| 三・一三 | | 汪氏ノ宣言ニ答ヘテ米内首相ハ新政府支持ノ帝國ノ態度ヲ闡明。 | | |
| 三・一四 | | 不法臨検ノバンコツク丸事件解決ス | | |

二四

| 日付 | | | | |
|---|---|---|---|---|
| 三・一五 | | 百五十億ニ達スル十五年度予算成立。<br>天津現銀問題ニツキ谷・クレーギー会談ヲ行フ。<br>日亜通商協定成立。 | 中國共産党ハ蒋介石ニ対シ外國ニ権益ヲ譲渡シ又ハ外資ヲ導入スル際ニハ予メ諒解ヲ求ムベキ事ヲ申入ル。 | 〔ソ聯〕 樺太東海岸國境ニ於テソ聯兵越境発砲。 |
| 三・一六 | | 新政権ヘノ特派大使阿部信行大将ニ内定 | | |
| 三・一七 | | 西尾総司令官占據地ノ軍管理ノ財産ハ速ニ支那側ニ返還スル旨声明． | | 〔英〕 シンガポール英官憲伏見丸ヲ臨検。 |
| 三・一八 | | 北支及上海方面軍司令官軍管理工場移譲 | | |

二五

| | | | | |
|---|---|---|---|---|
| | | 布告発表。 | | |
| 三・一九 | | 中央政治会議ノ組織綱要並ニ中央政治会議組織條例発表サル | | |
| 三・二〇 | | 有田外相クレーギー英大使ト会談現銀ノ最後的折衝ヲ行フ。<br>中央政治会議ノ第一日新政府樹立ノ大綱発表サル。 | 経済会議開催。 | 〔仏〕ダラディエ内閣総辞職 |
| 三・二一 | | 衆議院決算委員会ニ於テ武藤軍務局長ヨリ日本ハ第三國ニ先ンジテ租界返還ノ用 | 貿易金融会議開催 | 〔仏〕レイノー内閣成立 |

二六

| | | | | |
|---|---|---|---|---|
| | | 意アル旨答弁。<br>臨時、維新両政府ノ名称ヲ廃止シ華北ニ華北政務委員会設置ニ決定。 | | |
| 三・二二 | 南支軍霊山附近ノ作戦成果発表。 | 中央政治会議ノ最終日、新政府ノ陣容発表サル。<br>國民党主席代理行政院長ニ汪精衛就任。 | 新政権否認ヲ声明 | |
| 三・二三 | | | | |
| 三・二四 | | 中華民國政府聯合委員会解散。 | 新中央政権ノ樹立ニヨリ法幣軟調香港市場ニ於テハ廿大弗九 | |

二七

| | | | | |
|---|---|---|---|---|
| | | | 五。 | |
| 三・二五 | 陸軍航空隊龍州爆撃。 | | 中國共産党中央政治局会議開催。 | |
| 三・二六 | 五原縣城ニ入城。 | | | |
| 三・二七 | | | 貿易金融会議閉幕。 | |
| 三・二八 | | 日印間ニ暫定協定成立。 | | |
| 三・二九 | | 日本スペイン間ニ貿易諒解成立。 | | |
| 三・三〇 | 陸軍航空隊江西省王山、吉安両飛行場ヲ | 中華民國國民政府還都典礼挙行シ還都宣 | | 〔米〕ハル國務長官新國民政府不承認 |

二八

| | | | | |
|---|---|---|---|---|
| | 爆撃。 | 言。及十六基本政綱発表。<br>華北政務委員会成立。<br>中華民國政府聯合委員会及維新政府解消宣言発表。<br>帝國政府新支那國民政府ノ成立宣言ニ呼応シテ声明発表。 | | ノ態度ヲ明ニス。 |
| 三・三一 | 欽寧公路西側地区ノ敵ヲ追撃中ノ部隊ハ佛印國境思楽縣城ニ突入。 | | 在重慶各國外交機関ニ新政権不承認ヲ懇願。<br>汪精衛以下百五名ニ逮捕命令ヲ発ス。 | |
| 四・一 | | 支那新政府ニ特派ノ | 第五回参政会議開催。 | |

二九

| 四、二 | 四、三 |
|---|---|
| | 陸軍航空隊西安ヲ爆撃ス。 |
| 阿部信行大使親任式挙行サル。三月三十日ノハル声明ヲ須磨情報部長反駁。 | |
| 新疆省主席ニ盛世才ヲ任命。 | |
| | 〔英〕クレーギー大使ノ親日演説ニ関スル議会ノ質問ニ対シ英外相重慶政府ヲ正統政府ト看做ス事九國條約尊重ノ二原則ヲ確認。内閣一部改造。 |

三〇

| 四、四 | 四、五 | 四、六 |
|---|---|---|
| 海軍航空隊広西省平馬ヲ奇襲。 | | |
| 國民政府ハル米國務長官ノ國民政府否認ノ声明ニ対シ断乎之ヲ反駁スル声明発表。 | | 國民政府重慶政府締結ノ條約無効ヲ通告。 |
| | 宋哲元成都附近綿陽ニテ死亡。蒋介石参政会議ニ於テ「抗戦第二次三年計画」ヲ発表。 | 聯ソ派参政会ニ三提案ヲ提出<br>一、抗日戦線聯盟ノ結成<br>二、國共軋轢ノ防止<br>三、各党各派ノ幹部 |
| | | 〔伊〕支那新中央政府ノ承認ハ適当ノ機会ニ宣布スル旨声明。 |

三一

| 四、七 | 四、八 | 四、九 | 四、一〇 |
|---|---|---|---|
| | | 中支軍発表、軍ハ南昌、奉新、麻城方面ニ於ケル態勢改善ノ目的ヲ以テ配備ノ一部ヲ自主的ニ変更。 | |
| | | | 対英協定相場一志四片四分ノ一 |
| ヲ可能的多数中央政府機関ノ重要ポストニ任用スルコト。 | | | 國民参政会閉会。議題ノ中心ハ |
| | | 〔独〕デンマーク、ノルウエーニ進軍。 | |

三二

| 四、一一 | 四、一二 | 四、一三 |
|---|---|---|
| | 敵機十六機岳州上空ニ飛来、二機撃墜サル。 | |
| 北支ヨリ中支向ケ聯銀券携帯、一、二等船客ニ百円、三、四等船客ハ百円迄ニ制限。 | 珠江本流ニ於ケル第三國貿易ヲ二十日ヨリ容認スル旨発表。共同租界参事会員選挙米三、英五、日二、 | 陸軍軍需工業指導方針示達。対英為替協定改訂正 |
| 一、新政権排撃。二、経済開発。三、憲法実施。 | | |

三三

| 日付 | | | | |
|---|---|---|---|---|
| | | 式決定。 | | |
| 四・一四 | | | | |
| 四・一五 | | 戰火和蘭ニ及ベバ帝國ハ重大関心ト有田外相所信ヲ闡明。 | 上海香港等向為替禁止的制限ヲナス | |
| 四・一六 | 海軍航空隊浙江省麗水ヲ空襲。 | | 駐ソ大使ニ邵力子ヲ任命。 | |
| 四・一七 | | | | (米) ハル國務長官蘭印現状維持ニ関シ声明。 |
| 四・一八 | | 阿部大使一行壮途ニ上ル。 | | (米) 五万二千噸ノ戰艦建造ヲスター |

三四

| 日付 | | | | |
|---|---|---|---|---|
| | | | | ク作戰部長声明。 |
| 四・一九 | | 天津問題ニ関シ谷次官、クレーギー大使会談日英間ノ諒解大体成立。 | | |
| 四・二〇 | | 蘭印問題ニ関シ堀内大使ハル國務長官会談。 | 中國共産党、陝西、甘粛、寧夏辺区行政ニ関シ現状変更ヲ認メザル旨声明。 | |
| 四・二一 | 沁水縣城、高平ヲ占領。 | | 中國共産党、特別委員会ニ於ケル決定ハ共産党ノ承認ヲ得ザル限リ共産党ノ活動ヲ制限セザル旨國防 | |

三五

| 日付 | | | | |
|---|---|---|---|---|
| | | | | 最高委員会ニ通告。 |
| 四・二二 | 江南地区ノ我部隊全線ニワタリ第三戰区三十万ノ敵軍撃滅ノ火蓋ヲ切ル。<br>海軍航空隊宜賓叙州飛行場爆撃。 | 全軍会計監督官並ニ調弁官会議開催、軍需工業ノ利潤統制ヲ強化。 | | |
| 四・二三 | | 阿部全権大使南京着 | 抗戰三ヶ年計画具体化ニ着手。 | |
| 四・二四 | 蕪湖西南方面湾沚鎮方面ヨリ行動開始ノ山崎部隊ハ南陵ヲ占領、池部隊ハ繁昌ヲ攻略。 | | | |

三六

| 日付 | | | | |
|---|---|---|---|---|
| | 海軍洞庭湖鹿角ニ敵前上陸ヲ敢行。 | | | |
| 四・二五 | 海軍航空隊重慶ノ夜間大爆撃ヲ敢行。<br>澤州城占領。 | | 中國共産党参政会ヨリ脱退。 | |
| 四・二六 | 海軍洞庭湖作戰進捗鄱陽湖モ完全ニ制圧、陸軍ハ南昌周辺ノ敵ヲ圧倒。 | 南京ニ於テ國民政府還都祝典挙行。 | 共産党將領蒋擁護ヲ通電。 | |
| 四・二七 | | | | |
| 四・二八 | 志摩、倉橋部隊青陽城ヲ完全占領。 | | | |

三七

| | | | | |
|---|---|---|---|---|
| 四・二九 | | 支那派遣軍総司令部ヨリ「派遣将兵ニ告グ」ノ文ヲ発表。 | | |
| 四・三〇 | 海軍挺身隊鹿角ニ敵前上陸ヲ敢行ス。<br>海軍航空隊重慶ノ三飛行場ヲ空爆。 | | 文化銀行ヲ創設。 | 〔米〕上海在住米國人ハ國務長官宛法幣安定借款ノ供与方ヲ要請ス。<br>ワシントン米國商業会議所占領地内ノ米國権益ニ対スル日本ノ「差別待遇」ニ反対継続ヲ米政府ニ請願ス。 |
| 五・一 | 我軍ハ南昌西南三十粁ノ石崗市ニ突入。 | 支那方面艦隊司令長官ニ島田繁太郎中将任命サル。 | 國民党中央党部ノ組織スル社会部ヲ行政院直属機関ニ改組。<br>経済部実業界ニ対シ日本及ビ南京國民政府トノ経済合作ニ関シ警告ヲ発ス。 | 〔米〕外國資金移動制限法案通過。<br>〔米〕上海在留米人本國政府ニ対シ対蔣新借款ヲ電請 |
| 五・二 | 我軍ハ南昌周辺ノ敵ヲ完全ニ掃蕩シ作戦一応完了ス。 | 有田外相、セイヤー比島高等辨務官ト支那問題、比律賓問題ニ関シ重要会談ヲ行フ。 | 法幣第五次崩落、四片1/8ヨリ三片1/4ニ崩落シ三片1/2ニ反撥。<br>来ル十五日ヨリ西南行営ヲ閉鎖西南辨公処設置ニ決定。 | 〔比〕移民入國許可数ヲ各國一律ニ五百名トスル新移民法案通過。 |
| 五・三 | 張家集ヲ占領。 | 黄浦江ノ上海南市内塞線ヲ十五日ヨリ開放ノ旨発表。<br>華北政務委員会ノ各 | 重慶ノ物價昂騰（一九三七年六月一〇〇）<br>一九四〇年一月　三四七・一<br>〃　二月　三七四・三 | |

三八

三九

| | | | | |
|---|---|---|---|---|
| | | 総務署長以下ノ人事決定。 | | |
| 五・四 | 河南進撃部隊ハ泌陽ニ突入。 | 一般用綿製品ニ切符制実施、餅水綿、綿ネル、肌着用綿布手拭。 | | |
| 五・五 | 我ガ軍ハ河南省要衝泌陽ヲ完全占領。 | | 蔣重慶内政部長ハ法幣救済ヲ要望シテ英米向ケラジオ放送。 | |
| 五・六 | 高木部隊ハ湖北省環潭鎮、大悲居ヲ占領ス。 | ウルグワイ國ト通商航海條約批准。 | | |
| 五・七 | 我ガ軍ハ泌源、興隆集ヲ占領ス。 | 勤労党準備会ニ結社禁止ヲ令ズ。<br>邦人ノ支那渡航制限令決定発布サル。 | 香港ニ於ケル支那側当局法幣支持継續ヲ声明。<br>天津ニ於ケル法幣モ崩落、対英二片六十四分ノ五十三。 | 〔英〕磅貨七年来ノ安値。<br>ニューヨーク為替市場ノポンド貨遂ニ三弗三十七仙八分ノ五。 |
| 五・八 | | 欧洲戦争不介入ノ方針変更ヲ認メズト外相闡明ス。 | 法幣救援方ヲアメリカニ懇請ス。 | |
| 五・九 | 海軍航空隊ハ昆明ヲ爆撃ス。<br>我ガ軍ハ宜城ニ突入。 | 輸出損失補償法適用外地域左ノ諸國ニ拡大。<br>ドイツ、ポーランド、フインランド、ノルウエー、スウエーデン、デンマーク、 | 官吏ノ新政府行ヲ警戒官吏旅行ニ嚴重ナル制限令ヲ発ス。 | |

四〇

四一

| | | | | |
|---|---|---|---|---|
| 五、一〇 | 山西省西部郷寧地区ノ敵匪掃蕩戦開始。 | 広東省政府正式成立。麺類、雑品等公定價格決定。 | 香港ニ滞在中ノ宋子文ト香港各國銀行家トノ懇談ニ於テ法幣ノ自力立直リハ不可能トノ結論ニ達ス。 | 〔英〕磅貨ニ弗九十仙ニ崩落。〔独〕オランダ、ベルギー、リユクサンブール三國ニ侵入。〔英〕チエンバレン内閣総辞職〔蘭印〕戒厳令ヲ布告シ独乙人ヲ抑留ス。〔米〕欧洲戦争不介入ヲ表明。 |
| 五、一一 | | 欧洲大戦ノ波及ニ依ル蘭印ノ原状変更ニ帝國ハ無関心タリ得 | 通貨膨脹、法幣崩落ニ依リ重慶経済界混乱状態ニ陥ル。 | 〔英〕チャーチル挙國一致内閣成立。〔蘭印〕十日ニ引続 |



| | | | | |
|---|---|---|---|---|
| | | ズト関係各國ニ通告。対英相場ヲ一志五片十六分ノ十三ニ一応決定ス。 | | キ為替市場閉鎖。外國為替管理令実施。〔米〕蘭印ノ現状維持尊重ヲ声明。〔蘭印〕英佛陸戦隊ノ西印度諸島上陸ヲ容認。 |
| 五、一二 | | | | |
| 五、一三 | 筒井部隊ハ安徽省定遠ヲ占領。 | 桜内蔵相圓元パーヲ堅持シ聯銀券ト軍票ノ発行高ヲ収縮シテ價値暴落ヲ阻止スルト言明。 | | 〔和〕英佛陸戦隊ノ西印度諸島上陸ハ蘭印ノ現状ニ何等変更ヲ来スモノニ非ザル旨我國ニ釈明。 |



| | | | | |
|---|---|---|---|---|
| | | | | 〔英〕東蘭印現状維持同感ノ旨英大使有田外相ニ回答。〔ペルー〕リマ市ニ於テ排日運動暴動化ス。 |
| 五、一四 | | | 天水行営閉鎖ニ決定。 | 〔和〕ウインケルマン将軍対独降伏ヲ命令。 |
| 五、一五 | | 黄浦江上流水域ヲ開放ス。リマ市民ノ排日ニ厳重抗議 | | 〔和〕蘭印ノ現状維持ヲ我國ニ対シ再確認。〔米〕海軍拡張案上院委員会ヲ通過。 |



| | | | | |
|---|---|---|---|---|
| 五、一六 | 張家集附近ニ於テ張自忠ノ三千ニ殲滅的打撃ヲ行フ。 | 國民政府工商部ヨリ軍管理工場返還申請規則ヲ公布即日実施。 | 張自忠戦死ス。 | |
| 五、一七 | 海軍航空隊ハ広西省隆山市街ノ軍需品倉庫及ビ白包東方奉議ノ燃料置場貨車溜場ヲ爆破。 | | | 〔ペルー〕リマ市排日暴動ニ関シ陳謝 |
| 五、一八 | 海軍航空隊ハ成都温江太平寺各飛行場ヲ爆破ス。 | | | 〔佛〕内閣大改造断行。〔ペルー〕外國移民ノ入國禁止。 |
| 五、一九 | 湯恩伯軍始メ約二十万ノ敵ニ対シ襄東作 | | 共産軍ニ対スル軍費月七十二万元ヲ六月 | 〔印〕輸入制限ヲ実施、品目六十余種。 |

| | | | | |
|---|---|---|---|---|
| | 戦ヲ開始。海軍航空隊四川省各航空基地爆撃。 | | ヨリ月百八十万元ト決定。 | |
| 五・二〇 | 海軍航空隊重慶空襲。 | 邦人ノ支那渡航制限令実施サル。武田陸戦隊司令官、英米佛独ノ四國駐屯軍指揮官ニ対シ欧洲戦火ノ東洋波及阻止ニ関シ申入ヲ行フ。 | | 〔佛〕カルトー代理総督ヲインド支那総督ニ任命。 |
| 五・二一 | 海軍航空隊深更ヨリ二十二日未明ニカケ連続三回重慶爆撃。 | | | 〔米〕海軍新拡張案ヲ発表。一、軍用機一万台ノ製造。一、飛行操縦士一万 |

四六

| | | | | |
|---|---|---|---|---|
| | | | | 六千人ノ養成。一、空軍基地ノ新設及ビ拡張。 |
| 五・二二 | 海軍航空隊ハ白市駅ヲ猛爆 | | 衛立煌ハ國防最高委員会宛ニ共産軍ノ専横ヲ指摘シ軍事制裁要請ノ通電ヲ発ス。 | 〔英〕國防全権法案成立。〔蘭印〕対弗、対磅二本建制ヲ採用。一磅 七ギルダー六。一弗 一ギルダー八七五 |
| 五・二三 | | | 金輸出禁止令ヲ実施。 | 〔米〕十四億七千三百七十五万六千弗ノ大海軍予算案上院ヲ通過。 |
| 五・二四 | | 秘國移民禁止ニツキ | | 〔印〕カラチノ兵士 |

四七

| | | | | |
|---|---|---|---|---|
| | | 日本人移民圧迫ナキヨウ厳重申入ヲナス。六大都市ニ砂糖、燐寸切符制。東京大阪ハ六月五日ヨリ、他ノ四大都市ハ六月一日ヨリ実施。 | | 大阪商船アトラス丸ヲ臨検。 |
| 五・二五 | | | | |
| 五・二六 | 海軍航空隊重慶爆撃。 | | | |
| 五・二七 | 我軍ハ江蘇省興化城ヲ占領。 | | | |
| 五・二八 | 海軍航空隊第七次重慶爆撃。 | 國民政府佛國ノ対蒋借款否認ヲ声明。 | | 〔白〕國王レオポルド三世ハ五十万ノ |

四八

| | | | | |
|---|---|---|---|---|
| | | | | 兵卜共ニ独乙ニ降伏。 |
| 五・二九 | | | | |
| 五・三〇 | 海軍航空隊ハ重慶東北十五哩ノ軍事施設ヲ猛爆。 | 官吏制度改革委員会官吏身分保障制度ノ撤廃断行ヲ決定 | | |
| 五・三一 | 大本営海軍部事変第四年初頭以来ノ成果発表。 | | | |
| 六・一 | 陸軍部隊漢水無血渡河ニ成功襄陽県城占領。 | | 中共延安ニ臨時緊急会議開催。 | |

四九

| 月日 | | | | |
|---|---|---|---|---|
| 六、二 | 海軍航空隊広西省南円、帰順方面攻撃。 | | 「華僑航空救國運動委員会」ヲ創設、五百万米ドルニ上ル航空救國債券ヲ発行。 | |
| 六、三 | 海軍航空隊襄陽荊門方面ノ敗敵ヲ猛爆、更ニ安陵上流高河埠ソノ他敵陣地軍事施設ヲ爆砕。<br>漢水西岸宜城占領。 | | | |
| 六、四 | | | | 〔米〕 工作機械類輸出禁止。 |
| 六、五 | 我ガ部隊更ニ漢水渡河、猛進撃ニ移ル。 | 華北政務委員長王克敏辞職。 | 七月一日第七次執監全体会議開催ノ旨各 | 〔佛〕 内閣改造断行。 |



| 月日 | | | | |
|---|---|---|---|---|
| | | | 委員宛通知。 | |
| 六、六 | 襄西ノ要衝荊門縣城占領。<br>海軍航空隊宜昌沙市方面爆撃、尚梁山飛行場空襲三機撃墜、六機地上爆破。<br>陸軍航空隊白市駅飛行場ヲ空襲九機撃墜。 | 華北政務会委員長ニ王揖唐任命。 | | |
| 六、七 | 荊門飛行場占領。<br>陸海軍部隊漢口上流百七十哩ノ沙洋鎮ニ達ス。 | | | |
| 六、八 | 湖北省江北ノ要衝荊 | | | |



| 月日 | | | | |
|---|---|---|---|---|
| | 州、沙市ヲ占領。<br>海軍航空隊宜昌、沙市、江口等爆撃。 | | | |
| 六、九 | 湖北省遠安縣城ヲ占領。<br>海軍航空隊宜昌周辺爆撃。 | | | 〔諾〕 対独降伏。 |
| 六、一〇 | 陸海軍航空部隊四川省梁山飛行場爆撃。<br>海軍航空隊重慶西部川東台地ノ軍事施設浮図関ノ軍需工場爆撃、空中線ニ於テ敵十六機撃墜。 | 九日ノモンハン國境劃定協定ノ旨外務省ヨリ発表。 | | 〔伊〕 対英佛宣戦布告。 |



| 月日 | | | | |
|---|---|---|---|---|
| 六、一一 | 宜昌占領。<br>海軍航空隊第一〇次重慶及宜昌周辺爆撃。 | 全占領地域ノ取締統一強化ノタメ軍律ヲ制定布告。 | | |
| 六、一二 | 宜昌市内外ノ掃蕩完了。<br>陸海軍航空隊ハ重慶六爆撃ヲ敢行、空中戦ニ於テ一三機撃墜。 | 日泰友好條約正式調印完了。<br>治安、現銀、通貨関係等ノ天津英租界問題ハ愈、クレーギー最後的協議デ解決。<br>日支國交調整ニ関スル基本條項ハ臨時興亜院会議ニ於テ正式決定 | 英支協力委員長濱緬鉄道建設援助ニツキイギリスへ借款要望。 | |
| 六、一三 | | 國民政府駐支全交戦國軍隊ノ撤退要求。 | 天津現銀問題ニ関シ対英抗議ヲナス。 | |

| | | | | |
|---|---|---|---|---|
| 六、一四 | | 重慶居住第三國人ニ避難勧告。 | 重慶國民党中央党幹部劉仰山、周学昌ハ重慶脱出國民政府ニ合流。 | 〔独〕パリー入城。〔米〕重慶爆撃ニ関シ我方ノ注意喚起。 |
| 六、一五 | | | 兵站総監兼全國運輸総局長唐生智ヲ罷免、何応欽ヲシテ兼任セシム。 | 〔ソ聯〕リトアニヤニ進駐。 |
| 六、一六 | 海軍航空隊ハ第一二次重慶爆撃。空中戦ニテ一〇機撃墜。南支陸軍航空隊恵州爆撃。 | | | 〔佛〕レイノー内閣総辞職、ペタン内閣成立対独降伏。 |
| 六、一七 | 海軍航空隊第一三次重慶夜間爆撃敢行。 | | | 〔佛〕ペタン内閣成立対独降伏声明。 |
| 六、一八 | 海軍航空隊ハ東流、香口、彭澤江岸ノ敵陣地ヲ爆撃。 | 重慶空爆ニ関シ重ネテ米國ニ撤退勧告。 | | |
| 六、一九 | 海軍航空隊宜昌北方及ビ宜昌対岸ノ敵據点並ニ密集部隊ヲ銃爆撃ス。 | 谷外務次官駐佛大使ニ対シ佛印ノ援蔣行為ニツキ厳重抗議。有田外相、クレーギー英大使会見、天津ノ治安、通貨、現銀ノ三問題解決覚書ニ調印。有田アンリー佛大使間ニモ天津問題ノ背景ヲナス一般原則ニ関スル覚書ニ調印。 | | |

五四

五五

| | | | | |
|---|---|---|---|---|
| 六、二〇 | | 天津防衛司令官英佛租界ニ対スル交通制限ヲ午後六時解除ノ旨布告。外務省天津英佛租界問題解決ヲ発表。日支國調整ニ関スル帝國ノ基本案文ヲ主体トスル現地興亜院連絡部会議南京ニ開催。 | | 〔佛〕佛印ヨリスル援蔣行為ノ全面的禁止ヲ承認、コレガ実行監視ノタメ我ガ検査員ノ佛印派遣ヲ認容。 |
| 六、二一 | | 日満伊通商協定ノ改訂交渉成立ス。 | 宋子文マニラヨリ渡米ス。 | |
| 六、二二 | 南支軍香港北方地区ニ作戦ヲ開始シ宝安ニ上陸英租借地北側地区ニ突進沙頭坪及ビ深圳ヲ占領。 | | | 〔和蘭〕五月六日ノ蘭領東印度ニ於ケル日本漁船射撃ニツキ責任者ノ處罰将来ノ保証ヲ確約〔佛〕独乙側ノ休戦條件ヲ承認調印〔英〕佛ボルドー政府ヲ否認。〔佛〕ロンドンニ親英ド、ゴール政権樹立。 |
| 六、二三 | 大本営陸軍部裏西作戦ノ綜合戦果発表。 | | | |
| 六、二四 | 我軍英支國境北側地 | 谷外務次官クレーギ | 日貨密輸厳禁。 | 〔伊〕伊佛休戦條約 |

五六

五七

| 月日 | | | | |
| --- | --- | --- | --- | --- |
| | 区ヲ東進シ横岡峡ヲ占領。海軍航空隊第十四次重慶爆撃敢行。 | ー英大使ニ対シビルマ、香港領域ヲ通過スル援蒋物資即時禁絶ニ付友好的措置ヲ要求。枢密院議長近衛公辞任、後任原嘉道。 | 外交部長王寵恵辞表提出（新聞報）。 | 成立 |
| 六、二五 | 海軍航空隊第一五次重慶爆撃。我軍ハ英支國境坪山坪ヲ占領更ニ猛進。友好的協定ノ下ニ徐家一匯地区ノ佛軍警備兵撤退シ我軍ト交代ス。 | 佛印経由物資輸送監視ノタメ南支派遣艦隊ヨリ艦艇ノ一部ヲ海防ニ派遣。佛印監視委員長陸軍少将西原一策ニ決定。 | | 〔独・伊・佛〕三國間ニ於ケル戦闘行為一斉ニ停止。 |



| 月日 | | | | |
| --- | --- | --- | --- | --- |
| 六、二六 | 広西省明江縣城英支國境ノ要衝沙魚ヲ占領。海軍航空隊第一六次重慶爆撃。 | | 上海佛租界ヨリ諸機関引揚準備。 | |
| 六、二七 | 寧明ヲ完全占領。海軍航空隊第一七次重慶爆撃。 | 中支軍発表、軍ハ上海佛租界公董局ト折衝ノ結果六月二十七日新ナル協定ヲ結ビ租界内抗日反汪分子ノ徹底的剿滅ヲ行フコトトナレリ。 | | 〔ソ聯〕ルーマニヤニ領土割譲要求ノ最後通牒期限満了。 |
| 六、二八 | 海軍航空隊第一八次重慶爆撃ヲ敢行。 | | | 〔米〕共和党大統領候補ウエンデン、ウイルキーニ決 |



| 月日 | | | | |
| --- | --- | --- | --- | --- |
| | | | | 定。 |
| 六、二九 | 海軍航空隊第一九次重慶爆撃ヲ敢行。宜昌対岸ニ敵前渡河ヲ決行。森本部隊ノ挺身隊ハ佛印ルートノ要衝鎮南関ヲ占領。 | 十五年度物動計画閣議ニ於テ正式決定。有田外相ハ世界的大変革ニ対応スル東亜自主ノ我皇道外交ヲ中外ニ宣言。 | | |
| 六、三〇 | 渡辺、林ノ各部隊ハ寧明北方二五キロノ上金ヲ占領。陸軍航空隊西安ヲ爆撃。 | | | 〔ソ聯〕ルーマニヤ軍トノ間ニ戦闘展開。〔米〕米國艦隊ノ主力突如ハワイニ帰還。 |



| 月日 | | | | |
| --- | --- | --- | --- | --- |
| 七、一 | 陸軍部隊佛印援蒋ルートノ牙城龍州縣城ヲ占領。 | | 國民党五期七中全会開会。遺産税ノ徴収開始。 | 〔英〕香港在住イギリス人婦女子マニラニ向ケ引揚ゲ開始。 |
| 七、二 | 海軍航空隊洞庭湖北岸及ビソノ北方地区ノ敵陣地ヲ銃爆撃ス。 | | 宋子文ルーズベルト大統領ト会見、援蒋積極政策ヲ要望ス。 | 〔米〕國防資材輸出取締法成立 |
| 七、三 | 海軍航空隊南昌東方部埠、洞庭湖北岸華容ヲ爆撃更ニ岳州対岸豢満ニ於テ敵集團ヲ爆撃ス。 | | 前上海市長兪鴻鈞工部局ニ対シ土地台帳移管ニ対スル抗議ヲナス | |
| 七、四 | 海軍航空隊第二〇次重慶爆撃ヲ敢行シ更 | 天津租界問題デ日佛現地交渉開始。 | 監察院ニ於テ戦区巡察團ノ組織決定。 | 〔英〕駐日クレーギー英大使ビルマ香 |

|  |  |  |  |  |
|---|---|---|---|---|
|  | ニ遂寧飛行場ヲ爆砕ス。 |  |  | 巻ヨリスル援蒋物資輸送禁絶ニ対スル本國政府ヨリノ通告今週中ニ接受ノ見込ナキ旨言明ス。 |
| 七、五 | 海軍航空隊綦江、自流井ヲ奇襲爆撃ス。 | 上海工部局上海市政府ニ土地台帳ヲ返還ス。<br>日支國交調整会議開会サル。 |  | 〔佛〕対英國交断絶ヲ発表。 |
| 七、六 |  | 日支交渉第二回会議開催。日本側提出基本要綱ニツキ審議ノ旨共同コムミユニケ | 上海市土地台帳問題ニ関シ関係各國ニ抗議ヲ提出ス。<br>第三戦区ニ青年招致 | 〔佛印〕佛印政廳ハ明七日以降支那ヨリノ輸入ヲ暫定的ニ禁止スル旨決定。 |

六二

|  |  |  |  |  |
|---|---|---|---|---|
|  |  | 発表。 | 委員会設立ス。 | 〔蘭印〕為替管理実施 |
| 七、七 |  | 奢侈品等製造販売制限規則実施サル。 | 抗戦第三週年記念日ニ当リ蒋介石「告友邦書」「告全國軍民書」「告全党同志書」ヲ発表。<br>七中全会終了。<br>大会通過案六二件、重要ナルモノ次ノ如シ、<br>中央党部ニ婦女部ノ設立。行政院ニ経済作戦部、戦時経済会議ノ設立。現行経済部ノ工商部ヘノ改組。 |  |

六三

|  |  |  |  |  |
|---|---|---|---|---|
| 七、八 | 海軍航空隊第二一次重慶爆撃ヲ敢行。<br>陸軍航空隊広西省武鳴―賓陽街道ヲ移動中ノ敵大部隊ヲ爆砕ス。 |  | 七中全会閉会式ヲ挙行。 | 〔英〕ビルマ、香港ヨリノ援蒋物資輸送禁絶ニ対シ全面的拒否ノ意向ヲ表明。 |
| 七、九 | 海軍航空隊第二二次重慶爆撃ヲ敢行更ニ広西省思隆、那馬、貴州省貴陽爆撃。 | 第三回日支交渉会議開催。 |  |  |
| 七、一〇 | 海軍航空隊江西省樟樹附近ノ敵密集部隊爆撃。 | 天津英租界分離現銀ノ使途濠洲麦粉輸入ニ使用決定。 | 中共臨時全國代表会議開催。 | 〔佛〕広州湾佛当局タングステンノ輸出禁止並ビニ一般鉱物ノ輸出制限発令、同時ニ抗日三 |

六四

|  |  |  |  |  |
|---|---|---|---|---|
|  |  |  |  | 日刊紙ニ停刊処分。 |
| 七、一一 | 陸戦隊陸軍部隊ト協力漢江上流陸渓口與地ノ敵匪掃蕩、航空隊ハ右作戦ニ参加スルト共ニ浙贛線方面偵察並ニ攻撃。 |  | 國民党僑務部長呉鉄城「抗戦三年来海外華僑八百万人、送金二十億元ニ達ス」ト語ル。 | 〔佛〕ペタン元帥ヲ主席ニ推戴。 |
| 七、一二 | 海軍航空隊貴陽周辺ノ軍需品及輸送機関攻撃。此ノ一隊ハ柳州道、新國防路線交叉点附近ノトラック群爆撃。 | 大本営海軍部広州湾佛租界当局ノ援蒋物資輸送禁絶ノタメ委員派遣決定。<br>ビルマ援蒋禁絶問題満足ナル進捗ヲ示シヲル旨外務省情報部長談発表。 |  | 〔佛〕ルブラン大統領辞職、新内閣成立。 |

六五

| | | | | |
|---|---|---|---|---|
| 七・一三 | | | 経済作戦部ハ戦時特別塩税始ヲ設立ス。 | |
| 七・一四 | 海軍航空隊潜山岳州北方地区ノ偵察攻撃ヲ実施 | 英船盛京号事件解決ス。 | | |
| 七・一五 | 陸軍航空隊雲南省富州ノ軍事施設、広西省思隆南方ニ於テ敵トラック群ヲ爆砕ス。 | 日支國交調整第四回会談開催。日支國交調整ノ基本的事項ニツキ審議ノ旨共同コムミュニケ発表。島田支那艦隊司令長官浙江福建沿岸ノ船舶出入禁止ヲ宣言。 | ビルマルート封鎖ニ関スル日本ノ要求ヲ受諾セルニ対シ英國政府ニ抗議。財政部飛行準備委員会ハ民國二九年六月現在ノ法幣発行総額三九億六千二百一四万四千二百五元ト発表。 | 〔英〕上海英大使館島田司令長官ノ宣言ニ対シ反対声明。〔米〕米國水兵上海ニテ邦人殴打。 |

六六

| | | | | |
|---|---|---|---|---|
| 七・一六 | 陸戦隊、海軍航空部隊ト協力、杭州湾方面ノ作戦開始。海軍航空隊第二三次重慶爆撃実施。海軍陸戦隊崇武及ビ深滬湾ニ敵前上陸ヲ実施。 | 米内内閣総辞職。 | 財政部長孔祥熙本年度公債発行軍事公債一二億元建設新公債英貨一千万ポンド、米貨五千万ドルト発表。 | 〔米〕ハル國務長官ビルマ、佛印ルート閉鎖ニ反対表明。 |
| 七・一七 | 艦艇部隊白鶴山砲台ニ奇襲上陸完全占領。南支艦隊ノ一部泉州東北方興化湾ヲ封鎖。 | ビルマ、香港援蒋禁絶ノ日英交渉成立。一、香港ヨリノ武器弾薬ノ輸送ハ昭和一四年一月ヨリ禁止サレテヰルガ将来モ輸出サレルコトハナイデアラウ。 | | |

六七

| | | | | |
|---|---|---|---|---|
| | | 二、イギリスハ七月一八日カラ三ケ月間軍需品ノビルマ通過輸送ヲ禁止スル。 | | |
| 七・一八 | 海軍陸戦隊艦艇並ニ航空部隊ト協力鎮海完全占領 | | | |
| 七・一九 | 鎮海附近砲台十個ノ破壊作業完了。 | 日支交渉第五回会議開催。南支陸海軍最高指揮官広東ヲ中心トスル南支ノ省市営工場返還ノ旨声明。米兵暴行事件ニ対シ | | |

六八

| | | | | |
|---|---|---|---|---|
| | | 暴行者ノ処罰今後ノ保障要求。 | | |
| 七・二〇 | | | | 〔米〕水兵青島ニ於テ我ガ制服警官ニ暴行。 |
| 七・二一 | 南支艦隊福建省三都澳急襲、陸戦隊三都島精湯敵軍事施設並ニ輸送機関壊滅ス。 | | 財政部民族工業ノ発展扶助ヲ目的トシテ「戦時扶助工業貸款弁法綱要」ヲ創定。 | |
| 七・二二 | 陸戦隊目的ヲ達シ鎮海撤収。海軍航空部隊重慶周辺晝間爆撃ヲ実施。江上艦艇ノ一部岳州 | 日支交渉第六回会議開催。興亜院華北連絡部、華北綿糸布商組合内ニ日支ノ絹、人絹、 | 昆明銀行開業ス。資本金五百万元、官股五分ノ一、其ノ他商股。 | |

六九

| | | |
|---|---|---|
| | 西南方面及ビ岳州下流臨湘方面ニ陸戦隊揚陸。 | 綿糸取扱業者ヨリナル綿、人絹、毛布部設置。 |
| 七・二三 | 海軍航空隊浙贛線鷹潭附近爆撃。 | 近衛内閣成立。 |
| 七・二四 | 江上艦艇ノ一部安慶下流土橋西方牛埠附近ノ敵匪ヲ陸軍部隊ト協力掃蕩<br>海軍航空隊浙贛線貴陽方面偵察攻撃。 | |
| 七・二五 | 海軍航空隊浙江省東部奉化新昌ヲ爆撃。 | 天津英租界現銀中救済基金一〇万磅分離 |

(米) 石油屑鉄輸出許可制実施

七〇

| | | |
|---|---|---|
| 七・二六 | 我ガ部隊佛印國境ニ向ケ進撃、水口関ヲ占領。 | 搬出完了。<br>日支交渉第七回会議開催。<br>天津日佛治安細目協定東京デ正式調印。<br>青島米水兵暴行事件解決。 |

一、石油製品、但シ飛行機用高級ガソリンヲ採取シ得ルモノニ限ル。
一、テトラ、エチル鉛。
一、鉄鋼屑、但シ重砲製造ニ必要ナモノニ限ル。

七一

| | |
|---|---|
| 七・二七 | 海軍陸戦隊仙尾媽宮占領。<br>海軍航空隊衢縣、金華、広信、貴渓、衡陽爆撃。 |
| 七・二八 | 海軍航空隊万縣、南川、鷹潭、鄧埠附近爆撃。 |

軍事会議ヲ召集シ滇越、桂越辺境國防軍事ニ対シ重要決定ヲ行ヒ中央軍ヲ動員シ辺境ニ集中待機セシ

(英) 香港政廳ハ左ノ物品ニツキ統制局ノ許可証ナキトキハ香港々外ノ領海及ビ新九龍以外ノ九龍租借地ノ輸送ヲ禁止ス。

モーター、トラック、同部分品、タイヤ、武器、弾薬、鉄道材料、石油、

七二

| | |
|---|---|
| 七・二九 | 海軍航空隊浙贛線鄧埠、鷹潭、建昌爆撃。 |
| 七・三〇 | 海軍航空隊浙贛線沿線広信、弋陽、横峰、建昌攻撃。 |

ム。

行政院会議「全國糧食管理局」ヲ設置シ全國糧食ノ生産、消費、儲運等ノ事項ヲ統轄ス。

交通部駐港弁事処香港貯蔵中ノ支那側輸入物資中軍需品建設資材等奥地搬入困難ナルモノノ競売ニ決定

(米) 上海米水兵邦人暴行事件ニ対シ陳謝ス。

七三

七、三一

日支交渉第八回会議開催。

八、一

海軍航空隊景徳鎮爆撃。

近衛内閣基本國策要綱発表。

一、根本方針　八紘一宇ノ大精神ニ基ク世界平和ノ確立ヲ根本トシマヅ皇國ヲ核心トスル大東亜新秩序ヲ建設ス。

二、國防及外交　國防國家体制ヲ基底トシ軍備ヲ充実ス外交ハ大東亜新秩序ノ建設ヲ根幹ト

重慶財政府「英支公定率ハ八月一日以降四片半ニ変更ス、其ノ他ノ外國貨幣ニ対スルレートハ新英支レートヲ基準ニソレゾレノ対スターリング・マーケットニ応ジテ決定スルモノトス。

右新レートハ貿易委員会、中國銀行、交通銀行ニ通告セラレタ」旨発表。

七四

シ重心ヲ支那事変完遂ニオク。

三、國内体制ノ刷新

1. 教学ノ刷新及國民道徳ノ確立

2. 新國民組織、議会翼賛体制、官界新体制ノ確立等ニヨル新政治体制ノ確立。

3. 皇國ヲ中心トスル日満支三國経済ノ自主的建設ヲ基調トシ國防経済ノ根基ヲ確立ス

4. 國民ノ資質、

七五

体力ノ向上及ビ人口増加ニ関スル恒久的方策特ニ農業農家ノ安定発展。

5. 犠牲ノ均衡、厚生施設ノ徹底、國民生活水準ノ確保。

八、二

海軍航空隊ハ第二十五次重慶爆撃ヲ敢行又壁山、篤潭ヲ爆撃。

日支交渉第九回会議開会、日支國交調整ノ基本事項ニ関スル案文審議ノ旨共同コムミユニケ発表

法幣基準引下ニヨリ為替相場下落。

〔英〕三井、三菱両支店員逮捕。

八、三

海軍航空隊吉安、臨江、戈陽、浹峰、浮梁、景徳鎮、台羅攻撃、更ニ湖口北方宿松ニ於テ陸軍部落ト協力甚大ナル戦果ヲオサム。

七六

八、四

海軍航空隊吉安、新淦、戈陽、鷹潭附近爆撃。

重慶政府全國党政軍首脳部会議一日ヨリ四日間開催、左記方針決定、

一、事変対策ニ関スル一切ノ措置ヲ國防最高委員会ニ一任スルコト、

二、聯ソ、聯米ノ両併行路線ヲ維持ス

〔英〕小林シンガポール同盟支局長ヲ逮捕。

七七

| | | | | |
|---|---|---|---|---|
| | | | ル外親独伊政策ヲ新ニ採用スルコト。 | |
| 八、五 | 海軍航空隊永康、鷹潭ヲ爆撃。 | | | |
| 八、六 | 海軍航空隊浙贛線鄧埠駅爆撃。 | | | |
| 八、七 | 海軍航空隊浙贛線要衝義烏及ヒ金華ヲ爆撃ス。 | 小麦粉配給統制決定（八月二十日ヨリ実施） | 滇緬公路ノ協定外輸送再開。 | |
| 八、八 | 我ガ艦艇ハ浙江省三门湾及ヒ台州湾南岸松門ノ敵軍事施設ヲ砲撃又温州湾内ニ進 | | | |

七八

| | | | | |
|---|---|---|---|---|
| | 入甌江北岸ノ兵営敵據点ヲ砲撃。 | | | |
| 八、九 | 海軍航空隊第二十六次重慶爆撃ヲ敢行 | | | 〔英〕支那駐屯軍引揚ニ決定。〔米〕石油禁輸問題我ガ方ヘ正式回答。 |
| 八、一〇 | 南支封鎖艦隊陸戦隊ハ汕頭南方二十キロノ海門ニ揚陸。海軍航空隊浙贛線鷹潭及ヒ義烏ノ倉庫群ヲ爆砕、又粤漢線ノ要衝衡陽ヲ爆撃。 | 支那方面艦隊司令長官島田中将入港禁止区域ノ拡大ヲ通告。禁止区域、カー島、ハイコーン、平海ピラミット角深滬角ヲ順次ニ連結セル線ヲ以テ包ム興化湾、平海湾、湄州湾 | | |

七九

| | | | | |
|---|---|---|---|---|
| | | 西浦、泉州港、深滬港及ビソノ他ノ海面。 | | |
| 八、一一 | 我ガ艦隊ハ浙江省温州湾ヲ衝キ玉環縣城ヲ砲撃。海軍航空隊第二十七次重慶爆撃ヲ敢行。 | | | 〔蘭印〕石油、規那、錫並ニゴムニ対シ三%ノ現行國防輸出関税ノ外更ニ五%ノ特別輸出関税ヲ賦課スル旨発表。 |
| 八、一二 | 海軍航空隊重慶西方自流井爆撃。 | 自動車並ニ同部分品配給統制実施。 | | |
| 八、一三 | 海軍航空隊浙贛方面偵察攻撃。横峯東方デ貨車、鷹潭南方デ倉庫群爆撃、鷹潭金谿 | 國家総力戦研究所設置。 | 華僑送金ヲ統制スルタメ僑胞匯款淪陥区弁法ヲ規定。一、送金ハ國営銀行 | 〔英〕北京駐屯軍残留者十余名ヲ除キ天津ニ引揚。 |

八〇

| | | | | |
|---|---|---|---|---|
| | 間デ自動車銃撃。 | | 又ハソノ委託ヲウケタ銀行ヲ通ジテナス。二、当該地ノ外貨為替ヲ買入レ香港中國銀行又ハ交通銀行ヲ通ジテ送金スル右銀行ハ香港ノ郵政匯兌局弁事処ニ通知、弁事処ハ当日ノ相場デ國幣ヲ直接宛先ニ送金スル。三、香港ドルヲ買ヒ香港ノ上記弁事処ニ寄託同処デハ当日ノ相場デ國幣ヲ | |

八一

八・一四

中支艦隊報道部五月以降ニ於ケル海軍航空隊ノ奥地攻撃ノ成果発表。参加延機数三千三百機、投下爆弾約二千五百噸、敵ニ与ヘタ損害撃墜機六五、ウチ不確実九、地上爆破五七。

海軍航空隊浙贛線広信以東ヲ偵察攻撃又衢縣ニ於テ進行中ノ列車爆砕。

宛先ニ送ル。

広東福建沿岸ニ新戦区ヲ設定、

八二

衡陽附近ノ倉庫、軍需輸送機関ヲ爆撃ス。

八・一六

南支艦隊陸戦隊下川島ノ掃蕩ヲ完了。

海軍航空隊重慶周辺瀘縣合江ノ軍事施設爆砕。

上海共同防備委員会ハ一五日開催ノ上海防備軍指揮官会議ニ於テ現在英軍ニ割当テラレアルD警備地区ハ日本軍ニB警備地区ハ米國軍ニ割当テル動議ヲ通過セルモ日本軍ハ反対投

生鮮食料品ノ配給並ニ價格統制ニ関スル商工省原案決定。

岡崎香港総領事ノ一トン香港代理総督訪問日英関係調整ニ関シ新秩序ノ承認等英側ノ善処要望。

八四

八・一五

海軍航空隊ハ浙贛線鷹潭附近ヲ爆撃。

南支艦隊ハ福建省興化湾ヲ急襲附近ノ南日島、紅日島、野馬山、鹿耳山、ソノ他各島嶼ニ陸戦隊ヲ揚陸シテ之ヲ攻撃。

南支艦隊ハ広東省珠江々口デルタ地帯ニ近キ下川島ニ陸戦隊ヲ揚陸島内ヲ掃蕩。

海軍航空隊ハ右作戦ニ呼應シ広海及ビ新寧鉄道附近ノ軍事施設、軍用戎克等ヲ反覆爆撃更ニ又粤漢線

武田陸戦隊司令官招集ノ上海共同防備委員会開催。

八三

票ヲナセル旨コムミユニケ発表。

八・一七

海軍航空隊粤漢線衡陽並ニ四川省富順、永川、温州南西方古鰲頭爆撃。

日支國交調整交渉第一二回会議開催。

八・一八

海軍航空隊第二八次重慶爆撃実施、他ノ航空隊万縣、長陽、宝鶏爆撃。

敵爆撃機九機宜昌旨爆我ガ方五機撃墜。

八・一九

海軍航空隊第二九次第三〇次重慶爆撃。

國民政府宣傳部國府ニ潜入ノ重慶側スパ

八五

〔英〕北支駐屯軍一五六名天津発香港ヘ引揚

〔濠〕駐日初代公使ノアグレマン要求、政府受諾。

| | | | | |
|---|---|---|---|---|
| | 陸軍航空隊海軍航空隊ト共力重慶爆撃。海軍航空隊安慶上流湖東方面偵察攻撃。 | イ一三名八日検挙ノ旨発表。 | | |
| 八、二〇 | 海軍航空隊陸軍航空隊ト協力第三一次重慶爆撃。海軍航空隊浙贛線広信以北並ニ貴陽附近攻撃。 | | | |
| 八、二一 | 海軍航空隊義烏、金華、蘭谿、衢縣等爆撃。 | 日支國交調整第一三回会議開催、基本事項並ニ細目事項ニツキ案文成立ノ旨共同コムミユニケ発表。 | 公債勧募委員会設立。 | 〔英〕上海駐屯軍引揚開始。 |



| | | | | |
|---|---|---|---|---|
| | | 外務省在外大公使並ニ総領事四〇名ニ帰朝命令発令。陸軍管区第一次改正発表（昭和一六年四月一日施行） | | |
| 八、二二 | 海軍航空隊浙贛線広信以西偵察攻撃。 | | 重慶政府被占領地向輸出許可。 | |
| 八、二三 | 海軍航空隊第三二次重慶爆撃、尚寧波ルート偵察攻撃ドラム鑵約七千爆砕更ニ安慶方面地上戦ニ協力 | 華北航業総公会設立。 | 財政部長孔祥熙辞職（新聞報） | 〔英〕水兵二名上海デ暴行日支人六名負傷。 |
| 八、二四 | 陸軍航空隊広西省桂 | 新体制準備委員決定。 | 政治機関ノ重慶撤退 | |



| | | | | |
|---|---|---|---|---|
| | 林ヲ爆撃。 | 日支國交調整第一四回会議開催。 | ヲ命令。ポンド紙幣ノ買上ゲ開始。 | |
| 八、二五 | 海軍航空隊安慶方面ニテ陸軍部隊ト対峙中ノ敵壊滅 | | 四川省三ヶ年建設計画ヲ発表。 | |
| 八、二六 | 有力部隊香港東方碣石急襲。 | 聯銀券ノ價値維持強化ノタメ日本内地ノ北支向貿易外送金ノ手続改正九月一日ヨリ実施。<br>一、開発関係送金ハ本制度ト別個ニ在北京財務官事務所ニ送金申請ヲナス | 土貨ノ移出促進ノタメ卵、米等四四種ノ土貨ヲ指定シ、右指定土貨ノ移出税ヲ免除ス。 | |



| | | | | |
|---|---|---|---|---|
| | | コト<br>二、一般事業送金ハ一口五万円以上ノモノニツイテハ在北京財務官事務所ニ送金ノ申請ヲナスコト。 | | |
| 八、二七 | 海軍航空隊浙贛線広信附近並ニ安慶西方下石牌偵察攻撃。 | 小林商相ヲ蘭印ニ特派決定。 | | |
| 八、二八 | | 日支國交調整第一五回会議開催、全般ニ亘リ審議完了。新体制準備会第一回総会開催新体制ノ指 | | |

導理念並ニ組織ノ大要ニ関シ討議。

八、二九

広東現地陸、海、外三省連絡会議日本ヨリ輸入スル物資調整上雑貨、綿糸布、等一ニ組合ノ結成決定。

中國共産党中央部、國防最高委員会ニ対シ
一、蘭州遷都、
二、強力政府ノ樹立、
三、人事ノ刷新
四、外交ノ一元化、
ノ四大要求ヲ提出。

八、三〇

陸軍航空隊隴海沿線武功咸陽附近爆撃。海軍航空隊東江、東蘭攻撃。

九〇

八、三一

海軍航空隊浙贛線西部、貴溪弋陽、鷹潭爆撃。

日支國交調整第一六回会議開催。案文ノ照合確認ヲ行ヒ阿部、汪両氏出席挨拶交換現地交渉一段落。

九、一

海軍航空隊柳州貴陽道ノ東江橋梁及東蘭爆撃。

九、二

地代家賃適正標準決定（十月二十日実施）

張自中政治部長ニ就任。

九、三

陸軍航空隊陝西省興安爆撃、海軍航空隊四川

蒋介石、孔祥熙、宋子文ノ間ニ左ノ二点ニツキ意見一致

九一

省順慶、広安、宜昌上流巴東並ニ浙贛線沿線爆撃、

一、孔祥熙ハ財政逼迫ノ責任ヲトリ財政部長ノ職ヲ去リ宋子文ガソノ後任トシテ就任スルコト。
二、法幣價値維持策トシテポンド、リンクヲ離脱シドル・リンクニ乗換ヘルコト。

九、四

陸軍砲兵大尉北白川宮永久王殿下蒙疆〇〇ニ於テ飛行機事故ニヨリ戰死遊バサル。海軍航空隊湖南省芷

（佛）天津佛租界現銀中北支難民救済資金（英貨二〇万ポンド）分離開始。

九二

江、辰州、巴東爆撃。又浙贛線西部地方偵察攻撃。

九、五

海軍航空隊興隆、全豁附近爆撃。

九、六

海軍航空隊並ニ陸戦隊漢口上流坪坊一帯並ニ岳州下流惕林磯輿地一帯ノ敵掃蕩。

蒋介石節約貯蓄ヲ強調、民衆及資本家ニ協力ヲ要望。

（羅）國王カロル二世譲位宣布。

九、七

中支軍発表、軍ハ九月五日揚子江北岸津浦線東側地区ニ蟠居セル新四軍ニ対スル作戦開始、七日マデ

九三

| | | | | |
|---|---|---|---|---|
| | ニ敵ノ根據地汉洶鎮及半塔集附近攻略引続キ掃蕩中。<br>海軍航空隊湖南省衡陽、湘桂鉄路沿線郎陽、冷水灘攻撃。別働隊宜昌上流帰州デ敵商船二隻爆沈一隻ニ大損害ヲ与ヘ施南長陽爆撃。又安慶西南上石牌、下石牌デ敵匪掃蕩中ノ陸軍ニ協力。 | | | |
| 九、八 | 海軍航空隊金華東方デ軍需品爆砕。封鎖艦艇ハ象山湾口デ敵 | | | 〔米〕対日経済制裁手段トシテ石油屑鉄ノ禁輸考慮中。 |

九四

| | | | | |
|---|---|---|---|---|
| | 舟艇四隻撃沈。江上艦艇ハ陸軍後靖部隊ト協力高郵湖方面掃蕩。 | | | （新聞報） |
| 九、九 | 海軍航空隊湖南省辰谿、辰州、瀘溪攻撃。別働隊粤漢線衡陽、衡山爆撃。又鳳凰建昌附近輸送機関爆撃。 | 香港邦人銀行対日レートノ建値ヲアメリカドル基準ヨリスターリング基準ニ変更。コレガタメ香港ニ於ケル日本円ハ九五円半ヨリ一〇六円ニ急落。<br>陸軍兵科区別撤廃決定（一五日ヨリ実施） | 安徽省貨幣整理公債八百万元ノ発行認可。 | |
| 九・一〇 | 江上艦艇高家集対岸 | | | |

九五

| | | | | |
|---|---|---|---|---|
| | ニ於テジヤンクデ南下中ノ敵三百ヲ潰走セシム。<br>江上艦艇洪沢湖ニ進出陸軍ト協力敵掃蕩中。<br>陸戦隊、陸軍ト協力漢口上流悪子窩地域掃蕩。 | | 十月一日ヨリ一六八種ノ贅沢品販売禁止実施ノ旨決定。<br>香港ニ於ケル法幣印刷ヲ停止。 | |
| 九、一一 | 陸軍航空隊広西省賓陽ヲ急襲。<br>海軍航空隊寧波、浙贛線王山、鷹潭方面ヲ爆撃。 | | 佛印トノ國境橋ヲ爆破。 | |
| 九、一二 | 海軍航空隊第三四次 | 小林使節団一行蘭印 | | |

九六

| | | | | |
|---|---|---|---|---|
| | 重慶爆撃ヲ敢行。 | 着。<br>蘭独貿易協定一ヶ年延期。 | | |
| 九・一三 | 海軍航空隊空襲北方三十浬ノ桐城並ニ青陽攻撃又第三五次重慶爆撃ヲ敢行、敵戦闘機二七機ヲ撃墜ス。 | 第一回日蘭会商開催 | | 〔米〕航空機関係ノ設計等輸出許可制ヲ実施。<br>一、航空機発動機用燃料テトラ、エチル鉛精製ニ使用サルベキ一切ノ機械類<br>一、上記機械類ノ製作及ビ運転ニ関スル一切ノ設計及ビ規画 |

九七

九、一四
海軍航空隊第三六次第三七次重慶爆撃ヲ敢行。

磅貨リンクヲ離レ二十三弗十六分七ヲ以テ弗貨ニリンクス。

九、一五
海軍航空隊第三八次重慶爆撃ヲ実施ス、別働隊ハ貢陽空襲。

財政部外貨ト交換シ得ザル五〇元、百元ノ新紙幣発行計画。

九、一六
海軍航空隊第三九次、第四〇次重慶爆撃ヲ
日蘭会商第二次会談開催。

一、航空機及ビ航空機用発動機ノ設計及ビ構造ニ関スル設計、規画、記述書類ソノ他技術的情報全部。



敢行。

九、一七
海軍封鎖艦艇ハ温州南方ノ七里及ビ黄華村ノ敵軍事施設ヲ砲撃。

新体制準備会最終審議終了。

九、一八
封鎖艦艇温州湾内ノ峙頭村ノ敵據点砲撃。海軍航空隊ハ浙贛線諸曁駅及ビ積峰駅ヲ中心ニ列車トラック群ヲ爆破ス。

北支ニ於テ九、一八価格停止令実施。

十一月十二日召集予定ノ國民大会延期ニ決定。

九、一九
封鎖艦艇浙江省石浦港内ノ敵軍用舟艇群及ビ松門ノ敵據点砲
西昌ヲ新首都ニ甘粛省天水ヲ陪都ニ内定昆明—河口間ノ滇越



撃。

九、二〇
海軍航空隊ハ右封鎖艦艇ニ協力又諸曁南方デ軍用列車ヲ霰水西北方五キロ谷間ニ於テ軍需品ヲ爆砕ス。

九、二一
海軍航空隊ハ浙贛線

線強制接收。

輸入禁止令ノ一部解除。

米穀、雑糧、綿糸綿布、鋼鉄、冶金材料、機器及ビ工具、交通機材、通信機材、セメント、ガソリン、ディーゼル、滑物油、医学用品及ビ治療器材、化学原料、除虫薬剤、食塩、酒精、麻袋。




広信、鷹潭ニ至ル間ニ於テ列車トラック群ヲ爆破シ弋陽附近ニ於テ線路五ケ所切断。

九、二二
外務省及ビ大本営陸海軍部、九月二十二日午後日佛印交渉成立ノ旨発表。

日佛両國政府共同コムミュニケ発表。
一、日本ハ東亜ニ於ケル佛國ノ権利及利益特ニ印度支那
佛印國境守備軍ニ戦闘準備ヲ令ス。

日佛協定ニ関シフランス政府ニ抗議。

〔佛〕二十二日日佛軍事当局ハ左ノ如キ協定妥結ノ旨発表。
一、日本ハ佛印ニ於テ対支戦争継続ノタメ特別ノ便宜ヲ獲得スル。
一、日本ハソノ代償

九、二三
中村部隊ソノ他皇軍部隊ハ午前零時ヲ期シ鎮南関附近ヨリ佛支國境ヲ突破シ佛領印度支那領土ニ平和裡ニ進駐ヲ開始シタガ、ドンダン附近ニ於テ佛印軍ノ不法抵抗ニ遭ヒ、コレヲ排

| | | | | |
|---|---|---|---|---|
| | 除シテ堂々進軍。 | ニ於ケル佛國ノ主権ヲ尊重スルコト、二、佛國ハ印度支那ニ於テ帝國陸海軍ノ作戦遂行上必要ナル諸便宜ヲ供与スルコト。 | | トシテ佛印ニ於ケルフランスノ主権及領土保全ヲ尊重スル。 |
| 九・二四 | | | | |
| 九・二五 | 中村部隊佛印國境諒山ニ進駐。 | | 兵役忌避防止ニ新條例ヲ実施。佛印國境各縣ニ戒嚴令ヲ施行。 | 〔米〕アメリカ輸出入銀行ハ重慶政府ニ対シ二千五百万ドルノ新借款ヲ供与スル旨発表。 |
| 九・二六 | 西村部隊海路ヨリ佛 | 滿洲國奢侈品製造販 | | 〔米〕十月十六日午 |

一〇二

| | | | | |
|---|---|---|---|---|
| | 印海防ニ進駐。 | 売制限令ヲ公布。 | | 前零時ヲ期シ西半球及ビイギリスヲ除ク外國全部ニ対スル屑鋼及ビ屑鉄ノ輸出禁止ヲ命令。 |
| 九・二七 | | 日独伊三國同盟締結<br>一、日本ハ欧洲ニ於ケル独伊ノ、独伊ハ大東亜ニ於ケル日本ノ指導的地位ヲ認メルコト。<br>一、三締約國ノ一國ガ現ニ欧洲戦争又ハ日支紛争ニ参入シヲラザル一國ヨリ攻撃ヲウケタル | アメリカノ援蒋策モ法幣ニ無効果。<br>上海<br>対英三ペンス六十四分ノ三十一<br>対米五ドル八分ノ三 | |

一〇三

| | | | | |
|---|---|---|---|---|
| 九・二八 | 森山部隊ハ海防南東二十キロノドウソン | トキハ三國ハ政治的、経済的、軍事的方法ニヨリ援助スル。<br>一、本條約実施ノタメ混合専門委員会ヲ設置ス。<br>一、三國トソ聯トノ間ニ現存スル政治的状態ニハ何等ノ影響ナシ。<br>一、有効期間ハ十年、<br>三國條約締結ニ当リ大詔渙発セラル。<br>三大臣親任式挙行、鉄道大臣、小川郷太 | | |

一〇四

| | | | | |
|---|---|---|---|---|
| | 砲台附近ニ進駐、平和的上陸ヲ完了、<br>海軍航空隊ハ湖南省衡陽及ビ湘桂鉄路沿線ノ零陵、祁陽ヲ爆撃ス。 | 郎。拓務大臣、秋田清。厚生大臣、金光庸夫。 | | |
| 九・二九 | | 國民政府劉公島権益失効ヲ英國ニ照会。 | | |
| 九・三〇 | 海軍航空隊昆明ヲ爆撃。 | 佛印監視委員長西原少将ハ澄田少将ト交代。 | | |
| 一〇・一 | 海軍航空隊滇越鉄道ノ要衝阿迷ノ軍事施設爆撃。 | | | 〔米〕極東航路海保料率自國船ニ特恵、<br>（単位 %） |

一〇五

一〇、二
海軍航空隊湖南省祁陽、冷水灘、揚子江上流ノ巴東、帰州ヲ爆撃。
東京海上火災保険、明治火災保険ニューヨーク支店ハ九月末ヲ以テ業務ヲ打切ル。

一〇、三
海軍航空隊ハ粤漢線衡陽、淥江ノ軍事施設ヲ爆撃、浙贛線横濱王山間ニテ列車ヲ銃撃ス。
海軍陸戦隊雷州半島烏石港ヘ敵前上陸ヲ
閑院参謀総長宮殿下杉山元大将ト交代遊バサル。

| | 新料率 | 旧料率 |
|---|---|---|
| アメリカ船 | 3/4 | 3/4 |
| 中立國船 | 二 | 一 |
| 交戦國船 | 二 | 一.五 |

〔米〕　上海米系銀行対邦商為替売却停止。
〔英〕　内閣一部改造断行。

一〇六

敢行。
佛印進駐部隊ジアラムニ到着。

一〇、四
陸戦隊ハ雷州半島海安、紅坎ニ敵前上陸ヲ敢行。
海軍航空隊成都、万縣ヲ爆撃。又四川省太平飛行場ヲ襲ヒ空中戦ニテ敵機六機撃墜シ地上ニアル二十五機ヲ爆破ス、又浙贛線鷹潭、貴渓間ニ於テ列車及ビ倉庫ヲ爆破ス。

一〇七

一〇、五
海軍航空隊ハ浙贛線金華駅ニ於テ敵軍用列車並ニ軍用舟艇ヲ爆破、濮水、諸曁駅ノ敵軍事品積載貨車ヲ爆破炎上セシム、又江蘇省海門ノ桟橋倉庫、巴東、成都ノ軍事施設ヲ爆撃ス、尚鳳凰山飛行場ヲ襲撃地上ノ敵機十機ヲ炎上セシム。

一〇、六
海軍航空隊第四一次重慶爆撃ヲ敢行、別働隊ハ四川省梁山ヲ奇襲ス。

昆明市政府物價引上停止令ヲ発布。

一〇八

陸軍航空部隊河内ニ進駐。

一〇、七
海軍航空隊昆明爆撃。
北支方面海軍最高指揮官野村中将ハ清水中将ト交代。

一〇、八
陸軍部隊臨安淝縣ヲ占領。
海軍航空隊浙贛線爆撃。

一〇九

〔英〕　首相下院ニ於テビルマ公路再開ヲ声明。
クレーギ英大使ビルマ公路再開ヲ我ニ通告ス。
〔米〕　極東在住アメリカ人ニ本國引揚ヲ勧告。

| | | | | |
|---|---|---|---|---|
| 一〇、九 | 海軍航空隊金華、温州、石浦爆撃. | | | |
| 一〇、一〇 | 新登ヲ占領. 海軍航空隊第四二次爆撃ヲ敢行. | 金買上規則公布。 松岡外相八日ノ英首相演説ヲ反駁 | 蔣介石軍民ニ告グルノ書ヲ発表。 | |
| 一〇、一一 | 海軍航空隊邵陽、衡陽、辰谿、宜昌対岸ニ郎廟ヲ爆撃。 | | | |
| 一〇、一二 | 陸軍部隊宜城広徳ヲ占領. 海軍航空隊成都、瀘口ヲ爆撃. | 大政翼賛会発会式ヲ挙行. | | |
| 一〇、一三 | 海軍航空隊昆明ヲ爆 | | | 〔米〕 ルーズベルト |

一一〇

| | | | | |
|---|---|---|---|---|
| | 撃. 長興東北方一五キロノ煤山炭坑ヲ占領。 | | | 大統領三國同盟ニ対抗シ英、支ヘノ援助強化スル旨ノ強硬宣言発表. |
| 一〇、一四 | 海軍航空隊宜昌前線爆撃。 | | | |
| 一〇、一五 | 敵前上陸ヲ敢行大南湖岸ノ要衝郎溪ヲ占領。 | 軍管理広東工場ノ還附ニ関シ省市政府トノ間ニ正式調印. | ガソリン節約ノタメ重慶市内ノ自動車ヲ二百台ニ制限. | |
| 一〇、一六 | 環山、文昌及北部安定附近ノ敵匪ノ掃蕩開始. 海軍航空隊第四三次重慶爆撃ヲ敢行. | 日蘭会商左ノ如キ共同コムミュニケ発表、 一、屡次ノ会談ニ於テ両國ノ一般関係ガ討議サレタ。 | 敍昆鉄道ノ工事再開ヲ決定. | |

一一一

| | | | | |
|---|---|---|---|---|
| | | 一、三國同盟ハ両國ノ反好関係ニナンラノ悪影響ヲ及ボスモノニ非ザルコトヲ確認. 一、石油問題ニ関シテハ今后尚折衝ヲ継続スル。 國民徴用令ノ範囲ヲ拡大。 一、軍事上必要ノ場合ハ國民登録ノ要申告者以外ノ者モ徴用シ得ル. 二、政府ノ管理スル工場、事業場ニモ適用シ得ル. | | |

一一二

| | | | | |
|---|---|---|---|---|
| 一〇、一七 | 浙江省諸曁縣城ヲ占領。 海軍航空隊第四四次重慶爆撃ヲ敢行、更ニ昆明ヲ空襲。 | | | 〔米〕 ジョーンズ商相ハ対蔣新借款交渉ヲ宋子文トノ間ニ開始セル旨発表。 |
| 一〇、一八 | 海軍航空隊滇緬ルートノ重要橋梁ヲ爆撃又箇旧ノ錫精錬工場ヲ爆破ス。 | 賃銀統制令、地代家賃統制令公布（二十日実施） | | |
| 一〇、一九 | | 南支方面最高指揮官安藤中将ハ後宮中将ト交代。 | | 〔印〕 日本向ケ屑鉄輸出禁止。 |
| 一〇、二〇 | 海軍航空隊滇緬公路上ノ重要橋梁ヲ爆撃. | 会社経理統制令施行. | 軍事委員会後方勤務部長兪飛鵬ヲ滇緬公 | |

一一三

路運輸処本部長ニ任命、

一〇、二一

海軍航空隊滇緬公路爆撃。

小林特派使節帰国ノ途ニツク。

日独伊三国同盟ノ成立ニ伴フ外交対策会議開催。

一〇、二二

滇緬公路改善計画樹立、
一、一日ノ標準輸送量六百トン、
二、路盤ノ幅ハ最少限平地八メートル、山地デハ土ノ場合ハ七メートル半、石ノ場合ハ七メートル、



三、路面ノ幅ハ最少限五メートル、
四、傾斜ハ最大限百分ノ八

一〇、二三

南支方面海軍最高指揮官高須中将ハ沢本中将ト交代。

糖類統税徴収暫行條令実施（糖類價格ノ一割五分）

一〇、二四

米穀管理統制規則公布（十一月一日ヨリ実施）

行政院社会部長ニ谷正綱任命。

〔米〕在支アメリカ婦女子六十名引揚

一〇、二五

海軍航空隊第四五次重慶爆撃ヲ敢行、更ニ滇緬公路永平、保

阿部大使帰朝。

外交対策会議親米、聯ソ併行策ヲ決定、本日閉会。



山間ノメコン河ノ功果橋ヲ爆破同ルート遮断ニ成功。

一〇、二六

陸軍部隊浙江省紹興ヲ占領、

海軍航空隊第四六次重慶爆撃ヲ敢行、更ニ成都ヲ急襲新津飛行場ニ於テ十機撃墜、尚雲南省ローウインノ中央飛行機製作所ヲ爆破炎上セシム。

一〇、二七

海軍航空隊四川省成都、万縣ヲ爆撃ス。

〔米〕重慶政府ニ対シ対枢軸不接近確約ヲ要求。



〔墨〕水銀ノ対日禁輸解除。

一〇、二八

我軍南寧ヲ撤退。

海軍航空隊サルウィン河ニカカルビルマ・ルートノ重要橋梁ヲ爆破ス。

〔伊〕ギリシヤニ対シ戦端開始。

一〇、二九

海軍航空隊昆明東方ノ霑益飛行場ヲ空襲。

財政部政務次長鄒琳広東省財政庁長ニ転出。後任ニハ常務次長徐堪ヲ昇格セシメ、常務次長ニハ鄒秉文ヲ任命。

〔米〕重慶政府トノ間ニタングステン鉱七千五百トン乃至一万トンノ買付契約ヲ完了。

一〇、三〇

海軍航空隊安慶地区

一〇、三一

爆撃。

我ガ軍撤退後ノ南寧附近ニ蠢動スル敵ニ対シ陸軍航空隊ハ各所デ猛爆ヲ加フ。

國民大会準備委員ヲ任命。

海関総税務司署発表、本年一月以降九月マデノ全支金銀及ビ紙幣輸出入額左ノ如シ（単位千元）

輸出

金（重慶ヨリ香港へ）　一〇、一三一

銀（蒙自ヨリビルマへ）一五、二〇五

（広州重慶ヨリ香港へ）　八九

紙幣　三、〇三八

一一八

一一、一

小林蘭印特派使節帰朝。

香港紙幣　二、一五〇

輸入

紙幣　一五六、〇二八

香港紙幣　一四七

ニッケル及銅貨　七

佛領印度支那紙幣　九〇三

イギリス紙幣　一〇、八五〇

アメリカ紙幣　七五、〇〇〇

ガソリン輸入税更ニ三ケ月延長.

西南公路ノ民間輸送禁止更ニ一ケ月延期

一一九

一一、二

川康経済建設委員会ハ二日成都ニ開会.

川康経済建設大綱案四川省経済建設三ケ年計画案、西康省経済建設要綱等ヲ決定。

一一、三

南支陸軍航空隊ハ我ガ軍ノ南寧撤退後広西各地ニ蠢動ヲ始メタ敵ヲ各所ニ爆撃。

一一、四

陸軍航空隊ハ引続キ広西省東部ノ敵ヲ捕捉爆撃ス。

文化工作委員会設置。

一一、五

陸軍航空隊ハ南寧柳州道方面、邕江右岸地区ヲ南下中ノ敵部隊ヲ猛爆。

日満支経済建設要綱内閣情報部ヨリ発表。

陪都建設委員会主任ニ孔祥熙ヲ任命。

一二〇

一一、六

〔米〕ルーズベルト三選成功。

〔英〕バトラー外務次官ハ下院ニ於テ対日石油問題ニ関シ米國側ト協議中ナル旨声明。

一一、七

陸軍航空隊ハ南寧周辺ノ敵部隊爆撃。

一一、八

上海佛租界ノ法院ヲ國民政府移管ニ決定ノ旨日佛共同声明発表。

一二一

一一・九

内政部長周鐘嶽ハ行政院苑本兼各職ヲ辞任スル旨ノ辞表提出.

〔英〕　香港政廳ハ移民統制法案ヲ制定華僑ノ入國ヲ制限.

〔蘭印〕　満洲、支那朝鮮、浦塩向ケゴム、錫ノ輸出ヲ制限、

支那向一ケ月ゴム一一〇トン、錫一〇トン、朝鮮、満洲浦塩向合計ゴム五〇トン、錫一〇トン。

一一・一〇

〔英〕　劉公島ノイギリス兵香港ヘ引揚グ。

一二二

一一・一一

一一・一二

陸海軍航空隊ハ欽縣附近ヲ移動中ノ敵ヲ爆撃。

一一・一三

我ガ軍ハ自主的ニ過去一ケ年駐屯ノ欽縣撤退。

支那事変関係問題ニ関シ御前会議開催。

一一・一四

陸軍航空隊ハ皇軍撤退後ノ欽縣附近ヲ偵察ノ後大塘墟及陸圩附近ヲ爆撃ス.

一一・一五

陸軍航空隊欽縣周辺ノ敵爆撃.

〔佛〕　佛印当局ハタイ國ノ失地回復要

一二三

海軍航空隊ハ昆明空襲。

求ニ対シ強硬声明発表。

一一・一六

陸軍航空隊ハ欽縣周辺ノ敵移動部隊ヲ爆撃.

一一・一七

欽縣撤退作戦完了。陸海軍航空部隊ハ欽縣周辺ノ敵ヲ爆撃。

〔英.米〕　英米泰三國ノ軍事協約説傳ヘラル。

一一・一八

中央財政会議開催.

〔米〕　ウエルズ國務長官代理ハ新聞記者團トノ会見ニ於テ英米泰三國軍事協約説ヲ否定ス。

〔英〕　泰國ニ印度ノ

一二四

麻袋ノ日本再輸出禁止方ヲ強要。

一一・一九

鈴木部隊ハ共産第八路軍ノ連絡據点タル阜平縣城ヲ占領。

中央物價統制協力会議重工業再編成要綱ヲ決定。

住宅対策要綱閣議ニ於テ決定.

行政院会議左ノ事項決議ス.

一、重慶ニ於ケル防空壕増設費五十万元追加支出。

二、張群ノ四川省保安司令及ビ軍管区司令ヲ兼任.

一一・二〇

佛印國境完全閉鎖ヲ命令.

二十日発行ノチャイナ、エーアメール誌掲載重慶財政部貿易

〔洪〕　日独伊三國同盟ニ参加。

一二五

一二六

| | | | | |
|---|---|---|---|---|
| | | | 委員会発表ノ重慶小売物價指数。基準ー事変前一〇〇<br>本年一月　二七九、二<br>七月　四四九、八<br>八月　五三九、七<br>九月　六九五、〇<br>十月　七四四、九<br>十一月第三週　八五一、三 | |
| 一一・二一 | | 大政翼賛会地方支部常務委員決定。 | | |
| 一一・二二 | 海軍航空隊ハ安慶附近ノ陸軍部隊ニ協力シ秋浦周辺ノ敵ヲ銃爆撃ス。 | 星野企画院総裁閣議ニ於テ本年度物動第四四半期実施計画及ビ明年度物動計画ノ | | |

一二七

| | | | | |
|---|---|---|---|---|
| | | 概要並ニ見透ニツキ報告。 | | |
| 一一・二三 | | 大日本産業報告会創立総会開催。 | | 〔羅〕日独伊三國軍事同盟ニ参加。 |
| 一一・二四 | 我ガ軍ハ武当山脈南方ノ要衝観音寺ヲ占領。 | 元老西園寺公薨去。 | | 〔スロバキヤ〕日独伊三國同盟ニ参加<br>〔泰〕佛印軍ト激戦。 |
| 一一・二五 | 海軍航空隊荊門北方地区爆撃。 | 東亜経済第二回懇談会開カル。 | | |
| 一一・二六 | 海軍航空隊ハ棗陽及ビ史部口ノ敵ヲ銃爆撃ス。<br>**我ガ軍ハ漢水東西地** | | 中共ノ評論家滌新ハ中共機関雑誌「群集」ニテ金融政策ノ行詰リヲ指摘ス。 | |

一二八

| | | | | |
|---|---|---|---|---|
| | **区ノ敵ヲ撃破進撃中。** | | 財政部ハ在香港重慶側銀行ニ対シ<br>一、新ニ印刷サレル甲、乙、丙種ノ建國儲蓄債券ノ売出。<br>二、従来流通ヲ禁止シテ井タ四明農商、中國商業等諸銀行発紙幣ハ十二月一日ヨリ流通ヲ回復セシムトノ緊急令ヲ通告。 | |
| 一一・二七 | 我ガ軍ハ荊門西方四十キロ栗溪ヲ占領。 | 汪氏蒋介石宛最後ノ忠告通電。<br>長谷川台湾総督、野村駐米大使ノ親任式 | | |

一二九

| | | | | |
|---|---|---|---|---|
| | | 挙行。 | | |
| 一一・二八 | 陸軍航空隊ハ襄陽ヲ急襲、敗敵ヲ爆撃。 | 國民政府主席ニ汪精衛氏推戴サル。<br>華北蒙疆間ニバーター制調印サル。<br>日・佛印東京会談ハ十二月下旬開催ノ旨外務当局談発表。 | | 〔米〕國務省発表ニヨル十月中ニ於ル支那ヘノ武器輸出額百六万四千ドル。 |
| 一一・二九 | 漢水地区ノ殲滅戦終了。 | | | |
| 一一・三〇 | | 日支國交調整ニ関スル條約及ビ日満支三國ノ善隣友好、共同防共、経済提携ノ原 | | 〔米〕重慶政権ニ対シ一億弗ノ追加借款供与ヲ決定、（内五十万弗ハ法 |

| | | | | |
|---|---|---|---|---|
| | | 則ヲ闡明セル日満支三國共同宣言ハ南京ニ於テ歴史的調印ヲ完了。 | | 幣安定資金）ハル國務長官ハ新聞記者團トノ会見ニ於テ南京政府不承認政策ニナンラ変更ナキ旨ヲ強調ス。 |
| 一二、一 | 海軍航空隊ハ重慶並ニ箇旧ノ錫精錬工場ヲ爆撃。 | | | |
| 一二、二 | 海軍航空隊ハ引続キ箇旧ノ錫精錬工場ヲ爆撃。 | | 最新式戦闘機ノ譲渡方ヲ米國ニ要請ス。 | 〔米〕援蔣一億ドル借款供与案両院委員会通過。 |
| 一二、三 | 陸軍航空隊香韶ルー | 貿易応急対策大綱決 | | |

一三〇

| | | | | |
|---|---|---|---|---|
| | ト爆撃。 | 定。 | | |
| 一二、四 | 陸軍航空隊韶関攻撃。 | | 冀察特別戦区副司令官石友三銃殺サル。 | 〔羅〕満洲國ヲ正式承認ス。<br>〔米〕工作機械ノ輸出禁止品種ニ更ニ四十一種ヲ加フ。 |
| 一二、五 | | 情報局官制公布。 | | |
| 一二、六 | | 無任所相設置ニ関スル勅令公布。<br>平沼、星野両氏國務大臣ニ親任サル。<br>情報局ノ新設ニヨリ海軍軍事普及部廃止 | | |

一三一

| | | | | |
|---|---|---|---|---|
| | | サル。 | | |
| 一二、七 | | 工作機械登録制十二日ヨリ実施ニ決定。<br>中支方面海軍最高指揮官谷本中将ハ細萱中将ト交代ス。<br>経済新体制確立要綱閣議ニ於テ決定。<br>本多熊太郎氏駐支大使ニ親任サル。 | | |
| 一二、八 | 海軍航空隊ハ株州、雷汀石、広信ヲ爆撃ス。 | 華北政務委員会全体会議開催。 | 佛印國境閉鎖ヲ在重慶外國領事團ニ通告 | |
| 一二、九 | 海軍航空隊ハ浙江省 | 上海方面陸軍最高指 | | |

一三二

| | | | | |
|---|---|---|---|---|
| | 孝順、湖南省冷水灘附近ノ軍用倉庫ヲ爆砕。 | 揮官藤田中将ハ沢田中将ト交代ス。 | | |
| 一二、一〇 | 陸軍航空部隊ハ龍州ノ軍橋ヲ爆破ス。 | 鉄鋼統制協力会設立。 | | 〔英〕五百万磅ノ対蔣借款決定。 |
| 一二、一一 | 海軍航空隊ハ四川省涼山飛行場並ニ昆明及ビ阿迷ノ発電所ヲ爆撃ス。 | 華北政務委員会全体会議終了。 | | 〔佛〕大使館ヲ重慶ニ移転ス。 |
| 一二、一二 | 海軍航空隊ハ雲南省祥雲飛行場ヲ爆撃。地上ノ戦闘機二十二 | | ソ聯トノ間ニ、ソ聯ハ一億元ヲ限度トスルクレヂットヲ供与 | |

一三三

一二、一三
一二、一四

機ヲ撃破ス

海軍航空隊ハ阿迷ノ発電所、箇旧ノ錫精錬所ヲ爆撃ス

海軍航空隊ハ衡陽南駅附近ノ倉庫、滇緬公路ノ功果橋、昆明ノ発電所ヲ爆撃ス。

鹵獲軍艦ト営造物ヲ國民政府ヘ返還。

総動員審議会左ノ大勅令可決
一、新聞等ニ対スル掲載ノ制限ニ関スル勅令
一、生活必需物資ノ統制ニ関スル勅令
一、森林原野ノ價格統制ニ関スル勅令
一、臨時農地價格ノ

重慶側ハ茶ヲソ聯ニ供給スル協定ガ成立セル旨傳ヘラル。

〔墨〕鉱山関係業者ハ政府ニ対シ対日金属輸出政策ノ明示ヲ要求ス。

〔泰〕佛印國境確定委員会開催ノ意志ヲ有スル旨声明。

一三四

一二、一五
一二、一六
一二、一七

海軍航空隊ハメコン河上流功果橋ヲ爆砕ス。

海軍航空隊引続キ功果橋爆撃。

海軍航空隊第四回衡陽爆撃。

統制ニ関スル勅令
一、臨時農地ノ管理等ニ関スル勅令。

國民党第六期第三次中央執監委員全体会議南京ニ於テ開催。

三中全会終了。

物資総監部設置ニ決定（明年一月一日開設）

香港ニテ英支合同ノ法幣安定資金委員会ヲ開催。

〔英〕ロイド石油相上院ニ於テ蘭印トノ連絡機関ヲ設置セル旨言明。

一三五

一二、一八
一二、一九

海軍航空隊昆明附近ノ倉庫群ヲ爆撃ス。

海軍航空隊ハ湖南省株州ヲ爆撃。

國民政府中央儲備銀行ヲ設置ス。
総裁　周佛海。
副総裁　銭大櫆。
関係法規左ノ如シ。
一、中央儲備銀行法
一、整理貨幣暫行法
一、外匯基金管理委員会章程
一、財政部令

國民政府全國経済委員会ヲ設置スルコトニ決定。

日米協会主催野村駐

一三六

一二、二〇

米大使歓送会ニ於テ松岡外相日米ノ友好関係ヲ力説ス。

大島駐独大使ノ親任式挙行サル。

職業転換指導方針閣議ニ於テ決定、ソノ骨子ハ、
一、道府県単位ノ中小商工業者対策協議会ノ設置。
一、國民職業指導所及ビ職業指導員ノ設置。
一、國民勤労訓練所ノ設置。

明春一月七日全國経済金融会議開催ニ決定。議題左ノ如シ。
一、奥地経済開発。
一、全國ノ物資調整。
一、農業及ビ中小商工業ニ対スル融資。
一、物價抑制策。
一、中央儲備銀行ヲ中心トスル金融財政策。

一三七

| | | | | |
|---|---|---|---|---|
| 一二・二一 | 海軍航空隊ハ安慶東北方貴池ノ敵空集部隊ヲ爆撃. | 安井内務、風間司法退任、新ニ平沼氏内務大臣ニ、柳川氏司法大臣ニ親任サル、 | | |
| 一二・二二 | 海軍航空隊ハ蘭旧及ビ蒙自ヲ爆撃. | | 共産軍ニ対シ軍事措置ヲ命令ス. | 〔英〕駐米大使ニ現外相ハリハックスヲ任命、外相ニイーデン陸相ヲ、陸相ニマーゲッソン大佐ヲ任命ス. |
| 一二・二三 | 南支五港湾出入禁止ヲ各國ニ通告 | 昭和十六年度一般会計予算要綱発表サル、（総額六十八億六千三百万円） | 全國各省政府ニ奸商ノ徹底的取締ヲ電令ス. | |

一三八

| | | | | |
|---|---|---|---|---|
| 一二・二四 | 大本営海軍報道部「聖戦第四年ニ於ケル海軍作戦ノ経過並ニ戦果ノ概要」ヲ発表. | 日泰條約批准書交換. 第七十六通常議会開会. 日蘭金融協定成立. | | |
| 一二・二五 | 南支五港ノ封鎖宣言発動。 | | | |
| 一二・二六 | 海軍航空隊ハ新封鎖区域内一帯ニ亘リ猛爆ヲ敢行. | | | |
| 一二・二七 | | 昭和十五年度第四四半期物動計画閣議ニ於テ決定ス。 | | 〔米〕明年度予算百七十億弗. |

一三九

| | | | | |
|---|---|---|---|---|
| 一二・二八 | 海軍航空隊ハ浙贛線金華駅、鷹潭駅ヲ奇襲. | | 延安側ハ共産軍移駐命令撤回ヲ國防最高委員会ニ電請ス. | |
| 一二・二九 | 大本営陸軍報道部十五年度ノ陸軍綜合戦果ヲ発表. | | 蒋介石ハ関係官庁ニ対シ物資、物價ノ厳重取締ヲ命令ス. | |
| 一二・三〇 | 海軍航空隊ハ四川省成都飛行場ヲ急襲ニ十九機ヲ爆破ス。 | 日佛印東京会談開始. | | |
| 一二・三一 | | | | |

一四〇

經研資料工作第一六號

# 支那事變經濟戰關係日誌

第二輯（自昭和十六年一月一日 至昭和十六年十二月七日）

昭和十七年一月調
陸軍省主計課別班

（、印は訂正若しくは挿入の文字なり）

五頁　四行　％める　占める
五二〃　第十一表　独逸対日・満・支地域輸入（一九三七）
（其一）　対支那輸入　以上を挿入
〃　（其三）　対満洲國輸入　二段目の見出の中、数を数量
七二〃　第十九表　表題の下ヘ挿入　（一九三八年、單位千ライヒスマルク）
七四〃　第二十表　〃　〃　（一九三八年、單位千ライヒスマルク）
一四〇〃　第四十三表　欄外ヘ挿入　(一)満洲國の当該商品総輸出（入）に対する当該商品の対独輸出（入）の比率
一四二〃　第四十五表　欄外（備考）中訂正　対支　対独
一四二〃　第四十六表　〃　〃　〃　〃
一四八〃　第五十二表　〃　〃　対逸　対独
一六四〃　第六十一表　〃　〃　(1)当該商品……対支……対独……
〃　第六十二表　欄外ヘ挿入　(1)前註参照


# 支那事變經濟戰關係日誌

第二輯（自昭和十六年一月一日 至昭和十六年十二月七日）


支那事変經濟戰関係日誌

| 月日 | 戰況 | 日本側 | 蔣政權側 | 援蔣國側 |
|---|---|---|---|---|
| 一・一 | 陸軍航空隊廣東省沿岸敵陣地並ニ恵州附近敵密集部隊爆撃。 | | | |
| 一・二 | 海軍航空隊昆明ヲ空襲。 | | | |
| 一・三 | | | | |
| 一・四 | | 日佛印第二回東京會談開催。 | | |

| | | | | |
|---|---|---|---|---|
| 一・五 | 海軍航空隊昆明並ニ滇緬ルート功果橋爆撃。 | | | |
| 一・六 | 陸軍航空隊廣東省東部各地ヲ爆撃。 | 日佛印第三回東京會談開催。 | 重慶政府土地銀行ノ設立ヲ計畫中ト傳ヘラル。 | 〔米〕大統領ノ一般豫算教書発表サル。 |
| 一・七 | | 外相バーミエダ島事件ニ関シ対英抗議。<br>海運統制機構改正ノ遞信省原案決定。<br>耕地開墾十ヶ年計畫ニ関スル農林省原案決定。 | 第十八集團軍及新四軍ノ一部移駐ヲ開始ス。 | 〔佛印〕對タイ強硬派総督発表。 |
| 一・八 | 海軍航空隊ハ水東・電白等南支沿岸ノ敵船舶交通機関爆撃。 | 戰陣訓発表。 | | 〔米〕豫算教書議會ニ提出。総額約百七十五億弗。内軍事費百十億弗。 |
| 一・九 | | 日佛印第四回東京會談開催。 | | 〔加〕日本人特別登録ヲ実施。<br>〔米〕二月三日ヨリ銅・真鍮・青銅・亜鉛・ニッケル・炭酸加里ノ六種品目ニ輸出許可制ヲ実施スル旨ノ宣言ニ大統領署名。 |
| 一・一〇 | 南支艦隊報道部昨十二月下旬ヨリ本年元旦ニ至ル第八區掃蕩戦ノ経過発表。 | 日佛印第五回東京會談開催。<br>閣議ニ於テ國土防空強化方針決定。 | 全國金融會議開催。 | 〔米〕武器貸與法案提出。 |

三

二

| | | | | |
|---|---|---|---|---|
| 一・一一 | 陸軍航空隊麗水飛行場爆撃。 | 新聞紙等掲載制限令公布。 | | |
| 一・一二 | 海軍航空隊玉山ヲ爆撃。 | 中央儲備銀行ノ六日ヨリ十一日ニ至ル銀行券発行高、六百四十一萬元ト発表。 | 中共新要求提出。<br>一、陝西省渭水ヲ以テ國共両党ノ地盤ヲ定ムルコト。<br>一、中共ノ支配下ニアル五十萬ノ部隊ヲ正規軍ニ改編スルコト。<br>一、華北ニ戰時金融調整銀行ヲ設定中共ノ支配下ニオクコト。 | |
| 一・一三 | 陸軍航空隊ハ廣東省清遠東方ノ敵據点ヲ爆撃。 | 政府ハ大東亜建設ハ日満華共同宣言ニヨルベク、大東亜建設ニ関スル思想運動、大政翼賛會ヲシテ當ラシムル旨聲明。<br>大藏省発表昨年十二月末ニ於ケル國債額ハ内國債二百七十億八百十五萬三千円。外國債十二億四千五百五萬五千圓。 | | 〔香港〕屑鉄輸出禁止。 |

五

四

| | | | | |
|---|---|---|---|---|
| 一・一四 | 海軍航空隊重慶並ニ合川ヲ爆撃. | 政府ト貴族院代表トノ時局懇談會行ハル. | 物價統制実施局ヲ新設ニ決定. | |
| 一・一五 | 海軍航空隊衡陽爆撃. | 政府ト衆議院代表トノ時局懇談會開催. | 第三戦区司令長官顧祝同ハ新四軍ガ重慶ノ移駐命令ニ應ジナイタメ実力ヲ行使シ軍長葉挺ヲ逮捕ス. 軍事委員會ハ新四軍ノ稱号ヲ取消シ解散ヲ命ズ. | 〔米〕武器貸與案ニ対スル證言ニ於テハル長官ハ今日ノ危局ハ満洲事変勃発カラ始マルトシテ日本ヲ誹謗ス。 |
| 一・一六 | | 政府ト経済界代表トノ時局懇談會開催サル。 | | |
| 一・一七 | | 政府ト言論界代表ト | 農産物増産ノタメ本 | 〔濠〕日濠間ノ友好 |

六

| | | | | |
|---|---|---|---|---|
| | | ノ時局懇談會開催. 興亜院華北連絡部北支ニ於ケル九・一八價格ノ解除並ニ新協定價格ノ改正ニ関スル方針発表. | 年度ハ中國農民銀行ヲシテ三千万元ヲ出資セシメ、四川省合作金庫ヲ通ジテ農村ニ放出スルコトニ決定。 | 関係ハ不変ト外相言明。 |
| 一・一八 | | | | |
| 一・一九 | 海軍航空隊廣倍ニ於テ敵貨物列車爆撃. 更ニ功果橋舊橋ヲ爆撃ス. | | 被占領地区ヨリ法幣引揚説傳ヘラル. | 〔米〕外國資産凍結案草案完成。 |
| 一・二〇 | 陸軍航空隊ハ韶関及ビ英徳南方横石附近ニテ敵部隊ヲ爆撃. | 日佛印會談ニテ佛印米輸入取極メ成立。 | 軍事委員會ハ十七日附ニテ新四軍ノ徹底的掃蕩ヲ厳命. | 〔米〕ル大統領就任式演説ニ於テ民主主義擁護ヲ力説. |

七

| | | | | |
|---|---|---|---|---|
| 一・二一 | 海軍航空隊江西省東北地域並ニ四川省巫山ヲ空襲. | 中央儲備銀行上海分行開業. 日ソ漁業暫定協定成立. 再開議會ニ於テ首相、外相、藏相、陸相、海相演説行ハル。 | 重慶來電ニヨレバ十五日以來周恩來軟禁状態ニアルトイハレル. | 〔米〕対ソ道義的禁輸解禁. |
| 一・二二 | 海軍航空隊四川省壁山宜昌対岸敵陣地及ビ昆明ヲ爆撃. | 人口政策確立要綱閣議ニ於テ決定. 後備役制廃止ノ兵役法改正案提出サル. | | |
| 一・二三 | 海軍航空隊昆明及功果橋爆撃. | 翼賛會興亜運動促進特別委員會設置ニ決定. | | 〔米〕カリー大統領補佐官ヲ重慶ニ派遣スル旨発表. |
| 一・二四 | 立古、熊川、丸山等諸部 | 佛印タイ両國我方ノ | 行政院會議ニ於テ毎 | |

八

| | | | | |
|---|---|---|---|---|
| | 隊ハ第五路郭長青軍ヲオルドス深ク追ヒツメオルドス・デルタ粛清. | 停戰申入受諾. 衆議院議員任期一ヶ年延期ニ関スル法案決定. 衆議員豫算総會ニ於テ農相米價ノ引上ゲヲ行ハザル旨言明。 | 週経済連絡會議ヲ開催スルニ決定. | |
| 一・二五 | 敵中央軍ト湯恩伯ノ第六十八軍約十萬ヲ撃滅スベク我軍総攻撃ノ火蓋ヲ切ル. | 衆議員豫算総會ニ於テ首相翼賛會ノ政治的性格ニツキ答辯. 興亜団体聯合會興亜團体ノ統合申合セ. | 中央周恩來ニ引揚命令. 全共産軍ニ対蒋軍事行動下命. | |
| 一・二六 | 陸空協力ノ下ニ新黄河作戦進捗早クモ任店、泌陽占領 | | 中共全面的行動開始ヲ命令. | 〔米〕在天津アヘリカ系恒信洋行一月限リ閉鎖ニ決定. |

九

| | | | | |
|---|---|---|---|---|
| 一・二七 | 我軍泌陽東方二十キロノ馬谷店占領。海軍航空隊湖南省沅陵ノ軍需倉庫爆撃。 | 鮮米実收高二千百五十二万七千三百九十三石ト朝鮮総督府農林局発表。十五年度追加豫算案衆議院提出。日鉄法製鉄法改正案今議會ニ提出ニ決定。 | 新四軍事件ニ関シ蒋介石辯明。國最高委員會共産軍援助停止ヲ厳命。 | |
| 一・二八 | 陸軍航空隊湯恩伯軍ノ兵舎爆撃。海軍航空隊高坦爆撃。 | アフガニスタン経済使節団来朝。 | | |
| 一・二九 | 我軍安徽省蒙城、京漢線西平縣城ヲ占領。海軍航空隊昆明空襲。 | 日ソ漁業暫定協定枢府可決。台湾第二期米実收三百六十七万七千八百 | 中共軍事委員會新四軍軍長ニ陳毅ヲ副軍長ニ張雲逸ヲ任命。 | （米）建艦促進案上院ヲ通過。 |

一〇

| | | | | |
|---|---|---|---|---|
| | | 四十四石ト台湾総督府発表。 | | |
| 一・三〇 | 我軍京漢線西平西北方舞陽占領。 | 國家総動員法改正案衆議院ニ提出。 | | |
| 一・三一 | 海軍航空隊陝西省南鄭飛行場並ニ江西省廣信空襲。 | 日銀最高発券制ハ臨時立法トナスコトニ大蔵省決定。泰佛印停戦協定成立。 | 英貸一千萬磅米貸五萬米弗ノ建國公債ヲ二回ニ分チ発行ニ決定。 | （ペルー）反民主主義宣傳取締法公布。 |
| 二・一 | | 円ブロック向輸出ニ際シテノ内地業者ノ現金保證料消シ留保金ハ現地拂ニ改正実施サル。 | | （和）在倫敦和蘭政府ハ帝國政府ニ蘭印ヲ東亜新秩序ニ編入スル案ニ反対ノ旨申入レヲ行フ。 |

一一

| | | | | |
|---|---|---|---|---|
| | | 東亜聯盟中國総會ノ創立大會南京ニ於テ挙行サル。 | | |
| 二・二 | | 六十八億ノ一般會計豫算ハ衆議院可決。 | | |
| 二・三 | | 臨時陸軍参謀長會議三・四日両日ニ亘リ開催。 | | |
| 二・四 | 南支部隊ハ海軍ト協力恵州東南方ニ奇襲上陸香韶ルートノ要衝淡水ヲ占領他ノ一部隊ハ沙魚涌占領。 | | 蒋介石共産軍ニ対シ妥協ヲ申シコム。 | （米）ル大統領ハ鉄鋼並ニ鉄鋼製品ノ輸出品目ヲ百四十八種ニ亘ッテ再指定（十五日実施）。 |

一二

| | | | | |
|---|---|---|---|---|
| 二・五 | 我軍泌陽沘源占領。 | 支那方面視察中ノ大角大将殉職。 | 米國カリー特使重慶着。 | （米）対蒋軍用機百台賣渡シハ話済ミノ旨ノツクス海軍長官言明。 |
| 二・六 | | 四十八億ノ臨時軍事費衆議院可決。重要物資及食糧増産確保決議案ヲ衆議院デ可決。 | | |
| 二・七 | | 泰佛印國境紛争調停東京會談第一回正式會談。 | カリー特使蒋介石ト會見。 | |
| 二・八 | | 大政翼賛會ノ性格ニ関シ近衛首相政府ノ | | （米）下院ハ武器貸與案ヲ可決上院ニ |

一三

一四

| | | | | |
|---|---|---|---|---|
| | | 統一的答辯ヲ行フ。 | | 迎付。 |
| 二・九 | 河南大作戦完了，敵遺棄死体一万六千餘。 | | 行政院経済會議ヲ開催。 | |
| 二・一〇 | | 軍票賣五四円3/4 買五五円ノ新高値。 | | 〔英〕ルーマニヤニ対シ十五日ヲ期シ外交関係ノ断絶ヲ通達。 |
| 二・一一 | | | | 〔米〕諸外國ノ在米凍結資金ノ内容ヲ発表。 |
| 二・一二 | 海機ビルマルート猛爆功果橋ヲ完全爆砕。 | 泰佛印ノ停戦期間ヲ更ニ二週間延長。 | 中共側第二次國民参政會ニ際スル要求ト | 〔佛印〕邦人商社ノ進出ヲ全面的ニ阻 |

一五

| | | | | |
|---|---|---|---|---|
| | | | シテ善後辦法十二ケ條ヲ発ス。 | 止スル輸入統制組合ノ設立ニ関スル總督令ヲ公布。 |
| | | | | 〔米〕援蔣借款五千万弗ノ細目協定ノ決定ヲ見タル旨発表。 |
| 二・一四 | | 日本ヲ中心トスル日満華一元化ノ交通政策要綱閣議デ決定。<br>德王下関入港。 | | |
| 二・一五 | | 百十七億ノ明年度豫算成立。 | | 〔米〕ワシントンニ於テ米英濠蘭會談六。 |

一六

| | | | | |
|---|---|---|---|---|
| 二・一六 | | | | 〔英〕シンガポール東方入口ヲ中心トスルマレー水域ニ機雷敷設ノ旨海軍省発表。 |
| 二・一七 | 海軍機宜昌周邊ノ敵陣地爆撃。 | 日ソ通商會談モスコーニテ再開。<br>日蘭印會談再開。 | | |
| 二・一八 | | | | |
| 二・一九 | | | | |
| 二・二〇 | 中支軍発表――蘇北ノ要衝興化城ヲ攻略、統イテ戦果拡張中。 | | | |

一七

| | | | | |
|---|---|---|---|---|
| 二・二一 | | 中央儲備銀行ハ舊法幣トノ兌換ハ中國中央交通ノ三行券ニ依ル等ノ收付及兌換暫定辦法ヲ特ニ設ク。 | | |
| 二・二二 | 蘇北新四軍ノ根拠地東台城攻略。 | 軍直営ノ放送局ヲ國民政府ニ還附。 | | |
| 二・二三 | | | | |
| 二・二四 | | 泰佛印停戦期間ヲ更ニ二十日間延長ノ共同コムミユニケ発表、泰佛印紛争調停ニ対スル帝國政府ノ最後 | | 〔英〕チヤーチル首相ハ極東防備強化ニ対スル諒解申入レノ覚書ヲ重光大使ニ手交。 |

| | | |
|---|---|---|
| | | 的調停案ヲ両國政府ニ提示。 |
| 二・二五 | | |
| 二・二六 | | |
| 二・二七 | | 國防保安法案両院通過。<br>帝國政府ハ佛印在留邦人ニ引揚勧告。 |
| 二・二八 | | 抗日テロ分子五十餘名ノ大検挙並ニ抗日四テロ団ノ全貌発表サル。 |

一八

| | | |
|---|---|---|
| 三・一 | | ブルガリヤ三國同盟ニ参加。 |
| 三・二 | | |
| 三・三 | | |
| 三・四 | | |
| 三・五 | 南支軍発表――南支軍ノ有力部隊ハ三日未明澳門西方地区ヨリ東京灣北海附近ニ亘ル敵軍需輸送策源ノ要衝ニ奇襲上陸ヲ敢行、黄海寨、陽江、電白、水東、雷州半島、北海ヲ | 陸軍将校分限令進級令大改正。<br>鉄鋼統制令施行規則原案ナル。 |

一九

| | | |
|---|---|---|
| | 完全ニ占領戦果ヲ拡大中。 | |
| 三・六 | | 泰佛印調停會議原則的ニ意見一致。 |
| 三・七 | | |
| 三・八 | | 青木一男氏外交顧問ニ起用。<br>聯銀ノ対日クレヂット一ヶ年延長ニ決定。<br>畑総司令官南京着。 |
| 三・九 | 南支軍ハ南支沿岸上陸部隊ノ占領地撤退ヲ発表。 | |

二〇

| | | |
|---|---|---|
| 三・一〇 | 海軍機昆明空襲。 | |
| 三・一一 | | 泰佛印調停成立。 |
| 三・一二 | | 松岡外相訪欧ノ途ニ上ル。 |
| 三・一三 | | 國民政府ハ新法幣妨害治罪暫行條令ヲ制定公布。 |
| 三・一四 | 海軍機成都爆撃。 | |
| 三・一五 | 福建省海口ヲ封鎖。 | |

〔米〕武器貸與法案成立。

〔米〕ル大統領援英豫算七十億弗ヲ議會ニ要求。

〔香港〕艦船及ビ人

二一

| | | | | |
|---|---|---|---|---|
| | | | | ノ出入発表禁止。 |
| 三・一六 | 海軍機鄧埠驛ヲ爆撃。 | | | |
| 三・一七 | 陸軍機恵州爆撃。 | 東亜経済懇談會日満支重要産業連絡機関設置ニ決定。 | | |
| 三・一八 | 海軍航空隊重慶爆撃ヲ敢行。 | | 行政院會議ニ於テ地租ノ実物徴收ヲ決定。 | |
| 三・一九 | | 全國聯隊區司令官會議ニ於テ軍務課長翼賛會改組ニ対スル軍ノ態度ヲ明ニス。 | | 〔米〕軍需工業ノ罷業防止ノタメ國防調停局ヲ設置。 |
| 三・二〇 | | 國家総動員法中改正、 | | |

二二

| | | | | |
|---|---|---|---|---|
| | | 輸出入品等臨時措置法中改正、刑法中改正ノ三法律実施。<br>商工省鉱工業総力発揮委員會設置。<br>商工省ハ生産力拡充ノタメ全國主要工場ニ工務官設置ヲ計畫。<br>満洲國政府経済顧問制設置ヲ決定。 | | |
| 三・二一 | 海南島奥地討伐戦ヲ開始。 | | | |
| 三・二二 | | | 重慶ノ人口ヲ二十三万ニ制限。 | |

二三

| | | | | |
|---|---|---|---|---|
| 三・二三 | 我軍高縣城ニ突入。 | | | |
| 三・二四 | 我軍安徽省東部山了橋占領。<br>紅海其他ノ海湾封鎖発表。 | | | |
| 三・二五 | | 南京政府第一次全國軍事會議ヲ召集。<br>ユ國三國同盟ニ加入。 | 上海ノ中央銀行一時閉鎖。<br>國共調整特別委員會ヲ設置。 | |
| 三・二六 | | | | |
| 三・二七 | | 有馬翼賛會事務総長辞表提出。<br>第七十六議會閉院式。 | | 〔ユーゴー〕反枢軸側クーデターヲ行ヒ三國政府内閣総辞 |

二四

| | | | | |
|---|---|---|---|---|
| | | 松岡外相ヒトラー総統ト會談。<br>軍管理工場六ヲ南京政府ニ返還ヲ発表。 | | 職ス。 |
| 三・二八 | 新鋭部隊ハ海軍ノ協力ノ下ニ碣石湾ニ奇襲上陸ヲ敢行、正午頃、陸豊ヲ占領。 | 翼賛會副総裁柳川法相事務総長石渡荘太郎氏ニ決定。 | | |
| 三・二九 | | | | |
| 三・三〇 | 海軍機桐城ヲ爆撃。 | 國民政府還都一周年記念日ニアタリ汪首席記念放送ヲ行フ。 | | 〔米〕独伊ノアメリカ港湾碇泊中ノ船舶ニ監視隊ヲ乗船セシム。 |

二五

| | | | | |
|---|---|---|---|---|
| 三・三一 | 海軍機廣信爆撃。 | 訪欧中ノ松岡外相ローマ着。<br>戦時農業協力体制要綱決定。 | 銀行預金ニヨル公債買入制度採用。 | |
| 四・一 | | | | 〔米〕第五次國防豫算五十三億八千九百万弗上院通過。<br>〔米〕フォード自動車工場ニ大罷業。<br>〔米〕米墨共同防衛協定成立。 |
| 四・二 | 海軍機辰谿石門街爆撃。 | 小倉正恒氏無任所大臣ニ就任。<br>翼賛會改組案最後的決定。 | 八中全會閉會。 | |

二六

| | | | | |
|---|---|---|---|---|
| 四・三 | | 翼賛會組織局長熊谷憲一氏総務局長挟間茂氏ニ決定。 | | 〔洪〕テレキー首相急逝ス。 |
| 四・四 | | 商工大臣ニ豊田貞次郎海軍大将國務大臣兼企畫院総裁ニ鈴木貞一陸軍中将就任。<br>小倉無任所相新大阪ホテルニテ戦時財政経済ノ運営方針ヲ語ル。<br>翼賛會東亜局長ニ永井柳太郎氏就任。 | | 〔米〕ユー・エス・スチール一齊罷業指令。 |

二七

| | | | | |
|---|---|---|---|---|
| 四・五 | | | | 〔ソ聯〕ユーゴートノ間ニ友好不可侵條約ヲ締結。 |
| 四・六 | | ヒ総統ユ、希両國ニ進撃命令。 | | 〔加〕対日木材積出停止命令。 |
| 四・七 | 海軍機桐城辰谿爆撃。 | 企畫院次長更迭後任宮本武之輔氏。<br>地方長官會議開カル。<br>日満支経済協議會内閣ニ常置。<br>満洲國北支向労働者ノ送金制限撤廃。 | | 〔米〕第五次國防豫算ニ大統領署名。<br>〔英〕ハンガリーニ國交断絶ヲ通告。 |
| 四・八 | 陸軍機昆明蒙自ヲ爆撃。 | 興亜院総務長官心得発令後任及川源七中 | 臨時全國軍政長官會議中共ノ断圧ヲ決議。 | |

二八

| | | | | |
|---|---|---|---|---|
| | | 将。 | | |
| 四・九 | 海軍機長沙爆撃。 | 陸軍機甲本部創設。<br>伏見軍令部総長宮御離任後任ニ永野修身大将親補サル。<br>華北防共委員會ノ組織要綱決定。 | | 〔英〕マニラニ於テ英米蘭三國會談行ハル。 |
| 四・一〇 | | ベルリンニ於テ日独伊三國混合委員會ノ初會合行ハル。<br>電力國策實施要綱発表サル。<br>地方長官會議ニ於テ大橋外務次官日ソ通商交渉近ク成立セン | | 〔ソ聯〕独ソ新通商協定成立。<br>〔米〕大統領外國船徴用権賦與ヲ要求。 |

二九

| 月日 | | | | |
|---|---|---|---|---|
| | | ト説明。<br>陸軍重要人事異動発令。 | | |
| 四・一一 | 海軍機廣信貴溪石門街ヲ爆撃。 | | | |
| 四・一二 | 海軍機南陵ヲ爆撃。 | | | |
| 四・一三 | | 日ソ中立條約締結サル。 | | |
| 四・一四 | 海軍機粤漢線ノ要衝衡陽ヲ爆撃。 | 全國金融協議會大阪ニ開催。 | | |
| 四・一五 | 陸軍機龍州、寧明爆撃。海軍機浙江江西福建 | 地方長官會議終了、地方長官ヲ翼賛會支 | | （米）輸出許可制品目ヲ追加発表。 |

三〇

| 月日 | | | | |
|---|---|---|---|---|
| | ノ各地ヲ爆撃。 | 部長ニ「委囑スルコト」ニ決定。 | | |
| 四・一六 | 我軍昨暮ヨリ銭塘江南岸方面ニ対スル作戦ヲ開始ス。<br>海軍機ハ浙江省沿岸上陸作戦ニ先ダチ同地ニ猛爆ヲ加フ。 | | | （米）アメリカ北京駐屯軍五月下旬引揚ニ決定。<br>（ユーゴー）ブルガリヤユーゴーニ対シ國交断絶ヲ通告。 |
| 四・一七 | 銭塘江作戦部隊紹興ヲ占領。 | | 重慶側政府四銀行上海分行再ビ停業。 | （ユーゴー）無條件降伏ヲナス。 |
| 四・一八 | 海軍機長沙蒙自、阿迷ヲ猛爆。 | 國勢調査——一億五百二十二万六千百一人。 | | |

三一

| 月日 | | | | |
|---|---|---|---|---|
| 四・一九 | 陸海軍緊密ナル協力ノモトニ浙江省沿岸鎮海石浦海門温州附近ニ奇襲上陸ヲ敢行、攻撃前進中。<br>陸海軍緊密ナル協力ノモトニ閩江下江南北ノ沿岸各所ニ奇襲上陸ヲ敢行、攻撃前進中。 | | | |
| 四・二〇 | 福建上陸部隊ハ福清ヲ浙東作戦部隊ハ諸曁縣城ヲ占領。 | | | |
| 四・二一 | 福建上陸部隊福州ヲ占領。 | | | （米）太平洋岸造船業ノ罷業防止協定 |

三二

| 月日 | | | | |
|---|---|---|---|---|
| | 陸軍機宜昌爆撃。 | | | 成立。 |
| 四・二二 | 浙東作戦部隊溪口鎮ヲ占領。<br>海軍機長沙ヲ爆撃。 | 滿洲國政府、朝鮮総督府ハ「滿鮮一如強化助長ニ関スル件」ノ共同聲明ヲ発表。 | 延安ノ中共本部ハ重慶ニ対シ國共合作ヲ要求スルステートメントヲ発表。 | （米）繋留外國船舶用法案提出。 |
| 四・二三 | 海軍機長沙常徳、石門街爆撃。 | 住宅營団定款認可。 | | （希）無條件降伏ス。 |
| 四・二四 | | 陸軍軍需品工場豫算統制要綱発表。 | | （米）武器貸與長官ニホプキンス氏任命。 |
| 四・二五 | | 日ソ中立條約発効。 | | （英）対蒋一千万ポンド借款正式ニ調印サル。 |

三三

三四

| | | | | |
|---|---|---|---|---|
| 四・二六 | | 鉄鋼統制會創立総會挙行。<br>繭生糸ノ標準價格決定。 | | 〔米〕対英物資輸送ニ関シ海洋哨戒方針ヲ大統領発表。<br>〔米〕法幣安定資金五千万ドル供與。<br>〔米〕米英蒋通貨安定協定共同宣言発表。 |
| 四・二七 | | | | |
| 四・二八 | 海軍陸戦隊ハ浙江省鎮海西南七キロノ梅墟ニ奇襲上陸シ他ノ部隊ハ石浦南方尖洋山島ニ上陸。 | 上海市政府ハ新法幣妨害行為ノ取締リヲ開始ス。<br>岡村、土肥原両中将大将ニ進級。<br>初代化兵監ニ町尻中将就任。 | 重慶側四銀行漸ク開業。 | |

三五

| | | | | |
|---|---|---|---|---|
| 四・二九 | 佛印派遣陸軍機昆明爆撃。 | | ジェームス・ルーズベルト重慶着。滞米中ノ宋子文米支協同ノ支那防備資材供給會社設立ヲ発表。 | |
| 四・三〇 | 海軍機景徳鎮爆撃。 | 日満独三國ノ経済提携ニ関スル第一回會談開催。 | | |

三六

三七

| | | | | |
|---|---|---|---|---|
| 五・一 | 我軍広東省部甲子港方面ニ上陸、甲子所城ヲ占領。<br>海軍航空隊駿縣及ビ鯨南陵爆撃。 | 企画院ノ機構改革ニ伴ヒ人事異動発令サル。 | | 〔米〕蒋法幣安定資金管理委員会委員ニマヌエル・フォックス氏ヲ任命 |
| 五・二 | | 定例閣議ニ於テ東京開港決定ス。<br>商工省輸送対策決定。<br>一、鉄鉱石、石炭、紙、パルプ、銅其他ノ重要物資別ニ出荷統制ヲ行フ。<br>二、鉄鉱石、石炭ノ輸送ニ関シ海運中央統制輸送組合トノ連絡ヲ強化スル。 | | |

三八

三、不用、不急ノ物資積出ハ出来ルダケ圧縮スル。

五・三
海門及ビ温州附近ニ上陸セル陸海軍部隊ハ作戦目的ヲ達シソレゾレ他方面ヘノ転進ヲ完了。
海軍航空隊ハ重慶ヲ爆撃。
中央農業協力会結成式ヲ挙行。

五・四
海軍航空隊浙贛線ノ要衝広信ヲ爆撃。
満拓、満鮮拓、六月一日統合正式調印ヲナスコトニ決定ス。

五・五
日本蚕糸統制株式会

〔米〕 ジレット上

三九

社設立ニ先立チ農林省ハ蚕糸ノ生産配給実施方法ヲ決定発表ス。

五・六
陸軍航空隊陝西省咸陽、西安ヲ襲ヒ軍事施設爆砕。
総動員審議会ノ改組、定例閣議ニ於テ正式ニ決定ス。
日仏印新条約成立。
一、仏領インド支那ニ関スル日仏居住航海条約。
一、日本国、仏領インド支那間ノ関税制度、貿易及ビソノ決済ノ様式ニ関スル日仏協定。

院議員ハ枢軸国トノ貿易制限案ヲ下院ニ提出。
〔比〕 対米二億ペソノ借款要請ヲ決定。

居住航海条約ハ日仏印相互間ニ於テ入国、居住、動産、不動産ノ所有及ビ使用、商工業ノ経営、各種課税ノ賦課、日仏印双方ノ会社ノ待遇等ニ関シ主トシテ内国民待遇、然ラザルモノハ最恵国待遇ヲ与ヘルコト、船舶ニ対シテモ原則トシテ自国船待遇ヲ与ヘルコト、後者ノ協定ハ関税ニ関シテハ相互ニ最恵国待遇ヲ約スルホカ、仏印ハ主要日本品ニ

四一

対シ関税免除又ハ現行最低税率ノ軽減ヲ認メ、ソノ他ニツイテハ凡テ最低税率ヲ課スルコトトシ、日本モ亦主要仏印産品ニ対シ関税上ノ特典ヲ与ヘタ。貿易ノ決済ニツイテハ原則トシテ求償制ニ基キ相互ノ支払ヲ直接横浜正金銀行及ビ印度支那銀行ヲ通ジ円貨及ビピアストルニヨリ決済スルコトニ決定シタ。

| 月日 | 軍事 | 経済 |
|---|---|---|
| 五・七 | 陸軍航空隊肇慶、蒙自、鄭州、潼関等ヲ空爆。<br>皇軍部隊ハ山西省南部及ビ河南省ニ蟠居スル中央軍ニ対シ攻撃ヲ開始。 | 大政翼賛会「国民生活動員本部」ヲ新設ニ決定。<br>畑総司令官、銃後国民ガ国際関係ノ好転ニ眩惑サレルコトナク、アクマデ事変ノ目的達成ニ協力邁進スベキコトヲ希望強調ス。 |
| 五、八 | 陸軍航空隊粤漢線ノ清遠、英徳、新豊等ヲ爆撃。<br>晋予作戦ニ於テ我軍垣曲、済源ヲ占領。 | 参議、翼賛会顧問ハ留任ヲ承諾。 |

〔ソ聯〕人民委員会々議々長ニスターリン氏、副議長ニモロトフ外務人民委員ヲ任命。



| 月日 | 軍事 | 経済 |
|---|---|---|
| 五・九 | 海軍航空隊第二次重慶爆撃ヲ敢行。 | 仏泰平和條約調印。<br>日独伊三国條約ニ基ク混合専門委員会一般委員会ハ外相官邸ニ開催サレタ。<br>定例閣議ニ於テ物価対策審議会改組方針決定ス。 |
| 五・一〇 | 海軍航空隊第三次重慶爆撃敢行。 | 昨年度国民貯蓄増加額発表サル（一五・四－一六・三）<br>（単位百万円）<br>郵便貯金　一、七一五<br>簡易保険積立金　三三二<br>郵便年金積立金 |

〔米〕海軍委員会ハ近ク支那向ケ貨物輸送ヲ開始スル旨発表。

| 月日 | 軍事 | 経済 |
|---|---|---|
| 五・一一 | 中原作戦。<br>我軍垣曲東方二十五キロノ邵源鎮ヲ占領 | 八〇<br>銀行預金　四、九八一<br>信用組合貯金　一、二五九<br>金銭信託　三二三<br>保険会社資金　七六七<br>無尽会社資金　一九六<br>小計　九、六五三<br>直接有価証券投資　三、一六四<br>合計　一三、八一七<br>上海方面海軍指揮官海軍少将小林仁更迭シ後任ニ平岡條一海 |

〔米〕八品目ヲ輸出許可品ニ追加。ハイオサイアマス、



| 月日 | 軍事 | 経済 |
|---|---|---|
| | 陸軍航空隊ハ中條山脈中ノ敵陣地爆撃。<br>我軍、黄河渡河点狂口渡ヲ占領。<br>東江方面作戦。<br>我軍各方面ヨリ恵州ニ向ヒ猛進ヲ続行。<br>其他。<br>仏印派遣陸軍航空隊ハ松陽、長門、蒙自、箇旧ヲ爆撃。 | 軍少将任命サル。<br>国民政府ハ汪主席ヲ委員長トシ清郷委員会ヲ設置ス。 |
| 五・一二 | 中原作戦。<br>陸軍航空隊狂口渡及ビ鉄謝渡附近ノ敵ヲ爆撃。<br>東江方面作戦。 | 日本倉庫業会六月三日設立ニ決定。<br>石炭輸送協議会設立。<br>ナチス党本部ヘス副総理ノ行方不明ヲ発 |

ストラモニウム、コランビウム、タンタル、氷晶石、螢石、化学用木材パルプ、デギタリスノ種子。

〔米〕サンフランシスコ湾沿岸ノ十一造船所及ビ修繕工場罷業ニ入ル。
〔英〕ヘス副総理ヲ

我軍恵州ニ突入之ヲ占領ス。
其他
我軍ハ諸曁南方山岳地帯及義烏附近ノ顧祝同軍約十五万ノ殲滅戦ヲ開始ス。

表。

逮捕シコレヲ補虜トシテ待遇スル旨発表。
〔蘭印〕奢侈品不急物資輸入統制令ヲ実施ス。コレニヨリ統制ヲウケル日本商品ハ四十品目以上ニ達スル。

五・一三

中原作戦。
陸軍航空隊ハ陽城南方ノ渓谷ヲ敗走スル敵及ビ侯家庄附近ノ敵陣地、中條山脈包囲圏内ノ敵ヲ猛爆。
東江方面作戦。

帰朝中ノ本多大使京都ニ於テ国民政府ノ育成強化ノ必要ヲ強調ス。
興亜院華北連絡部デハ外貨並ニ旧法幣取引ノ絶滅ヲ期シ華中

四六

陸軍航空隊恵州南方附近デ敵密集部隊砲車群ヲ爆撃。
其他
海軍航空隊彭沢ヨリ石門街ニ亘ル陸軍部隊ノ前面及ビ側面ノ敵約一万ヲ銃爆撃。

トノ貿易ニ円為替集中制ヲ採用スルコトニ決定。

五・一四

中原作戦。
陸軍航空隊沁水市街周辺ノ軍事施設及附近山岳ノ敵ヲ爆撃。
其他
海軍航空隊ハ石門街附近ノ敵部隊ヲ銃爆撃。

京浜港開港勅令公布。

過般ノ八中全会デ新設ニ決定シタ糧食部ノ初代部長ニ財政部次長兼四行弁事処秘書長徐堪ガ就任スルコトニ内定。

四七

五・一五

中原作戦
陸軍航空隊ハ黄封鎮南方地区及沁水北方ニ潰走スル敵ヲ爆撃。
其他
我軍湖北省北部ノ棗陽ヲ攻略。
海軍航空隊石門街ヲ爆撃。

ブルガリアハ駐日代理公使ヲ通ジ満洲国ヲ正式承認スル旨通達。

五・一六

中原作戦
陸軍航空隊ハ洛陽ヲ急襲。
其他
我軍石門街ヲ攻略。
海軍航空隊第四次重慶爆撃ヲ敢行。

石炭輸送協議会創立総会ヲ開催。

〔ソ聯〕上海領事館再開。

四八

五・一七

海軍航空隊ハ湖南省居水灘、及ビ邵陽ヲ急襲シ停車場、倉庫等ヲ爆撃。

小麦、大麦、裸麦ノ国家管理ヲ断行。
政府ノ買入価格ハ、小麦ハ最終実需者渡価格三等十二円七十四銭。
大麦、裸麦ハ産地オン・レール、茨城一等八円九十七銭。

重慶デハ我空襲ニヨリ極度ノ混乱ニ陥リ、執務時間ヲ空襲季節ニ限リ午後四時ヨリ十時マデトシタト傳ヘラレル。

五・一八

陸軍航空隊ハ陝西省西安ノ兵営及軍事施設ヲ爆撃。
北支軍、中原会戦ノ戦果発表。
遺棄死体三三、四四九（師長一名ヲ含ム、

〔米〕ハル長官ラヂオ放送ニ於テ和平基礎條件ヲ述ブ。
一、極端ナル国家主義ガ過度ノ通商制限トナッテ現レル事ハ二度

四九

外戦死ト確認セラレタルモノ
軍長一、参謀長(二)
捕虜　一〇、四九七
(高級幹部師長二、
副師長二、軍医少
将一、参謀長一ヲ
含ム)
鹵獲品
山砲　二六
迫撃砲　七九
同彈薬　二一、〇〇〇
重機　九二
軽機　二五七
小銃　九、四八八
同彈薬
二、一〇〇、〇〇〇

手榴彈三四、四五〇

五〇

ト許サレザルコト。
二、國際通商ノ繁栄ヲ招来スルヤウ何等ノ差別的待遇ノナイ世界通商制度ヲ樹立スルコト。
三、原料諸物資ハ差別待遇ヲ撤廃シテ凡ユル國家ニ享受セシメラルベキコト。
四、商品ノ供給ヲ規制スル國際諸協定ハ消費諸國民ニ対

五一

スル干渉ヲ完全ニ防止スルヤウ取扱ハルベキコト。
五、一大國際金融機関ヲ設定シ、凡ユル國家ノ須要ナル諸事業並ニ不断ノ発達ニ対スル援助ヲ與ヘ且ツ凡ユル國家ノ福利繁栄ニ適合スベキ通商ノ発達ニヨッテ決済ヲ許容スルゴトキモノトナスコト。

五・一九

陸軍航空隊洛陽、浙江省東部ノ新昌ヲ爆撃。

海軍航空隊鄱陽湖東岸ノ鄱陽ヲ空襲。


満洲國政府ハブルガリアノ同國承認ヲ公表。

五・二〇

海軍航空隊ハ浙江省安吉、桐盧、新昌、分水、縉雲、四川省宜賓、成都、梁山ヲ爆撃。


日ソ中立條約批准書交換。

重要産業統制團体協議会ハ「統制会ノ組織方針ニ関スル意見」ヲ決定、コレヲ企畫院、商工、農林、鉄道、逓信、各関係官廳並ニ関係民間業界ニ参考意見トシテ提示スルコトニナッタ。

中央農業協力会ハ「戦時食糧増産完遂上部落農業團体ニ関

五二

〔米〕下院ハ上院ヨリ廻附サレタ外國船舶接收法案ニ対スル「政府ハ購入ニヨルニアラザレバ外國政府ノ所有スル船舶ヲ接收スルコトヲ得ズ」トノ修正條項ヲ否決コレヲ両院協議会ニ移スコトニシタ。

〔米〕下院ハ補助艦船五十八隻計五十五万トン獲得ノタメ三億五千万ドルノ海軍追加予算支

五三

出ヲ承認可決上院ニ廻附。

〔米〕在北支アメリカ海兵引揚グ。

〔米〕補助艦船増強案上院ヲ通過可決。

スル実践要綱」ヲ決定、農林大臣ニ認可ヲ申請。

**五・二一**

南支軍報道部発表ニヨレバ皇軍ハ恵州方面ヨリ某地ニ転進セリ。

ドイツハ二十日拂暁ヨリクレタ島ノ攻略ヲ開始シタ。

英國トノ間ニ五百万ポンドノ新輸出信用借款協定近ク成立ヲ傳ヘラレテヰル。

〔比〕アメリカ輸出統制法ノ比島ヘノ適用ハ十九日上院ヲ通過近ク成立スルコトニナッタ。

**五・二二**

海軍航空隊蘭州深山ノ飛行場ヲ爆撃ス

海軍航空隊ハ蘭州、成都、太平ノ飛行場ヲ爆撃。

全産聯会長ニ藤原銀次郎氏復帰。

泰國ハ國立銀行ヲ設立スルコトニナリ、コレニ関スル法令ヲ発布シタ。

〔英〕ロサンゼルスノ英國領事館ハ十一隻ノ日本船ヲブラックリストニノセタ旨発表シタ。

五四

**五・二三**

商工省デハ輸出不能ニヨル損失補償制ヲ施行。

一、予算二千万円。

二、相手ハ貿易振興会社外輸出品買取会社ハ社其他ノ輸出組合十四團体。

三、買取ッタ輸出不能品ハ買取会社ヲシテ第三國市場ニ輸出セシメ若シソレガ不可能ナレバ円ブロック或ハ國内ニ転売セシメル。

四、損失補償限度ハF.O.B價格ノ八

〔米〕ワイス民主党下院議員ハ去ル二十日対日石油禁輸案ヲ下院ニ提出ス。

五五

割デアル。

大工場、鉱山、発電所等ニ放置サレテアル屑鉄、銅ヲ回収シコレラ休眠資源ヲ動員シ鉄鋼自給計画ノ速カナル確立ヲ期スルタメ工業事業場清掃運動ヲ開始ス。

佛印ニ官民ヨリナル資源調査團ヲ派遣スルコトニ決定。

中華民國在住邦人ハ外務省調査ニヨレバ四月一日現在五十万六千余人。

五六

**五・二四**

海軍航空隊ハ安慶東南六十キロノ劉街ヲ攻撃。

陸軍デハ教育召集ハ第一補充ニツイテモ行フコトニナリ、陸軍召集規則改正勅令ヲ公布。

官界新体制ニ関スル第二官民懇談会開催サル。

**五・二五**

海軍航空隊ハ安慶東方六十キロノ義津橋ヲ爆破。

泰國ハロッブブリ、プラチンブリ、ジョルブリノ三地方ヲ外人居住禁止区域ニ指定。

**五・二六**

海軍航空隊陝西省南鄭、及ビ甘粛省天水

満洲投資証券会社（満洲國特殊法人、

糧食部事務開始。

〔米〕補助艦増強案ニ大統領署名。

五七

五・二七

ヲ襲撃。

予定資本金四億円、内第一回募集一億円排込大千万円）創立。転廃業者資産評価基準決定（原則トシテ、時価主義ニ依リヤムヲ得ザル場合ニ於テ再取得価格ヲ採用スル）

大本営海軍報道部課長平出大佐ハ「海軍ノ精神」ト題シ、最悪ノ事態ニ対スル我海軍ノ万全ノ備ヘ既ニ成レル旨放送。

定例閣議ニ於テ科学

五・二八

技術新体制確立要綱決定、発表サル。

日本・イラク修交条約成立

五八

〔米〕ル大統領ハ炉辺談話放送ニ於テアメリカノ国家非常時状態ヲ宣言シ刻下ノ世界的危局ニ際シアメリカノ国防強化ハ絶対ニ

五九

必要デアリ、コレガタメ最大限ノ国家権力ガ必要デアルトシ更ニアメリカハ海洋自由ノ原則ヲアクマデ主張スル旨声明シタ。

〔英〕マレー聯邦政庁当局ハ同政庁ニイギリス経済戦争省ノ極東分局ヲ設置シタル旨非公式ニ声明。

〔米〕輸出統制法比島ニ適用即時発效ス。

五・二九

経済部長会議ニ於テ、九・一八価格停止令ハ各種物資ニ公定価格ヲ全面的ニ定メ来ル十月二十日以降コレヲ廃止スル意向デアルト重大ナ言明ヲ行ッタ。

物価局長官ハ経済

五・三〇

海軍航空隊ハ江西省景徳鎮、広西省桂林ノ軍事施設ヲ爆撃。

蒙古聯合自治政府行政機構ノ改革断行。改革ノ要点ハ、

一、戦時体制ニ即応セル総力体制機構ノ確立。

二、蒙漢回各民族別指導力ノ徹底ヲ期センガ為メ各民族ノ特性ニ即応セル行政機構ノ確立。

三、在来部局ノ廃合ヲ行ヒ簡素強力ナル組織ニヨル行政

六一

蒙疆トノ会見ニ於テ、日本向ケ石油ノ輸出ヲ禁止シ又ハ現在以上ニ制限スル意向ハナイ旨言明シタ。

〔比〕輸出統制法実施ヲ声明、左記商品ノアメリカ領土以外ヘノ輸出ハ許可ナキ限リ禁止スル旨ヲ明カニス。マニラ麻、ロープ、椰子油、クローム（鉱石及ビコンセ

ントレート）銅、鉄、マンガン。

六二

滲透力ノ強化。

四、一般行政費ノ節減　同時ニ機構改革ニ伴フ人事異動ヲ発令シタ。

英貨為替損失ニ國家補償断行。

一、イギリス磅、エヂプト磅、南阿磅、濠洲磅、ニュージーランド磅、ルーピー、海峡植民地弗、香港弗、並ニバートノ九通貨ヲ以テイギリス系通貨トナス。

二、コレライギリス

六三

系通貨為替ノ為替銀行ニ於ケル持高ヲ毎日日本銀行ヲ通ジ横浜正金銀行ニ集中スル。

三、本制度ノ実施ニヨリ、横浜正金銀行ノ蒙ルコトアルベキ損失ニツイテハコレヲ政府ニ於テ補償スルト共ニ、利益ハコレヲ政府ニ於テ補償スル。

五・三一

大本営海軍報道部聖戦第五年初頭以来五ケ月間ノ海軍作戦ノ

〔米〕ハル長官ハワシントン滞在中ノ郭泰祺ニ対シ支那

六四

経過並ニ成果ノ概要ヲ発表。

海軍航空隊ハ安慶南方二百キロノ楽平ヲ爆撃ス。

六・一

海軍航空部隊ハ湖南省冷水灘ヲ爆撃。

同ジク第五次重慶爆撃。

同貴州省ノ北盤江ノ大吊橋ヲ爆撃。

同ジク雲南省昭通ヲ襲撃セリ。

〔國〕國民政府ノ第一回宣傳会議南京ニ開会。

〔國〕上海工部局臨時市参事会支那側参事会員奚玉書重慶側ノ圧迫ニテ五月二十六日香港ヘ逃避セル事判明。

〔満〕満洲國軍ノ最初ノ壮丁全満各軍管

ニ平和回復セル際米國ハ治外法権撤廃ヲ重慶側ニ確約。

六五

六・二

浙東地区第一線部隊当局ハ同地区ニ於ケル五月中ノ綜合戦果発表（敵遺棄死体一二七七鹵獲多数）ト発表。

海軍航空隊ハ大挙重慶ヲ痛爆。

他隊ハ江西省都昌（鄱陽湖岸）ヲ攻撃。

区ニ一斉入隊。

〔日〕價格形成委員会改組要綱

價格形成中央委員会デハ二月一般部会及各部会部長ノ連絡会議ヲ開催セリ。

要綱

一、一般部会ト各部会部長ヲ統合スル機関トシテ現在ノ一般部会ヲ改組拡張シ総務部会トスル。

一、総務部会ノ職

六六

六・三

中支軍五月中ノ武漢

責事項
一、総務部会ハ現在ノ一般部会委員ト各部会部長ヲ以テ組織スルモ総務部会ノ部長ニ就テハ追ッテ会長ヨリ指示ス。
〔国〕中央儲備銀行第一回業務会議南京ニ開催。
〔満〕満洲国皇帝陛下西北地方御巡狩ノタメ新京御出発。
〔日〕三相ヲ産業巡

〔重〕法幣安定資金

六七

六・四

中原作戦ノ戦果

周辺地区ノ戦果発表。
（敵帰順一、七八四、遺棄死体一〇、六三四）
海軍航空部隊、
滇黔公路ノ北盤江吊橋ヲ連爆。

閲ニ派遣
政府ハ重要物資ノ増産ヲ期スルタメ今回主トシテ鉄、石炭ノ増産及ビ之ニ関聯スル各種ノ事項ニ就キ現地第一線ヲ巡閲産業戦士ト親シク懇談シ官民一致協力生産ニ邁進スルコトトナリ豊田、小倉、鈴木三相ヲ三班ニ分ケ派遣スルコトトナレリ。

設置
懸案ノ英支及米支法幣安定委員会ハ愈々重慶ニソノ本部ヲ置クニ決定シ華人側陳光甫、席徳懋、貝祖詒ノ三委員ハ既ニ万端ノ準備ヲ了ヘ英米委員ヲ待チ近日中ニフォックス、ロジャース両委員ハ重慶ニ到着スル予定ナリ。

〔米〕ハル国務長官

六八

大本営陸軍報道部発表
去ル五月初旬以来山西省南部ニ展開セル中原会戦ハソノ第一期作戦ヲ終リ更ニ引続キ第二期作戦ノ真最中ナルモ本作戦開始以来最近迄ニ敵ニ与ヘタル損害ノ概要左ノ如シ。
戦場ニ遺棄セル敵屍体　約五〇、〇〇〇
俘虜約二五、〇〇〇
鹵獲兵器ノ重ナルモノ
野山砲、迫撃砲等

記者団会見ニテ対日禁輸問題ニ言及
〔和〕和蘭クレフェンス外相ル大統領ト会談。
〔比〕比島大統領ケソン氏スパイ取締法案ニ署名。
〔比〕比島セブ港ヨリ木材ヲ満載シテ日本ニ向ヘル邦船旭盛丸セブ海峡ニテ坐礁。

六九

六・五

約一五〇
機関銃、軽機　約四七〇
小銃、拳銃、自動小銃約一一、〇〇〇
各種弾薬　約六〇〇、〇〇〇
吾ガ方ノ損害ハ戦死将校以下五五四名ナリ。

〔日〕仏印ニ集積ノ敵性滞貨我方安全地帯ニ搬出
北部仏印ニ集積シアリシ援蒋物資ハ昨年六月以来吾ガ

〔重〕英、米、蒋ノ合作防衛対日「空ノ陣」ニ狂奔
英米並ニ蒋政権ハ更ニ、インド、濠洲、蘭印ヲ加ヘタ大国

〔米〕対日ソ輸出許可制、米更ニ制限強化
ハル長官ハ四日新聞記者会見ニ於テ対日ソガソリン及

澄田機関ニテ厳重監視シ佛印当局ノ協力ヲ得テ鋭意調査研究中ノトコロ最近重慶側及ビ之ト通謀スル商人ガ之等滞貨ノ奪還ヲ企図セルタメ之ガ敵逸ヲ防グタメ滞貨ノ内敵性及隠蔽敵性トシテ指定セラレタルモノハ他ノ安全ナル地域ニ搬出スルコトトナリ五月二十五日以来平穏裡ニ実施中ナリ。

軍事同盟ヲ締結シタガ今度南方防衛庫ヲ強化スベク、
一、米蒋空軍将校ヨリナル共同作戦本部設定。
二、米人飛行士ノ重慶空軍参加ノ許容。
三、米国ヨリ重爆機ヲ含メテ五〇〇乃至八〇〇機ノ提供。
四、機材及技術者ノ提供。
等其ノ重ナルモノニシテ五月末迄ニ

他ノ軍需品ノ輸出許可制度ヲ強化スベク考究中ナル旨発表セリ。
〔英〕 英蒋輸出借款調印
英国及ビ蒋政権代表ハ五月ロンドンニ於テ五百万ポンド輸出クレヂット協定ニ調印セリ。右ハ蒋政権ガ英系通貨圏カラ物資ヲ購入スルモノニシテ蒋ノ英国、豪洲、ニユージーランド、インド、ビルマニ

七〇

ファー・イースタン・トレーデーングコーポレーション及ノース・アメリカン・シンヂケートノ両社ニ属スル貨物ハ重慶側ガ特ニ設立シタル擬装会社ナルニヨリ、又昨年六月佛印当局ニヨリ援蒋物資輸送禁絶以後所有権ノ移動ヲナシタル貨物ハ一様ニ敵性ト認定セラレ、不服アルモノハソノ所有権ヲ立証ス

既ニ技師五五名、飛行士六六名ガ重慶ニ到着セリト傳ヘラル。又飛行場ハ設備不完全ナルモ五、六百ヲ数ヘ米飛行機ハ既ニ昭通ニ発着シ居ルモノノ如シ。
〔国〕 周佛海氏ノ母堂ハ最近重慶ヘ拉致拘禁セラレシコト判明。

対スル注文高割当ニツイテノ交渉ハ目下進行中ナリ。

七一

六・六

海鷲、重慶猛夜爆撃。中西部隊長ノ指揮スル海軍航空隊ハ五日ヨリ六日ニ亘リ夜間ヲ衝イテ三時間半ニ亘リ重慶空襲ヲ決行市街諸施設ヲ爆撃壊滅セシメタリ。
敵ノ兵力損耗一三〇倍
五月三十一日ヨリ六日迄ノ支那事変戦況ノ概略次ノ通リ。

ル証據ノ提出ヲ要求サレテ井ルモノナリ。
〔日・蘭〕 日蘭印会商危機ニ直面、芳沢全権引揚ゲ準備
芳沢全権、石沢総領事、ファン・モーク蘭印経済相、ホーグストラーテン通商局長ハ六日午後十時ヨリ一時間半ニ亘リ会談シタルモソノ結果ハ頗ル険悪ヲ告ゲ前途ノ見透シハ悲観

〔重〕 上海財界ノ巨頭虞洽卿ハ蒋介石ト会見後奥地資源開発資金調達ノタメ香港ヘ飛ブ。欧洲旅遊中ノ監察委員李石曽香港着。

〔米・英〕 法幣安全資金委員会米側委員フオツクス同英側委員ロジャース香港着。

七二

中原会戦ノ第二次段階ニ於ケル我作戦ノ特徴ハ必死トナリ逃走セントスル残存敵軍ニ対シ言語ニ絶スル地形ノ困難ヲ克服シ大殲滅戦ヲ敢行シ之ヲ捕捉殲滅シタル点ニアル。更ニ輸快ナルハ元来陵川方面ニアツタ范漢傑ノ第二七軍ガ何ヲ血迷ツテカ自巳ノ地盤ヲ捨テテ移動ヲ開始シ渦中ニ巻込マレ殲滅セラレタコトナリ。

サルルニ至ツタ。
〔日〕 戦後海運ニ備ヘテ対策研究会生ル。
〔日〕 日本国イラン国間修好條約批准サレ公布セシメラル。

七三

七四

カクシテ晋南二十縣ノ敵軍中比較的少ナイ損害ヲ以テ逸早ク黄河以南ニ遁走シタモノハ第九軍ノ二個師弱ニ過ギズソノ他ハ悉ク殲滅セラレ彼我兵力損耗ノ比率ハワガ軍一ニ対シ敵一三〇倍以上ニ達シテヰル。

寧波西南方約三キロ大皓附近ノ山中ニ集結中デアッタ第一九四師約二千ノ敵ハ慈谿、寧波、淡口方面ヨリ合囲出撃シタ我

七五

六・七

軍ニヨリ三一日不意ニ痛撃ヲ蒙リ遺棄死体六〇〇ヲ残シテ潰走寧波ノ復興再建ハ今ヤ目ザマシキモノガアル。

中西部隊長ヲ総指揮官トスル海軍航空部隊ハ本七日午後第八次重慶空襲ヲ敢行セリ。

冀東共匪討伐戦

吾ガ河合、矢野、渡辺、富永、村上、伊藤ノ各部隊ハ陳群麾下ノ約九百ヲ完全ニ

〔日〕帝國クロアチア國承認首都ザグレブニ公使館

帝國政府ハ本七日クロアチア國ヲ承認スルニ決シソノ旨松岡外務大臣ヨリ同國政府宛通告セリ。

而シテ近ク首都ザ

七六

撃滅セルモ敵捕虜ノ言ニヨリ國長陳群ノ戦死セルコト判明、戦果左ノ如シ。

戦死約八百、負傷三〇、捕虜五〇、鹵獲品、小銃、自動小銃、拳銃約五百、

五日夜ノ重慶爆撃ニテ窒息者七百名以上ニ達セル事判明（外人側消息）

グレブニ公使館ノ設置ヲ見ルベシ。

〔日〕海南島西海岸自動車路全通

サキニ全島一週ノ電話ノ開通セル海南島ハコノ度那大ヨリ北黎迄一三二キロノ自動車線開通五月十七日附デ民間自動車業者ニ許可アリ之ニテ本島西海岸通リ四七七キロ全通セリ。

〔日〕國民優生法施行令公布

悪質遺傳病者ヲ撲

七七

六・八

滇黔路ヲ完全断絶、

南支艦隊報道部八日午後発表

八日島崎部隊長ノ率ユル林、吉本、北村、金田、花本ノ各部隊ヲ以テ滇黔幹線路ノ要衝北盤江ノ吊橋攻撃ヲ敢行全羅橋爾及

滅シ國民素質ノ向上ヲ計ル國民優生法ハ七月一日ヨリ実施セラルルニ付厚生省ハ七日施行令並ニ施行規則省令ヲ公布セリ。

〔重〕劉峙等免職セラル。

（六月八日重慶来電）

五日夜ノ我ガ海鷲ノ爆撃ニ際シ防空壕設備ノ欠陥ヨリ七百余人ノ窒息者ヲ出シタルニ関シ

六・九

橋梁ニ命中、之ヲ河中ニ落下セシメ公道路ノ完全遮断ニ成功全機無事帰還セリ。

南支艦隊報道部発表
林部隊長ノ率ユル金田、花木ノ部隊ハ貴陽、南寧間ヲ通ズル敵輸送路ノ要点東南市街ヲ爆撃大ナル損害ヲ与ヘタリ。

南支陸鷲昭関爆撃
南支陸鷲桜井部隊長

〔日〕土肥原大将航空総監ニ山下中将軍事参議官ニ親補セラル。

〔日〕新労務者賃銀制原案ヲ承認一部ハ七月ヨリ実施

〔日〕中央賃銀委員

非難ノ声高キニヨリ蒋介石ハ重慶衛戍司令兼防空司令劉峙以下胡防空副司令及呉國楨重慶代理市長ノ三名ヲ免職セリ。

七八

ノ率ユル佐藤、稲垣、丸山等ノ各精鋭群ハサキニ宜慶、清遠、南雄等北部広東省敵主要據点ノ断続的偵察爆撃ヲ敢行スル一方連日北江ルートヲ急襲シテ敵性ジヤンク群ニ徹底的潰滅ヲ与ヘツツアリシモ九日更ニ敵本據昭関ヲ攻撃、戦果甚大ナルヲ確認全機帰還セリ。

会ハ九日午後ヨリ開会。
一、工場労務者ノ最低賃銀、最高初給賃銀及初級賃銀標準額案。
二、鉱山労務者ノ最低賃銀、最高初給賃銀及初給賃銀標準額案。
三、工場鉱山平均時間割賃銀案。
ヲ議シ可決厚生大臣ニ答申スルニ決ス。而シテ(一)(二)ハ七月中旬ヨリ実施、(三)ハ十月一日ヨリ

七九

六・一〇

芮城(黄河北岸)ヲ占領。
黄河北岸芮城一帯ニ蟠踞スル第十師及保安第十三、十四團約三千ヲ掃蕩中ノ奥部隊ハ十日日没ヨリ十一日ニ亘リ芮城ヲ包囲夕刻占領セリ。

実施ノ筈。

〔日〕改組物價対策審議会初総会ハ十日首相官邸ニ第一回総会ヲ開催セリ。

〔日〕日蘭交渉状況関係事務当局ノ意見
芳沢代表引上ニ決定。

〔日〕大日本興亜同盟(仮称)設立。
七月六日結成要綱閣議デ決定。

〔米〕援蒋飛行機續々輸送。
ホノルル駐在ノ支那総領事ハ十日ワシントンヨリノ情報トシテアメリカ製追撃機ガ既ニ支那ニ到着抗日戦線ニ参加シアル旨発表セリ。
ハワイニ於ケル支那行キ飛行士ノ申込者ハ既ニ一一〇名以上ヲ算ヘ更ニ申込者ハ毎日続出

八〇

六・一一

長江南岸ニ新作戦
三浦、大寺、加藤等ノ精鋭部隊ハ十一日未明突如長江南岸ヨリ二方面ニ分レ行動ヲ開始、敵一四四師新編第七師ノ各第一線陣地ヲ突破引続キ大掃蕩戦ノ続行中。

海鷲重慶第九次爆撃
中支艦隊報道部発表
海軍航空部隊ハ十一日午後第九次重慶空襲ヲ敢行ニ時間敵首都制圧、蹂躙ヲ恣ニ

〔日〕芳沢代表ニ対スル回訓確定
十一日午後七時情報局石井第三部長ハ「帝國政府ノ芳沢代表ニ対スル回訓方針ハ本日決定セリ」ト非公式ニ発表セリ

〔日〕農林大臣更迭
石黒農林大臣ハ病気ノタメ辞任、後任ニ井野碩哉次官親補セラレタリ。

シアリト言明セリ。

〔蘭〕明年度ゴム輸出通常関税率ニ・六セントノ引上ヲ発表。

〔米〕三月二十七日ヨリ六月一日ニ至ル武器貸与法ニヨリ英國及支那ニ対シテ七、五〇〇万弗ノ物資ヲ貸与セル旨発表。

八一

大・一二

セリ。

海鷲、衡陽爆撃
中支艦隊報道部十二日発表
美座隊長ノ率ヒル海軍航空部隊ハ本日粤漢線衡陽ヲ爆撃セリ。

（日）貿易統制令
十二日施行規則公布実施
政府ハ総動員法第八、九條ニモトヅキ五月十四日附デ貿易統制令ヲ公布十五日ヨリ施行シアルガ商工、農林両省ニテモ同令ニ基ク施行規則ヲ十二日公布即日実施スルコトトナレリ。
（日）日ソ通商、貿易ニ協定妥結ナル

（重）中央処理弁法ヲ発動
十二日大同ニ達セル情報ニヨレバ最近蔣介石ハ陝・甘・寧辺区並ニ晋察冀辺区ノ共産軍接壌地ニ於ケル各戦区司令及各地方将領ニ対シ共産党問題処理弁法ヲ極秘裡ニ発セリ。
其ノ重ナル内容次ノ如シ。
一、中共軍現在ノ

（英）在支治外法権撤廃ノ用意
十二日ノ下院ニ於テパーカー議員（労働党）ノ質問ニ答ヘバトラー外務次官ハ次ノ如ク説明セリ。
「イギリスノ対支政策ハ常ニ昨年七月チャーチル首相ガ声明セル如クデアル。即チ極東ニ平和ノ回復セル際イギリスハ進ンデ



十二日情報局発表
要　旨
一、通商協定ハ有効期間五年ニシテ輸出入税ソノ他ニ関シ最恵国待遇ヲ約ス
二、貿易及支払協定ハ有効期間一箇年、日ソ両国ノ貿易ハ一対一ノ求償制。
協定一ケ年ノ我ガ方輸出ハ生糸、繭、機械及器具類樟脳油、雑貨ソノ他合計三千

行政区域ヲコレ以上絶対ニ拡大サセズ却ッテ彼等ノ努力消耗ヲ計ルガ如キ工作ヲ積極的ニ展開スベシ。
一、コレガタメ従来中共側ニ比シ著シク立遅レタル民衆獲得並ニ教化宣傳工作ヲ効果的ニ推進ス
一、中共側トノ合作方針ハ不変ナルニ付表面的ニハ飽迄共同合作

在支治外法権ノ撤廃、利権ノ引渡及互恵平等ノ基礎ニ立ツ諸條約ノ改訂ニ関スル交渉ヲ行フデアラウ」
（米）ウェルズ次官、ロビン・ムーア号ハ明カニ独潜水艦ニヨリ撃沈サレシ旨言明。



万円、我ガ方輸入ハ石油、満俺鉱、白金、肥料及雑品等計三千万円。
一、取引ノ支払ハ原則トシテ円貨ヲ以テ行ハル。
（日）陸軍軍需動員会議開催
陸軍軍需会議ハ十二日ヨリ三日間開催サルルモノノ主要事項次ノ如シ。
一、軍需動員計画大綱。
一、物資動員ニ関

ノ態度ヲ維持シ進ンデ事ヲ構エザルコト。
一、然シ乍ラ中共軍ニシテ若シ不当進出ヲ策シ我ガ方ノ威力ヲ無視スルガ如キ場合ハ極力長期ニ亘ラザル如ク断乎実力ノ発動ヲ以テ処理ス。
コノ外全文数百項ニ亘リ今後共産軍トノ間ニ生ズベキ軍事、政治、経済行政、技術等ノ凡



スル事項。
一、生産力拡張ニ関スル事項。
一、軍需工業指導並ニ管理監督ニ関スル事項。
一、労務及精神動員ニ関スル事項。
一、其他軍需動員計画ニ関スル事項。
東條陸相ハ訓示ヲ第一日十二日ニ行ヒタルモノノ重点ハ自給圏資源ニ立脚シ軍需資材ヲ創造セヨト言フニア

ユル問題ニ関シ重慶側ノ採ルベキ方針ヲ説明巧妙ナル羅圧ニシテ国共ノ相剋今後一段ト激化ヲ加フベシト見ラル。

六・一三

リ。

〔日〕政府統帥部連絡懇談会十二日午前十一時ヨリ首相官邸ニ開催。

〔満〕吉野信次経済顧問以下ヲ戦時下欧洲視察ノ為メ独伊ヘ派遣スル旨発表。

〔重〕アメリカ製飛行機百台到着
香港漢字紙華僑日報ガ重慶特電トシテ報ズルトコロニ依レバ最近アメリ



六・一四

南支沿岸封鎖更ニ拡大
香港汕頭方面商ヲ断絶
嶋田支那艦隊司令長官ハ十四日去ル昭和十五年七月十五日ニ宣言セル杭州湾ソノ他ノ海面出入ニ関スル禁止区域ノ第六次追加宣言ヲ左ノ如ク発表セリ。今回ノ追加禁止区域

〔國〕汪精衛主席公式来朝
十四日情報局発表
汪國民政府主席ハ随員ヲ従ヘ来朝ニ決シ十四日上海発訪日ノ途ニ就キ十六日神戸、十七日東京着、十八日宮城ニ参入ノ予定ノ旨発表。

〔日〕芳沢代表ニ回訓発出

カ製戦闘機百台ガ重慶ニ到着、空軍ニ編入セラレタリ。

〔重〕中共、救國公債ヲ強制割当
十四日重慶来電ニヨレバ延安側今回ノ救國公債五百万元ノ強制募集問題ガ各方面ニ於テ重大物議ヲ醸シツツアル事実ニカンガミ國防最高委員会ハ十二日附ヲ以テ陝西省政府首席蒋鼎文ニ対シ即時重



ハ汕頭南方四〇キロ、同東方一五〇キロノ広大ナ区域ニ亘ルモノニシテ同宣言ノ発表ニヨリ香港方面ヨリスル第三國船ノ汕頭方面港湾ヘノ出入ハ今後完全ニ遮断セラルルノミナラズ重慶政権ニ多大ノ衝撃ヲ与ヘルモノト見ラル。
（昭和十六年六月十七日午前零時以后効力発生）

海鷲第十次重慶痛爆
中支艦隊報道部十四

十四日午后発出
在バタビヤ芳沢代表ニ対スル訓電ハ十四日午後発出セラレタリ。

〔國〕汪主席、我ガ宣傳関係将校ヲ迎ヘ新東亜建設ニ対スル烈々タル所信披瀝。

慶ニ来リ報告スベキ旨厳命セリ、陝甘両省政府ヨリノ重慶宛報告ニヨレバ中共側ハ六月一日民衆ノ反対ヲ押切リ陝、甘地区内各地ニ救國公債ノ強制割当ヲ行ヒ公債証書ト引換ヘニ農民ヨリ穀物ヲ商人ヨリハ商品ヲ徴発シアリ。コノタメ辺区民衆ニ怨ヲ買ヒ、民衆団体ヨリハ連日、前記両政府ニ対シ辺区政府



六・一五

日発表
海軍航空部隊ハ本日大挙重慶ヲ空襲、一隊ハ市街中心部ヲ痛爆シ一時ハ長時間市上空ヲ制圧セリ。
蒙自平地猛爆
仏印派遣軍司令部十四日発表
仏印飛行隊ノ精鋭ハ十四日蒙自平地、紅河上流ノ蛮耗、墨板市街ヲ急襲セリ。

六源口ヲ攻略（湖北南部）
湖北省南部ノ一三〇

〔クロアチヤ〕欧洲ノ新興國クロアチヤ、日独伊三國

ノ民衆圧迫解除ニ関スル請願ガ續々ト到着シツツアリト云ハル。

〔重〕汪精衛渡日ノ報ニ重慶首脳部狼狽対策協議。

九〇

度ノ炎天下ニ破竹ノ進撃ヲ続ケル我ガ前田、山中、重松、古山ノ各部隊ハ敵ノ重要據点塘口奪取後峨々タル峻嶺並ニ黄家尖一帯ヲ強行突破シ十五日夕刻敵新編一ケ師ノ據点タル大源口（通山東方二〇キロ）ニ達セリ。

同盟ニ正式参加。

六・一六

敵航空前衛基地梁山廃墟ト化ス
中支艦隊報道部十六日発表
海軍航空部隊ハ本日

（満・蒙）懸案ノ満蒙國境確定
十六日情報局発表
東郷モロトフ協定ニ基ク満蒙現地國

（和）チャハルダル蘭印総督國民参議会議召集、同会演説ニ於テ、「共栄圏編入ニハ

九一

大挙シテ梁山ヲ急襲、市街中心部ニ集中爆撃ヲ敢行瞬時ニシテソノ大半ヲ廃墟ト化セシメタリ。

境確定作業ハ客年九月現地作業ヲ開始セルモ双方予期セザリシ技術的困難ニ逢着シカタガタ極寒ノ季節トナリ一時作業中止ノ止ムナキニ至レリ。シカルトコロ本年陽春ト共ニ之ヲ続行スルコトニ決シ去ル五月二十八日以来満蒙両國代表「チタ」ニ会合商議ノ結果、極メテ友好裡ニ右技術的困難ヲ完全ニ除去

飽迄反対」ト演説。

九二

六・一七

スルヲ得タルヲ以テ六月二十七日ヨリ現地作業ヲ開始スルコトトナレリ。

（日）第一回中央協力会議開催
大政翼賛会第一回中央協力会議ハ十六日午前九時ヨリ丸ノ内本部ニ開催セラレタリ。

（日）本多大使ノ近衛首相訪問、重要会談。

（日）硫化鉄鉱配給統制。

（日）赤木副総監暗殺セラル

九三

十七日上海工部局警視赤木親之氏ハ抗日テロノ兇弾ニ暗殺セラレタリ。

（英）香港総督交迭
サー・ジョフリー・ノースコート（現在ノ総督）ハ健康ノ理由ニヨリ現職ヲ辞セルガタメ香港司令官兼総督ノ後継者トシテサー・エッチ・ソン・ヤングガ任命セラレタリ。

六・一八

海軍機蘭州西安爆撃。

要綱決定七月一日実施。

（國）汪精衛氏入京（十七日午前）

（日）赤木上海工部局副総監抗日テロノ兇弾ニ斃ル。

（日）両陛下、國府

（重・英）英支國境

（米）米國滇緬鉄道

主席ト御会見（十八日正午）御会食御款待アラセラル。
（日）為替集中制ヲ拡大
全取引ニ適用方針
政府ハ為替ノ集中措置ニ関聯シ今回更ニ外國為替管理法ニ基キ輸出入為替豫約取極ニ関スル省令ヲ制定シ十八日公布二十日ヨリ実施スルコトトナレリ。
（日・蘭）日蘭交渉

確定調印。
雲南・ビルマ國境南端ニ関スル英支國境確定公文交換ハ十八日午後外交部長弁公署デ調印セラレタリ。

建設公債一千万ドルノ募集
英支國境確定ニ伴ヒ滇緬鉄道建設材料購入ヲ目的ニ重慶ハコノ公債獲得ニ成功セリ。

九四

遂ニ打切リ。
情報局十八日発表。
最近蘭印ヲ繞ル情勢ハ客年九月以来バタヴィアニ於テ続行シ来レル日蘭経済交渉ノ円満ナル進渉ヲ困難ナラシムルニ至リ六月六日和蘭側代表ヨリ回答アリタル程度ノ内容ノモノニテハ此際特ニ國際協定ヲナスニ足ラズト認メ帝國政府ハ今次交渉ヲ打切ルコトニ決シ芳沢

九五

六・一九

去ル五日夜ノ重慶爆撃デ死者一万二千ニ上リシコト判明。

使節ニ対シ帰朝命令ヲ発シタリ。
（日）（國）近衛・汪第一次会談
（十九日於首相官邸）
（國）汪主席、明治神宮、靖國神社参拝。
（日）中央協力会議第四日
七委員会ノ経過報告アリ上意下情ノ交流完全ニ発揮セラル。

九六

六・二〇

（日）陸軍異動発表
陸軍中将篠塚義男
補軍事参議官
陸軍士官学校長
藤井洋治
補中部軍司令官
陸軍少将
重田徳松
補陸軍野戦砲兵学校長
（日）台湾志願兵制度実施
政府ハ二十日ノ定例閣議ニテ昭和十七年度ヨリ台湾志願兵制ヲ施行スル如ク準備ヲ進ムコ

（重）宋子文辞任
國共摩擦ニ憤激、中國國防協会会長ヲ辞任。

（羅）全羅國民ニ避難命令。
（比）反日文書ノ配布禁止。

九七

六・二一

ト」ト決定、即日御裁可ヲ仰ギ発表セリ。

〔日〕第一回中央協力会議終了
翼賛会中央協力会議ハ多大ノ成果ヲ収メ二十日終了セリ。

〔独〕オット独大使、松岡外相ト要談。

〔国〕近衛・汪第二次会談
松岡外相モ列席。（二十一日午前七時半於荻窪私邸）

九八

〔日〕興亜団体統合へ
創立発起人会開ク
興亜諸団体ヲ同盟ノ形ニ統合スル大日本興亜同盟（仮称）ノ創立発起人会ハ二十一日正午帝国ホテルニ開催諸関係者出席第一歩ヲ踏出セリ。

〔国〕国府ニ経済顧問団
国民政府ノ経済再建ノタメ国民政府ニ直属スル機関トシテ全国経済委員

九九

六・二二

敵六機ヲ撃墜破。

会ヲ設置選定シアリシガ日本モ全面的ニ之ニ協力スルタメ前蔵相青木一男外四名ヲ顧問トシテ同委員会ニ協力セシムルコトトナレリ。

〔日〕資金、製鉄原料改正勅令案可決
国家総動員審議会第十五総会ハ二十日開催、標題ノ議事審議ノ後可決セリ。

〔日〕陸軍重要協議

〔重〕陝西省主席更

一〇〇

海軍奥地各基地爆撃、
吾ガ海鷲、井沢、近藤、内田各部隊ハ二二日敵ガ再建ニ狂奔スル奥地空軍遊撃基地ヲ奇襲敵六機ヲ撃墜セリ。コノ日ノ攻撃地ハ甘粛省天水、蘭州、涼州、四川省成都、雅安、広元、陝西省興安各地ニシテ涼州・雅安ハ初空襲地ナリ。
楊仲華将軍帰順
部下一万五千ト共ニ江蘇省保安第三路指揮官楊仲華将軍ハ二

陸軍ニテハ二二日午後独ソ開戦ニツキ東條陸相、木村次官ニ佐藤、真田両課長大本営ヨリ杉山参謀総長及軍令部首脳部ガ陸相官邸ニ参集、重要協議ヲ遂ゲタリ。

〔日〕外務省態度
独ソ開戦ニ関シ駐独大島大使ヨリ公電アリ首脳部協議ノ結果暫ク事態ノ推移ヲ監視ノ上態度ヲ決スルモノノ如シ。

迭
重慶政権ハ西北軍強化ノタメ今回陝西省政府委員兼主席蔣鼎文ヲ軍事方面ニ専任セシムルタメ同省主席ヲ解キ、ソノ後任主席ニ熊斌ヲ任命セリ。

一〇一

二日汪主席宛ノ和平通電ヲ発シ同時ニ蔣介石ニ抗日陣営脱出ノ声明ヲ発シ部下一万五千ヲ率ヒテ國民政府ノ傘下ニ投ゼリ。

六・二三

海鷲西寧（青海省主都）初爆撃

中支艦隊報道部二三日発表

海軍航空隊ハ二三日再ビ奥地四省ニ亘リ敵空軍基地ヲ求メ戦意ヲ喪失セル敵空軍ヲ尻目ニ敵飛行場及諸施設ヲ爆撃粉砕シ

〔日〕鞣剤（タンニン）ノ配給統制、七月一日ヨリ実施、

商工省ニ於テハ鞣剤ノ配給統制ヲ七月一日ヨリ実施スベク二十三日附輸出入臨時措置法ニ基ク鞣剤配給統制規則ヲ公布スルコ



タリ。

トナレリ。

〔日〕〔國〕日華協力邁進ノ共同声明発表

二三日情報局総裁発表ノ要旨

昨年十一月三十日成立ノ日華基本條約及日満華共同宣言ノ再確認ヲ強調セルモノナリ。

六・二四

海軍航空隊雷州半島爆撃

南支艦隊報道部二四日発表

本日島崎部隊長ノ指

〔日〕〔國〕近衛・汪氏放送

二四日午後八時近衛首相、汪首席ハAKノマイクヨリ

〔重〕重慶テロ

國民政府警衛隊第二縦隊隊長胡常美氏ハ二四日午前八時上海北停車場前

〔米〕米人飛行士一二〇名重慶到着

確実ナル情報ニヨレバ米國ハ蔣政権空軍建直シノタメ



揮スル林・吉本・北本・金田・花本各部隊ハ雷州半島ノ東西咽喉部ニ当ル敵密輸ノ據点茂名（別名高州）安舗ヲ攻撃全羅市街枢要部ニ命中、全機無事帰還セリ。

「汪精衛ヲ迎ヘテ」及「友邦日本ヲ訪レテ」ノ題下ニ日華両國民ニ対シ歴史的放送演説ヲ行ヘリ。

〔日〕〔國〕近衛・汪第三次会談

二四日午後九時放送後首相官邸デ第三次近衛・汪会談行ハレタリ。

〔日〕麦類百万石減収

農林省発表三府四三県予想

農林省発表ニヨレ

側新民道ノ自宅ヲ出デタ刹那突然背後ヨリ支那人ニピストルニテ頭部ヲ射撃サレ重傷セリ。

〔重〕蔣以下首脳ガ凝議

独ソ開戦ニ関シ重慶ニテハ二十四日行政院会議ヲ開催シ蔣介石ヲ始メ各部長出席先ヅ王寵恵ヨリ駐英顧維鈞・駐ソ邵力子・駐独陳介及駐米胡適各大使等ノ報告ヲ基礎トシ独ソ戦争ノ

新ニ募集セル一二〇名ノ飛行士ヲ重慶ニ派遣セリ（二世支那人ヲ含ム）、本計画ハ援蔣ニ隠レテ基地ヲ設ケ日米開戦ノ場合背後ヨリ日本陸海洋ヲ脅カサン計画ト見ラル。

〔仏印〕仏印皮革油類禁輸

二四日仏印政庁ハ皮革・ヒマシ油・桐油・椰子油・樹脂・臭油ノ輸出禁止ヲ決定当業者ニ



六・二五

密輸拠点ヲ叩ク

海鷲雷州半島再爆

二十五日南支艦隊報道部発表

海軍機ハ昨日ニ引続キ雷州半島ヲ攻撃シ敵密輸出據点茂名

バ麦作付面積ハ合計百六〇万三千町歩デ前年ニ比シ六万六千町歩ノ増加ニシテ五ケ年平均ヨリ二三四万八千石増前年実収高ヨリ約百万石ノ減収ナリ。

〔日〕全人造石油製法ヲ民間ニ無償提供

商工省「帝燃」ニ特許集中

最近人造石油増産ノ緊急性ニ鑑ミ三

見透シト欧州戦局ノ推移ト日本ノ採ルベキ態度アメリカノ動向等ニ付検討ヲ行ヘリ。

〔重〕陳嘉庚、蔣ニ福州奪還提言

福州攻略以来ソノ南洋華僑ニ及ボス影響ノ大ナルニ鑑ミ福建出身南洋華僑ノ大立者シンガ

通告セリ。

〔ビルマ〕ビルマルートヲ米機デ哨戒

米ノ専門家力説ス

日本ガ仏印ヲ勢力下ニ置イテオル今日如何ニシテ米國ノ援蔣物資ヲ重慶

（高州）及安舗ヲ攻撃セリ。
太湖モ猛爆、
二五日海軍発表。
田家鎮附近掃蕩戦。
二五日中支艦隊報道部発表。
二十二、三ノ両日陸軍部隊ニ協力シ田家鎮高口湖附近一帯ノ掃蕩ヲ実施セリ。

井鉱山ガドイツヨリ購入シシノ後帝國燃料興業会社ニ特許権ヲ譲渡シタフイッシヤー法ハ勿論官廳関係所有ノ凡有ル人造石油関係ノ特許権ヲ全部帝國燃料会社ニ集中シ各民間人造石油製造会社ニ無償デ使用セシメルコトトナレリ。

〔日〕　兵器工業会ニ於テ東條陸相決意闡明。

東條陸相ハ五日九

ポールノ陳嘉庚ハ最近蒋介石ニ書面ヲ送リ福州ノ奪還ヲ提言、若シ之ガ成功セザル限リ福建出身ノ全南洋華僑ハ抗日戦線ヨリ離脱スル旨言明セリ。

一〇六

ヘ送リ込ムカト言フコトハ米國政府当局ヲ悩マシテ居ルモ右ニ関シ米某専門家ハ次ノ如キ意見ヲ発表シアリ。
一、支那ノ封鎖サレ居ラザル唯一ノ輸入路ハビルマルートナリ。而シテ之ニハ日本ノ飛行機ヲ近ヅケナイコトナリ。
然シ支那ハ之ノ阻止ノ実力ナキヲ以テ米人操縦

段ノ軍人会館ニ開カレタ兵器工業会ニ於テ、独ソ会戦ニ伴フ國際情勢ニ言及スル重大ナル言明ヲナセリ。ソノ要旨、
一、現状勢ハ世界的規模ニ拡大セラレタルコト。
二、アメリカノ動向逆睹スベカラザルモノアルコト。
三、皇國ノ興廃ノ岐路タルコト。
四、軍ハ確固不動

一〇七

ノ米國機ニヨリ空中哨戒ヲ行フコトナリ。

之ニハ緬印方面ニテハ二百ノ追撃機ト優秀ナル操縦士アレバ足リルト称シアリ。

ノ決意デ邁進シ居ルコト。
ナリ。
〔國〕　汪主席一行離京、
二十五日午前九時。
〔日〕　臨時閣議開催、
政府ハ独ソ戦争ノ情勢ニ基キ二五日午後三時ヨリ臨時閣議ヲ開キ協議セリ。
〔國〕　佛印ニ東亜聯盟支部
汪精衛氏ヲ会長トスル東亜聯盟中國総会広東分会ニテ

一〇八

ハ成立以来積極的ニ南洋華僑方面ニ対スル工作ヲ推進シツツアリシモコノ程委員林珈珉氏ヲハノイニ派遣シ同地ニ東亜聯盟佛印総支部ヲ開設セシメルコトトナレリ。
〔日〕　中支ノ邦人、十三万八千
上海総領事館警察部調査
六月一日ノ現在数八十三万八千二十名ニシテ昨年同期

一〇九

六・二六

神泉港（汕頭西南五十五粁）ニ上陸
南支艦隊報道部二十六日発表
海軍部隊ハ二十六日未明広東省神泉ニ突入無抵抗裡ニ揚陸ニ成功セリ。
一部ハ東澳ヲ占據セリ。

ニ比シ二万七千三百二十七名ノ増ナリ。

（日）佛印向輸出代行会社商品別ニ百一社決定
商工省ニテ八日、佛印通商協定ノ成立ニ伴ヒ輸出業者ノ濫賣防止ノタメ重要品ニ就キ代行会社制ヲ採用スルコトトナリ百一社ヲ決定発表セリ。

（日）英、米貸邦債暴騰ス。

（重）國共対立新局面ヘ
中共軍外蒙ヘモ移駐カ。

（重）胡宗南爆傷
最近太原ニ達セル放送ニヨレバ西安ニアリシ第三四集團長胡宗南ハ中原会戦ノ際ノ爆撃ニヨリ負傷西安市内デ手当中ナリト。

（重）（英）（米）英米

（墨）水銀値上、日本ニモ影響
メキシコ政府ハ二十六日附官報ヲ以テメキシコ産水銀ノ生産税引上ゲヲ公布廿九日ヨリ実施ヲ発表セリ。
右引上ゲハ当然買手タル日本ノ引受ケトナリ日本側ノ対策要望サレアリ。

（ペルー）ペルー賠

一一〇

六・二七

二五日来暴騰セル日本公債ハ本二六日モ暴騰シタリ。

（日）海軍第十九回論功行賞発表。

（重）重慶側将校ニ和平気運動ク
二七日支那派遣軍報道部発表
六月二十一日ヨリ

蒋集團ソ聯ト共同戦線
郭新外交部長談
二六日郭新部長ハ昆明ニテ重慶ノ外交政策ヲ発表、英米蒋ソハ聯合シテ抗戦スル旨発表ビルマルートニヨル軍需品ノ補給ニ努メル旨談話セリ。

（重）共産軍ヲ彈圧
重慶政府ノ共産軍圧迫ハ次第ニ烈シク安徽省北部地区ノ新四軍陣地ニテ

償内金支拂
ペルー政府ハ二十六日大統領令ヲ以テ昨年五月ノ排日暴動事件ノ被害賠償金ノ内金トシテ十万ソーレス（邦貨約六万五千円）ノ支拂ヲ発表セリ。

一一一

六・二八

本日迄ノ情勢ヲ綜合スルニ最近明瞭ニ看取セラルルコトハ抗戦意識ノ最モ強イト目サレ居タル重慶側中堅将校ノ間ニ和平気運濃厚ナルコトナリ。

（日）芳沢使節蘭印出帆
芳沢使節ハ二十七日バタビヤヲ出帆セリ。

（國）國民政府強化ノタメ三億円ノ借款ヲ供與

ハ交戦行ハレ多数ノ戦死者ヲ出ス損害アリタリ。
又重慶ノ学校、機関ノ共産党員ノ検挙セラレタルモノ四〇名ニ達シ成都ニテハ八路軍代表羅世文・中ソ文化協会員等暗殺セラレタリト傳ヘラル。

（重）重慶政治顧問ラチモア氏任命
二十八日ルーズヴ

一一二

二八日、情報局、大蔵省ヨリ発表
今回帝國政府ハ國民政府ノ要望ニ應ヘ取敢ヘズ限度三億円ノ借款供與方ヲ決定シコレガ実行ニ就テハ横浜正金銀行等ニ於テソノ衝ニ当ルコトトセリ。

（日）金鵄勲章制度劃期的改正
二十八日勅令発令。
改正ノ要点、
一、年金制ノ廃止。
二、勲章ノ併佩ヲ

エルト大統領ハ米國有数ノ支那通オウエン・ラチモア氏ヲ向ツ六ケ月間蒋介石ノ私設政治顧問ニ推薦シ来リ蒋介石ハ之ヲ受諾セル旨発表セリ。

（重）重慶首脳協議國際情勢対策
蒋介石ハ二十八日夜私邸ニ孔祥熙、王寵惠其ノ他ヲ集合セシメ郭泰祺ヲ中心ニ外交政策ニ関シ協議ノ結果、当分靜観現状維持

一一三

六、二九

海軍航空隊第十三次空爆（重慶）
二九日中支報道部発表
本日海軍航空部隊ハ第十三次重慶空襲ヲ行ヒ城内軍事施設ヲ徹底的ニ爆撃セリ。

柳州爆撃
林部隊長ノ率ヒル海軍航空部隊ハ広西省

許サザルコト。
三、御手厚キ一時賜金ヲ賜フノ制度トナリタルコト。

〔日〕米穀対策検討
二十九日農林省ニ於テ左ノ三点ニ関シ七時間ニ亘リ協議根本方針ハ略々決定セリ。
一、国際情勢ノ変化ニ伴フ本年度米穀需給計画ノ検討。
一、右ニ照應スル

ニテ進ムモノノ如シ。



六・三〇

柳州ヲ空襲敵軍事施設及輸送機関ヲ爆撃セリ。

重慶ノ残存軍事施設
海鷲大挙爆撃潰滅ス
第十四次空襲ノ戦果
中支艦隊報道部三十日発表
海軍航空隊ハ三十日重慶ヲ爆撃残存軍事施設ニ甚大ナ損害ヲ与ヘタリ。

北盤江（滇黔公路）ノ吊橋爆砕
中支報道部三十日発

食糧農産物ノ増産確保。
一、十六年度産米ノ価格問題。

〔日〕軍事参議官重要協議
陸軍ニテハ三十日午後一時ヨリ陸相官邸ニ軍事参議官会議ヲ開催重要協議ヲ遂ゲタリ。

〔日〕興亜同盟発足
六日ニ結成大会挙行
大日本興亜同盟ニテハ六月十日ノ閣

〔重〕抗日空軍ノ再建
米援蒋愈々積極化ス
郭外交部長ノ帰来ニヨリ英米依存状況ハ益々積極化トナリ、特ニ空軍ノ援助注目セラル。即チ、
一、本年二月米国ハ滞米中ノ宋子

〔英〕抑留英船重慶ト通信
英国系太古公司ハ漢口バンドニ抑留中ノ長沙丸ニ特殊ナ無電装置ヲナシ上海テロ団、重慶側ト秘密連絡諜報ニ暗躍シアルコト判明、目下取調中。

〔英〕泰国国境全線ノ空軍基地完成。



表
海軍航空部隊ハ三十日北盤江吊橋ニ対シ爆撃ヲ敢行大ナル損害ヲ与ヘ全機無事帰還セリ。

議決定以来阿部信行氏以下ノ小委員会ニ於テ規約、宣言、決議等ヲ起草中ナリシモ三十日準備委員総会ヲ開キ七月六日日比谷公会堂ニ於テ結成大会ヲ開催スルコトトナレリ。

〔日〕二二万石増収
台湾米一期作予想
台湾総督府ハ三十日十六年度一期作（六月一日現在）ノ予想ヲ発表。
収穫予想高ハ

文ノ要請ヲ入レ戦闘機百機ヲ支那側ニ提供スルヲ約シ既ニ約五〇機ハラングーンニ到着一部ハ重慶ニ空輸セラレタリ。
一、比島航空司令官クラゲット代将ハ六月上旬重慶ヨリ帰来支那空軍ノ再建利用ヲ企図中。
一、飛行士ノ訓練及派遣
等ニシテ以上ニヨリ



七・一

四四四万九一一五石
前年ニ比シ二二万一八六七石ノ増ナリ。

〔日〕陸軍異動発表
七月一日八月定期異動ヲ前ニ中間異同ヲ発表セリ重ナルモノ次ノ如シ。
陸軍少将恒憲王
補東部第一部隊長
陸軍中将李王垠
補宇都宮師団長
〔[illegible]〕陸軍中将
黒田重徳

万一ノ場合ハ支那空軍基地ヲ活用セントスル一石ニ鳥ノモノナリ。

〔重〕重慶空軍再建ニ躍起
重慶政権ハ軍用飛行機千五百機ヲ目標トスル空軍建設ヲ起シ三分ノ二ハ南洋華僑ノ献金ニヨルコトトシ之ガ第一着手トシテ蒋介石ハ空軍少将徐慶雲ヲ海外部副部

〔英〕泰国ヲ包囲態勢
英国ハ最近ビルマ泰国境附近ニ盛ンニ兵力ヲ集中シ即チマンダレー東方方面、ラングーン、モールメン、ビクトリア・ポイント
スレガイ・パタンニ空軍基地ヲ建設多

補教育総監部本部長
〔独〕〔伊〕 独伊始メ枢軸五ケ國國民政府ヲ承認
七月一日独、伊、ルーマニア、スロバキア、クロアチヤ政府ハ中華民國國民政府ヲ承認セリ。
〔日〕 近衛総裁放送
近衛総裁ハ一日興亜奉公日ニ際シ大政翼賛会総裁トシテラヂオ放送ヲ行ヒ愛國精神ノ昂揚

長ニ兼任セシメ南洋各地ニ派遣スルコトトナレリ。
〔重〕 重慶外交不変
郭泰祺初宣言
重慶政権ノ外交政策ハ従来ト何等変化ナク又如何ナル和平條件ヲモ考慮セズト宣言ヲナセリ。

激ノ飛行機ヲ準備シツツアリ。
〔英〕 英近東司令官更迭
英國政府ハ一日附近東軍総司令官ウエーヴェル大将ヲインド軍総司令官ニサー・クロード・オーキンレック大将ヲ近東軍総司令官ニ任命スル旨発表セリ。
〔濠〕 濠洲輸入制限強化。
〔米〕 米ノ対英融資交渉進捗。

一一八

及自力育成ヲ強調
強キ感銘ヲ一億同胞ニ與ヘタリ。
〔國〕 清郷工作活動ヲ開始
揚子江下流三角地帯ノ清郷工作ハ日支協力ノ下ニ一日ヲ期シ愈々大活動ヲ開始セリ。
〔日〕 閣議ノ成果ヲ奏上
一日ノ定例会議ノ結果ヲ近衛首相ハ午後四時参内奏上セリ。
〔満〕 四平省ヲ新設

一一九

七月一日満洲國政府ハ四平省ヲ新設セリ。
〔國〕 西、洪、勃モ國府承認
独伊ト歩調ヲ合セ西・洪・勃モ一日國民政府ヲ承認セル旨発表セリ。
〔日〕 貿易團体ノ統合
二日商十二團体ト懇談。
〔日〕 羊毛工業統制協議会結成要綱決定。
〔日〕 北・中支間交易ノ円為替制実施。

一二〇

七・二

海軍航空部隊昆明ヲ襲撃
二日海軍航空部隊ハ昆明ヲ爆撃セリ。又他ノ一部ハ雲南省、蒙自・東川・尋甸ヲ急襲セルモ敵ハ逸早ク遁走シアリタリ。
中原会戦綜合戦果
北支軍二日発表
敵遺棄死体 四二、四一八
捕虜 二九、二四大

〔國〕 國府営利事業税、証券預金所得税徴集開始。
〔日〕 御前会議開カル
帝國ノ最高國策決ス
政府二日午後一時半発表
本日御前会議ニ於テ現下ノ情勢ニ対処スベキ重要國策ノ決定ヲ見タリ。
内國書記官長同時発表
本日ノ御前会議ハ

〔重〕 重慶、独伊ト断交
大使ニ引上命令
独伊始メ十ケ國ガ南京國民政府ヲ承認セルタメ重慶政府ハ一日駐独大使陳介、駐伊代理大使ニ即時引揚ヲ命ジタリ。
尚外交部ハ二日右ニ関スル重要声明ヲ発シ独伊ニ対シ

〔米〕 法幣安定資金供與一ケ年延長
四月二十五日アメリカト重慶政府トノ間ニ調印セラレタ五千万ドルノ法幣安定資金供與協定ノ期限一ケ年延長協定ハ二日モーゲンソー財務長官ト宋子文重慶政権特派使節トノ間ニ調印セラレタリ。

一二一

一二二

鹵獲品
山　砲　二八
重　機　二一一
軽　機　六五七
小　銃
　一六、三四八
其ノ他多数、
吾方損害戦死六三
（右ノ内重要幹部
損害一）。

午前十時ヨリ宮中ニ於テ開カレ内閣総理大臣、外務大臣、内務大臣、大蔵大臣、陸軍大臣、海軍大臣、企画院総裁、枢密院議長、参謀総長、参謀次長、軍令部総長、軍令部次長出席正午終了セリ。
〔日〕在郷将官新国体「陸軍匪躬会」組織。
〔日〕井野蔵相「米価ニ適正化ヲ考慮」ト言明。

國交断絶ヲ宣告スルモノト見ラル。

〔比〕比島、ラヂオノ輸入販賣使用制限。

一二三

七・三

海軍航空隊芷村・蒙自爆撃
援蒋物資ノ倉庫粉砕
三日佛印派遣軍司令部発表
海軍航空部隊ハ雲南省芷村ニアル援蒋物資ノ大貯蔵庫及大工場ニ全弾命中之ヲ破砕ノ援蒋自ヲ爆撃セリ。

〔日〕商工省銅價ノ値上ゲ決定、プール價格制ヲ採用。
〔國〕和平運動内政ヘ重点
機構改善ト人材登用
汪主席ノ一日ラヂオ放送ニヨリ和平運動ハ専ラ内政ニ向ケラレ之ニ伴フ人材登用ガ行ハレルモノト見ラル。
〔日〕日満支ヲ通ズル鉄鋼増産具体案作製ニ統制会着手。

〔重〕重慶、徐謨ヲ駐豪公使ニ任命。
〔國〕華北蒙疆自動車路開通。

〔米〕財政腐敗ヲ指摘
重慶ノ腐敗痛撃
米側法幣委員表明
米、英、支聯合法幣準備委員会ノ米國代表フォックス委員ハ重慶財政ノ財的腐敗ヲ指摘シ廉潔政治ヲ強調セリ。
尚米國ノ援助ヲ得ルタメニハ米國ノ採リシ如キ強硬手

一二四

段ヲ採ルノ要アル旨強調セリ。
〔米〕太平洋ノ平和希望
米國務次官記者團ニ語ル
三日米國國務次官ウェルズハ記者團トノ会見ニ於テ米國ハ日本ガ太平洋ノ平和ヲ維持スルガ如キ方針ヲトルコトヲ希望スルコトハ極メテ自然ナリト答ヘタリ。
〔英〕イギリスヨリ武器続々ビルマニ

一二五

七・四

陸軍、半ケ年ノ戦果発表
四日午前十一時半及午後五時、
陸軍ハ本年一月ヨリ

〔日〕芳沢使節基隆着、談話ヲ発表
芳沢大使ノ一行ハ四日基隆着台北ニ於テ総督、軍司令

到着
最近ビルマニハ英本國ヨリ多量ノ新式武器ガ到着シアルモソノ中ニハ機械化軍用車輌、新式自動武器、輸送自動車ガ含マレアリ。
〔蘭〕蘭印金巾價格引上ゲ。

六月ニ至ル綜合戦果ヲ発表セリ。ソノ中主作戦十二、交戦兵力ハ一万六千、第一線総兵力一九〇万ノ半数ナリ。
交戦回数
一万二千回余
遺棄死体
一九万千七百
俘虜
八万四千七百
鹵獲品
重・山砲等
一〇一
迫撃砲　三〇八
重機　四二一

官ト面談後、蘭印交渉ニ関シ談話ヲ発表セリ。

（日・佛印）日・佛印貿易決済細目協定成立ス
正金、印度支那銀行代表調印。

右協定ハ四日正午正式調印ヲ見、円トピアストルニヨル清算制度ヲ採用スルコトトナレリ。

（日）岡佛海離京。

（日）帝都交通営團開業。

（日）國民学校通信

一二六

軽機　一、四九八
小銃
四七、二七七
我ガ戦死五一一九
彼我ノ兵力損害三七ニ一ナリ。
汕頭東方ニ敵前上陸
南京報道部発表
南支派遣軍ノ精鋭ハ海軍ト緊密ナル協力ニヨリ四日午前三時汕頭東方六〇キロ〇湾沿岸数十キロニ亘リ果敢ナル敵前上陸ヲ敢行セリ。
海軍航空部隊
重慶第十五次猛爆

簿甲・乙・丙・丁ノ点取主義「優・良・可」制ニ改正発表。

（日）職権デ商標権ヲ抹消。

（日）スフノリンク制廃止。

（満）満洲農産会社設立要綱発表。

一二七

中支艦隊報道部発表
海軍航空部隊ハ本日第十五次重慶爆撃ヲ敢行セリ。
篠塚中尉帰還参内。
四日午後一時。

七・五

戦果発表
第三項発表（五日）
一、事変以来四年間ニ敵ニ与ヘタル損害。
適ノ遺棄死体
二〇一万五千
死傷、逃亡、捕虜、投降ヲ合シ三八〇万

（日）國際情勢ニ対應シ輸出許可制ヲ拡大。
（日・佛印・泰）泰、佛印紛争調停ノ條約批准ヲ交換。
（五日）、日佛経済協定発效
（日）旅順要港部司令官異動

一二八

（マレー）マレー省
後品ノ輸入制限。

二、航空部隊ノ戦果
計一、九七七
我ガ損害二〇三
（ノモンハンヲ含ム）
三、我損害一〇九、二五〇
海軍航空隊次坝（ツハ）（雲南）急襲
五日昆明北方十キロノ次坝ノ大兵工廠ヲ爆撃セリ。

海軍中将浮田杏彦補旅順要港部司令官
（日）五月ノ全國生計費指数ニ五一・九デ前月ニ比シ〇%三ノ続騰、綜合ハ住宅、文化費ノミニテ光熱費〇%一、飲食費〇%三、被服費〇%八高ト何レモ昂騰、総指数事変前ト比較シ三〇%六高ナリ。
（日）西下ノ小倉國務相新聞記者團ニ増税考慮ト注目言

一二九

七・六

海軍航空部隊重慶第十七次爆撃
森部隊長ノ指揮スル海軍航空部隊ノ精鋭ハ六日夜半重慶空襲ヲ敢行セリ。

明。

（日）陸軍第二八回論功行賞
小林角太郎中将以下二千百十一柱ヲ発表。

（日）大日本興亜同盟結成大会。

（日）朝鮮ニ猛雷雨大邱附近ニ被害甚大。

（米）ナショナル・シティ・バンク北京・広東支店閉鎖発表。

七・七

海軍主力大編隊デ猛爆
七月七日海軍航空部隊ハ主力ヲ以テ第十八次重慶空襲ヲ決行シタルヲ始メトシ、涪州、綦節、帰州、三斗坪、新灘市、桐城ヲ爆撃、軍司令部、軍需資材補給施設ニ甚大ナル損害ヲ與ヘタリ。

（日）陸軍異動七日発表
任陸軍大将
陸軍大将　中村孝太郎
陸軍大将　多田　駿
補軍事参議官
陸軍大将　板垣征四郎
補朝鮮軍司令官
陸軍中将　後宮　淳
補支那派遣軍総参謀長
陸軍大将　岡村寧次
補北支派遣軍最高指揮官

（重）ショロン華僑ノ策動
ショロン（サイゴン近接市人口一五万）ノ華僑ハ七・七記念日ニ於テ抗戦建国ヲ呼号シタリ。カヽル事態ヲ招来シタル以上佛印当局ヲ通ジテノ取締ハ至難視セラル。

（重）重慶各國ニ治法撤廃ヲ要求。

（米）米海軍氷島ニ進駐、トリニダットニモ派兵。

（米）パナマ運河夜間閉鎖。

一三〇

一三一

（日）第一回支那事変生存者行賞発表
七日約一万七千名ヲ発表セリ（陸海軍）

（日）陸相、畑総司令官記念日ニ談話発表。

（日）春繭予想収量八九〇万貫減。

（日）次販役員総辞職。

（日）北支軍管理工場ヲ返還
華北ニ於ケル軍管理工場中四〇工場ヲ記念日ニ返還セリ。

一三二

七・八

海軍航空部隊重慶ヲ連爆。
（八日発表）連日ニ

（國）全面和平ヘ邁進
記念日ヲ迎ヘ汪主席全國ニ通電。

（日）山下中将一行帰京
訪欧軍事使節山下中将一行ハ七日帰京セリ。

（日）台銀福州ニ事務所。

（日）野菜類ニ公定價。

（日）両陛下葉山ニ行幸啓。

（日）物價等ト合致

（米）ラテモアー
（米國ヨリ派遣ノ蒋介石政治顧問）

一三三

亘リ重慶攻撃中ノ海軍航空部隊ハ第十九次ノ重慶夜間爆撃ヲ敢行セリ。
八日第二十次爆撃ヲ敢行敵参謀本部等ヲ粉砕セリ。
樟林ヲ占領（八日）
南支ノ殘敵輸血掃蕩兵。

セシメ緊急質ノミ新規計上
閣議決定明年度予算編成方針（八日定例閣議）
〔日〕切符発行ノ改善ト割当也数制、需給團体懇談会ノ鉄鋼配給改善案成ル。
〔日〕起債市場打開策金融協議会特別委員会デ決定。
〔日〕製革工業実施方策決定。
〔日〕受渡変更ヲ承認、役員留任デ決

取ノ紛糾解決、
〔國〕華北労工協会設立。
〔満〕満洲開拓第二次五ヶ年計画興農部案決定。
〔独〕〔伊〕独伊ノユーゴー分割協定成ル。
〔日〕芳沢代表神戸着。八日午後三時
〔日〕朝日機「朝風」号日本最高度一一、二〇〇米ノ新記録。
〔日〕鉱業戦士ニ厚生大臣徽章。

八日桑港出発。

〔米〕米國輸出許可品目ヲ追加。

〔ソ聯〕ソ聯、新嘉坡デゴム・錫買付説。





七・九

岡村大将東京発赴任。

海軍機景徳鎮、表渡街爆撃爆撃敵第二十一軍司令部爆砕。

去ル四月ヨリノ拓林湾攻略戦果、遺棄屍二五二、捕虜二〇。

〔日〕財政金融基本要綱関係閣僚ノ意見一致
明十七年度予算編成方針ノ閣議決定ニ伴フ金融財政基本要綱ハ関係閣僚ノ意見一致ヲ見タルヲ以テ十一日ノ定例閣議デ決定予定。
〔日〕配合肥料製造業整理統合案決定（九日）
〔日〕農林省ノ実行予算編成方針食糧

〔重〕重慶統税大巾引上実施。

〔重〕馮玉祥還補説。

〔重〕貴陽ニ西南行営、将白崇禧ヲ任命。

重慶政権ハ対佛印及ビルマ問題ヲ処理セシメ英支合作弁事処トスルタメ貴陽ニ西南行営ヲ開設、白崇禧ヲ主任ニ任命セリ。

〔重〕重慶、ルーマニアト断交。

重慶政府ハルーマニアガ南京國民政

〔印〕印度ニ暴動勃発。



七・一〇

海軍航空部隊重慶ニ十一次爆撃。給水施設破壊シ燃續ク
十日海軍航空部隊ハ大挙第二一次重慶空襲ヲ決行セリ。
河辺部隊ニ輝ク感状。

増産ニ重点。
〔日〕暴利取締ヲ強化取締規則ノ第六次改正ヲ断行。
〔日〕商組中央会、転業指導対策案ヲ当局ニ建議、強制対策ヲ回避。
〔日〕暴利取締ヲ強化。買占、売惜、抱合販売禁止。第六次改正断行
商工、農林両省デハ大正六年公布以来第六次ノ改正ヲ

府ヲ承認セルタメ同國ト國交ヲ断絶シ駐羅公使ニ八日帰還命令ヲ発セル旨九日正式ニ発表セリ。

〔重〕重慶・ルーマニヤト國交断絶。


〔加〕、カナダ伯棉ヲ大量買付。

〔蘭〕蘭印、ゴムノ輸出統制機関ヲ設置セン。

(十日発表)
山東、蘇北、皖北掃蕩戦六月戦果。
遺棄屍　四、二六六
捕虜　七六三

加ヘ取締ヲ強化スルコトトナリ十日告示十五日ヨリ実施スルコトトナレリ。

(日) 関門トンネル貫通。
十日午後十一時。

(日) 臨時議会ノ来月召集、政、財界奏請ヲ要望ス。挙国一致一層強化ヘ。

(日) 久留米ニ予備士官学校八月一日ヨリ開校。
(十日附官報)

一三八

七・一一

拓林湾上陸部隊。援蒋路遮断ヲ完了、堂々撤退開始。

(日) 正金銀行、海南島出張所設置

(国) 武昌ニ市制敷カル。

(国) 華北繊維組合開封出張所設立。

(日) 帝都ニ豪雨、浸水三、〇〇〇戸

(日) 外国電報三国語ニ制限。
国際政局ノ緊迫ニ伴ヒ、当分ノ間外国電報ハ日本語、英語、ドイツ語ノ三ケ国語ニ制限一律ニ署名スルコト

(重)(英) 英支軍事同盟、近ク最後的取極カ
(本月中旬頃カ)
英支軍事同盟ハ重慶部内ニモ種々異論アリシガ最近ノ国際状勢ニ鑑ミ急速実施ノ気運ヲ見ルニ至リタリ。而

(氷) 五月中ノ武器輸出額、六千四十八万八千弗内
英国向　四五五五万六千弗。
重慶向　二五〇万弗。

(モ) モンテネグロ独立宣言。

一三九

トナレリ(十一日)

(西) 満洲国ニ初代公使任命(十一日発表)

(日) 対仏印輸出品目追加サル。

(仏) 仏印総督府サイゴンニ移動。

(日) 財政金融基本方策閣議決定(十一日)
其ノ要旨。
(一) 国家資金動員ニ関スル計画。
(二) 金融政策ノ改革。
(三) 財政々策ノ改

シテ其ノ要旨ハ
(一) 同盟ハ日本ノ南進開始ノ場合発動ス。
(二) 重慶ハ特定部隊ヲビルマニ進駐シ濠洲軍ト共ニ英極東軍総司令官ノ指揮下ニ入ル。
(三) 其ノ他労務、空軍基地、訓練、物資輸送ニ関スルモノナリ。

(氷) スペインノ在米資産凍結解除。

一四〇

七・一二

海軍航空隊雲嶺陳襲撃
敵第一四四師司令部火薬庫爆破
(十二日午前発表)
板垣大将南京発、上海発赴任ノ途ニ。

革。
ノ三点ヲ根幹トシテ自由主義ヲ基調トセル財政金融ニ対シ全面的ニ劃期的ナル組織替ヲ行ハントスルモノナリ。

(日) 帝都再豪雨浸水八、三〇〇戸。
(東海道線停止)

(日) 仏・泰国境画定委員帝国側十名ヲ発表(十二日)。
七月五日批准交換ヲアセル仏、泰ノ

(重) 四川省旱魃ニ悩ム。
最近ノ外電ニヨレバ重慶治下ノ奥地支那、特ニ四川省ニテハ打続ク旱魃ニ(既ニ過去二週間)悩マサレアリ

(仏) 邦人惨殺サル
漢口仏租界巡捕ノ暴行
十二日未明漢口フランス租界デ安南人巡捕多数為邦人六名ニ発砲一名ヲ射殺一名ヲ負傷セ

一四一

一四二

國境画定委員八日本側矢野前スペイン公使以下十名ヲ十二日発表セリ・

〔日〕〔ソ〕　駐日ソ聯大使松岡外相ト要談（十二日）。

〔日〕　陸軍ニ学校新設

機甲化強化ヲ目的十二日附官報ニヨリ陸軍機甲整備学校令及陸軍科学学校令発布セラレタリ。

〔日〕　経済体制ヲ早急整備、重大時局

ト。

〔重〕　法幣安定委員参集

法幣安定資金米側委員フオツクスハ十三日上海ヨリ香港ニ到着ノ予定ナルモ支那側委員、英側委員モ既ニ当地ニアリ。

〔重〕　米整備員近ク重慶へ

アメリカノ民間飛行機整備委員ガ十二日シンガポールニ到着、近ク重慶ニ出発スル予定ナ

シメタリ。

帝國海軍当局ハ断乎タル決意ヲ以テ解決ニ努力中。

〔米〕　ビルマ路再建援助ノ米國技術顧問國一行重慶着。

〔米〕　米・蔣治法撤廃ノ公文書交換。

〔英〕　香港政廳、香港海軍義勇兵召集ヲ布告。

一四三

七・一三

対処ニ万全総動員法関係諸勅令案立案進ム（八十一日閣議）。

〔日〕　國鉄十四日ヨリ三等寝台、食堂車停止、乗車券モ制限。

〔日〕　北支方面海軍最高指揮官更迭（十三日発表）
海軍中将　杉山六蔵
補北支方面海軍最高指揮官

リ。

〔重〕　中共中央委員会、英米ソ蔣ノ反日独伊戦線ノ強化並ニ國共提携ノ強化ヲ力説。

新駐沸大使顧維鈞重慶発空路赴任ノ途ニツク。

〔英〕　イギリス戦時経済省分局シンガポールニ新設。

〔英〕　南方企業公司設立

シンガポールニ資本金五千万海峡ドルデ設立。

一四四

七・一四

〔日〕　十六年度産米対策、準專賣ノ國家管理へ

農林省食糧体制ヲ増強。

〔日〕　関東、北陸ブロック長官会議東

〔重〕　中共指導下ニ延安ニ「極東革命突撃委員会」新設。

〔重〕　軍事委員会副委員長馮玉祥逮捕監禁説傳フ。

〔重〕　第一八集團軍

以上ハ何レモ南方重要資源ノ対日流出ヲ阻止セントスル英・蔣合作ノ華僑獲得ノ現レトシテ注意サレアリ。

〔英〕〔佛〕

英・佛シリア休戦協定成立。

〔蘭〕　蘭印輸入綿布最高値引上ゲ。

〔米〕　米國本年度小麦融資期間一ケ年延長。

一四五

七・一五

岡村寧次大将北京着任。

京府廳デ開会。

〔日〕　東海道線開通。

〔日〕　婦人雑誌百種ヲ十種ニ統制。

〔日〕　中学校以下ノ暑休短縮七月一杯授業。

〔日〕　食糧増産協議会、七團体主催デ全國ニ開催。

〔日〕　佛印向輸出代行社二十七社追加。

〔日〕　建川・モロトフ会談

英ノ軍事協定、蔣國ノ諒解ヲ求ム

副司令彭徳懐重慶着、國共調整案ヲ練ル。

〔米〕　グアム島要塞化

ノックス海軍長官八十五日グアム島

（十五日午後九時）右ハ英ソ協定ハ対独戦ノ場合ノミノ諒解ヲ求メタルモノト称セラル。

〔日〕久原参議辞任。旧政党的因縁ヲ解消。

〔日〕閣議十六年度実行予算編成方針徹底的節約実行ニ決定。

〔日〕大蔵省官制改正会社部、財務局新設。

〔日〕長野県地方ニ強震被害人家三〇

要塞化ノ必要ヲカ説セル談話ヲ発表セリ。

〔墨〕全鉱物資源ヲ含ム重要物資三十数種目ノ米洲以外ヘノ輸出禁止令発布、即日施行。日墨通商ノ危機到来。

〔米〕米国航空技術員一五〇名重慶着。

〔豪〕豪洲ガソリン統制令発布。

〔ビルマ〕ビルマ米ノ輸出ヲ制限。



七・一五

〇、死傷三十名。

〔日〕七月ヨリ泰国チエンマイニ領事館開設初代領事ニ原田忠一郎任命。

〔日〕帝都野菜出荷ニ警察権発動。

〔満〕皇帝陛下梅津関東軍司令官ヲ御訪問種々御歓談遊バサル。

〔日〕農林省十六年度産米ノ国家管理断行。

〔日〕青果物配給統制ニ総動員法発動

〔米〕〔墨〕米・墨協定成立。



ノ方針決定。

〔日〕商工省内ニ戦時経済特別室設置。

〔日〕営業免許制施行商組中央会当局ニ建議。

〔日〕小麦粉製造配給ノ統制ヲ一段ト強化。

〔国〕国府行政院会議。

〔国〕清郷行政機関確立完了。

〔国〕南運河航行開始。

〔国〕福州向ケ華僑送金許可サル。



七・一六

〔独〕独軍スモレンスク占領。

〔日〕国内態勢強化ノタメ近衛内閣総辞職決行
首相十六日夜辞表ヲ捧呈
近衛内閣ハ国内体制刷新ニ伴ヒ内閣構成ニモ一大刷新ヲ加フルノ要アルタメ十六日夜総辞職ヲ決行セリ。

〔日〕大蔵省大異動会社部、財務局ヲ新設。

〔日〕清水海軍中将

〔蘭〕蘭印新嘉坡向運賃引上ゲ。

〔米〕新基地ニ十五億弗
比島カヴィテ空港モ竣成
米海軍ハ大西・太平両洋艦隊並ニ一万五千台ノ海軍機ニ基地ヲ供給スルタメ一九四六年迄ニ約十五億弗ヲ費ス計画ナリト発表セリ。

〔米〕マニラ湾一部ニ水機雷敷設船舶ノ出入ヲ禁止。

一五〇

軍状奏上（十六日）。

〔日〕板垣大将帰還（十六日）。

〔日〕本多駐支大使帰任。

〔國〕華北交通青島—芝罘間自動車路開業。

米海軍当局ハ十六日左ノ通リ発表セリ。

一、マニラ港口スピック・ベーハ一七日払暁ヨリ機雷ヲ敷設スルヲ以テ航行ハ危険ナリ。

二、一般船舶ノスピック・ベー海軍要地出入ハ禁止ス。

〔米〕米太平洋三基地来月ヨリ活動開始

米第十一海軍区当

一五一

七・一七

新井、大成部隊戦果

湖北省沙埠鎮南方ノ敵新編二十三師ニ属スル大部隊ニ対シ我ガ新井、大成ノ両部

〔日〕大命近衛公ニ再降下、直チニ組閣工作ニ入ル（十七日午後四時）

〔満〕満洲國大阪総

〔重〕國共合作問題再燃。

局ハ次ノ三島ノ新海軍基地ハ来月ヨリ活動ヲ開始スル旨発表セリ。

ミッドウエー基地ハ八月一日ヨリジョンストン、パルミラ両島ハ其レヨリ二週間後ニソレゾレ基地トシテ活動ヲ開始ス。

〔英〕〔米〕反枢軸國家ノ策動

重慶援助

最近北京ニ於テ入手セル重慶側情報

一五二

隊ハ去ル十一日払暁ヲ期シ東南北ノ三方面ヨリ総攻撃ヲ加ヘ之ヲ徹底的ニ潰滅セリ戦果

敵屍　一二九

捕虜　二八

鹵獲品小銃三三其他多数。

揚子江機雷処分数

中支艦隊本年上半期ニ於ケル敵浮流機雷ノ発見処分数ハ次ノ如クナリ。

| 月 | 箇 |
|---|---|
| 一月 | 七二 |
| 二月 | 五六 |
| 三月 | 八 |
| 四月 | 一七 |
| 五月 | 四四 |
| 六月 | 三二 |
| 計 | 二二九 |

領事館開館式挙行（十七日）。

〔日〕天皇、皇后両陛下葉山御用邸ヨリ宮城ニ還幸啓アラセラル。

〔日〕宮中ニ重臣会議開催セラル。

〔國〕國府中央政治会議開催。

〔日・國〕日華経済協議会解消。

〔満〕満業機構改革案決定。

ニ依レバ目下重慶ニテ英・米・ソ大使ト蒋介石、白崇禧、張群等ノ間ニ次ノ如キ内容ノ四國軍事合作進行中ナリ。

一、重慶ニ英・米・ソ共同ノ軍事顧問團ヲ造ル。

二、英米ソ協合作ノ下ニ蘭州新疆ノ西北公路ヲ明春迄ニ近代化セシメ、ソ聯ハ積極的ニ物資、軍需品ヲ送リ援助

一五三

スル。

三、重慶空軍再建ノタメ三國ハ飛行機六百台ヲ供給スル外米國ハ五百名ソ聯ハ六百名ノ航空兵ヲ派遣ス。

四、又英米・重慶ハ対日策トシテ、南支ノ某地ヘ航空基地ヲ設立國際空軍基地タラシメ、使用スル飛行機建造ノタメ英米ハ四千万米ドルヲ共同支

七・一八

海軍航空部隊第二二次重慶爆撃（十八日発表）。海軍航空隊八十八日極メテ不良ナル天候ヲ冒シテ第二二次重慶爆撃ヲ敢行セリ。

週間戦況（七月十二日ー十八日迄）支那派遣軍報道部発表。本週間ノ戦果左ノ如シ（華中方面）。
交戦回数五四七回
遺棄死体五、五五五
捕虜投降兵　一、九〇八

〔日〕第三次近衛内立（十八日午後七時親任式終了）尚近衛第三次内閣ノ外相ハ前商相豊田海軍大将親任セラレタリ。

〔日〕陸軍士官学校卒業式挙行（第五五期）。

〔日〕大元帥陛下陸軍士官学校卒業式ニ臨御アラセラル。

〔日〕〔ソ〕スメターニン駐大使大橋外務次官ト要談。

〔日〕近衛首相談話発表。現世局ニ処スル皇國不動ノ國策ノ急

〔重〕重慶、朱徳ニ第十八集團軍ノ行動停止命令ヲ発ス。

出シテ貴陽、衡陽、昆明、其他計十四ヶ所ニ大規模ナ工場ヲ設立スル。

〔米〕米、中南米ノ枢軸関係商社ノ黒表仮製布告。

〔マレー〕船舶ノ航行制限。

〔米〕米國小麦輸出補助金継續。

〔英〕英極東軍増援　英國空軍極東司令部ニテハ士官及操縦士ヲ含ム英空軍大増援部隊ガ十七日愛ニ英國ヨリ安全ニシンガポールニ到着セル旨発表セリ。

〔英〕トビー香港防備総司令官着任。

〔米〕米、北アイルランドニ基地建設。

〔米〕米國、カナダ、メキシコ・ペルーヨリ銅購入。

〔米〕米國木材モ対英積出シ。

〔米〕スタンダード社合成ゴムノ賣値引下ゲ。

一五四

一五五

七・一九

速果敢ナル実行アルノミト決意表明。

〔満〕満華北間國際收支調整会議新京ニ開催。

〔國〕上海納税華人会弁事処國府ガ接收。

〔芬〕〔満〕芬、満洲國ヲ承認　承認國十一ヶ國ニ達ス　芬蘭政府ハ十九日満洲國ヲ承認スル旨発表セリ、之ハ独政府ノ斡旋大ナルモノアリ、之ニヨリ承認國ハ十一ヶ國トナレリ。

〔日〕新近衛内閣陣容（十八日）。
首相兼法相　近衛　文麿
外相兼拓相　豊田貞次郎
内相　田辺　治道
蔵相　小倉　正恒
陸相　東條　英機
海相　及川古志郎
文相　橋田　邦彦
農相　井野　碩哉
商相　左近司政三
遞相兼拓相

〔重〕張学良釈放嘆願書　蒋介石ノ政治顧問ラチモア氏ハ十九日重慶ニ入リタルモU・P電ニヨレバ同氏ハ張学良ノ釈放ヲ求メタ在米支那人三五八名ノ署名ニナル嘆願書ヲ携行シアリト云フ。

〔重〕山西・山東両省ニテ國共両軍再衝突説。

〔蘭〕蘭印、造船所ヲ建設　蘭印ハスマランニ造船所ヲ設クル予定ニテ、バタビヤトスラバヤニ乾ドツクガ設ケラレルコトトナリ造船能力ハ一ヶ年九千トン乃至一万トンノ船舶三隻建造シ得、諸設備ハ米國ヨリ輸入スル予定ナリ。

〔米〕オーエン・ラチモア、宣傳部長董顕光ト共ニ重慶着。

〔ソ〕スターリン首相軍政全権掌握。

〔英〕英國軍需工業ノ統制強化。

一五六

一五七

七・二〇

海鷲、唐田鎮（安東南）襲撃
船田部隊長ノ指揮ス

村田省蔵
厚相　小泉親彦
國務相平沼騏一郎
〃　柳川平助
國務省兼企畫院総裁　鈴木貞一

〔日〕生拡資金調達円滑化ノタメ日銀利下ヲ断行。

〔泰・佛印〕泰・佛印間為替協定成立。

〔日〕近衛首相汪主席ヘメッセーヂ。

〔日〕天野委員等西貢ヘ安着（二〇日）。

〔日〕多田大将門司着（二〇日）：

〔重〕重慶、國共衝突発表
朱徳ニ行動停止要求



ル海軍江上飛行隊ハ二十日唐田鎮ノ敵部隊據点ヲ爆撃、機雷倉庫、軍事施設ヲ炎上セシメタリ。

〔国〕支那対外貿易未曽有ノ好況
江海関当局ノ発表ニヨレバ本年度上半期ノ中國全港対外貿易ハ輸入一億四千四百万金単位、國幣換算三億八千九百万元、輸出八九億九千七百万元ニテ出超六億八百万輸出入並ニ出超額トモ未曽有ノ多額ニ達セリ。

〔国〕汪首席、近衛首相ニ應答メッセーヂ。

一、第十八集団軍ノ一部ハ七月八日拂暁突如山西省南部唐城西北地区ノ中央軍ヲ急襲同部隊ニ武装解除ヲ命ジ九日夜同地区ヲ占領。又洪北地区デ中央軍ヲ猛襲。

一、中共軍別部隊ハ十二日朝長子県城ヲ襲ヒ県長孫培文ヲ拉致。

一、一部中共軍ハ大山嶽地区ニ侵入中央軍ヲ脅威スルト共ニ同地区ニ勝手ニ中共側県長ヲ任命。



一、第十八集団軍ハ六月二十二日山東省北部ニテ移動中ノ中央軍ヲ襲ヒタメニ将校二名戦死。
七月八日同集団第十一師所属約三千ハ山東省西部ノ海光三麾下ノ中央軍一個旅ヲ急襲、為ニ旅団長一名戦死、兵員五十名ガ死傷セリ。
以上ノ如キ状態ニ付十八日軍事委員会ハ遂ニ朱徳ニ停止命令ヲ発シ原駐地ニ帰ルベク厳命セリ。



〔重〕中共細菌戦術
國共ノ衝突事件ハ最近各地デ繰返サレアルモ共産第十八集団軍側ニテハ武力以外ニ新ニ細菌戦術ヲ用ヒ國民党軍ヲ悩シアリト称セラル。

七・二一

〔日〕統帥府、政府連絡会議、大本営ニ随時開催決定。大本営陸海軍部。
〔日〕〔佛印〕日佛印共同防衛成立。
〔満〕満洲農産公社創立。
〔國〕國府所得税ノ全面的徴収ヲ開始。
〔満〕満洲油化会社法廃止。
〔独〕独機モスクワ

〔重〕リスボンニ総領事館開設ノ旨発表。

〔米〕米ノ危険無限増大非常時状態宣言要求
兵役延長ノ急務力説、大統領教書ヲ発表、議会ノ責任指摘（二十一日）。
〔印度〕印度、綿布、人絹等ニ輸入許可制。

一六二

七・二二

〔日〕中支方面海軍最高指揮官小松中将ニ更迭。

初空襲。
〔日〕本多大使辞表撤回
辞表提出中ノ本多大使ハ豊田外相、現地等ノ懇望ニヨリ辞表ヲ撤回、来月十日帰任スルコトトナレリ。
〔日〕豪雨ノ農作影響殆ド無シト農相報告
井野農相ハ去ル十日以来ノ雨ノ農作物被害ハ目下調査中ナルモ殆ンド無

〔米〕ウエルズ米國務次官世界新秩序ヲ力説。
〔米〕六月中ノ米國工作機械記録的増産。
〔米〕米、チリー、コロンビアニ融資。

一六三

七・二三

我陸軍部隊、佛印平和進駐。

シト報告、万一二備ヘ全國二二万ノ増産共助員ノ手配完了ヲ併セ報告セリ。
〔日〕國民更正金庫創立。
〔日〕政府全船舶ノ國家管理実現ヲ急グ。
〔泰〕〔佛印〕泰・佛印通商協定成ル。
〔國〕北支輸入先行主義ヲ実施。
〔日〕大島大使、洪外相訪問

〔米〕ル大統領、石油政策説明。

一六四

七・二四

江上砲艇隊ノ活躍。
海軍江上砲艇隊ノ一

二三日非公式ニハンガリーヲ訪問セル大島駐独大使ハ同日正午洪外相ト会談セリ。
〔日〕本年度麦作予想、前年比八八万石減。
〔日〕〔佛印〕日、佛印共同防衛細目協定妥結。
〔佛印〕佛印当局、佛船舶出港停止令ヲ公布。

〔重〕蔣・英ノ佛印圧迫

〔米〕現下ノ國際情勢ニ米原則論ヲ固
ル大統領ハ二十三日米國ノ太平洋外交政策ニツイテ長広舌ヲ振ヒ過去日本ニ石油ヲ供給セルハ対日宥和政策ナリシコトヲ強調シ凡テ「過去形」ノ言辞ヲ用ヒタルハ注目セラル。

一六五

一六六

部ハ二十四日江北地区串場河岸東台、塩城間ノ水路修閘中白駒場西北方ニテ新四軍敗走兵約二〇〇ヲ発見、陸軍部隊ト協力、多大ノ損害ヲ與ヘタリ。

佛紙攻撃重大危機警告
佛印ニ対スル蒋英ノ圧迫ハ日毎ニ加重シアルモ佛紙ハ之ヲ攻撃シ英及蒋ハ佛印ヲ侵略、分割ヲ計画シツツアリト称シアリ。

執ス、
國務次官、野村大使会談ヲ発表
ウエルズ國務次官ハ二十三日ノ野村大使トノ会談ノ際ノステートメントヲ二十四日記者團ニ発表シ米國ノ強硬方針ヲ原則的ニ強調セリ。

〔米〕　米貨邦債暴落
二二日　二三日　二四日
米貨公債六分半
七九・五弗　七四・〇弗　六三・1/4弗
米貨公債五分半
五六1/8　五五・〇　不定

一六七

東京電燈六分
四三・〇　四一・五　三九・1/8
旧大同電力七分
七〇・〇　七〇・1/8　六五・五

〔英〕　英貨邦債暴落
國際情勢ノ微妙ニツレ日本債ヲ初メ暴落ヲ演ジ其後ノミナル状態トナレリ。

〔米〕　海外向電信検閲
米海軍近ク施行
米海軍省ハ二十四日下院ニ追加國防費トシテ七九万六千五百弗ノ電信検

一六八

閲所ノ建設費ヲ要求セリ。

〔米〕　日本人ノ出漁禁止
米政府確認
米國務省当局ハ米政府ガ米國ヨリキューバ島ニ及ブ米國水域ニ於ケル日本人漁夫ノ出漁ヲ禁ジタ事実ヲ確認。

〔米〕　航空母艦四隻
布哇常駐、
米海軍航空局長カ談。

〔米〕　米ノ追加國防
拡張費ハ〇億弗ヲ

一六九

議会ニ提出
下院予算委員会ハ二十四日議会ニ対シ総計八〇億二千七百万弗ニ達スル追加予算ヲ提出セリ。

内　訳
陸軍予算　四七億
六千二〇万弗
海軍予算　一五億
六千九百万弗
右ハ陸軍ノ現在員ヲ三〇万九千人ニ増員シ一七二万七千人トスル維持費及非常時三百万ノ

七・二五

一九－二五日間ノ戦況発表（二十五日支那派遣

〔日〕專任法相親任
任司法大臣
岩村　通世

〔重〕重慶軍佛印國境ヘ、南京ニ達シタ確実

大陸軍建設費ヲ含ムモノナリ。海軍ハ現在ノ二十万八千人ヨリ三十六万九千人ヘノ増員、陸戦隊四万六千人ヨリ七万五千人ヘノ増員及一万五千機ノ海軍航空部隊建設促進費ヲ含ムモノナリ。

〔米〕ウィルキー氏援支強化ヲ力説。

〔ビルマ〕ビルマ、馬来防衛ニ英、華僑ヲ使役



軍報道部）共産軍ヲ掃滅、和平建國着々進行。

大藏次官更迭
任大藏次官
預金部長官　谷口恒之

〔日〕事務ノ能率化ヲ断行
閣議決定、官廳事務ノ再編成
二五日ノ定例閣議ニ於テ企畫院総裁ヨリ官廳事務処理組織ノ再編成、不急事務ノ停止、若ハ縮少、手続ノ簡易化、能率化、官吏精神ノ振作等ノ実現ヲ期スル要領及実施方策ヲ発表

ナル情報ニヨレバ貴陽駐屯ノ重慶第五軍（軍長杜立明）ハ七月上旬出動準備中ナリシガコノ程佛印方面ニ移動雲南省内ビルマ路沿線ノ八万八千モ西方移動ノ命令ヲ受ケタリト。

渡航費補助ニテ労務者吸集。

〔米・英〕英・米、日本資産ヲ凍結
ルーズヴェルト大統領令ニヨリ二十五日夜在米日本資産ノ凍結ヲ命ゼリ。右法令ハ二十六日ヨリ効力ヲ発スル、右ニ関シホワイトハウスヨリ次ノ如キ声明ヲ発セラレタリ。今回ノ凍結令ハ日本人権益ニ関係スル金融的取引輸出



閣議決定ヲ見タリ。

〔日〕豊田外相、外國使臣招待
豊田外相ハ二十五日午後二時ヨリ恒例ノ駐日外國使臣トノ会見ヲ行ヘリ（三十五名）

〔日〕九月一日ヨリ帝都ニ集成切符実施
二十五日府、市関係者協議決定。

〔日〕初給賃金ノ釘付。熟練工ニモ適用（二十五日）
労務者移動防止。

入貿易取引ノ全部ヲ米國政府ノ統制下ニ置キ、右法令ノ違反ニハ刑罰ヲ課スルモノナリ。

〔英〕英國外務省ハ二五日全英帝國ニアル日本資金ヲ全部凍結スル旨発表二六日ヨリ実施セラル。

〔加〕加奈陀モ同様ノ措置ヲ採レリ。

〔米〕支那資産モ凍結
在米日本資産ノ凍結ト共ニ米國政府



八月一日ヨリ一年間ノ実施方法ヲ決定。

〔日〕枢密院重大案件審議
二十八日臨時本会議開催。
枢密院ハ政府ヨリノ要請ニ基キ二十八日臨時本会議ヲ開催、当面ノ重大案件ヲ上議、審議ヲ行フコトトナレリ（二十五日）。

〔日〕配電統制問題デ内務省ガ逓信省ト公営團体間ノ調

ハ二十五日在米支那資産ノ凍結令ヲ発セリ。之ハ蒋介石ノ特別ナ要請ニヨルモノト言ハレ今回ノ対日凍結令ヲ支那ノ日本占領地域ニ有效ナラシムルタメノ目的ト見ラル。

〔米〕十四銀行ヲ特定。
米財務省ハ二十五日支那ヲ相手トシテ米國、カナダ、中南米諸國、英帝國及ビン斯、蘭印

停ニ乗出ス。

〔泰・佛印〕泰・佛印條約效力発生。

〔國〕清郷地区高税率改廃方針決定。

一七四

ガ取引ヲ継続シ得ル様ニスル目的ヲ以テ十四ノ銀行ニ対シ特別免許ヲ附與スル旨発表セリ。
〔米〕比島ニモ適用
在米日本資産凍結令ハ比島ニモ適用サレルコトトナレリ。
〔米〕凍結令ノ適用細目
二十五日発令ヲ見タ日支在米資産凍結令ニツキ財務省ハ同日右適用範囲ヲ左ノ如ク規定セ

一七五

リ。

現金、小切手、手形、地金銀、銀行預金、貯蓄預金、一般負債、金融諸証券、紙幣、社債、公債、諸債券、利札銀行引受手形、担保抵当、債権、倉荷証券、船荷証券、受託領収証、取引証券、貨物、装品、商品、家財、船舶、船舶積載貨物、動産、担保物件、土地売買契約、借地権、地代、送

一七六

収益債権、無記名証書、支拂証券、帳簿勘定、取引引受契約、土地使用料、特許権、商標権、著作権、保護預リ函、年金、収益分配契約。

〔英〕英、ソ、蔣会談。

イーデン外相ハ二十五日マイスキー駐英ソ聯大使ノ来訪ヲ求メ会談後顧維鈞大使ヲ招致セリ。

〔米〕一年間ノ國防

七・二六

〔日〕佛印トノ共同防衛成立
〔重〕佛印ノ華僑動揺

一七七

費五百八億弗
二十五日生産管理局発表ニヨレバ昨年七月ヨリ一年間ニ議会ガ國防拡充及対英援助予算トシテ承認セルモノハ五〇七億八千五百万弗ニテ中英國側註文ハ三六億六千九百万弗ナリ。
〔加〕カナダ、ニツケル増産ノ米加協定成立。
〔英〕日英、日印、日緬通商條約、英、

（二十六日正午情報局発表）

近時帝国ト佛領印度支那トノ関係ハ昨年八月松岡「アンリー」協定ヲ初メ累次ノ日佛協定ニ依リ急速ニ緊密ノ度ヲ加ヘ来レル所今般更ニ佛印ニ関スル共同防衛ニ付友好的話合ニヨリ日佛両國政府間ニ完全ニ意見ノ一致ヲ見タリ。

帝國ハ日佛間ニ現存スル諸取極就中佛領印度支那ノ領土保全並ニ主権ノ尊重ニ関スル厳粛ナル約束ニ依リ生ズル帝國ノ責務ハ飽迄之ヲ厳守スルト共ニ今後益々日佛友好関係ノ増進ニ努メ以テ両國共栄ノ実ヲ挙ゲンコトヲ期ス。

〔日〕　外務当局談発表

佛印共同防衛ニ関シ外務省ハ二十六日当局談ヲ発表セリ。

佛印六十万ノ華僑ハ日、佛印共同防衛ニ動揺、重慶側ノ駐在サイゴン領事館始メシヨロンノ國民党支部、其他ハ逃走準備ニ大童ノ有様ナリ。

〔重〕　重慶代表引上ゲ

従来サイゴン駐在重慶政権代表尹領事及支那紙民報代表者等ハ、澄田機関一行ノサイゴン到着ノ二十六日英國船ニテ香港ニ引揚ゲタリ。

〔重〕　重慶徒ニ豪語ビルマ出兵示唆

重慶来電ニヨレバ二五、二六ノ両日開カレシ重要対策会議ノ結果ニ付当局者ハ若シビルマ方面ガ脅威ニサラサレシ場合ハ我ガ方ハ直チニ出兵シテビルマ援助ヲ行フ。又ビルマ路並ニ雲南省ノ守備ハ雲南省主席竜雲ト密接ニ連絡シ時ニ國境方面ノ防備ヲ

廃棄ヲ通告ス

米ト呼應日本ヲ牽制

クレーギー駐日英國大使ハ二十六日午後二時半外相官邸ニ豊田外相ヲ訪問、英本國政府ノ訓令ニ基キ、

一、日英通商航海條約（一九一一年四月三日）

一、日印通商関係ニ関スル條約（一九三四年七月一二日）

一、日緬通商関係ニ関スル條約（一九三七年六月七日）

以上三條約ノ廃棄ヲ通告シ来レリ。右ハ日本ト佛印トノ共同防衛ヘノ対抗策ト見ラル。尚右效力発生ハ前者ハ尚一年後ニシテ條約ハ六ケ月間效力ヲ有スルモノナリ。

〔米〕　米、支那空軍基地使用ヲ否定。

〔米〕　太平洋岸哨戒ニ補助艦隊組織

一七八

一七九

〔日〕　帝國、英米ニ対抗、外人ノ資産凍結

米國ノ資産凍結ニ対シ帝國政府ハ之ニ対抗二十六日外國人所有ニ係ル在本邦資金ノ自由処分ヲ一切許可制度トシテ凍結処置ヲ取リ二十六日規約ヲ発表二十八日公布即日実施スルコトトナレリ。右ハ先ヅ米・比ニ適用英ハ到着次第。

〔泰〕　タイ緊急閣議

蒋軍ノ佛印侵略機運ト英米ノタイ國包囲陣強化ノ情勢ニ対処スルタメ泰國政府ハ二十六日午前十時ヨリ緊急閣議ヲ開キ種々協議ヲ行ヘリ。ナホ航空部隊ニハ二十五日不測緊急時ニ備ヘルタメ準備命令ガ発セラレアリ、民間航空隊ニモ近ク待機命令ガ発セラレル模様ナリ。

〔日〕　株式対策ニ政府協同証券ヘ融資

増強中ナリ。ナホビルマ東部國境防備ハイギリス側ト連絡シテ万全ヲ期スト語レリ。

〔重〕　雲南デ軍事会議

昆明来電ニヨレバ重慶側参謀総長何應欽ハ幕僚ヲ帯同二十六日重慶ヨリ飛行機ニテ昆明ニ赴キ軍事委員会議ヲ開催、竜雲、万福麟以下ノ在雲南軍各将領ヲ召集、雲南防衛問題ニ関シ協議ヲ行ツタ。猶何應欽ハ軍事会議終了後南部雲南國境方面ノ軍状視察ヲナス筈。

桑港ノ第十二海軍区司令部当局ハ二十六日戦時ニ於ケル太平洋岸哨戒ノタメ補助艦隊ヲ組織スルコトニ決セリ。

〔米〕　全比島軍ヲ戦時編成、米陸軍ノ指揮下ニ編入

ル大統領緊急命令極東軍司令部新設。

ル大統領ハ二十六日緊急措置トシテ全比島陸軍ヲ米陸軍ノ指揮下ニ置キ比島陸軍ヲ実質的ニ戦時編成態勢ニ置ク旨発令セリ。而シテコノ直後米陸軍省ハ今回比島駐屯ノ全米陸軍ヲマツクアーサー将軍ノ指揮下ニ置ク旨発表セリ。尚右発表ニヨレバ右大統領ノ発令ニヨリ極東軍司令部新設セラルルニ至レリ。

〔米〕　重慶ヘ綿製品

米政府ハ重慶側軍隊ノ被服用トシテ重慶ニ輸送予定ノ

一八〇

一八一

一八二

金令ヲ発動。

綿製品一千万ヤード購入ノ交渉中ト傳フ。

〔蘭印〕蘭印・佛印空路停止
バタヴィヤトサイゴンヲ結ブ蘭印ノKNILM定期航空ハ来ル二十九日ヨリ之ヲ停止シ終点ヲシンガポールニ変更スル旨二十六日同航空会社ヨリ発表セラレタリ。

〔英〕香港政廳日満資産凍結令公布実施。

一八三

七・二七

海軍航空隊大挙成都ヲ痛爆
中支艦隊報道部二十七日発表
本日海軍航空部隊ハ大挙成都ヲ空襲、飛行場及場内軍事施設ヲ痛烈ニ爆砕セリ。
江上飛行隊鄱陽ヲ爆撃
二七日発表
海軍江上飛行隊ハ二十六日鄱陽ヲ急襲敵兵舎及軍需倉庫ニ全

〔泰〕泰、新領土接収式。

〔重〕中共軍、ソ聯軍ヘ加入ヲ宣言。

〔米〕米政府生糸在荷ヲ管理。

〔蘭〕蘭印、英米ニ追随
昨年十二月正金銀行トジャヴァ銀行間ニ締結セラレタル日蘭為替協定ハ今般之ヲ停止スル旨二七日ジャヴァ銀行ヨリ発表セラレタリ。

〔印〕印度、日支資産凍結。

〔ビルマ〕ビルマ防空調査團重慶着。

一八四

弾ヲ集中シテ爆撃セリ。

七・二八

海軍航空部隊重慶ヲ空襲（二三次）
敵都上空デ九機ヲ撃退。
二八日海軍航空部隊ハ第二三次重慶空襲ヲ行ヒ軍事施設、工業地帯ヲ爆撃セリ。重慶上空ニテ敵機九機ト遭遇交戦セルモ戦意ナク逃避セリ。
我陸軍部隊、佛印南部ニ進駐。

〔日〕米系銀行ヲ一斉検査
米國ニ対應断行
アメリカ政府ハ資産凍結令ニ基キ在米日本銀行ニ対シ銀行検査ヲ一斉ニ断行セルヲ以テ大蔵省ハ之ガ対應策トシテ二八日在日本アメリカ系銀行ニ対シテ銀行検査ヲ断行スルコトトナレリ。

〔米〕米貨邦債ノ利拂実施声明。

〔蘭印〕昨年ノ日蘭石油協定、蘭印突如停止ヲ発表
蘭印政廳ハ二十八日突如日蘭石油協定ノ停止ヲ発表セリ。

〔蘭〕資産凍結
蘭印政府ハ日本資産ノ凍結、日本ヨリノ輸入制限、日本・満洲國、支那・佛印向ケ輸出制限ヲ断行スル旨二八

一八五

〔日〕日・佛印共同防衛話合、枢府本会議今日可決（二八日）

〔日〕外人ノ資産凍結ヲ公布実施。

〔日〕対外経済処理ノタメ政府委員会ヲ開設。

〔日〕木炭ノ規格、價格ヲ改訂。

〔満〕満洲國、英米資産凍結発表。

〔中北支〕〔蒙〕中北支当局、蒙古政府ハ英米比ノ資産凍結。

日発表セリ。

〔米〕紐育定期生糸無期停会。

〔英〕〔芬〕英芬國交断絶。

〔香港〕香港ニ外國人関係取引取締規則適用。

〔米〕日本船ニ即時出港許可
米國政府ハ二十八日夜日本側ニ対シ日本船舶ハ米國諸港ヨリノ即時出港許可ヲ與ヘラルル旨通達セリ。

〔英〕英大使・ウエ

七・二九

〔満〕満洲國物價停止令公布。

〔芬〕芬対英國交ヲ断絶。
二十八日芬蘭ハ対英國交ヲ断絶セリ。

〔日〕和蘭資産ヲ凍結。
大蔵省ニテハ外國人関係取引取締規則ニ基キ在本邦和蘭國人及蘭印人ノ資産ヲ凍結スルコトトナリ二九日ソノ旨発表セリ。

ルズ次官協議
二十八日國務省ニ於テ両者ノ間ニ長時間ニ亘リ日本ニ対スル英米共同対策ニ関スル協議行ハレタリ。

一八六

尚同規則第四條ノ指定國系法人ニ該当スル本邦法人ヲ左ノ如ク二九日告示セリ。
株式会社エム・エスウヰルスム商会（横浜）、ジエー・ビー・エム・ステベ合資会社（名古屋）、グルンソン合名会社（神戸）シ・エリオン会名会社（西ノ宮）。

〔日〕日・佛印共同防衛議定書ノ調印成ル。

一八七

七・二九

皇軍、南部佛印ニ増派
陸海軍平和裡上陸
七、二九日大本営発表
帝國ト佛國トノ間ニ成立セシ佛領インド支那ニ関スル共同防

〔日〕要輸出許可品目ニ生糸ヲ指定追加。

〔國〕國府、指定人資産処理弁法公布。

〔日、佛印〕日佛印共同防衛議定書正式調印。

〔日〕司法省首脳異動
検事総長就任ニ伴フ人事異動二九日発令。
検事　松阪廣政
補検事総長

〔日〕共同防衛議定

〔重〕蔣、道路破壊命令
蔣介石ハ日本軍ノ佛印増兵ニ狼狽桂林ノ第四戦区総司令張発奎ニ対シ同戦区内佛印國境並ニ欽県北海方面ノ

一八八

衛ノ取極ニ基キ七月二十九日我陸海軍部隊ヲ佛印ニ増派セラレタリ。

海軍航空部隊重慶ニ四次爆撃
二九日発表
海軍航空部隊ハ二九日第二四次重慶爆撃ヲ敢行セリ。又一隊ヲ以テ四川省南部ノ諸都市ヲ広範囲ニ爆撃シタリ。

中支ニ新作戦
二七日来前進中ノ我ガ陸軍部隊ハ二九日未明猛攻ノ火蓋ヲ切

書締結
情報局二九日発表
日本ト佛印トノ共同防衛ニ関スル議定書ハ二十八日御裁可アリタルヲ以テ二十九日加藤大使ハヴイシーニ於テダルラン副首相兼外相トノ間ニ署名調印ヲ了シ即日実施セラレタリ。

〔國〕國民政府呼應凍結
國民政府ハ米國等ノ日支資産凍結令ニツイテノ対應

海岸線ヨリ約三十キロノ線内ニアルアラユル道路、橋梁等交通機関ヲ破壊スベシトノ命令ヲ発セリ。右命令ハ二十九日マデニ之ヲ実施スベシト期限付デ狼狽振ヲ現シアリ。

〔重〕張発奎ヲ免職
黄紹竑（現在浙江省主席）ヲ任命シ広東、広西辺防総司令ヲ兼任セシムルニ決定。

一八九

リ宜昌北辺ノ敵第六戦区ノ一三、一八五、予備四・六、五五各師三万ニ対シ猛撃中ナリ。

阜寧占領
皆美部隊ハ二九日新四軍主要根拠タル阜寧ヲ占領戦果ヲ拡張中ナリ。

策ヲ攻究中二九日指定人資産処理弁法ヲ決議即日財政部ヨリ公布セリ。

〔日〕陸軍兵務部新設
軍、師團管区ノ兵事事務ヲ拡充
陸軍ハ、
一、召集ニ関スル事項。
二、在郷軍人会ニ関スル事項。
三、國防思想ノ普及ニ関スル事項。
四、学校ニ於ケル教練ニ関スル事

一九〇

七・三〇

海軍航空隊重慶爆撃第二五次
城内ノ軍事施設ヲ徹底的ニ爆撃セリ。

項。
五、軍人援護及職業補導ニ関スル事項。
ヲ掌ラシムルタメ軍、師團ニ兵務部ヲ新設ニ九日官報ニテ公布八月一日ヨリ施行スルコトトナレリ。

〔満〕満洲貿易聯合会設立要綱決定。

〔日〕第十六回総動員審議会
産業團体令等ヲ討議。

〔重〕重慶、参政会繰上ゲ
第二期参政会第二回大会ハ来ル九月

〔蘭〕日蘭商社ノ石油取引今後モ許可方針
蘭印政廳協定停止

一九一

司令部船サイゴン入港
サイゴンニ佛印増派ノ司令部船ハ三十日入港セリ。

鉄鋼・銅ノ特別回収ト産業團体令要綱可決。

〔独〕独機スエズヲ爆撃。

〔日〕野村大使（駐米）米次官ト要談。
ウエルズ國務次官ハ三十日野村大使ノ来訪ヲ求メ要談ヲ行ヘリ。

〔日〕十六肥料年度上半期ノ公價据置。

〔華北〕華北当局、蘭印、加ニモ凍結処置。

〔泰〕中立態度闡明。

一日ヲ以テ招集ノ筈ナリシモ國際情勢ノ激変ニ基キ外交問題討議ノタメ会期ヲ繰上ゲ八月十五日乃至二十日開会スルコトトナレリ。

ヲ否定
一九四〇年ノ対日石油協定ヲ停止スル旨発表セリトノ情報ニ関シ外務省ハ、バタビヤ石沢総領事ヲ通ジ政廳側ノ意向ヲ質セル所蘭印政廳ハカヽル事実ナク今後モ商社同志ノ商取引契約ノ実行ニ就テハ依然許可ノ方針ヲ以テ臨ム旨言明セリ。

〔米〕米電気工八千名罷業

一九二

労働総同盟系電気工組合所属ノ八千名ハ紛争ヲ起シ二十九日遂ニ罷業ヲ断行セリ。

〔米〕日本船十九隻拿捕ヲ発表
米財務省ハ昨年春ハワイ島附近ニ於テ十九隻ノ日本漁船ヲ拿捕セル旨三十日発表セリ右ニ関シ官辺ハ間諜行為ニ使用セラレアリタリト主張シアリ。
右ハ昨年二月二十

一九三

七・三一

サイゴン方面へ上陸
最高指揮官飯田中将
大本営陸軍部発表

（日）総動員審議会續開
配電港湾両勅令案

（重）滇緬ルート防衛
重慶狼狽何應欽急

八日ヨリ三月三日ニ至ル期間ナリ。右ノ中大隻ハ既ニ没収セラレタリ。
（英）英、対日政策ニツキソ聯ト連絡
イーデン外相言明
イーデン外相ハ三十日下院ニ於テ対日経済政策ニ就テハソ聯トノ間ニモ絶エズ連絡ヲトリ居ル旨言明セリ。
（米）経済國防局新設
対枢軸経済攻勢ヲ

一九四

七、三一日十一時
一、佛印ニ増派セラレタル我陸軍部隊ハ去ル二十九日ヨリ佛印軍協力ノ下ニサイゴン及同地附近ニ上陸中ナリ。
一、同地方面最高指揮官ハ陸軍中将飯田祥二郎ナリ。
吉田、正木部隊前進。

サイゴン附近ニ平和上陸成功セル部隊ノ一部吉田、正木ノ各部隊ハ三十一日午前六時トラックニ分集〇〇ニ前進セリ。


ヲ慎重討議。港湾運送統制案原案通可決。配電統制審議ハ続行。

（日）（泰）日泰借款成立。

（北支）北支為替集配制円基準、

（日）（パナマ）日本パナマ貿易停止。

派
日本ノ南印佛印増兵ニ国防委員会ハ切リニ臨時会議ヲ招集、一方参謀総長何應欽ヲ昆明ニ急派シ、竜雲、芦漢、万福麟等ノ首脳部ト協議対策ノ重点ヲ滇緬ルートト昆明ノ防衛ニ置クコトニ決定直チニ具体的措置ニ出ルコトトシ何應欽ヲ雲南行営最高責任者トシテ商震ヲシテ補佐セシメ、

策ス
米國ハ三十一日経済國防局ヲ新設、副大統領ウォーレスヲ長官トシ、國務長官、財務長官、農務長官、検事総長ノ補佐ヲ受クルモノナリ。
機能ハ次ノ如シ
一、凍結サレタル枢軸資産ニ関スル措置。
一、ブラックリスト記載ノ中南米諸國商社ニ対シ厳密ナル監視ヲ

一九五

八・一

帝國海軍佛印カムラン湾進駐
我ガ陸海軍最高指揮官佛印防衛ヲ宣言。
海軍航空部隊モ西貢郊外到着。
佛印ニ於ケル帝國陸海軍最高指揮官ハ三十一日佛印新聞紙ヲ通ジ佛印共同防衛ノ宣言ヲ発表セリ。
海軍航空部隊佛印着。
陸軍航空隊奉節（四川）痛爆
八・一発表
森王、是松、片倉ノ

（日）海軍ニ施設本部
初代本部長小池中将

盧漢ヲ滇越防衛ノ総司令官ニ其他ヲ任命機械化部隊ヲ雲南防衛ニ参加セシメルコトトナレリ。

（重）重慶監察院長于右任重慶内部ノ腐敗ヲ痛憤蒋介石ニ四ケ條ノ糧紛案

行フコト。
（米）米海軍次官等ハワイヲ視察
米海軍次官ハ飛行機デハワイニ赴キ同地ノ海空軍基地設備増強ノ実情ヲ視察シタリ。
（米）ル大統領、対日目標ニ石油禁輸強化ヲ発令。
ルーズヴェルト大

一九六

諸部隊ハ一日四川省揚子江北岸ノ要衝奉節ノ敵軍需工場ヲ爆撃、甚大ナル效果ヲ收メタリ。


海軍ニ於ケル建築及土木ニ関スル官廳トシテ八月一日附海軍施設本部ヲ設置シ之ニ伴ヒ海軍省建築局ヲ廃止セラル。

初代本部長ハ海軍中将小池四郎ナリ。

（日）厚生省官制改正。

一日ヨリ人口局新設デ六局トナル。

（日）（泰）日・泰間ニ借款成立
正金ト泰國銀行團トニ取極メ英米ノ

提出。

（重）重慶西南軍事会議開催。


統領ハ一日、西半球、英帝國及侵略ニ抵抗シツツアル諸國ノ非占領地域以外向ノ発動機燃料、航空機用潤滑油ノ輸出禁止ヲ命令セリ。右ハ日本ニ対シテ次ノ如ク適用セラル。
一、発動機用燃料、航空機用潤滑油並ニソノ原料ハ輸出禁止。
二、ソノ他ノ石油製品ハ戦前乃至ハ正常ナル水準

一九七

一九八

資産凍結ニ対抗。右ニ関シ一日発表セル大蔵省談要旨今回横浜正金銀行ト泰國銀行團トノ間ニ一千万バーツ（約一千六百万円）ノ借款契約成立セリ。右ハ正金銀行ガ泰國銀行團ヨリバーツ資金ノクレヂツトヲ受クルモノナリ。

〔泰〕満洲國ヲ承認泰國政府ハ今回満洲國政府ヲ承認ス

逆輸出ヲ削減ス。
〔米〕絹業工場閉鎖十七万ノ労働者失業
米國政府ハ一日生糸ノ加工全部ニ対シ完全ナル停止ヲ命令セリ。右発令ハ二日午前零時ヲ以テ效力ヲ発生スルモ之ガタメ一七万五千ノ失業者ヲ出スコトトナレリ。
〔ビルマ〕ビルマ政廳対日取引禁止。
〔ビルマ〕馬来政廳

一九九

ルコトニ決シ八月一日附ヲ以テコノ旨満洲國政府ニ正式ニ通告シ同時ニ日本ヘモ通達シ来レリ。右ニヨリ合計十二國ノ承認トナリ外ニソ聯・エストニアノ事実上ノ承認アリ。
〔日〕輸入税ノ免除決ス
満洲、関東州重要物資
満洲國及関東州生産品ノ本邦重要輸

支那資産凍結発令。

〔英〕英、香港ラスターリング地域トナス旨発表。

〔米〕米当局在米生糸全部ヲ管理。

〔ヴェネズエラ〕金属類ヲ輸出制限。

二〇〇

入物資ニ関スル輸入税免除ニツキ大蔵省ハ一日之ヲ発表七日ヨリ実施スルコトトナレリ。

〔日〕上海工部局特別総監ニ渡正監起用任命。

〔國〕上海税関十四品目ニ輸出許可制実施。

〔日〕六月中ノ全國生計費指数引続キ〇・二%ノ昂騰ヲ示シ二五二・四トナリ文化費保合以外被服費〇・六

二〇一

八・二

新見海軍最高指揮官二日午前サイゴン上陸。

海軍最高指揮官新見政一中将ハ南部佛印増派部隊護送ノ任務ヲ了リ軍艦〇〇ニテ二日午前サイゴンニ入港セリ。

陸軍航空隊、咸陽滑

%、光熱費〇・三%、飲食費〇・九%ト何レモ続騰シ事変前ニ比シ総平均指数三一・二%高。

〔満〕満洲國、クロアチアヲ承認。

満洲國政府ハ二日新興國クロアチアヲ承認スルコトニ決定。

〔日〕退役海軍士官ニ再役ノ途拓ク
海軍ニテハ、今回退役ノ士官及特務

〔米〕ウ國務次官日佛共同防衛、対佛強硬宣言。
〔米〕比島陸兵三万人ヲ召集
ケソン大統領ハ約十四万ノ比島陸軍予備兵ノ中ヨリ歩兵三万人ヲ召集シ八月三十一日迄ニ

南猛爆

二日陸軍航空部隊ハ咸陽（西安西北方二十キロ）並ニ渭南（西安東北方五十キロ）ヲ急襲、兵営、糧秣庫、軍需倉庫ニ巨弾ヲ浴セタリ。

士官、准士官ニシテ戦時又ハ事変ニ際シ服役ヲ希望スルモノハ予備役ニ服セシムルコトヲ得ル制度ヲ設クルコトトナリ勅裁可ノ上二日ノ官報ニテ公布ト同時ニ海軍省令ヲ以テソノ手続ヲ定メタリ。

〔日〕配電統制原案可決

総動員審議会総会（二日）。

〔国〕汪精衛氏広東着。

十ケ師隊ヲ編成シ九月一日コレヲ米極東軍総司令官マッカーサー将軍ノ指揮下ニ編入スル旨二日命令ヲ出セリ。

〔米〕日本ノ石油貯蔵一ケ年半分ハ存在

ノックス長官ノ言明

ノックス海軍長官ハ二日記者団トノ会見ニテ大体ニ於テ日本ハ一年ヤ一年半戦時消費ヲナ

二〇二

日満華新聞記者大会ニ出席ノタメ（四日ヨリ開催）。

〔日〕酒類ノ配給機構整備ナル。

〔日〕横浜生糸清算市場再開。

〔満〕満洲国政府、濠洲・ビルマ・英領マレー・英領印度ヲ凍結国ニ追加指定。

〔伊〕対ソ遠征軍派遣。

スモ困ラザル石油、ガソリンヲ有ストイフ印象ナリト言明、右ハ原則ノ範囲ヲ出デザル旨ヲ前言セリ。

〔日〕〔米〕野村大使、ウエルズ次官会談

邦船積荷対策

野村大使ハ二日午後ウエルズ国務次官ヲ訪問右ハ邦船積荷ノ件ニ関シ善処ヲ要望セルモノナリ。

〔米〕東亜対策ヲ協議

二〇三

米、英豪、南阿四代表。

二日ウエルズ国務次官ハ英大使、豪大使、並ニ南阿聯邦公使ト会談、東亜情勢ニ付協議セリ。

尚ソ聯大使トモ会談対ソ物資ノ輸送促進ニ付協議セリ。

〔蘭〕蘭印、佛印人資産凍結。

蘭印政庁ハ二日正式ニ蘭印在住佛印人ノ資産ヲ凍結スル旨声明セリ。

二〇四

八・三

海軍航空隊、三隊デ活躍。

衡陽、芷江、長沙ヲ猛爆

三日海軍航空隊ハ三隊ニ分レ前記要衝ヲ爆撃セリ。

皇軍ノ増派完了。

日佛首脳、正式交歓ヘ（四日ヨリ）。

陸軍航空隊延安ヲ急襲

三日朝〇〇機ノ陸軍機ハ赤色都市延安ヲ急襲、敵ノ軍事施設並ニ集積セル軍需物資ニ必中弾ヲ浴セ全

〔国〕汪主席、言論人ノ責務強調

四日ノ東亜新聞記者大会ヲ前ニ、日満華新聞記者代表百余名ハ三日午後汪公館ニ於ケル茶会ニ出席席上汪主席ハ言論人ノ責務ヲ強調セリ。

〔日〕人民動員（第五條）拡充対策（第一九條）近ク順次審議会諮問、総動員法発動準備進ム。

〔独〕スモレンスク

〔重〕中共弾圧決議

重慶国防最高委員会ハコノ程挙行セラレタル三民主義青年團全国團務会議ノ決議ト最近第二回ノ西北剿共軍事部署ノ視察ヲ終ヘ帰来セル軍事部長何應欽ノ建議ニ基キソノ中共態度ヲ一変シ軍事政治経済ノ三部門ニ亘リ強硬方針ヲ決定直チニ実施スルコトトナレリ。

陥チ.

〔英〕東亜ノ米同戦線ヘ、ソ聯抱込ニ狂奔。

警戒スベキ英ノ動向。

二〇五

八・四

機無事帰還セリ。

南部佛印ヘ増派

地区、激戦継続。独ノ目標赤軍主力ノ殲滅。

〔日〕大蔵省英豪両

一、陝甘寧辺区ニ対スル軍事的、経済的封鎖ヲ最高ニ強化スルコト。
一、三民主義青年團ヲ中心ニ中共組織ニ対スル破壊工作ヲ積極化スルコト。
一、各地ニ於ケル中共党徒ノ宣傳工作及地下運動ニ対スル取締ヲ厳重ニスルコト。

〔重〕重慶、糧食庫

〔英〕タイ湾ニ英艦

二〇六

皇軍配置四日完了 七月二十八日南部佛印ニ上陸ヲ開始以来サイゴン及ナトラン附近各地区ニ進駐ノ皇軍ハ各地トモ佛印側ノ友好精神ニヨリ極メテ平和裡ニ進駐進捗シ八月四日ソノ配置ヲ完了セリ。（佛印派遣軍四日発表）

海軍航空隊湖南省南部衡陽以下ヲ徹底的爆撃

國外交官ニ資産凍結除外ノ一般的待遇許可公表。

〔満〕資産凍結國ニ南阿聯邦・新西蘭追加。

〔日〕家計ト栄養ヲ調査 内閣統計局デ実施 國民ノ消費生活ノ合理化必需物資ノ割当、保健食糧問題等戦時下重要國策企画ノ基礎資料トスルタメ内閣統計局ニテ八十月一日ヨリ明年九月末

券発行 食糧不足ニ悩ミ重慶デハ田賦ノ現物徴収ノ外食糧ノ集配ヲ行フタメサキニ糧食庫券ノ発行ヲ決定シタガ発行総額ハ米麦五千万石ト言ハレ、四日民國三十年糧食庫券條例ヲ制定公布シタ。

〔重〕輸送量一日二百屯、能率低下ノ滇緬公路。

〔重〕重慶財政改革、ラチモアノ顧問建

出動説 四日附サイゴンAP電ハ同地ノ非公式筋ノ情報トシテ主力艦ウオースパイト号（三万六百屯）ヲ含ム英艦隊ノ艦影ガタイ湾上ニ認メラレタリトノ報ジアリソノ情報ハ確認シ得ザリシト附加シアリ。

〔米〕米國政府ハ四日ソ聯政府ニ対シソ聯ノ注文ニ優先的取扱ヲ與ヘアラユル実質的ナル対

二〇七

日マデノ一年間ニ給料生活者、労働者、農家、商家、未婚者等各階層ニツキ家計ト栄養ノ國勢調査ヲ実施スルコトトナレリ。

〔日〕商工省ノ石油対策強化。

〔佛〕佛ニ派兵ノ余力ナシ 佛印防衛日本ニ依存 佛政府声明、東亜ノ現状ヲ認識、ヴィシー政府ハ四日日佛協定締結ニ

言カ 米國ヨリ重慶ニ派遣サレタラチモア顧問ハ最近数次ニ亘リガウス米大使ト協議ノ結果、重慶ノ財政改革ニツキ一定ノ方針確立近ク蒋介石ニ進言スト言ハル。

ソ援助ヲ行フ旨確約セリ、同時ニソ聯向物資引渡対ソ輸送ニツキ船舶ノ便宜ヲ與ヘラレタシトノソ聯側ノ要求ニツキテモ考慮スル旨ノ確約ヲ與ヘタリ。

〔英〕〔米〕英・米両統首会見説 チャーチル英首相トルーズヴェルト米大統領ノ会見説傳ハリアリ右ハ西半球ノ某地ナリト。

〔日〕若杉駐米公使

二〇八

関シ左ノ如キ追加声明ヲ行ヘリ。
一、シリアニ於テフランスハ最後通牒モ何等ノ予告モナク英國ノ公然タル侵略ニ対抗セザルヲ得ザリシモ我々ハ増遣部隊ト物資ノ供給ヲ期待シ得ル陸軍ヲ有シ事実上コノ軍隊ハ三十一日間ノ抵抗ヲ續ケタリ。
一、佛印ニ於テフランスハ七月三

出発 事務打合セノタメ駐米若杉公使ハ四日ワシントン発帰國ノ途ニツケルモ同日國務次官ト面会米國ノ意向ヲ聽取野村大使モ近クハル國務長官ト会見ノ予定。

〔米〕在日米人引揚 ハル國務長官ハ四日左ノ如ク言明、日本及東亜各地ニアル米國人ノ引揚ケノタメ米商船一隻ヲ極東ニ派遣ス

二〇九

二一〇

十日東亜ニ於ケル日本ノ優越的地位ヲ承認シソレニ基キ日本ニ軍事施設ヲ提供セリ、当時米國ハ何等ノ行動ニモ出デザリキ。
一、今ヤ日本ハ敵軍ノ集中ニヨリ佛印ハ脅威サレテ居ルト我々ニ告ゲテ居リ、フランスハ今佛印ニ増援部隊ヲ派遣スル余力ナシ依ッテ加藤大使

二一一

ノ協定申入レニ同意シ日本軍隊ニヨル佛印防衛措置ヲ承認セルモノナリカ、ル事態ハ他ノ何処ノフランス領ニモ存在セズ殊ニアフリカノフランス植民地ニハカ、ル事態ハ絶対ニ存セズ。

〔日〕積荷保険料率改正。

〔満〕生活必需物資ノ切符制断行。

〔伊〕伊首相未来陣

ルヤモ知レズ、尚引上方法ヲ講ジアル在日米人ハ百名以上ナリ。

二一二

八・五

永沢、竹内部隊前進泰佛印國境附近ヘ
五日早朝カンボヂヤノ要地〇〇ヲ出発セル永沢竹内部隊ノ先遣隊ハ同日正午頃泰、佛印國境ニ近キクメール族ノ文化ノ跡タル〇〇ニ進駐ヲ完了セリ。
湖南省南部ヲ徹底猛爆
五日海軍報道部発表
四日海軍航空部隊ハ

二一三

湖南省南部ニ散在スル敵據点ヲ乱潰シニ爆撃甚大ナル戦果ヲ挙ゲタリ。
陸軍機陝西奥地ヲ爆撃
陸軍航空隊ハ五日大挙陝西ノ奥地ニ進攻武功ヲ爆撃多大ノ損害ヲ與ヘタリ。
陸軍機長駆西北ルートノ天水・渭源・武功ヲ猛爆
五日報道部発表
陸軍航空部隊ハ五日悪天候ヲ冒シテ長駆天水・渭源ヲ空襲セ

ノ勝利歴然ト演説（四日発表）。
〔日〕輸出損失補償契約、五千万円ヲ増額
閣議決定実施
政府ハ対日資金ノ凍結等輸出不能トナリシ商品ニツキ之ガ対策トシテ前議会ノ協賛ヲ経タル貿易振興施設費予算外契約ニ基ク費用一億円中ヨリ内種分割当二千万円ヲ取敢ズ五千万

円増額シテ七千万円トナシ之ヲ限度トシテ輸出不能商品買取ノ損失補償ヲ行フコトトナリ五日ノ閣議ニ於テ商相及蔵相ヨリ説明諒解ヲ求メタリ。
〔日〕予備金支出決定
過般ノ東北、北海道ノ水害ノタメ第二予備金ノ支出ヲナシ救済ニ決定、金額モ十日頃決定ノ予定。
〔泰〕〔満〕泰國、満

〔重〕重慶大軍ヲ集中
日本軍ノ佛印進駐ニ伴ヒ重慶ハ続々大軍ヲ西南支那広西、雲南方面ニ集結シツツアルガ去ル一日以来副参謀長白崇禧ハ特殊ノ使命ヲ帯ビテビルマ路方面ニ赴キ目下移動中ノ集團軍ヲ指揮シツツアリ。黄堪翔ハ広西省ノ

柳州ヲ出デ廣州一帯ニ配備セル部隊ノ指揮ニ任ジ、又広西派ノ先輩デ久シク沈黙シ居タル李済深ハ雲南省ノ當局ニ入ッテ省境防備状態ヲ視察中ナリ。

最近設ケラレシ昆明行營主任ニ就任セル龍雲ハ今後ノ日本軍ノ進路ニツキ昆明ヲ目指スカ泰國カラビルマ方面ヘノ行動ヲ起スカ尾城一帯デビル

〔米〕東亜在住米人ノ数発表
ハル國務長官ハ四日日本及東亜方面ニ於ケル米國人ノ引揚方法ニ付考慮中ナル旨言明セルモ米國務省ノ調査ニヨレバ現在日本ニ滞在中ノ米國人ハソノ数四千三百九十六人ニシテ、内白人ハ六四一人ナリ。

コノ中ニハ三二九人ノ宣教師ヲ包含シアリ支那ニハ約六千人ノ米人アルモ白人ノ数ハ比較的少ナリ。
〔エ〕秘・エ戦ニ邦人参加ノデマニ日本帝國抗議
南米ノペルー、エクアドル國境紛争ニ関シ秘國ハ枢軸國ノ援助ヲ受ケ三千人ノ日本人ガ参加シシアリトノ捏造デマニヨリ邦人

リ又他ノ一隊ハ武功ヲ攻撃シ何レモ完膚ナキ迄ニ爆撃セリ。第三五軍傳作義麾下綏南遊撃隊第十一支隊司令少将王東國以下五五名投降。山縣部隊佐藤勇男少佐以下去七月三十日佛印國境デ自爆発表。

洲國承認。泰國政府ノ満洲國承認ニ関スル公文ハ五日朝在バンコック帝國公使館ニ到着同朝公使館カラ次ノ如ク発表セラレタリ。

要旨

泰國政府ハ泰國ト良好ナル貿易関係ヲ保持シアルトコロノ満洲國ヲ承認スルヲ喜ブ。本件ニ関シテハ今朝満洲國國務総理ニ対シ電報ヲ以テ

マ路遮断ノ作戦ニ出ルカソノ何レカガ予想セラレルノデソノ万善ノ準備中ナリト語リ逐次配備ヲ行ヒツツアリ。

〔重〕思ヒ上リシ揚言。英米ソヲ恃ム郭部長

皇軍ノ南部佛印増派ハ東亜共栄圏ニ対スル民主主義國家群ノ封鎖陣ニ突キツケシタメ重慶政権ハ極度ニ狼狽

技師ノスパイ嫌疑邦船ノ不法臨検、工場襲撃等ヲ起シタルニヨリ日本帝國政府ハ柳井公使ヲシテ厳重抗議スルト共ニ陳謝、再発防止ノ措置ヲ要ボセリ。

右ニ関シ五日日本外務当局談ヲ発表セリ。

〔英〕泰國ノ重要地点ニ英軍迅速行動準備空陸軍ヲ増強待機ス

英國ハ戦端開始ノ

二一四

通告セリ、右日本帝國政府ニ通告ス。

〔日〕清満ノ販賣統制案、当局、業者協議成ル（五日）。

〔日〕医療保護法十月一日ヨリ施行。

〔独〕赤軍ノ損失総計四〇〇万ト独側推判、主力ハ既ニ潰滅スト見居レリ。

〔日〕國鉄来十日ヨリガソリン車運転中止。

〔満〕満洲國公債発行限度十五億円ニ拡張。

シ大軍ヲ集結中ナルモ郭部長ハ四日次ノ如ク言明セリ。七月ノ英ソ協定ニ引續キ米國特派使節ノ派遣ニヨリ米國ハ積極的ソ聯援助ヲ表明シ、英・米・ソ・蔣ノ四國聯合戦線ハ完全ニ成立セリ、日本ノ南部佛印進駐ハ泰國、ビルマ及雲南ノ一大脅威ニシテ、更ニ将来シンガポール、蘭印、フイリッピンニ対スル

場合バンコック及クラ地峡ノ諸港ヲ占領ノ意図アルモノノ如クシンガポールニ英及印度人ノ増援大部隊到着一方英空軍モ既ニビルマノ諸基地ニ増強サレ日本ノ進出ニ対シビルマノ腹部ヲ防衛セントシアルト傳ヘラル。

〔英〕英増援軍香港着、馬来政廳発表。マレー政廳ニテハ五日英空軍ノ将校ヲ含ム多数ノ英印

二一五

〔満〕満洲國南阿聯邦、ニユーデーランドヲ指定凍結國ニ追加。

軍事的擬装ヲナスモノニシテ重慶、英米及蘭印ニトリテハ共通ノ利害ヲ有スルモノニシテコノ際積極的ニ枢軸國陣営ヲ先ヅ東亜ニ於テ撃破スベシト大見得ヲ切リ暗ニ英・米・ソ・蔣ノ軍事合作ヲホノメカシ英米ノ泰國ニ対スル野心ヲ暴露セリ。

〔重〕重慶ノ対米輸出額。

本年第一四半期ニ

度兵混成兵團ガ到着セル旨発表セリ。

〔英〕英極東代表、重慶訪問カ

今回英帝國政府極東代表ニ任命セラレタルダフ・クーパーハ印度ニ到着セルモ近日中ニ重慶ヲ訪問スルコトトナレリト。

右ハ反枢軸國家群側ガ南方共栄圏ニ対シテ積極的攻勢ニ出ル前提ニ非ズヤト注目セラル。

〔英〕対日経済政策

二一六

テ重慶ノ治下奥地支那ヨリビルマルートヲ通ジテ行ハレシ輸出貿易ハラングーン港積出シ物資総額ハ三一二万三千二百十一米ドルニテ内訳左ノ通リ。

一、輸送道路

米國ヘ直接積出サレシモノ、二四五万千六百二十七米弗。

一應香港ニ積出サレ再輸出セラレシモノ、

ノ適用程度ヲ協議中

英外務次官下院デ答弁（五日）

〔英〕下院ニテチヤーチル首相欠席、ロー外務次官「対日経済政策ノ適用程度協議中」ト答弁。

〔マレー〕馬来政廳英空軍ヲ含ム多数ノ英印混成兵團新嘉坡着ト発表。

〔伯〕伯國米國ニ軍需原料ヲ優先供給発表。

二一七

二一八

六五万九千八百八十八米弗、
一、物資内訳
タングステン鉱
一三六万五千米ドル（一、二三三トン）
桐油
八二万四千九百二十六米ドル（五二七英ガロン）
錫　十八万米ドル。
豚毛　八万五千五百九一米ドル。
〔重〕重慶監察委員

〔エクアドル〕エクアドル、西半球以外ノ再輸出禁止。

二一九

八・六

陸軍航空隊、鳳翔（陝西）武山（甘粛）ヲ急襲
陸軍航空隊ハ六日早暁鳳翔ヲ同ジ五日武山ヲ急襲シ補給要地ヲ徹底爆砕セリ。

〔独〕スモレンスク地区　独大戦闘完勝ヲ公表
独軍最高司令部ハ六日午後零時半四ツノ特別発表ヲ行ヒ大戦果及各方面

会調査。

去ル六月五日防空壕窒息事件犠牲者一万三千六百名ト判明。

〔重〕外人延安訪問禁止。

〔重〕重慶、糧食庫券條例公布。

〔重〕帰順投降続出ス
蒋軍ノ六月以降去ル四日迄ノ長江下流三角地帯ニオケル投降兵ハ合計三一〇〇余名ニ及ビ

〔英〕イーデン外相対日警告。

六日イーデン外相ハ下院ニ於テ日本ト泰トノ協同ハシンガポールノ安全ヲ脅威スルモノデ

二二〇

海軍航空隊衡陽ヲ連爆ス
中支艦隊報道部発表
五日海軍航空部隊ハ第三次衡陽攻撃ヲ敢行、軍用倉庫群ヲ爆砕セシメタリ。又六日湖南省長沙、湘潭、株州（湖南省）ヲ攻撃、軍事施設、軍需倉庫ヲ爆破炎上セシメタリ。

ノ独軍司令官ノ陣容ヲ発表セリ。
則チ、
捕虜　八九万五千
破壊乃至鹵獲戦車　一三、一四五
同　大砲　一〇、三八八
同　ソ聯機　九、〇八二
〔満〕張国務総理満泰両国親善談話発表。
〔日〕七月中国債現在高十億四千万円。
〔日〕輸出許可調整

蒋軍抗戦力低下ヲ物語リ居レリ。
〔重〕西貢デ抗日派暗躍
皇軍進駐ノ南仏印ニ尚止マル重慶側ヲ総領事以下抗日紙民報ノ有力分子ハ総領事館ニ立籠リサイゴン地区華僑ノ親日転向ニ対シ親炎ヲ漢奸トシテ脅迫シアリ。
〔重〕重慶、重要生産事業奨励助長弁法ヲ可決。

アリ勢ヒ英支ヲ緊密ナラシムルモノニシテ日泰関係ハ無関心タリ得ズト言明セリ。
〔米〕ハル長官言明
ハル長官モ英外相同様ノ言明ヲ六日発セリ。
〔米〕米艦、豪洲周辺ヲ遊弋
六日米練習艦隊司令官タフインダー将軍ハ米海軍ノブリスベーン碇泊中ヲ認メタリ。尚現在ハ巡洋艦ノ一サ

二二一

ニ食品類四十品目ヲ追加指定。

〔泰〕泰バダンバンニ軍司令部設置。

〔国〕華北当局、ボルネオヲ凍結国ニ指定。

ムプトン号ハ九、〇五〇トン、ソールト・レーク・シティ号ハ九、一〇〇トンノ二隻ナルモ他ニモ恐ラク巡航シアルモノト認メラル。
〔米〕米将校比島ヘ増遣
米陸軍省ハ二回ニ亘リ米陸軍将校ヲ比島ニ派遣セルモ六日更ニ歩兵中尉、砲兵中尉等十七名ノ将校ニ比島在勤ヲ命ゼリ。

二二二

八・七

陸軍航空隊又モ宝雞空襲
陸軍航空部隊ハ七日早朝再ビ宝雞ヲ急襲兵工廠、器材庫ノ軍事施設ヲ爆砕セリ。
海軍航空隊湘潭、衡陽、長沙急襲
（八日発表）
海軍航空隊ハ江西省及湖南省南部ノ第五次連爆ヲ敢行、亦一部ヲ以テ沙洋鎮方面ノ陸軍部隊ニ協力甚大ナル戦果ヲ挙ゲタリ。

〔日〕第二回事変生存者論功行賞
中陸軍殊勲甲　一〇五名
海軍優賞者　三大名

〔日〕学校報国団ヲ再編成
内外ノ情勢緊迫ニ備ヘ文部省ハ中等学校以上ニアル報国団ヲ再編成シ適時出動、要務ニ服スルノ体制ヲトラシムルコトトナリ七日省議デ決定、八日全国地方長官直轄学校長、公私立大学高専校長ニ対シ訓令ヲ発スルコトトナレリ。

〔重〕蔣軍ビルマ進駐迫ル。
蔣軍ハ総指揮ニ張発奎ヲ任命シ約一万五千ノ部隊ハビルマニ進入スルコトトナレリ。

〔英〕独ノ英上陸作戦依然可能性存スル旨発表
英国璽尚書アトリーハ首相代理トシテ六日下院ニテ独ノ英上陸作戦ノ可能性存スル旨ヲ言明セリ。

〔米〕〔英〕英米共同対泰通告説。

〔米〕米国、銅ノ最高価格決定。

〔英〕対日戦備ヲ完成
英情報相シンガポール出発前ハ七日ビルマ及南支那ニ於テハ日本ガビルマルート遮断又ハ更ニソレ以西ニ着目セントスル場合ニ備ヘ予テノ準備ヲ完成セル旨語レリ。

〔米〕米油槽船ソ斯ヘ、四隻ニ航空機用油満載
国防石油調整官イツクス氏ハ七日、米国油槽船四隻ニ航空機用ガソリンヲ積ミソ斯ニ向ハシムル予定ナリト発表セリ。

二二三

二二四

〔日〕佛印輸入組合二三菱外十社加入。

〔佛印〕ドクー佛総督ハ七日蔣軍ノ雲南・佛印集結ニ対シ厳重抗議ヲ発セリ。

〔蒙疆〕新体制。中央総力委員会生ル。
七日張家口ニ於テ中央総力委員会結成式ヲ挙行、全蒙疆民協力一致ノ体制ノ第一歩ヲ踏出セリ。

〔米〕在営年限ヲ延長　米上院可決
七日米上院ハ徴募兵、予備兵及護国軍ノ在営年限一ケ年ヲ更ニ一ケ年半ヲ延長シ二ケ年半トスル法案ヲ可決セリ。

〔米〕米陸兵力一五〇万
米陸軍省ハ七日米陸軍現有兵力ハ徴募兵六六万九千百ヲ合メ将兵一五三万千八百名ナル旨発表セリ。

二二五

八・八

陸軍航空部隊巫山（四川）ヲ爆撃
（八日発表）
陸軍航空部隊ハ八日四川省東部ノ要衝巫山ヲ空襲、多数ノ敵集積軍需資材ヲ爆砕セリ。

〔独〕スモレンスク戦経過発表
七日独軍司令部ハスモレンスク戦ノ経過ヲ発表捕虜三十一万飛行機撃墜破千九十八台ト発表セリ。

〔日〕農産物・鉄類ノ価格対策
八日閣議デ意見一致
政府ハ生産力拡充計画ノ完遂ヲ期スルタメ重要物資特ニ農産物並鉄類ノ

〔重〕豪雨デ西北援蔣路杜絶。

〔重〕上海法幣対米四弗八分七ノ新安値示現。

〔ソ斯〕ソ斯当局日ソ紛争説否定

〔米〕米援蔣用棉花一千万弗割当。

〔米〕資産凍結デ北支米人引揚ゲ開始。

〔英〕英・泰ニ新協定提議カ
英国ハ泰国ニ対シテ共同防衛ヲ提議シ泰国内ノ軍事基地ヲ提供セヨトノ

戦時価格ニツキ検討中成案ヲ得ルニ至リシタメ八日ノ閣議ニ提出意見ノ一致ヲ見十二日物価審議会ニ附議スルコトトナレリ。

〔日〕　佛印ノ現地各機関、外相権限下ニ統合、特命全権大使ガ統率（八日根本方針決定）

〔日〕　文部省学校報国団ヲ再編成適時出動ノ体制整備発令。

交換條件トシテ石油ソノ他ノ物資供給ノ外英領マレー・ビルマニ於ケル泰國失地ニ対シ好意的ナ考慮ヲ拂フ用意アル旨ヲ提議セリト信ゼラル。

〔英〕　泰國ヘノ軍事援助、英側、米國次第ト言明。

英國官辺ハ英國ハ泰國ヲ支持スルデアラウ然シ政治、経済的援助ト共ニ軍事的援助ヲ與ヘルカ否カハ米國ノ



〔泰〕　泰中立ヲ再声明

英軍侵略セバ断乎抵抗

泰國政府ハ八日重ネテ左ノ如キステートメントヲ発表セリ。

泰國ハ現在依然トシテ凡ユル國ニ対シテノ友好関係ヲ堅持シアリ。泰國ハ何レノ國ヨリ軍事的侵略ヲ受ケ様トモ之ヲ懼レルモノニ非ズ、中立維持ノタメ巳ムナキ

態度如何ニカヽリアリト語レリ。

〔英〕　英戦艦、泰ニ示威、修理ニ米國廻航ノ途上

英國戦艦ウオースパイト号ハ地中海ニ於テ大損傷ヲ受ケ修理ノタメシンガポールニ回航セルモ同地ニテハ充分ノ修理材料ヲ得ラレザルタメ七月十七日マニラ経由米國某港ニ向フ途次シヤム湾方面ヲ遊弋威嚇ノ示威運



ニ至レバ最後ノ血ノ一滴迄賭シテ戦フデアラウ。

〔日〕　計画局改編内務省ニ防空局設置。

〔國〕　中支軍、上海・無錫ノ方面工場國府ヘ返還七月以来ノ返還総数六一工場。

動ヲ行ヒシ模様ナリ。

〔米〕　対日包囲陣成立ハ日本自身ノ責任トハル長官言明。

ハル長官ハ八日新聞会見ニテ平和政策ヲ採ル國ハ包囲サルルガ如キコトナシ。日本ハ日本自身包囲サルル形勢ヲ作レリ。之ガ日本情報局側ノ対米非難ニ対スル答ヘデコレ以外ニナシト言明セリ。

〔ソ聯〕　ソ聯機、伯



八・九

陸軍航空部隊、韓城（陝西）ヲ爆撃

九日朝陸軍航空部隊ハ黄河沿岸ノ抗敵第一線陣地韓城ヲ急襲徹底的ニ潰滅全機無事帰還セリ。

又別ノ一隊ハ西安及咸陽ヲ攻撃セリ。

〔日〕　全船舶ヲ一手ニ掌握、海運臨戦態勢確立へ

逓信省ハ英米ノ対日包囲陣ニ対抗全船舶ヲ一手ニ掌握ソノ運用ヲ完備セシムルタメ具体案ヲ考察中ソノ大綱ヲ決定シタルヲ以テ近ク閣議ニ附議決定ノ筈。

〔独・佛〕　独佛提携更ニ緊密化

新軍事協定ノ調印、

〔重〕　重慶側テロニテ國府官傳紙在上海中華日報社全焼。

〔重〕　重慶ニ大暴風雨死傷三〇〇余名

〔重〕　上海法幣対英二片十六分十五対米四弗八分七ノ新安値示現。

林初空襲。

〔蘭〕　在上海和蘭領事館、在支和蘭・瑞西人ニ引揚勧告。

〔米〕　米、蘭印ヨリノ錫買付契約完了。

〔英〕〔米〕　チヤーチル首相トルーズヴエルト米大統領ノ会談内容ハ極秘ニ附サレアルモノツクス海相、スターク作戦部長、マーシヤル参謀総長、ウエルズ次官ノ所在モ不明ナルタメ

二三〇

ソ聯ニ対シ攻守同盟
九日スイスノヴェルン発特電ニヨレバ今回ドイツ政府トヴィシー政府トノ間ニ広範囲ニ亘ル新軍事協定が成立シ近ク正式調印セラルルト報ゼラレアリ。

会議ニ列席シ居ルニ非ズヤト思惟セラレソノ内容ハ、
一、英國ノドイツ背面攻撃ヲソ聯ノ要求及國内政治的情勢ヨリ敢行上陸作戦ノ冒険ヲナス必要ニ迫ラレアリ。
一、上陸地点ハノルウエイ、フインランド等ト云ハレアルモ米海空軍ノ協力ヲ絶対必要トスルコト。

二三一

等ニ就テト観測サレアリ。

〔米〕吃水線協定ヲ脱退
船舶不足緩和ノ苦肉策
九日ノ大統領令ヲ以テ米國ハ他ノ三六ケ國ト調印セル一九三〇年七月五日ノ國際吃水線協定ヲ非常時継続中一時脱退スル旨宣言セリ。

〔米〕米ノ対日経済圧迫
南米諸國ヲ抱キ込

二三二

ム
南米諸國ハ従来欧洲戦ニ対シ中立ヲ厳守シ来リタルモ最近ソノ中立ヲ親米的ニ修正自國ノ資産、経済上対日経済ノ悪化ハアメリカノ宣傳ト相俟テ次第ニ濃化シツツアリ。

〔英〕ダフ・クーパー声明書発表
（九日、ニユーヨーク）
東亜ノ英領統治、中央集権化スト・

二三三

八・一〇

陸軍航空部隊、同州（陝西）ヲ急襲
（十日発表）
陸軍航空部隊ハ十日同州ヲ攻撃市街枢要部ヲ爆砕セリ同地ノ敵大部隊ハ大混乱ニ陥ルヲ認メタリ。
海軍航空部隊、次覇（昆明西北）ヲ爆撃
海軍機ハ十日次覇兵工廠ヲ爆撃セリ。

〔枢軸國〕枢軸八ケ國会議開催カ
米ノ欧洲干渉ニ結束対應
独伊始メハンガリー・ルーマニア、ブルガリア、フインランド、スロバキア、クロアチアノ枢軸諸國ハ近来増大シツツアル米國ノ欧洲干渉ニ対應シココ二週間以内ニウイーン又ハ

〔重〕蒋介石ソ聯ニ五ケ條ノ軍事互助條約締結方提言。

〔米〕佛印在住米人総引揚開始。

〔米〕米、屑生糸ニ優先制施行。

〔米〕米國送油管新設計画。

八・一一

陸軍航空部隊重慶ヲ空襲
延安、宝鶏等陝西省一帯ノ敵重要據点ヲ痛爆中ナリシ陸軍航

ヴェネチアニ於テ欧洲枢軸國統一戦線確立ノタメハケ國会議ヲ開催スル模様ト言ハル。
（日）不急不用ノトラック制限。
（國）汪國府主席広東ヨリ南京帰来。
（國）華北炭増産協議会開催。
（日）株式最低價格ヲ公定、四勅令案要綱可決
総動員審議会第十七回総会ハ十一日

（重）上海市場ヘ出動、重慶ノ法幣安定資金
國民党宣傳部長王世杰ハ十一日新聞

（英・米・ソ）國共妥協ヲ斡旋
諸情報ヲ綜合スルニ國共問題ニ関シモスクワニ於テ英、

二三四

空部隊ハ十一日重慶西郊ハキロノ軍需工場地帯ニ突入敵ノ新設セル大兵工廠並ニ軍需品倉庫群ニ必中弾ヲ叩キツケ一挙潰滅セシメタリ。
海軍航空隊成都ヲ急襲二十一機ヲ粉砕
（十一日発表）
海軍航空隊ハ十一日長駆成都ヲ急襲所在ノ敵機ヲ捕捉殲滅シ合計二十一機ヲ粉砕セリ。
昆明西北モ猛爆
佛印ノ海軍航空機ハ

午後ヨリ開催四勅令案則チ
一、價格等統制令中改正ニ関スル勅令案要綱。
一、海運統制令中ニ関スル勅令案要綱。
一、株式價格ノ統制ニ関スル勅令案要綱。
一、会社所有株式評價ノ臨時措置ニ関スル勅令案要綱
ヲ附議原案通リ可決。


記者團トノ会見ノ席上重慶政権ハ上海市場ノ法幣ヲ安定セシムルコトニ決定セル旨発表注目ヲ惹ケリ。ソノ内容左ノ通リナリ。

政府ハ上海市場ノ法幣ヲ安定セシメルニ決定セリ、余ハ法幣安定資金委員会ハ政府ノ決定ヲ実行スルニ成功スルモノト信ズ、コノ目的ノタメニ必要ナル資金ハ既ニ動員サレアリ、

米、重慶ノ大使ハ会談ヲナシツツ斯ノ重慶、中共ニ対スル調停ノ忠告ニヨリ妥協ヲ策セントシツツアルモノノ如シ。
（米）一部主力艦犠牲ニ米建艦ヲ急グ
一九四四年ニ完成ト言明.
十一日米海軍ノスポークスマンハ右ノ如ク発表セリ。
（濠）新嘉坡ノ防衛ニ濠待機ノ姿勢ト
メンヂス首相声明

二三五

十一日昆明西北ノ軍需品倉庫ヲ猛爆セリ。

（独）独軍百万ヲ動員、ウクライナ戦線ヘ
アンカラ軍部筋ノ十一日情報ニヨレバ独軍ハウクライナ占領ヲ目指シキエフ南方ノ追撃戦ニ七十個師團百万名ヲ越ユル大兵力ヲ動員セリト云ハル。
（日）自転車、ラヂオ・時計、靴ノ修繕料並大工・左官畳職、植木職等ノ手間賃、旅館・下

委員会ノメムバーハ華人側ノ陳光甫、貝祖詒、席德懋、英國側、イー・エル・ホールパッチ、米國側エー・エム・フォックスノ五名ニシテ同委員会ハ早速工作ヲ開始スル予定ナリ。


（十一日）。

（英）香上銀行サイゴン支店信用状発行停止。

二三六

八・一二

海鷲、昆明ヲ再爆
（十二日発表）
海軍航空部隊ハ十二日昆明ヲ急襲
一、次覇兵工廠ニ対シ爆発ヲ起サシメタリ。
一、昆明西方三キロ

宿ノ宿泊料、劇場映画館等ノ入場料、クリーニング代等ニ家政婦派出料、ハ、一一ストップ令。

（國）華北為替管理規則実施。

（日）低物價＝増産策ヲ確立（物審総会）

情報局十二日発表、政府ハ本日ノ物價対策審議会ニ左記（議案第一）

低物價ト生産増

（重）欧亜航空公司重慶側デ接收
重慶側正言報特電ニヨレバ重慶ヲ中心トスル奥地各航路ヲ経営スル独支合弁ノ欧亜交通公司ハドイツト重慶

（エ）エ國正式ニ陳謝
デマ排斥、邦人圧迫停止ヲ確約
南米ペルー・エクアドル間國境紛争ニ関連シエクアドルガ日本ニ対シ悪

二三七

二三八

ノ地点ニ敵ガ密カニ隠蔽セル自動車溜並ニガソリン貯蔵所ヲ発見之ヲ爆撃ニ千米昇騰セルヲ確認セリ。

陸軍航空部隊雲安鎮ヲ空爆（十二日発表）陸軍航空隊ハ十二日四川省雲安鎮第二次爆撃ヲ敢行シ同地ノ製塩所及軍事施設ヲ爆砕炎上セシメタリ。


強トノ調整ニ関スル件。

（議案第二）米価対策ニ関スル件。

（議案第三）鉄鋼価格対策ニ関スル件。

ノ三案ヲ諮問シタルトコロ何レモ異議ナク可決セラレタリ。追ツテ議案第二ニ関シテハ農林省ニ於テ八月十四日開催ノ米穀統制委員会ニ之ガ具体的方策ヲ諮問ノ

政権ノ國交断絶ニ伴ヒ去ル八月一日ヨリ全部支那人側ノ経営ニ移サレタリト。

右会社ハ支那奥地ノ民間航空ヲ米支合弁ノ中國航空公司ト共ニ独占シアリ一九三三年國民政府交通部二百万元、独ルフトハンザ航空機会社百万元ノ共同出資ニヨリ創立セラレタルモノナリ。


質デマヲ放チタル件ニ関シ十二日柳井公使ヨリ外務省ニ公電アリタリ、則チペルー軍ニ邦人ガ加ハリアリタリトノデマハ誤認ニ基クモノナル旨ヲ認メ更ニ邦人工場ノ圧迫、邦船不法臨検等ニツキテハ実情ヲ調査ノ上適当ノ措置ヲ取ルモ取敢ズ陳謝セリ。

〔英〕英勅令ニ対日威嚇、和戦ハ日本次第

二三九

上決定スル筈ニシテ、又奨励金ノ交附又ハ政府買入價格引上ニヨル農村ノ收入増加額ニツキテハ之ガ浮動購買力トシテ作用セザル様特段ノ措置ヲ講ズル方針ナリ。
〔佛印〕佛印政廳全面的輸出禁止令発布。
〔泰〕米ノ軍事援助申入拒絶
泰國ヲ廻ル情勢ハ益々微妙化シツツアル所グラント駐

英官辺ハ（十二日）太平洋ニ於テ和戦何レヲ選ブカハ全ク日本次第ナリト言明シアリ。
〔英〕米参戦セズバ対独和平セン
英軍需相、米ニ要望説
十二日、米國下院議員ポール・シエファー、ショウト両名ハビーヴァブルック英軍需相ガ米國ノ参戦ヲ要望シ実現セザレバ対独和平ヲ講ズル旨

二四〇

泰米公使ハ去ル八日泰國政府ノ臨時閣議終了後ピブン首相ヲ訪問要談セルモソノ席上米公使ハ泰國ノ対日方針ヲ執拗ニ追及ノ上泰國ノ対日態度ヲ放棄スル様勧告セルモ（米國ノ泰國軍事援助ヲ含ム）ピブン首相ハ即座ニ右申入レヲ拒絶シタト傳ヘラル。

〔日〕定例閣議ニテ水害應急対策費トシテ農林省関係四

発表シ非常ナルセンセーションヲ起シアリ。

右ハ最モ信ズベキ筋ヨリノ情報ニヨレバ英軍需相ハ米当局ニ三十日以内ニ参戦セザレバト通告セリト傳ヘラル。

〔英〕佛印在住華僑並ニ英人女子引揚。

〔米〕米國ポルトガルノ資産凍結解除。

〔米〕生糸ノ買賣ヲ一元化。

二四一

八・一三

陸軍航空部隊、西安渭南・潼関ヲ急襲
十三日陸軍航空部隊ハ隴海線ノ要所西安・渭南・潼関ヲ急襲シ敵司令部等ヲ爆砕セリ。
海軍航空部隊、昆明市政府ヲ爆砕（十三日）。
陸軍航空隊辺東・帰州ヲ急襲（十三日）。

七万一千円支出決定。
〔日〕防諜協会全國ヘ防諜訓七則配布。
〔日〕余剰購買力ノ吸收ニ大増税ノ方針決定ス
大蔵省具体案ニ着手
右増税ハ十月ヨリ実施ノ意向ニテ初年度ハ最低一億二、三千万円平年度三億円ノ増收ヲ見込アリ。
〔満〕外人ノ旅行制

〔重〕蔣介石八、一三四周年記念日ニ当リ「太平洋防衛ノ書」発表。

〔重〕上海各所ニテ口頻発。


〔米〕海軍当局近ク軟式飛行船ヲ以テ大西・太平両岸反海外基地附近ノ哨戒開始発表。

〔米〕大統領令デ一部工員及労働者ノ一日八時間労働制停止。

〔日〕野村、ハル会談。

〔米〕駐泰米公使更

八・一四

海軍航空部隊、六日間ノ重慶猛爆約四十回、延機数一千
（十四日中支艦隊報道部発表）
中支海軍航空部隊ハ八月八日以来敵首都重慶ヲ連続猛爆ニ時間乃至五時間ノ間隔ヲ以テ実施本日午前十時迄約一五〇時間回数四〇回ニ亘リ参加延機数約一千ニ達セリ。
重慶市民ハ防空壕内ニテ慴伏シ英米ノ援助ニヨル空軍再建モソノ效果ノ片鱗ヲ認メザル状況ニシテ成都奇襲ニヨル二十一機撃墜ト共ニ甚大ナル成果ヲ収メツツアリ。

限。
〔満〕 関東州ニ機械化警察隊誕生。
〔満〕 クロアチア國郵便物取扱開始。
〔日〕 帝交ノ地下鉄買収問題円満妥結価格一億円。
〔日〕 佛印日本輸入同業会成立。
〔日〕 平沼國務大臣狙撃サレ負傷
（十四日検事局発表）
平沼國務大臣ハ私邸応接間ニ於テ対談中ノ西山直彦ノタメ拳銃ヲ以テ狙撃サレ頭部ニ軽傷ヲ負ヒタリ。
犯人ハ警戒員ニ逮捕セラレタリ。
〔日〕 奨励金ハ石当五円、買上價格一円引上ゲ。
米穀統制委員会答申。
政府ハ食糧増産ノ重大ナルニ鑑ミ増産達成ノタメ米價ノ割安ヲ是正スルコトトナリ十四日農相官邸ニ米穀統制委員会ヲ開催、左ノ答申ヲナセリ。
一、生産者ニ対スル奨励金（小作米ニ対シテモ交附）ハ石当リ五円トス。
二、政府ノ買入價格ハ現在ヨリ石当リ一円ノ引上ヲ行フ。
三、消費者ニ対スル賣渡價格ハ現行價格ニ据置ク。
則チ現行價格タル四三円ハ銘柄等級ノ整理ニヨリ改訂ヲ加ヘ併セテ最高價格石当リ五十円前後ニ相当スルコトトナレリ。
〔満〕 満洲國外人ノ旅行制限ヲ布告。

〔重〕 蔣、昆明ヘ。
昆明来電ニヨレバ蔣介石ハ十四日午後商震、周鐘岳ヲ帯同、飛行機ニテ昆明ニ到着直チニ何應欽、竜雲、万福麟、門麟徴等ヲ召集雲南防衛問題ニ関シ協議、会議ハ十五日モ続行ノ筈、両三日滞在ノ後帰還ノ予定。
〔重〕 陝西省主席蔣鼎文軍事委員会西安弁公廳代理熊斌公金百万元着服ニテ七月十九日罷免判明。

迭確定。
〔マレー〕 マレー対日資産凍結ヲ稍緩和。
〔米〕 米國両院聯資棉麦凍結案可決。
〔米〕 生糸輸出許可証取消。
〔米〕 紐育定期ゴム取引中止、錫定期取引モ制限。
〔英〕 英対日輸出ニ新規許可制
従来ノ発給無効ヲ発表
英商務省ハ十四日附ヲ以テ之迄発給セラレタル対日輸出許可証全部ヲ取消シ今後一切ノ対日輸出ニハ新規許可証ヲ要スル旨次ノ如ク発表セリ。
一、今後新規ニ許可ヲ受ケザル對日輸出ハ一切之ヲ禁止ス。
二、之迄発給セラレタル許可証ハ一切之ヲ無効トス。
三、本令ハ八月十五日以降実施セラレ日本及満洲ニモ適用セラル。
〔英〕 英米首脳会談内容
英・米両首脳部会談ノ結果十四日ソノ会談セル七日及両首脳ハ欧洲戦後ノ英、米両國ノ共通ノ目的ニ関シ八項目ニ亘ル共通宣言ヲ発表シ「ナチス独裁打倒シ達成ノ決意ヲ表明セリ
ソノ内容、
一、英米両國ハ領土其他ノ拡張ヲ認メザルコト。
二、領土的変更ヲ行ハザルコト。
三、戦敗國ノ意思ニ従ヒタル政府ヲ構成シ民主権ト独立トヲ恢復スルコト。
四、資源ノ平等権ヲ尊重スルコト。
五、両國ハ経済分野ニ於ケル確保ニ協力スルコト。
六、ナチスヲ絶対ニ打倒スルコト。
七、航海ノ自由ヲ得セシムルコト。
八、武力行使ノ放




海軍航空隊重慶ニ致命的爆撃
（十四日発表）
百数十回ニ亘ル晝夜連続ノ重慶爆撃ヲ敢行シ来リタル海軍航空部隊ハ本日全力ヲ挙ゲテ同市上空ニ殺到敵首都ニ致命的空爆ヲ加ヘタリ。
信陽北方ノ敵ヲ撃破
山東省ノ討伐戦果
（十四日）
七月二十四日ヨリ一斉ニ行動ヲ起セシ山東省討伐戦ハ本日迄ノ戦果左ノ如シ。
交戦回数　六
交戦兵力　二、二七五
遺棄死体　三四〇
捕　虜　三六
其他兵器多数ナリ。

二四六

八・一五

海軍航空隊下関（滇緬公路）初空襲、

〔日〕第三回事変生存者論功行賞発表、

〔重〕法幣安定資金委員会全体会議開

豪並ニ侵略国ノ軍備縮少。要約以上ノ如キモノナリ。尚東亜ニ関シテ言及シアラズ。〔米〕クヌードセン国防生産管理局長国防関係予算総額五〇〇億弗ニ達シ内契約済ノモノニ八五億弗ト公表。〔英〕ボンベイ石油ニ切符制施行。〔米〕北方ノ防備ニ関シ米陸軍長官強

二四七

（十五日発表）海軍航空部隊ハ滇緬ルートノ要衝昆明西方三百キロノ下関ヲ初空襲シ密集セル敵自動車群ニ全弾ヲ命中セシメタリ。陸軍航空部隊萬縣（四川）ヲ急襲、（十五日発表）

（陸軍）（十五日）殊勲甲四十一名。〔日〕外務次官ニ天羽英二。大橋外務次官ノ後任ハ前駐伊大使天羽英二氏ト決定十五日発令セラレタリ。〔日〕日泰公使館ヲ相互昇格。〔日〕兵庫県下ニ颱風、三〇〇名行方不明山陽線不通。〔日〕空爆保険実施論抬頭。〔日〕鴨緑江水電試

催。〔重〕毛澤東モスクワニ向フ。

調放送スチムソン陸軍長官ハ十五日米国陸軍将兵ニ対シラヂオ放送ヲ行ヒ北大西洋、北太平洋ノ海岸ニ或ハパナマ、南米ノ各地ニ戦フコトアルベキヲ常ニ覚悟セザルベカラザルヲ強調放送セリ。〔英〕大増援部隊、新嘉坡ニ到着英東亜軍当局ハ十五日開戦以来最大ノ豪洲増援部隊ガ

二四八

八・一六

陸軍航空隊、保寧ヲ痛爆（十六日発表）陸軍航空部隊ハ十六日四川省北部ノ要衝保寧ヲ急襲スルト共ニ老河口ノ軍需品倉庫郡及巫山附近ノ軍需品輸送船ヲ求メテ爆撃シ何レモ甚大ナル損害ヲ与ヘ全機無

運転開始。〔國〕國府公租公課ノ納付ヲ儲備券ニ限定。〔國〕國府機構改革十六日人事異動発表。汪主席ノ訪日後ノ國民政府部内ノ育成強化論ハ先ヅ行政機構ノ改革並ニ之ニ伴フ人事異動ヲ中心ニ行ハレ十六日中央政治委員

シンガポールニ到着セル旨発表セリ。〔米〕米國墨産水銀買上。〔ペルー〕ペルー輸出制限強化。〔米〕浦潮ルートヲ利用、英米援ソ実現ニ必死 英米ノ援ソルートハムルマンスクガレニングラード鉄道ノ危険ノタメ又ペルシヤ湾経由ハ輸送距離ノ関係ヨリ残ル太平洋ルー

二四九

事帰還セリ。

会会議ヲ開催発表セラレタリ。

一、趙正平、楊寿楣ヲ國民政府委員ニ

二、実業部長　梅思平
交通部長　丁默邨
教育部長　李聖五
司法部長　趙 松
水利委員会委員長　諸青来

三、行政院政務委員

ト而モ浦潮ルートニヨルモノト観測セラル。〔米〕米ノ対日経済圧迫、既ニ具体案ヲ用意、新設ノ経済国防局立案 去ル三十一日新設セラレタル米國経済国防局ノ使命ニ関シウオーレス長官ハ十六日同局ガ対日経済圧迫並ニド・ゴール派援助ニツキ具体案ヲ樹立シアル旨確言セ

傅式説、李士群、陳君慧、趙尊岳、等ナリ。結局従来ノ十四部ガ十部ニ統合吸収セラレタルモノナリ。

〔日〕坪上駐泰大使親任式

初代駐泰大使坪上貞二氏ノ親任式ハ十六日挙行セラレタリ。同時ニ二見公使ハ泰國出張被仰付ラレタリ。

〔日〕前田氏招待会

ルモ具体案ノ内容ハ言明ヲ避ケタリ対日経済圧迫ニ関シテハ米政府ハ既ニ何時タリトモ日本ノ通商ヲ完全ニ断絶スベキ手筈ヲ整ヘアリト見ラル。

二五〇

衆議院ノ前田米蔵氏ハ交渉團体結成ニツキ十六日午後一時半島田、内ケ崎、山崎外八十余名ヲ衆議院議長官舎ニ招待ソノ経緯並ニ協力ヲ求メタリ。

〔日〕原價計算要綱成ル

製鉄以下廿種ノ製造工業ニ適用各種準則ヲ立案中、來月下旬実施

政府ハ國家総動員法ノ発動ニヨリ

二五一

「製造工業原價計算要綱」ノ作製ヲ進メ居リシトコロ十六日ソノ「要綱草案」ノ形式ヲ以テ発表セリ。現在約二十種ニツキ立案中ニシテ早キモノハ来月下旬頃公布実施ノ運ビナリ。

〔日〕豊田外相奏上

豊田外相ハ十六日宮中ニ参内所管事項ニ付奏上御下問ニ奉答セリ。

〔泰〕セナ現公使昇

二五二

八・一七

海軍航空隊昆明ヲ連襲

十七日海軍航空部隊ハ敵南方ノ據点昆明市内及周辺飛行場ヲ急襲悠々全機帰還セリ。

陸軍航空部隊、大挙四川ヲ猛爆

格

泰國駐日初代大使ハ現公使ピヤ・シーセナ氏ヲ大使ニ昇格セシムルコトニ決定近ク発令ノ筈。

〔米〕対日討議ニ重点、ル大統領、ハル長官協議

ルーズヴェルト大統領ハハル長官ト十七日ホワイト・ハウスデ協議セルモ右ハ極東問題特ニ日本ノ情勢ニツ

二五三

八・一八

十七日陸軍航空部隊ハ四川省最大ノ製塩地タル自流井ニ対シ猛爆ヲ加ヘ又同縣市外並ニ帰州附近ノ軍需輸送船ヲ攻撃甚大ナル戦果ヲ收メタリ。同日午後同ジク陸軍航空部隊ハ東部巫山ヲ爆撃セリ。

太田・赤鹿両部隊ニ感状（大本営十八日発表）

浙東作戦ニ於テ偉功ヲ樹テタル左記部隊ニ対シサキニ軍司令官ヨリ感状ヲ授与セラレタルガ今般更ニ上聞ニ達セラレタリ。

感状

太田部隊

同配属部隊

赤鹿部隊

海軍航空部隊ハ劉街（安慶東方）ヲ急襲セリ。（中支報道部十八日発表）海軍江上飛行隊ハ十五日劉街十六日九華ヲ攻撃一三五師司令部並兵舎倉庫ヲ爆砕セリ。

畑総司令官清郷工作ヲ巡視

畑総司令官ハ十八日以来蘇州地区ニ於ケル清郷工作及上海方面ノ状況視察中ノトコロ本二十日帰寧セリ。

（二十日支那派遣軍報道部発表）

（日）海軍航空本部長更迭（十八日海軍省公表）

海軍航空本部長海軍中将井上成美ハ今回海上某要職ニ転ジ海軍中将澤本頼雄（現次官）兼ネテソノ後任ニ補セラレタリ。

（泰）泰・佛印國境確定事業開始

佛印・泰新國境確定事業ハ十八日朝日・泰・佛印三國間ノ打合セヲ終了セルヲ以テ二十一日サイゴン市役所内デ國境確定三國委員会ノ事業開始ヲ行フコトニ決定セリ。

（日）経済省ヨリ情報官、情報局拡充

臨戦体制ノ急速ナル確立ニ当リ刻下ノ急務トシテ國民生活経済部門ノ指導輿論展開ノタメ情報局ニ大蔵、農林、商工省並ニ企画院ヨリ各一名ノ勅任並ニ奏任情報官ヲ兼務セシムルコトトナレリ。

（日）比島邦人引揚グ

比島引揚ノ邦人約三七五名ハ十八日出帆ノフランス船ニテ上海ニ向ヘリ。何レモ婦女子ヲ主トシ自発的引揚ナリ。

（國）丁抹、南京政府ヲ承認シ十八日同國外相ヨリ除外交部長宛コノ旨通告シ来レリ同國ノ承認ニヨリ國府承認國ハ十一ケ國トナレリ。

（重）奥地ニ空軍基地、英米ソ協合作建設

重慶政府ヲ頤使スル英米側デハコノ程ソ聯ヲ抱キ込ミ支那辺疆ノ制空権ヲ握リ敗戦ソ聯ノ背後ヲ守ルタメ西康、甘粛・寧夏・陝西北部ニ十数ケ所ノ飛行基地ヲ開設スルコトニ協議纏リ差当リ西康省ノ分ハ米人技師ノ指導ニヨリ陝西北部ノモノハソ聯側ガ九月中旬着工スルコトニナレリト言ハレ今ヤ重慶政府ハ独ソ戦争ノ渦中ニ巻込ミ完全ニ英米・ソ側ノ軍事的一翼ヲ担当スルニ至レリ。

（重）法幣安定資金出動。

（重）重慶、外匯管理委員会成立ヲ発表。

イテ重大討議ガ行ハレソノ内容ハ日本ニ対スル経済圧迫ニツイテナサレタルモノナリト傳ヘラル。

（印度）印度対日輸出制限強化。

（英）英ソ通商條約成立

英対ソ千万磅融資、

（米）五千台ノ米製トラック蘭貢着

米ノ援蒋物資トラック五千台ハコノ程蘭貢ニ到着近ク組立テノ上昆明経由支那奥地ニ輸送セラルル見込ナリ。

（英）英首相帰京

ルーズヴェルト大統領ト歴史的洋上会見ヲ終ヘシチャーチル英首相ハ随員ト共ニ十八日英國ニ到着セル旨公式ニ発表セラレタリ。

（米）米政府我ガ動向注視

日本政府ニ申入説

日米関係ニ関シワシントンニテグルー駐日大使ガ日本政府ニ何等カノ申入レヲナセリトノ報道傳レリ。米國ノ援ソルートトシテ浦塩ニ物資輸送ノ際ノ日本ノ態度ヲ探ラントスルモノノ如シ。

（英・ソ）英、ソ期限附デ要求説

在イラン独人ノ退去拒絶セバイラン進駐

英ソ両國ハ十八日イラン政府ニ在住ドイツ人ノ退去ヲ要求シ期限附デ回答ヲ求メタリト今後四八時間即チ二二日朝迄ニ情勢ハ急展開ヲ見ルモノト予想サレイラン政府ガ英ソ両國ノ要求ヲ拒絶セバ両國軍隊ノイラン進駐ヲ見ルヤモ測ラレズ。滞在イランドイツ人ハ約三、〇〇〇名ナリ。

（濠）濠洲対日羊毛輸出一部許可。

二五四

二五五

二五六

二五七

八・一九

陸軍航空部隊、自流井、忠県爆撃
陸軍航空部隊ハ十九日第二次自流井ヲ爆撃敵兵工廠、マッチ、セメント工場、亜硫酸工場ニ痛烈ナル爆撃ヲ加ヘタリ。亦中支航空部隊ハ四川ノ要衝、忠県ヲ急襲セリ。

〔日〕海運管理要綱成ル。閣議決定（十九日）
特別法人ガ船舶運航、船員、造船モ強力管理
十九日ノ閣議ニ於テ海運管理要綱ヲ決定、戦時ニ於ケル船舶、船員、造船ヲ国家総動員法第十八條ニ基ク強力ナル特別法人ヲ設立シ運行セシメルコトトナリソノ要綱ヲ決定セリ。

〔日〕陸・海軍技術者ニ有功章
陸海軍ニテハ此度技術有功章ヲ制定（十九日官報告示）技術躍進ノタメ貢献セル、発明考案、研究等ヲナセル功労者ニ与ヘ名誉ヲ表彰スルコトトナレリ。

〔独〕独・伊・羅
ソ聯合軍ドニエプル西部制圧、東部戦線一斉進撃
独軍司令部ハ十九日特別発表ヲ行ヒ南部ウクライナ戦線ニ於テ聯合軍ハドニエプル河西部地域全部ヲ我ガ手中ニ収メタリト発表ス。

〔日〕大蔵省ニ経済研究室
初代室長荒木東大教授
大蔵省デハ先ニ閣議決定ヲ見タ財政金融基本方策要綱ニ基キ国家資力ノ概定及国家資金動員計画ノ設定等ニ必要ナル基本的研究ヲ行フタメ今同大蔵省理財局内ニ経済研究室ヲ設ケルコトトナリ東大教授荒木光太郎氏ガ初代室長ニ就クコトトナレリ。

〔日〕在米邦人引揚続ク
米国ノ資産凍結ニヨリ在留邦人ハ続々引揚ゲ桑港ニ便船ヲ待ツモノ既ニ二五〇名ニ達シコノ結果便船アリ次第帰国スル邦人数ハ一、三〇〇名以上ニ上ルモノト見ラ

〔重〕蒋ノ三国会談参加説否認
ソ聯当局答フ、蒋介石ガ三国会談ニ出席シ又現ニソノ軍事使節ガモスクワ訪問ノ準備中トノ質問ニ対シロゾフスキー情報局次官ハ三国会議自身ニヨリ明瞭ナリトコレヲ否認セリ。

〔重〕孫科訪ソカ
孫科ハ七月二十一日以来香港ニアルモ最近数回ニ亘リ重慶ヨリ招電アリ蒋介石ハモスクワノ英米・ソ蒋会議ニ代表トシテ出馬ヲ促シアルコト判明セリ。

〔重〕重慶副参謀総長程潜モスクワヘ飛ブ。

〔米〕米ノ油槽船団浦潮ヘ出発。
航空用ガソリン満載
米国ヨリノ対ソ援助用ガソリン油槽船ハ十八・十九日相前後シテ桑港ヲ出発セリ。
即チ米国油槽船三隻ソ聯ニ寄託シテ更ニ一隻ヘリツチモンドニ於テ四三九万三二百ガロンヲ搭載中ナリ。

〔英・蘭印〕
対日貿易対策ニ英蘭印諒解成立説
石油輸出許可蘭印自由意思留保。

〔比〕ケソン比大統領放送米ニ協力ヲ誓フ
十九日ケソン大統領ハ誕生日ニ際シ放送シ政治的、軍事的ニ米国ヘノ全面的協力ヲ誓ヘリ。

〔比〕反日放送開始
マニラ放送局ハ十九日午後六時ヨリ十分間第一回ノ日本語放送ヲ行ヒソノ内容ハ経済的ニ日本ノ国策ナル立場ヲ説キ猛烈ナル反日放送セリ。

〔ソ聯〕ソ聯対米金現送。

二五八

二五九

二六〇

二六一

八・二〇

海軍航空部隊広西ヲ猛襲
南支艦隊報道部二十日発表
海軍航空部隊ハ二十日柳州（広西省）及ソノ附近ノ貨車倉庫ヲ急襲又他ノ一隊ハ竜州（広西省）ヲ爆撃セリ。
岡村北支最高指揮官保定視察
岡村最高指揮官ハ軍状視察ノタメ二十日午前空路保定ニ赴キ麾下部隊ヲ視察午後帰還セリ。
塩城附近ノ残敵ヲ殲

ル。
〔日〕高松宮殿下奉戴。日伊協会総裁御就任ノ旨御聴許。
〔泰〕泰國内閣改造
泰國ハ十九日附ヲ以テ内閣改造ヲ行ヒト発表セリ。
〔日〕産組中央会機構改革。
〔日〕澄田・ドクー会談共同防衛全細目決定。
〔独〕独ドニエプル河以西ヲ完全占領
〔独〕独軍ハ二〇日ノヴゴロドノ近傍ニ達シレニングラードニ更ニ八〇キロ近接セルコトヲソ聯軍最高司令部モ確認セリ。
〔日〕小倉蔵相演説
全國金融協議会ニテ
小倉蔵相ハ二十日全國金融協議会役員会ニテ演説シ事業金融ニ重点ヲ置キ保身的態度ヲ捨テヨト要請セリ。
〔満〕満蒙國境確定成ル。

〔重〕〔丁〕重慶、丁抹國交断絶。
〔重〕上海法幣為替闇相場出現。

〔英〕香港政廳、対日輸出許可制布告。
〔英〕英在イラン独人ノ追放要求。

二六二

二六三

滅。
新四軍ノ本拠塩城ヲ確保セル我ガ軍ハ周辺一帯ノ残敵ヲ殲滅シ二十日迄ニ判明セル綜合戦果左ノ如シ。
敵遺棄死体　一、七〇〇
捕虜　一八〇
鹵獲品
軽機　一五
迫撃砲　一
小銃　五五四
其ノ他多数ナリ。

満洲國二十日発表。
康徳六年紛争アリタル北域ノ満蒙國境確定混成委員会コンミユニケ。
康徳六年紛争アリタル地域ノ満蒙國境確定混成委員会ノ現地作業ハ去ル六月二十七日着手サレ順調ニ進捗シ八月十五日完了セリ。
〔日・佛印〕澄田・ドクー会見、澄田少将ハ二十日午前官邸ニドクー總督ヲ訪問会談セリ。

八・二一

〔日〕興銀中心二十一行共同融資團ヲ結成。
〔満〕満洲國滞税断行ト決定。
〔日〕第四回支那事変生存者論功行賞発表、
陸軍殊勲　一、五一九
海軍　〃　二七
〔日〕日本加里塩販賣株式会社創立、
〔泰〕〔佛印〕泰・佛印國境劃定委員会開始サル。

〔米〕米國乗用自動車減産命令。
〔亜〕亜國金属類ノ輸出制限強化。

二六四

二六五

八・二二

〔國〕華北政務委員
会、セイロン・ケ
ニヤ・ウガンダ・
ビルマ・印度ヲ凍
結國ニ指定。
〔國〕華北省長会議
開催。
〔日〕産金政策ハ不
変、買上奨励金ヲ
継続。
〔日〕衆議院ノ新交
渉團体名「翼賛議
員同盟」ト名称。
〔日〕本多駐支大使
帰任。
〔満〕満洲國経済顧

〔米〕米、蟹肉ノ輸
入税率引上。
〔比〕マニラ湾ノ夜
間航行禁止

二六六

八・二三

向会議開催、
〔日〕矢野総領事督
促ス、香港邦人ノ
引揚許可。
矢野総領事ハ二二
日民政長官ニ宛公
文ヲ発スルト共ニ
二三日スミス長官
ヲ訪問邦人ノ引揚
ニツキ迅速許可ヲ
與ヘンコトヲ督促
セリ。
〔日〕木材ノ計畫生
産…森林組合聯合
会結成。
〔独〕独税制改正。

〔英〕英側法幣安定
資金委員ホール・
パッチ上海着。
〔米〕米テキサス石
油極東総社シンガ
ポール移転ト決定。
〔米〕米比島航路ニ
新配船。
〔米〕米不足原料ノ
使用制限。
〔米〕米・チリー産
金属買占計画。
〔伯〕伯、ゴムノ輸
出入統制。

二六七

八・二四

陸軍航空部隊、共産
軍ヲ猛爆
我ガ陸軍航空部隊ハ
地上部隊ト協力阜平
ヲ爆撃セシメタリ
（二四日）。

〔満〕満洲國増税率
決定。
〔國〕華北防共委員
会成立。
〔独〕独軍レニング
ラード包囲完成。

〔英〕英首相対日誹
謗ノ暴言
チャーチル首相ハ
二四日夜全世界ニ
向ケ放送支那事変
ヲ誹謗シ日本ニ対
スル英國ノ態度ニ
言及シ東亜ニ於ケ
ル英米協力ノ意図
ヲ明カニセリ。
〔英〕英、日米会談
ノ成行ヲ注視。
チャーチル首相ノ
二四日放送ニテ日
米交渉ノ事実ヲ明
カニシ若シ之ガ失
敗セル場合英國ハ

二六八

八・二五

皖北デ新四軍潰滅
安徽省北部北区泗縣
東北方ヲ粛清中ノ石

〔日〕陸軍大佐ニ御
進級
閑院若宮殿下（陸

〔重〕毛澤東露都へ
中國共産党ニテハ
近クモスクワニ朝

東亜政策ニ対シ全
然米國ニ味方シ之
ト行動ヲ共ニスル
旨ヲ言明シテ以来
日米外交ノ成行ヲ
注視シ二八日野村
大使ガル大統領、
ハル國務長官ト会
談セリトノ報道ニ
深甚ノ注目ヲ拂フ
ニ至レリ。
〔米〕米國製鋼作業
等新規準採用。
〔英〕〔ソ〕英ソイラ
ンニ侵入。
〔米〕ル大統領融資

二六九

川討伐隊ハ二十五日早朝ヨリ新四軍ヲ攻撃、敵遺棄死体一九四、捕虜三一其他多数ノ戦果ヲ挙ゲタリ。

陸軍航空部隊再ビ渭南爆撃

陸軍航空部隊ハ二十五日渭南ヲ再急襲多大ノ戦果ヲ挙ゲタリ。

河北省西部ノ剿共戦二十五日一斉ニ猛撃開始。

陸軍航空部隊、康家院ヲ爆撃

軍省二十五日発表）

陸軍中佐春仁王

任陸軍大佐

〔日〕畑総司令官視察談話発表

畑総司令官ハ清郷工作ノ状況ヲ視察セルモ二十五日記者團ト会見談話ノ形式ニテソノ所感ヲ発表セリ。

〔日〕石炭生産低能率社ニ罰金制適用。

〔國〕華北軍管理工場返還処理委員会成立。

〔日〕鴨緑江水電処

確ノ英米ソ三國軍事会談ニ党代表トシテ毛沢東其ノ他ヲ派遣スルコトトシ毛沢東ハ既ニ去ル十五日空路モスクワニ出発セリ。

〔重〕重慶、在中國資産凍結解除

重慶政権ハ資金ノ支那奥地移送奨励ノタメ中國内ノ内外人ノ外貨資産ハ中央銀行ヨリ凍結ヲ解除スルコトトナリ之ニ関スル弁法ヲ発令セリト傳

棉麦凍結案ヲ拒否。

〔加〕カナダ、麦類ニ輸出許可制。

二七〇

二五日石門西北五〇キロノ晋冀察辺区第二分軍区ノ本拠康家院ヲ爆砕セリ。

冀西作戦、最高潮ヘ。

北部太行山脈ニ蟠踞スル聶栄臻麾下四千ノ共産八路軍掃滅ノタメ行動ヲ起セル我ガ部隊ハ包囲、殲滅戦ヲ展開中ナリ。

総参謀長第一線視察

（二十五日午後五時発表）

後宮総参謀長ハ二二日以来漢口、信陽、應山、宜昌、荊門方

女送電開始。

〔満〕満洲國、ケニヤ・ウガンダヲ凍結国ニ指定。

ヘラル。

二七一

面第一線状況視察中ノトコロ本二五日南京ニ帰還セリ。

八・二六

封鎖ノ鉄環完成

晋察冀作戦共産軍四分五裂.

晋察冀辺区討伐軍ハ今ヤ五万ノ共産軍ヲ包囲二十六日現在河北、山西省境ニ亘リ二〇〇粁ニ連ル封鎖線ヲ完成セリ。

〔日〕軍需手形引受制実施

興銀ニ債務引受命令

大蔵省ニテハ今回短期資金ノ效果的ナ運用ヲ図ルタメ軍需手形引受制度ヲ実施シ日本興業銀行ニ対シ國家総動員法第十一條ニ基ク債務引受命令ヲ発動八月二十六

〔重〕福建政府主席陳儀罷免。

二六日ノ重慶政府行政院会議ハ福建省政府主席陳儀ヲ罷免シソノ後任トシテ劉建緒ヲ任命セリ。

〔重〕重慶チエコヲ承認

重慶来電ニヨレバ欧戦國チエコハサキニベネシュヲ首班

〔米〕米ノ新造船計画、予算十二億四千万ドル

海事委員会ハ十二億四千六百六十五万ドルノ新規予算ヲ以テ新造船計画ヲ開始五六六隻ノ建造ガ企図サレアリ。

〔米〕米軍事使節團ノ重慶派遣決定。

ルーズヴェルト大

二七二

日ヨリ之ヲ実施スルコトトナレリ。八・九月引受限度差当リ一億円。

〔日〕十五年度歳入超過五億八千万円余。

〔日〕共同融資團ノ規約決定。

トスル新政府ヲロンドンニ組織シ英米両國ハ既ニ之ヲ承認セルモ重慶政権モ二十六日之ヲ正式承認セルコトガ明トナレリ。

統領ハ二十六日駐米重慶大使胡適ト会見協議ノ結果マグルーダー代将ヲ首班トスル軍事使節團ヲ支那ヘ派遣スルニ決セリ. 右ハ支那ノ必要トスル軍需資材ヲ調査スルノミナラズ蒋介石軍ノ戦略的状況ニ就テモ検討スルモノデアル。

〔英〕油田地帯殆ンド奪取

英軍発表イラン軍抵抗弱シ

二七三

八・二七

陸軍航空部隊延安空襲
二七日陸軍航空部隊ハ大挙延安ヲ空襲全機無事帰還セリ。

〔仏〕ラヴァル氏狙撃セラル
二七日フランス元首相ラヴァル氏ハ反共義勇軍結成式ニ於テ狙撃セラレ負傷セリ。

〔日〕野村大使・ハル会談
二七日野村大使ハ当面ノ問題ニ付ハル国務長官ト会談セリ。

〔日〕軍需物資ノ近海通過、帝国、重大関心表明
関係両国ヘ申入レソ聯援助ノタメウラヂオストック経由運輸セラルル航空用ガソリンニ関シテハ日本国民ハ多大ナル関心ヲ有シ、コノ旨関係両国ニ申入レヲ行ヒタリ。

二七四

シムラ英軍司令部ハ英軍ハ三方面ヨリイランヘ進入シ油田地帯ヲ殆ンド占領セル旨発表セリ。

〔米〕米、全面的輸出統制令布告。

〔蘭〕蘭印経済相英米追随ヲ声明。

〔米〕米海軍支出額新記録
ノックス米海相ハ二七日新聞記者団トノ会見デ左ノ如ク述ベタリ。
一九四一年会計年度ノ米海軍支出額ハ総計二一億九六万ドルニ達シ従来ノ海軍支出額ノ中最大ノモノノ一ツトナレリ尚コノ額ハ前大戦中ノ一九一七年四月ヨリ一八年六月ニ至ル期間ノ海軍総購入額ノ四倍ニ当リ居レリ。

二七五

〔蘭〕蘭印ノ輸入統制
中央機関設立ヲ発表

〔日〕第五回生存者行賞発表。
中殊勲甲五四名。

〔日〕紡績ブロックノ再編成、存続工場ヲ五割以内ニ縮減。

〔日〕九地区配電会社設立委員長決定。

二七六

経済省ファン・モーク長官ハ二七日輸入ヲ一元的ニ統制スベキ中央機関ノ設立ニ関スル布告ヲ発セリ。
該機関ハ輸入ノ杜絶セル日本商品ニ代ルモノヲ可及的速カニ亦廉価ニ輸入スルコトヲ目的トセルモノナリ。

〔豪〕豪政局依然危機
豪洲労働党ハ二六日メンデス首相ノ挙国一致内閣ヲ拒否、メンヂス内閣ノ総辞職ヲ要求セルモ二七日メンヂス首相ハ労働党ニ政権ヲ移スコトヲ拒絶セリ、タメニ英戦時内閣ニ入ルコトニ失敗、挙国一致内閣組織ニモ失敗シ政局ハ依然危機状況ニアル。

〔イラン〕イラン内閣総辞職。

〔米〕米国全油槽船ヲ国家管理。

二七七

八・二八

共匪ノ根城ヲ覆潰シ

〔日〕海軍報道部、

〔重〕重慶使節団蘭

〔イラン〕イラン遂

晋察冀作戦敵屍四七〇
晋察冀作戦ハ順調ニ進捗シ二八日午後東竜門荘ヲ無血占領附近一帯ヲ掃蕩セリ。二八日迄ニ判明セル戦果左ノ如シ。
敵遺棄死体　四七八
捕虜　六六
鹵獲品
軽機　一二五
重機　五
其他多数。
湖北、江西掃蕩。
陸軍航空部隊、宝鶏、鳳翔猛襲

ABCD包囲陣ノ正体放送
八月二八日大本営海軍報道部ハABCD包囲軍ノ兵力ト題シテ富永少佐ヲシテソノ正体ヲ放送セシメ艦艇二〇〇余隻、空軍一、二五〇機陸軍二五万ヲ擁スト指摘セリ。
〔日〕野村大使・ルーズヴェルト大統領ト会見
野村大使ハ二十八日ルーズヴェルト大統領ヲホワイト

貢へ。
蒋夢麟ヲ團長トシ曽養甫ヲ副團長トスル重慶ノビルマ訪問使節團一行ハ二八日朝飛行機デ重慶発昆明経由、ラングーンニ向ヘリ。

ニ英ソニ屈服
イラン新政府ハ二十八日英ソ両軍ニ対スル抗戦ヲ停止スルニ決定セリ。
〔米〕米海軍次官補任命
ルーズヴェルト大統領ハ二八日アーチマス・L・ケーツ氏ヲ海軍次官補ニ任命セリ。
〔米〕米、國防資材優先割当局新設。

二七八

二八日陸軍航空部隊ハ陝西省宝鶏及鳳翔ヲ急襲多大ノ戦果ヲ挙ゲタリ。

ハウスニ訪問会談ヲ行フ予定ナリ。
〔日〕帝國石油株式会社正副総裁決定、二十八日総裁ハ田嘉明、副総裁寺座進ニ決定。
〔日〕日本債昂騰
横浜正金ロンドン支店長ノ英大蔵省英蘭銀行等ニ対スル日本ノ英貨公債支拂用資金ハ凍結セズトノ言明ニヨリ二八日ノ英貨公債右銘柄ヲ中心ニ一斉一－二ポイント

二七九

方昂騰、東京市債三ポンド、五分利債公債ニ四ポンドトサレリ。
〔日〕日本公債暴騰。
英米市場ニテ
ロンドン証券市場ニテモ野村・ルーズヴェルト会談ヲ反映シ、英貨公債五半ハ五ポンド方急騰シテ三二ポンドト先月中旬以来ノ高値ニ躍進シソノ他ノ日本公社債モ二ポンド乃至四ポンド半方昂騰セ

二八〇

八・二九

陸軍航空部隊、四川、陝西急襲
広元、保寧、南鄭ニ巨弾
陸軍航空部隊ハ二九日三隊ニ分レ前記諸地ヲ爆撃多大ノ戦果ヲ挙ゲタリ。
又一隊ハ悪天候ヲ冒シ與北湖北省北西部老河口ノ敵基地ヲ再度爆撃セリ。

リ。
〔日〕内容充実会社ノ配当制限ヲ緩和。
〔日〕太平洋問題ノ所信、野村大使米ニ傳達
首相覚書、大統領ニ手交（情報局二九日午後発表）
本月二八日野村大使ハ米國大統領ヲ訪問シ現下ノ國際情勢ニ鑑ミ日米両國間ニ懸案デアル太平洋問題ニツキ帝國ノ所信ヲ近衛

〔重〕重慶側参政会来月十日招集
八月下旬招集予定ノ第二次國民参政会第二次大会ハ我陸海空軍ノ間断ナキ重慶爆撃ニヨリ一時無期延期トナリアリタルガ政府当局ハ九月十日ヲ期シ同大会ヲ招集スルニ決定各方面参政員ニ対シ出席

〔比〕比島ニ閣僚補充
比島政府ハ一部改造ニヨル財務長官、内務長官ノ補充ヲ二九日行ヘリ。
〔豪〕豪首相、辞表ヲ提出
メンチス豪洲首相ハ二九日朝豪洲総督ゴーリー卿ト会見辞表ヲ提出次期内閣ノ首相トシテ

二八一

総理大臣ノメッセ
ージトシテ手交シ
マシタト発表セリ。
〔日〕 米ノ銘柄等級
整理、格差委員会
デ方針決定
二九日格差委員会
ハ昭和十六年度以
降産米ニ適用スル
銘柄、格差ノ基本
方針ヲ決定則チ五
四銘柄五四階級ト
スルモノナリ。
〔日〕 自給圏資材ヲ
活用、十六年度生
産拡充計画決定
二九日ノ閣議ニ昭

督促電報ヲ発セリ。
〔重〕 重慶華僑義勇
軍編成ヲ計画
英政府ニ申入レ
重慶来電ニヨレバ
國防最高委員会ハ
コノ程カー駐支英
大使ヲ通ジイギリ
ス政府ニ華僑義勇
軍二五万ノ編成方
ヲ申入レタリト。
〔重〕 陳光甫等渡米
重慶法幣安定委員
会委員陳光甫同米
國委員フオックス
及財政部顧問リン
チノ三名ハ二九日

ファツデン蔵相ヲ
推薦セリ。
〔香港〕 香港警察不
法ノ足留ス。
離港邦人ヲ圧迫。
〔蘭印〕 蘭印アンボ
イナ島ニ暴動
土人生活難来ニ喘
キ華僑ヲ掠奪、凍
結ノ祟リ拡大形勢。
〔印度〕 印棉対日輸
出量、昨年度実績
限度
インド政廳ハ日本
向各月棉花輸出量
ノ最高限度ヲ昨年
度一年分実績ノ十



和十六年度生産拡
充計画ヲ附議。
(一) 重要國防資源
ノ自給自足体制
ノ確立促進。
(二) 本年度物動計
画ニ於ケル供給
力ノ確保。
ノ二点ヲ主眼トシ
自給圏内ノ現有設
備資材ヲ最高度ニ
活用スルコトニヨ
リ自主的ニ生産ノ
飛躍的増強ヲ図ラ
ントスルモノナリ。
〔日〕 労務緊急対策
決ル

香港ヨリマニラニ
到着二十一日米國
ニ向フ筈ナリ。
〔重〕 反日華僑追放
カンボジヤ州理事
長官ハショロンヲ
中心トスル反日華
僑ニ対シ二九日印
度支那及広州湾領
土地区カラ追放令
ヲ発セリ。
〔重〕 重慶・カナダ
外交使節團交換ヲ
発表。

二分ノ一迄許可ス
ルコトニナリシ旨
傳ヘ居リ。
〔米〕 米首脳協議
近衛首相ノメッセ
ージヲ契機トスル
日米関係ニ関シ米
首脳部ハ協議中ニ
シテ九月一日ニ大
統領ハ演説スル予
定ナリ。

八・二九



二九日ノ定例閣議
ニ於テ労務緊急対
策ニ関スル要綱ヲ
附議正式ニ決定セ
リ。
而シテ近ク勅令制
定セラルル筈。
〔日〕 稲作近畿以西
ハ並作、全國的ニ
相当挽回
十五日現在当局発
徴制デ発表、
本年度稲作状況ニ
付二九日閣議ニ於
テ井野農相ヨリ報
告アリ同日午後四

〔米〕 米國、油脂類
ノ思惑取引ヲ禁止。



時農林当局ヨリ発
表ス近畿以西ハ並
作全國的ニ相当挽
回シツツアリ朝鮮
ハ平年作確実、台
湾一期作ハヤヤ減
少ト発表セリ。
〔日〕 豊田外相奏上
（二九日午後四時）
〔日〕 海務院ノ創設
内定
営船局ヲ解消統合
（二九日閣議）
〔日〕 労務院設置
統制ノ強化ニ対應
（二九日閣議決定）
〔独・伊〕 独・伊両

巨頭戦線デ会見、徹底勝利ヘ邁進
ヒットラー総統トムッソリーニ伊首相ハ二十五日ヨリ二九日ノ間ニ東部戦線総統大本営ニ於テ重要会談ヲ遂ゲタリ。
右ノ結果枢軸ハ飽迄戦争ノ徹底的勝利ヲ獲得スル迄協力邁進、欧洲新秩序建設ニ進ムコトニ完全ニ意見一致ヲ見タリ。

二八六

八・三〇

陸軍航空部隊、重慶及周辺爆撃
陸軍航空部隊ハ三十日重慶及其周辺ヲ空襲全機無事帰還セリ。又同日綏定、資陽ヲ爆撃セリ。
陸軍航空部隊、三次ニ亘リ重慶爆撃（三十日）。
海軍航空部隊、第二九次重慶爆撃ヲ敢行重要軍事施設ヲ粉砕セリ。

〔日〕工場・事業場ヲ主ニ金属特別回収勅令三〇日公布、九月一日実施。
〔日〕会社所有株式評価臨時措置令公布実施（三十日）
〔日〕配電統制令（三〇日公布即日施行）
〔日〕重要産業團体令（三〇日官報公布九月一日実施）
〔日〕若杉公使（駐米）三十日帰朝

〔重〕法幣安定委員陳光甫、フオックス重慶経済顧問リンチ米國ニ向フ。

〔英〕〔米〕〔重〕英・米・蒋マニラ会議開催説
〔米〕米、対日石油供給縮減説。
〔ソ聯〕ヴイヴオルグ陥落
〔印度〕印度綿ノ対日輸出割当カ。

二八七

八・三一

陸海航空部隊共同作戦奥地ヲ爆撃
陸軍航空部隊ハ海軍航空部隊ト呼應シ三一日重慶・蘭州・涼州・天水・南鄭・梁山等ノ各地区及其ノ周辺ノ飛行場軍事施設ヲ爆砕セリ。又別ニ海軍ハ成都、西昌ヲ爆砕セリ。

〔日〕澄田中将帰還ノ途ニツク。

〔ソ〕〔芬〕ソ芬単独媾和説、独、芬当局ハ否定。

二八八

九・一

陸軍航空部隊重慶ヲ連爆
去月三十、三十一重慶ヲ爆撃セル陸軍航空部隊ハ一日三度連続三日間重慶ヲ猛爆セリ。
又一隊ハ重慶南方八キロ大渡口ノ鉄工場及老河口ノ軍事施設ヲ爆砕セリ、
海南島ノ粛清進捗
海軍報道部戦果ヲ発表（九月一日）
畑總司令官
岡村北支軍最高指揮官北支蒙疆視察

〔日〕海軍異動
少將　伊藤整一　補軍令部次長
少將　河瀬四郎　補水雷學校長
大佐　堀内茂忠　命海軍佛印派遣委員長
〔日〕初ノ兵務部長会議開催
陸相軍官民ノ一致力説。
〔日〕靖國神社臨時大祭
委員長決定
陸軍大將　西尾壽造　臨時大祭委員長
〔日〕馬淵陸軍報道

〔重〕修正非常時期禁止輸入弁法公布

〔米〕ル大統領独打倒強調
勞働祭デ和平反対演説対日問題ヲ避ク。
〔米〕東亜ヘ外國油槽船デ輸送ル大統領認可
ルーズヴエルト大統領ハ一日附ノ大統領令ヲモツテ東西方面ノ守備ニ當ツテヰル米國軍隊ニ石油並ニガソリンヲ輸送スルタメ外國ノ油槽船ヲ使用スルコトヲ認可

二八九

去月二七日以来軍状ヲ視察中三十一日、岡村指揮官ハ二十八日ヨリ視察中一日帰還セリ。

画期的成果ヲ挙グ

北支ノ治安強化運動

八月中ニ於ケル北支軍ノ治安粛清建設概況一日発表。

五ツ包囲圏形成

破竹ノ猛撃続行晋察冀作戦綜合戦局。

部長祖國防衛ノ覚悟要望放送。

（全国中継）

〔日〕海軍異動追加

海軍中将　坂本伊久太

補鎮海要港部司令官

〔日〕澄田中将帝都着。

〔日〕〔満〕〔國〕日満支貿易連絡会議

企画院ニテハ本年度満支貿易計画ノ再建確立ヲ行フコトトナリ來ル二四日ヨリ六日間日満支貿易連絡会議ヲ開催スル。

セリ。

〔米〕米人飛行士五十名東亜ニ向フ

一日ホノルルヲ経テ東亜ニ向ツタ一汽船ニ南支及ビルマ行キノ米人飛行士五十名ガ来船シアリ義勇隊員トシテ應募セルモノナリ。

二九〇

〔独〕日本ノ対米態度

三國同盟ニ立脚

近衛首相ノルーズヴエルト大統領ニ対スルメツセーヂト日独伊三國同盟トノ関係如何トノ質問ニ対シ一日ドイツ外務省ノシユミツト情報部長ハ左ノ如ク見解ヲ披瀝セリ。

日本政府ノ聲明ニモ再三アル如ク日本ノ外交方針ハスベテ三國同盟條約

二九一

ノ基礎ノ上ニ置カレテヰル日米ノ関係ニモコノ根本原則ヲ疑ハシメル様ナ徴候ハ何ラ現レテヰナイ只コノ根本方針ヲ如何ナル方法デ実現シテ行クカハ日本自ラ決定スベキコトデアル。

〔日〕南京大使館

陣容整備

南京ノ日本大使館ハ機構ノ整備擴充ヲ行ヒ一日ヨリ新機構ニヨル事務ヲ

二九二

開始セリ。

〔日〕坪上大使福岡出発。

〔日〕産業再編成促進ニ戦時金融会社案工政会政府ニ建議。

〔満〕満鉄ノ旅客運賃

一律ニ約二割値上ゲ十月一日ヨリ実施ノコトニ一日発表。

〔日〕末次中央協力会議議長辞表提出。

〔独〕中途半端ナ和平.

二九三

九・二

晋察冀作戦戦果莫大
赤色辺区内ノ共産軍ハ全ク潰滅ノ状態トナリ居ルモ去ル八月十五日ノ行動開始以来同三十一日迄ノ冀中方面綜合戦果次ノ通リ。
遺棄死体　九五〇

到底有リ得ズト欧洲大戦二周年独當局言明ス。
[國]　上海、南京夜行列車復活ス。
[満]　満洲國増税断行。
[日]　第六回生存者論功行賞発表
殊勲甲五一名。
[日]　近海ノ自衛権発動等興亜同盟強硬進言。
米ノ対日策容認出来ズ。
[日]　翼賛議員同盟

[重]　蔣ヘ四要求国共相剋続ク
重慶側ノ国共相剋ハ益益激化シツツアルモ中共政治局ハ最近重慶側ニ次ノ如キ四項目ノ要求ヲ提出セリ。
一、内政改革ノタ

[米]　米、対日問題ニ慎重
ルーズヴエルト大統領及ハル国務長官何レモ明答ヲ避ク（二日）。
[米]　馬渕大佐ノ放送ヲ米紙重視
馬渕陸軍報道部長

二九四

捕虜　四五三
鹵獲山砲　二
迫撃砲　一二
重機　七
小銃　四五〇
手榴弾　七、七二五
尚外ニ小麦三万石、綿布三万反、馬五三〇頭、牛一八〇頭、山羊五〇〇頭ナリ。
敵根拠点阜平ヲ猛攻
二日我ガ部隊ハ敵ノ根拠点五千ノ共匪ノ蟠踞スル阜平ヘ猛攻ヲ開始セリ
武漢、周辺ノ敵慴伏
八月中支軍綜合戦

創立サル
参加議員三二六名。
[日]　農相、稲作視察報告
井野農相ハ二日ノ閣議デ稲作視察状況ヲ報告大体平年作程度ニシテ心配ナシト報告セリ。
[日]　小山衆議院議長辞意ヲ表明
（次期議会直前ニ勇退カ）
[日]　興亜院会議開催。
[泰]　世界ノ平和
泰國外務大臣輔佐

メ即時民主政治ヲ実現シ不正官吏ノ弾動権ヲ民衆ニ移セ。
二、共産党及其他愛国分子ノ検挙ヲ速カニ停止シカツソノ合法的活動ヲ認容スルトトモニ新四軍ノ解散命令ヲ撤回シ以テ各党各派ノ団結ヲ加強セヨ。
三、経済及社会政策トシテ私有財産ヲ保護スルト

ノ一日夜ノ放送演説ハ米國各地ニテ最重要記事トシテ取扱ハレ特ニ左ノ二点ヲ重視シアリ
一、包囲陣打破ノタメ必要ナラバ一戦ヲ辞セザル決意アル旨警告シアルコト。
二、然シ同時ニ大佐ハ外交的努力ガ今尚続ケラレテヰル旨併指摘シ居ルコト。
[米]　援ソ油槽船続々出港

二九五

況（九月二日発表）
交戦回数　一三六
出撃　九六
敵出撃　四〇
遺棄死体　一六、六三九
捕虜　八〇四
鹵獲品重軽機　一八〇
小銃　一、六九九
其他多数
敵本拠阜平ヲ占領
晋察冀辺区ノ共匪掃蕩戦（二日）

提唱。
[満]　重点産業ハ八種
満洲國第二次五ケ年計画基本要綱決定（二日政府火曜会議決定）。
[独]　レニングラード外郭ヘ独軍ノ先鋒突入ス（二日）。

共ニ労働者階級ノ生活圧迫ヲ軽減セヨ又全國ノ糧食ノ配給ヲ均衡ナラシメ物価ノ昂騰ヲ抑圧シ以テ國民生活ノ安定ヲ計レ。
四、兵役制度ヲ改革シ不正兵役免除、強圧、虐待等ノ諸弊害ヲ除去セヨ。
[重]　将軍捕虜調べ
去ル八月日本軍ガ将官数名ヲ含ム将校下士官、兵二千

援ソ油槽船ハサンピドロ、リッチモンド等ヨリ続々出港ノ準備中ナリ。
[米]　米、ア群島ニ空軍基地建設
米海軍ハ過般来アラスカ方面ノ軍備充実ヲ急ギツツアリシモアリユーシヤン群島ノ東端ウナラス島ノ海軍航空基地ノ建設ヲ了リ二日開場新司令官ノ着任ヲ見タリ。

二九六

名ノ捕虜ヲ調査セル結果
(一)　一個師ハ約九千名ニテ非戦闘員タル政治指導員、特殊工作員ガ三割ヲ占メ何レモ重慶中央軍事委員会直系ノタメ独立行動ヲトリ居レリ。
(二)　蔣介石ノタメ一死報国ヲ誓フモノ四分一厘、欲セザルモノ九割五分九厘。
(三)　抗戦最後ノ勝

二九七

利ヲ確信スルモノハ八分、敗地ヲ信ズルモノ九割、不明ナルモノ二分。

(四) 日本ヲ信ズルモノ二割七分四厘、アメリカ二割一分四厘、イギリス三分六厘、ソ聯六厘。

(五) 国共合作ガ抗戰ニ有利ト信ズルモノ四分七厘、不利ト信ズルモノ九割四分、不明一分三厘。

二九八

九・三

福州攻略部隊漸進任務ヲ果シ乗船完了

（九月三日正午発表）

援蔣路ノ覆滅ヲ期シ副州方面ニ作戰中ナリシ部隊ハソノ目的ヲ完全ニ達シタルヲ

〔日〕第七回生存者論功行賞発表（海軍四回）

殊勲四十九名。

〔日〕産業団体令ノ運営ニ挺身協力ヲ申合セ

翼賛会主催官民懇談会（三日開催）。

(六) 国共合作ノ永続性ヲ信ズルモノハ皆無。

〔重〕米軍事顧問重慶着。

〔重〕在上海濠洲商務館閉鎖。

〔重〕楽西公路完成ビルマ路ト連絡

重慶来電ニヨレバ重慶政府ハ四川省ヨリ西康省経由ビルマルートニ通ズル公路建設ヲ着工中ナリシモソノ一部分タル四川省楽

〔比〕比巡警隊、米ニ編入

八月十五日ニハ航空隊九月一日ニハ陸軍部隊ト比島軍ハ続々米東亜軍ニ編入サレツツアルモ四週間以内ニ比島巡警隊中三個聯

二九九

以テ陸海軍緊密ナル共同ノモトニ何等敵ノ妨害ヲ受クルコトナク本三日乗船ヲ完了シ対支作戰上必要ナル他ノ方面ニ向ヒ転進セリ

尚転進ハ完了セルモ封鎖艦隊ノ一部ハ引続キ福州方面ニ対シ厳重ナル封鎖ヲ続行中ナリ。

海軍航空部隊

福州附近ヲ爆撃

（二、三両日）

〔日〕水産新体制ノ整備

政府独自ニ強行、中央統制会社設立カ。

〔泰〕海空路最高司令

ピブン首相就任。

〔日〕石炭指定仲買団共同購入実施ヘ

燃料局長官要綱通牒。

山（嘉定）ヨリ西康省西昌ニ至ル楽西公路五二五キロガコノ程完成セリ

コノ公路ハ山嶽地帯ヲ通ズル難工事ニシテ既ニ犠牲者数千名ヲ出セリト。

三〇〇

隊四千人モ米陸軍ニ加ヘラルルコトトナレリ

〔米〕英米ソ・モスクワ会談

米側代表五名決ル

ルーズヴエルト大統領ハ対ソ軍需物資援助ニ関スル英米ツ三国モスクワ会談ニ参加スベキ米国使節トシテ三日朝左ノ五氏ヲ発表セリ。

使節団長ハリマン

（ロンドン駐劄武器貸与促進官）

団員バーンズ少尉

（武器貸与計画局書記官）

プレット少将

（陸軍航空兵団長）

スタンドレー提督

（前海軍作戰部長）

〔米〕艦艇二一三隻年初以来竣工ス

米両洋艦隊建造状況

米海軍省ハ三日本年初頭以来竣工ノモノ二一三隻、龍骨据置ヲ終了セルモノ四三六隻ト発表セリ。

三〇一

九・四

他方面ニ轉進中
我ガ福州方面撤退部隊（南支軍四日発表）
我ガ福州方面撤退部隊ハ予定ノ計画ニ基キ昨三日午後福建沖ニ集結ヲ完了目下〇〇方面ニ転進中ナリ
陸軍航空部隊
陝西ノ要地爆撃

〔日〕帝国石油免税令四日公布
大蔵省ニテハ帝国石油会社第二九條ノ規定ニヨル法人税及営業税ノ免除ニ関スル省令ヲ四日附ヲ以テ公布即日実施期間ハ十ケ

三〇二

〔英〕枢軸側八千二〇機
英国側三千八九機
英空軍省発表開戦来ノ空軍損失。
（三日発表）
〔英〕モスクワ会談
英代表ハ軍需相英政府筋確認。
〔英〕大陸派遣ニ英百万動員説
四日デーリー・ヘラルド紙ハ英政府ガ百万ノ兵員ヲ新ニ徴集スル筈ニテ之ハ欧洲大陸ニ派

〔日〕坪上駐泰大使着任。

〔国〕上海金塊取引再開。

三〇四

平洋ノ佛領防備
ドゴール政権ノ要人ダルゼンリユー海軍大佐ホカ二名ハロンドンヨリニユーヨーク経由サンジエゴニ飛来、同軍港ニ一週間待機シヰタルフランス駆逐艦ル・トリオンフ・ドフランス号ニ便乗近クニユーカレドニアニユーヘブリデス・タヒチ等南太平洋佛領土ノ防衛強化ノタメ同方面ニ赴

陸軍航空部隊ハ四日陝西省韓城ヲ攻撃、全機無事帰還セリ。

年トナリ居レリ
〔日〕・同志的団結ニヨリ翼賛壮年団ヲ結成
基本要綱正式決定
（四日定例総務会）
〔芬〕フインランド
軍司令部ハ四日芬蘭軍ガ旧芬領全地点ニ到達セル旨発表セリ
〔一　ノ戦時対策
臨戦法可決
（四日）
国議会

三〇三

遣ノタメト暗示サレアリ。
〔米〕米艦、氷島沖デ襲ハル
四日米海軍省発表ニヨレバ米駆逐艦グリーア号（一〇九〇トン）ハ、アイスランドヘ航行ノ途中国籍不明ノ一潜水艦ニヨリ魚雷ヲ受ケタルモ損害ナシ。
地点ノ発表ナシ攻撃ハ四日朝行ハレタルモノナリ
〔佛・ドゴール〕太

三〇五

クコトトナレルモコハド・ゴール派ノ対日包囲陣ニ加ハラントシヰルコトヲ示スモノトシテ注目セラル。

〔比〕〔蘭〕比島・蘭印間空路マニラ・バタビヤ間ノ航空路ハ愈々近ク開始セラル予定。

〔ソ聯〕赤軍レニングラード防衛ニ大増強。

〔米〕米軍用機引渡数発表
米国国防生産管理

三〇六

局ハ四日八月中ノ飛行機引渡状況ヲ次ノ如ク発表セリ。八月中ノ軍用機引渡数ハ一、八五四台、七月ヨリ三九四台ノ増ニシテ本年ノ最高記録ナリ。

[独][ソ]　キエフ大攻防戦

四日報道ニヨレバ独ソ両軍ハキエフ大攻防戦展開中ト報ゼラル。

[米][比]　比、米ノ経済援助確保策成ル

三〇七

米政府ノ対比援助ニツイテハ米大統領特使グレージー氏ト比島代表経済調整計画長官ロハス氏トノ間ニ予備的了解ガ成立シ之ニ基クロハス氏ノ経済対策案ガ即日ケソン大統領ノ承認ヲ得タノデ、ロハス長官ハ、グレージー氏ニ対シ非常時要求ヲ正式ニ提出スルコトトナレリ。

三〇八

九・五

海軍航空部隊ニ感状

（五日大本営海軍報道部発表）

横山海軍大尉ノ指揮セシ〇〇航空隊戦闘機隊。

鈴木海軍大尉ノ指揮セシ〇〇航空隊戦闘機隊。

蔣軍抗戦力低下

（支那派遣軍報道部九月五日発表）

九月五日週間戦況ヲ発表奥地爆撃ノ大戦果ヲ発表スルト共ニ蔣軍ノ抗戦力低下ニツキ発表セリ。

[日]　防空、国土両局新設

内務省機構改革断行

三日枢密院ノ御諮詢ヲ経更ニ五日更ニ閣議ニ附議シ茲ニ第三次近衛内閣ノ標榜スル官庁機構再編成ノ第一陣トシテ改編ヲ断行セリ。

[日]　交通動員実施計画決ス

重点的ニ輸送

企画院ニテハ昭和十六年度交通動員

[重]　何應欽西南将出力雲南、ビルマ防衛ニ籍口

重慶ニテハ最近雲南、ビルマ方面ノ防衛強化ガ極メテ重要視サレ居ル見地ヨリ西南区防衛ヲ改組シテ華南辺区防衛司令部ヲ設置シ廣西、雲南ノ華南方面ノ警備ヲ統轄セシメルコトトナリ同司令官ニ何應欽ヲ任命セントスルモノノ如シ

[重]　重慶ニテハ従

[比]　比島食糧統制更ニ強化（五日）。

[蘭]　蘭印貿易減少

蘭印政庁統計局ハ本年上半期ノ貿易ヲ発表セルモ輸出入共昨年度ニ比シ減少ヲ示シアリ

輸出

一、ゴム（白人）四〇・〇七万百屯

（一六％減）

ゴム（土人）一五・六八万百屯

（三％減）

二、石油　二九四・五七〇万屯

（昨年同期三二五四千屯）

三、錫　二・六六〇万屯

（昨年一万八千五百屯）

三〇九

黄河ノ対岸ヲ猛撃

敵兵舎橋梁吹飛ブ

四、五ノ両日永楽鎮陌南鎮、風陵渡ヨリ黄河対岸ノ盤頭鎮、霊宝、函谷関及潼関ニ大砲撃ヲ加ヘタル野口、竹田部隊ハ敵兵舎、工場、隴海線、同橋梁ヲ三ヶ所ニ於テ完全ニ爆砕セリ

実施計画ノ成案ヲ得タルヲ以テ五日ノ閣議ニ附議決定総裁談ヲ発表セリ

来各省デ徴収シテ井タ消費税、通過税及其ノ他ノ地方税ヲ全部廃止シ統一的ナ戦時消費税ヲ中央税トシテ課スルコトニ決定来ル十一日ヨリ実行スルコトトナレリ

[重]　重慶財政部当局ハ戦時需要ニ鑑ミ財政部ノ手デ紙幣印刷ヲ行フコトニ決定、始メハ一元、五元、十元ノ三種ヲ印刷逐次他ニ及ボシ原版材料

輸入

輸入量　六〇・四七〇〇万屯

（三三％減）

（金額二億七百三〇万ギルダー）

九・六

蘇北粛清綜合戰果。江蘇省北部地区ニ於ケル八月中ノ吾ガ粛清討伐綜合戰果左ノ如シ。
遺棄死体　九三八
捕虜　一五四
小銃　四一九
チエコ　六
其他多数

[日]　第八回生存者行賞（陸軍第七回）発表（六日）殊勲甲　一七名

[日]　石炭ニ規格。

[日]　配電会社設立　六日全国ニ発令　六日附ヲ以テ全国九ブロック別ニ配

ヲ重慶ヘ輸送中ナリ。之ハ従来ノ英米依存ヲ輸送ノ困難ヨリ重慶ニ於テ行ハントスルモノナリ。

[重]　重慶領事館モ逃避　佛印華僑ノ対日接近ト共ニ重慶領事館モ近ク安南ノ避暑地ダラットニ移転準備中ナリ。

[重]　兵力ノ補充拒絶　廣西将領、李宗

[米]　米ノ新超重爆完成　英空軍擴充ニモ充當　シヤトルノボーイング飛行機製作所ハボーイングB一七E型爆撃機ノ製作中ナリシガ之ヲ完成五日試驗飛行



陸軍航空部隊戰果　八月一日ヨリ九月六日迄投下爆弾数一万個、楊子江上輸送船群、西北ルートニツナガル輸送路ヲ完全ニ遮断セリ尚報道部長談ヲ六日発表セリ。

電会社設立ノ命令ヲ発シ、設立期限ハ昭和十七年四月一日ト決定セラレタリ。

[日]　坪上大使、泰外相訪問　坪内大使ハ六日外務省ヲ非公式ニ訪問外相ト会談セリ。

[國]　褚大使、外相要談。褚駐日中華民国大使ハ六日外相官邸ニ豊田外相ヲ訪問要談セリ。

[國]　合弁会社ノ一

仁ト対立　第五戰区司令長官李宗仁麾下ノ廣西軍ハ戰力化ニ低下ノタメ李宗仁ハ廣西政府ニソノ補充方ヲ要請シタルモ李済深、黄旭初等廣西将領ハ協議ノ結果廣西省保衛ヲ口実ニ兵力補充ヲ拒絶李宗仁ニ返電セリ

ヲ行ヘリ。右ハ英空軍ニモ充當セラルル筈。



部　近ク国府移管「育成強化」漸ク活潑　本多大使ノ帰任ト共ニ國民政府育成強化問題ハ活潑トナリ、近ク中支那振興傘下日支合弁会社中一部ノ國民政府ヘノ完全ナル移管ノ妥結ヲ見、其他敵性財産ニツキ返還モ行ハレツツアリ、今後、統税、関税収入等ノ問題ニモ及ブモノ



ト見ラル。

[日]　巡査部長狙撃サル　六日朝上海共同租界ニ於テ大使館巡査部長及巡査ハ狙撃ヲ受ケタリ。

[独]　独潜艦ノ正當防衛　米艦ノ挑戦ニ應酬グリーア号事件独反駁声明ヲ発ス　独政府ハ六日公式声明ヲ発表問題ノ潜水艦ガ独艦ナルコトヲ認メ米ノ襲撃ニヨルモノデア

三一四

九・七

岳州東方ニ新作戦
大雲山ノ包囲体形

リ独米間ニ紛争ヲ惹起セシメルコトニヨリ米国民ノ輿論ヲ参戦ニ導クントスル大統領ノ謀略ナルコトヲ指摘セリ。

〔國〕〔日〕　中支技術協会生ル
技術家不足ニ対処スル中支技術協会ハ六日上海アスター・ハウスニ於テ発会式ヲ挙行セリ。

〔日〕　片桐海軍中将帰還

〔イラン〕　イラン全面的ニ屈服

三一五

九・八

成ル
岳州東方四〇粁ノ大雲山附近ノ敵約二万ニ対スル作戦ハ七日払暁突如行動ヲ開始セリ而シテ逐次包囲圏ヲ圧縮シツツアリ。

大雲山ノ敵ヲ潰滅
各部隊原駐地ヘ引揚
八日大雲山麓許家山方山、桃花尖附近ヨリ一大包囲網ヲ完成セル我ガ部隊ハ九日

（七日発表）
現地海上某要職ニアリシ海軍中将片桐英吉ハ今般内地帰還軍状奏上ノタメ八日東京着参内ノ予定。

〔國〕　佛印駐在国府代表林珈珉氏来朝。

〔日〕　中小企業ヲ整理再編
戦時低物價ヲ強化
左近司商相現下ノ商工政策闡明。

〔日〕　労務調整令ヲ始メハ勅令案ヲ審

〔重〕　法幣安定資金委員会上海為替割當額決定。

〔米〕　上海米系銀行自由市場ノ為替取引ヲ中止。

苛酷ナ停戦條件ヲ受諾（七日）。

〔英〕〔加〕　英加軍諾威領上陸
カナダ、英国、ノールウエ兵カラナル一隊ハスピツベルゲン島ニ上陸シ同島ノ炭坑ヲ占據

三一六

払暁攻撃ヲ開始多大ノ戦果ヲ挙ゲ原駐地ニ向ツテ帰還中ナリ。

議
十一日総動員審議会
総動員審議会ノ世話人会ハ八日首相官邸ニ参集第十八回総会ハ十一日ニ開催ハ勅令案要綱ヲ審議スルコトニ決定セリ。

〔国〕　汪主席清郷地區初巡視
汪主席ハ六日ヨリ八日ニ亘リ清郷工作第一期地区ノ初巡視ヲ行ヘリ。

〔國〕　華北第二次治

セリ上陸ノ目的ハ敵ガ同島ノ炭坑ヲ軍用ニ供スルコトヲ防止スルニアリ。

〔米〕　紅海デ米貨物船撃沈
（米國務省八日発表）
米貨物船スティール・シーフエヤラー号（五七一九トン）ハ、九月七日紅海ニ於テ飛行機ノ爆弾ニヨリ撃沈セラレタリ
乗員ハ全部無事飛行機ノ国籍ハ不明

三一七

九・九

安強化運動終了。

〔日、満〕　日、満農政懇談会上海市復興銀行開業。

〔日〕　佛印ヘノ特派大使
芳沢謙吉氏ヲ起用
在佛印機関ヲ統合帝國政府ハ日・佛印共同防衛成立後ノ南方圏ノ新事態ニ即應スルタメ特派大使ヲ派遣スルコトニ決定芳沢謙吉氏ヲ起用十日附発令サレルコトト

〔重〕　重慶戦時食糧專賣暫行條令ヲ可決。

ナリ。

〔米〕　米特使ノ和平工作
効果ハ疑問ナルモ近クピオ十二世ニ謁見。

〔米〕　米海軍ニ発令説
エルバート・トマス上院議員ハ九日米海軍ノ対英援助強化ニ関シ左ノ如ク言明セリ。

ナレリ。

〔日〕　本年度電力動員計画成ル

軍需ノ増強ニ適應供給確保ト配給ノ適正。

（九日閣議附議決定）

〔日〕　在英領邦人引揚ゲ

欧洲其他ヘ客船三隻ヲ派遣

九日外務當局談ヲ発表、邦人引揚者收容ノタメマレー二客船一隻印度西亜及東アフリカ方面ニ一隻別ニ欧洲ニ一隻ヲ派遣シ外交官、陸海軍武官ソノ他ノ交替者ヲ赴任セシメカツ引揚者ヲ收容セシメルコトトナリ三船トモ近々出発ノ予定ナリ。尚各地ノ邦人引揚希望者ハシンガポール約七百、印度約二〇〇、西亜約六〇、東アフリカ約三〇、欧洲約一〇〇程度ト見ラル。

〔日〕　済南対策中移

グリーア号事件ノ結果米國ハ英國ニ対シ一層米海軍ノ援助ヲ與ヘル旨ノ誓約ヲ與ヘ既ニ米艦隊ニ対シ命令ヲ発セリ。

〔米〕　相次グ撃沈ヲ口実ニ米、大西洋攻勢近シ。援英路確保ニ腐心ス。

〔英〕〔米〕　日本ノ進出防止策重要結論ニ到達

英権威筋ガ洩ラス洋上会談ノ内容

一、日本ノ進出阻止

一、戦火太平洋波及防止。

一、対ソ援助ニ関スル決議

一、今次欧洲戦争並ニ戦後経営ニ関スル技術問題

〔英〕　ダフ・クーパー前情報相ハ九日シンガポールニ到着セリ。

三一八　三一九

九・一〇

冀西ニ殲滅戦

十日吾ガ長野、浜田、河村、櫻井ノ各部隊ハ敵第四団長韓王堂ヲ求メテ阜平西方ノ省境砲泉省附近ニ又晋察冀辺区軍総司令聶栄臻並ニ第二分區軍長郭天明ヲ追ヒ同省境附近磨盖嶺ニ包囲殲滅戦ヲ展開中ナリ。

出入組合業務開始。

〔日、満〕　日満経済共同委員会開催。

〔日〕　泰國チエンマイ日本領事館開館。

〔日〕　海軍異動発表

補軍事参議官　海軍大将　塩沢幸一

補横須賀鎮守府司令長官　海軍大将　嶋田繁太郎

補支那方面艦隊司令長官　海軍中将　古賀峯一

補海軍航空本部長　海軍中将　片桐英吉

〔日〕　青年教育専門学校明年度ヨリ全國二十四校創設

青年校卒業生ヲ予科ニ收容。

〔日〕〔佛印〕　現地陸海軍首脳佛印総督ト交驩。

〔日〕　首席随員ニ栗山茂氏佛印派遣大使団ノ随員決定

〔日〕　澄田機関解消

新大使ガ各機能ヲ統率

佛印ヘノ特派大使派遣ニヨリ出

〔重〕　岐路ニ立ツ佛印華僑

近ク重慶サイゴン領事館ノ引揚ニヨリ南部六〇万ノ華僑ハ内紛ヲ続ケ反日分子ハ退却、現公長派ノ勝利ハ決定的ト見ラル。

〔重〕　十日郭泰祺外交部長ハガウス米大使ト会見重慶政府ハル大統領ノ対日問題取扱ニ関シ焦慮シソノ探リ反日米交渉ガ重慶政権ノ犠牲ニ於テ実ヲ結ブコトナキヤ様セル模様ナリ。

〔重〕　安定資金委員会重慶側四　二外貨取引ヲ命令。

〔英〕　英船ノ来航決定

引揚英人輸送ニ横浜ヘ

英國大使館ハ十日本邦在留英国人輸送ノタメ英国船安徽（三、四九四トン）号派遣ニ決定セル旨発表セリ。

〔米〕　無警告撃沈セシ事件米政府発表

國務省ハ十日米貨物船セッサ号撃沈ニ関シ同号ガ無警告ニ撃沈サレタコトヲ特記シ発表セリ。

〔英〕　在留全独人ヲ拘禁

イラン問題下院デ討議

英下院ハ十日外交討議ヲ行ヒイラン問題ニ関シイーデン外相ハイラン在留全独人ノ拘禁ヲ

三二〇　三二一

先機関ハ芳沢大使ニ一元化サレルコトトナリ従ッテ澄田機関ハ茲ニ解消スルコトトナレリ

〔日〕石炭小口需要ノ配給統制要綱決ル

商工省ニテハ十日燃料局長官ノ名ヲ以テ各地方長官ニ通牒配給機構及配給経路ヲ整備スルコトトナレリ。

〔日〕明年度ヨリ師範学校ヲ専門校ニ昇格

三二二

命ゼシ旨発表セリ。

〔英〕ヤング新香港総督着任。

九・一一

封鎖続行ヲ宣言

支那方面艦隊報道部

十一日発表

嶋田支那方面艦隊司令長官ガ実施シ来レル中華民国沿岸ニ於ケル同國公私船ノ航行遮断及ビ同沿岸特定海面ニ於ケル一切ノ船舶ノ出入禁止ハ昭

文部省議デ正式決定。

〔満〕満洲國労務所体制確立要綱決定。

〔日〕東條陸相参内

東條陸相ハ十一日参内天皇陛下ニ拝謁所管事項ニツキ奏上種々御下問ニ奉答シ御前ヲ退下セリ。

〔國〕國府駐独大使李聖五氏ヲ起用

國民政府ハ十一日ノ中央政治委員会議ニ於テ新駐独大

〔重〕重慶地方税モ中央税ニ変更。

三二三

〔米〕米大統領海洋ノ自由ヲ再確言「防禦水域」哨戒ヲ強化独伊ニ警告

ルーズヴエルト大統領ハ十一日夜放送ヲ行ヒ独伊ノ軍艦ガ米國ノ防禦水域ニ入リ来ルトキハ全ク「自ラノ危険」ニ於テ之ヲ行フモノナリトノ旨

和十六年九月十一日午前九時以後本職之ヲ行フコトヲ宣告ス

昭和十六年

九月十一日

支那方面艦隊

司令長官

古賀峯一

防衛総司令部令

要旨発表(十一日)

佛印派遣軍ニ御差遣ノ侍従武官令旨通達

使ニ現教育部長李聖五氏ヲ起用スルコトヲ決セリ。

〔日〕地方ニ海務局創設

海軍行政機構ノ改革

十一日新設ノ海務院及地方海務局ノ輪廓ヲ逓信省ヨリ発表セリ

〔日〕防衛総司令部創設

総司令官ニ山田大将

(陸軍省十一日発表)

三二四

率直ニ言明セリ。

〔蘭〕蘭船太平洋デ撃沈

パナマ沖デ独艦攻撃

オランダ貨物船コタ・ノパン号(七、三一九トン)ハパナマ沖カラパゴス群島附近デ撃沈セラレタリト

〔日〕倫敦市場デ日本信続騰

日本公債ハワシントン上海方面カラ傳ヘラレル日米交渉ノ材料ニヨリ十日以来続

我国土防衛ニ任ズル部隊ノ総指揮ニ任ゼシムル為先般防衛総司令部新設セラレ防衛総司令官ニハ

教育総監兼

軍事参議官　山田乙三

親補セラレタリ

〔日〕全支総領事会議

十一日大使館情報部長談発表

来ル九月二二日ヨリ三日間ノ予定ヲ以テ南京ニ於テ本多大使主催ノ全支

三二五

騰、十一日ハ四分利二四、五分利三〇、六分利三〇、五分半利三四ポンド、デ週初ニ比シ四五ポイントノ昂騰ブリナリ。

総領事会議ヲ開催スルコトトナレリ。

〔佛印〕　佛印艦隊ノ旗艦日本デ修理

佛印艦隊ノ旗艦ラモット・ピケ号（七、八八〇トン）ハ今回大阪鉄工所ニ於テ一ケ月ノ予定デ修理ヲ行フコトトナレルモ日・佛印海軍具体的協力ノ現ハレトシテ頗ル注目サレル

〔日〕　中央協力会議議長



後藤文夫氏ニ決定近日中発令ノ筈。

〔日〕　五勅令案要綱ヲ可決

労務動員体制確立

十一日総動員審議会総会ヲ開催

一、労務調整ニ関スル勅令案要綱

二、国民徴用令及国民職業能力申告令中改正ニ関スル勅令案要綱

三、重要事業場ノ労務管理ノ監督ニ関スル勅令案要綱



九・一二

陸軍航空部隊西安ヲ大空襲

十二日陸軍爆撃部隊ハ西安ヲ急襲大打撃

四、国民勤労報國隊ニ関スル勅令案要綱

五、日本発送電株式会社ト東北振興電力株式会社ノ合併ニ関スル勅令案要綱

ヲ附議決定セリ

〔國〕　中支那人煙草企業令同要綱発表

〔日〕　昭和十六年度労務動員実施計画要綱

閣議決定（十二日）

〔重〕　米大使ヲ中心ニ重慶ノ動キ慌シ

米・蔣何等カヲ折衝中

〔米〕　米船又モ撃沈

十二日米国務省発表ニヨレバ十一日米汽船モンタナ号



ヲ與ヘタリ

〔重〕　徐外交部長南京ヘ北京滞在中ノ國民政府外交部長徐良氏ハ要務ヲ了ヘ十二日空路南京ニ向ヘリ

〔日〕　医療、陸運、物資統制三勅令案要綱ヲ可決

第十九回總動員審議会総会第二日ハ十二日開催

一、医療関係者ノ徴用ニ関スル勅令案要綱

二、陸運統制令改正ニ関スル勅令

十二日郭泰祺ハガウスアメリカ大使ノ訪問ヲ受ケ長時間会談セリ最近ノ頻繁ナル米、重慶間ノ折衝ガナサレ居ルハ何等カノ重大協議ナルモノノ如シ。

〔重〕　重慶中銀為替割當方式決定。

（一七〇〇トン）ガ魚雷ヲ受ケ沈没セリ。

〔米〕　「防衛水域」ニ弾力性ハル國務長官言明（十二日）

〔ビルマ〕　印・濠兵移駐シビルマ軍備擴充泰國境ノ防備モ強化。

九・一三

嶋田前支那方面艦隊司令長官帰還
大本営海軍報道部公表（十三日）
支那方面艦隊司令長官タリシ海軍大將嶋田繁太郎及現地海上

案要綱
三、物資ノ統制ニ関スル勅令案要綱ヲ原案通可決
〔日〕陸軍中將河辺虎四郎防衛總参謀長仰付
〔満〕満洲國経済部機構改革
〔日〕六大都市ノ小運送一元的ニ統合
統合要旨発表先ヅ三都市ニ実施
鉄道省ハ十三日最モ緊急ヲ要スル東京、大阪、名古屋

〔重〕重慶最高國防会議開催

〔米〕米大統領夫人ヲ市防衛局次長ニ任命発表（十三日）



其要職ニアリシ海軍中將高橋伊望ハ十五日東京駅着参内天皇陛下ニ拝謁仰付ラレ軍状奏上ノ予定ナリ
尚嶋田前司令長官ニ対シテハ特ニ中隊長ノ指揮スル儀仗隊一ケ小隊ヲ差遣ハセラル。
大雲山掃蕩戦戦果
七日ヨリ十日ニカケ欧震麾下ノ第四軍約一万五千ヲ大雲山西方地区ニ包囲之ニ大打撃ヲ與ヘタル皇軍ノ戦果十三日左ノ如

三都市ノ小運送業代表者ヲ本省ニ招致政府ノ方針要旨ヲ闡明協力ヲ要望セリ。
〔日〕皇軍水兵重傷
上海ノテロ事件
十三日上海ニ於テ皇軍水兵一名突如支那人兇漢ニヨリ乱射サレ瀕死ノ重傷ヲ負ヒタリ。



九・一四

ク発表セラレタリ
敵遺棄死体　二、〇〇〇
捕虜　一〇〇
L.G M.G　三六
小銃　二七〇
其ノ他多数。
陸軍航空部隊寧明爆撃
十四日陸軍航空部隊ハ廣西省西南ノ寧明ヲ攻撃軍事施設兵営ニ必中弾ヲ浴セ大損害ヲ與ヘタリ。
永城北方掃蕩
十三日ヨリ行動ヲ起シタル陸軍部隊ハ十

〔日〕第九回生存者論功行賞発表（十四日）
内殊勲ニヨリ金鵄勲章ヲ授與セラレシモノ三九七名ナリ。

〔重〕国共会議ヲ開催。

〔英〕〔蘭〕英、蘭ノ船舶数隻太平洋デ行方不明
枢軸ノ奇襲艦活躍説。



九・一五

四日永城縣北方地区ノ沈鴻烈麾下千五百ヲ包囲猛撃ヲ浴セテ殲滅、敵屍三〇〇、鹵獲品二三〇其他多数ノ戦果ヲ挙ゲタリ
嶋田支那方面艦隊司令長官帰還。

〔日〕若杉公使帰任
八月三十日任地事情報告ノタメ帰国シタ特命全権公使若杉要氏ハ任務ヲ終了シタノデ十五日午後ワシントンニ帰任スルコトトナレリ。
〔満〕張満洲國総理

〔重〕郭泰祺、米大使会談
十五日両者会談郭泰祺ハアメリカノ対日強硬態度ヲ泣訴シアリ則チ支那人民ハアメリカ政府ガ再三宣言セル東亜問題及太平洋問題ニ関スル基準

談話発表（正式承認九周年ニ）日本ニ深甚ノ謝意（十五日）

〔日〕上海特別陸戦隊司令官更迭
海軍少将　牧田覚三郎
補上海特別陸戦隊司令官

〔日〕重要産業団体令関西側官民懇談会開催
大政翼賛会主催ノ懇談会ハ十五日大阪ニテ開催セラレタリ。

〔日〕日発十五億ニ増資

方策ヲ変更スルモノデナイト確信シアリアメリカハ支那ヲ犠牲ニシテハ如何ナル交渉ニモ應ゼラレヌベシ。

〔重〕重慶来電ニヨレバ國防最高委員会ハ現下世界情勢ノ重大ナルニ鑑ミ十五日國際問題対策会議ヲ開催セリ同会議ハ外交会議ト称セラレ出席者ハ外交部長郭泰祺、銭泰以下外交部首脳者、行政院各部

三三四

〔日〕米穀國家管理実施要綱決定
全管理米、政府デ買上
還元配給ハ認メズ
十五日要綱ヲ決定地方長官宛通牒ヲ発セリ。

〔満〕満洲國承認九周年全満デ式典。

〔日〕大島大使パリヘ
大島駐独大使ハフランス占領地帯視察ノタメ目下パリニ滞在中ナルモ来ル十七日ベルリン

代表三四名ヲ始メトシ、会議ハ重慶側ノ対米措置ニ関シ朝野ノ意見ヲ取纏メ政策決定ニ資スルニアリ。

〔重〕重慶外滙管理委員会
九月一日ヨリ工作ヲ開始セル重慶側外滙管理委員会ハ十五日行政院会議室ニ於テ第一回会議ヲ開キ委員長孔祥熙ヨリ左ノ三項ニ関シ報告行ハレ今後ノ工作方針ニ

三三五

九・一六

共産地区討伐ノ綜合戦果（山西以西ノ）
遺棄死体　一二、七八一

帰還ノ予定ナリ

〔國〕全支食糧会議。

〔日〕本年度資金統制計画ト対満支輸出入計画

関シ討議ヲ行ヘリ
一、英米蔣法幣安定資金協定成立ノ経過
二、凍結サレタ資産ノ処理華僑送金ノ政府集中及上海闇市場ノ解消ニ至ル経過
三、安定資金委員会ノ上海ニ於ケル為替売買弁法ノ経過

〔重〕蔣、ルーズヴェルト大統領ニ親書発送

〔イラン〕イラン国王退位
英ソ両軍テヘラン

三三六

捕虜　八一〇
チエッコ機銃　三六
兵舎　六棟
兵器庫
弾薬庫　各三棟
糧秣倉庫　一三棟
其ノ他弾薬多数
被服　十八万着
我ガ方ノ損害戦死一四
右ハ今次晋察冀辺区作戦開始ノ十五日ヨリ一ヶ月間ノ山西省境以西ノ綜合戦果ナリ

艦隊週間戦況（十六日発表）（九月八日ヨリ十四

商議決定
十六日ノ閣議ニ附議決定臨戦体制ハ完璧ノ運営ヲ開始スルコトトナレリ。

〔日〕短期高等海員養成所ヲ新設
経費一一九、〇〇四

〔國〕國府、駐羅、西両公使任命
國民政府ハ今回湖北省駐外外部特派員李芳氏ヲルーマニア公使ニ元スペイン公使館一等書記官王徳炎氏ヲスペ

進駐
イラン國政府ハ十六日国王レザー・シヤー・パーレヴィハ病気ノタメ退位皇太子モハメツト・パーレヴィガ即位シタ旨公表セリコノ日英ソ両軍ハテヘランニ進駐セリ。

〔ソ聯〕ソ・勃國交断絶セン
ソ聯ガブルガリヤニ送リシ強硬声明ニヨリ、ブルガリヤガ之ヲ拒否シタル

三三七

日迄）
北支方面陸戦隊ハ七
日山東半島北部温泉
城西南方ニ於テ敵匪
三〇〇ヲ攻撃
遺棄死体　　　三〇
捕虜　　　　　五五
弾薬　　　　二、三〇〇
其ノ他多数
連雲港方面、九、十ノ
両日附近一帯ヲ掃蕩
粛清セリ
敵匪五千ヲ包囲
稷王山附近ノ掃蕩戦
稷王山周辺ノ敵中央
軍遊撃、山西軍三四
軍約五千ヲ徹底的ニ

イン公使ニ擬シア
グレマン到着セル
ヲ以テ十六日正式
任命セリ
〔日〕能率向上ニ対
シテ例外昇給ヲ認
ム
工場、鑛山ニ新賃
金制
十月一日実施
〔國〕蘇州商業組合
創立
〔日〕外國保険会社
ノ監督規定ヲ強化

ニヨリ近ク國交絶
セントノ報アリ。
〔シリヤ〕シリヤ
独立宣言
ドゴール派ハ十六
日シリヤノ独立ヲ
宣言セリ。
〔英〕〔米〕英米「四
人会談」
シンガポールデ協
議
十六日グフ・クー
パー、カー駐在支
大使ハシンガポー
ルニ来着、米國ノ
ガウス大使モ同日
シンガポールニ向

三三八

九・一七

掃蕩スベク安達、中
島、笛　、山口、皆
藤、米岡ノ諸部隊ハ
十六日攻撃ヲ開始セ
リ。

〔日〕米價ノ格差ヲ

〔重〕滇緬路ノ強化

ヘリカクテ前記三
巻及英東亜司令官
ポパム元帥ノ四人
会談ガ開カレルコ
トトナレリ。
〔英〕対日共同防衛
ハ必然ノ運命ト言
明（ポパム大將言）
十六日イギリス東
亜軍司令官ポパム
大將ハビルマノ濠
洲、蘭印及マレー
ノ共同防衛ハ必然
ノ運命ナリト言明
セリ。

三三九

改訂
地方産米ノ新最高
価格ヲ告示
十六年産米ヨリ実
施
農林省ハ石格差改
訂ニ伴フ地方産米
ノ新最高販賣價格
ヲ告示十六年産米
ヨリ実施スルコト
トナレリ（手取石
一円増）。
〔日〕農業労力ノ調
整ニ統制命令ヲ発
動
一七日通牒今秋ヨ
リ実施。

計リ民需品モ輸送
重慶ノ物資缺乏甚
シ
最近ノ状況次ノ如
シ
一、英國カラン
グーンヲ経テ重
慶ニ至ル物資ノ
通過税ノ免除方
ニツイテハ重慶
側ノ懇請中ナル
モ九日正式ニ許
可サレ之ガ損失
ヲ償ルビルマ政
府ハ英國カラ一
トンニ付十ルピ
ーノ補助金ヲ交

三四〇

〔佛印〕佛印、抗
日華僑追放令ヲ発
ス。
〔日〕營団成立ヘ暫
定措置戦時設備活
用財団（仮称）設立

付スルコトニナ
リ居レリ
二、重慶ヨリ派遣
セラレタ外交部
次長曽鎔圃、ビ
ルマ訪問団副団
長曽養甫等ハラ
ングーンニテ軍需
物資ノ輸送ニ大
童ナリ。
ラングーンノガ
ソリン滞貨ハ莫
大ノ量ニ上リ秘
密貯蔵庫ニアリ
一方重慶ノ民衆
生活ノ為ビルマ・
ルートヲ開放シ

三四一

三四二

穀物、医薬、塩、農業品等十六種ノ品目ヲ定メ許可ヲ軍事委員会運輸統制局デ與ヘタト称セラル

三、西南各省ノ道路鉄道ノ建設中四川ヨリ雲南ノ道路ハ略々完成、鉄道モ測量ヲ終リ工事ニ着手セリト言ハル

四、重慶、ビルマ英トノ軍事合作ハ中心議題トシテビルマルート

三四三

九・一八

湖南大作戦開始
中支軍（十八日午後十一時三十分発表）
頑敵・薛岳軍ニ鉄槌
軍ハ河南大雲山作戦ヲ行ヒ該方面ノ敵ヲ撃滅セシガ更ニソノ成果ヲ擴大シ岳南地区一帯ニ於ケル治安ノ徹底的確立ヲ期スルタメ本十八日未明海軍協力ノ下ニ岳陽南方ノ敵ニ対シ作戦ヲ開始セリ。

〔満〕満西友好通商條約成立
スペイン政府ハ十八日スネル外相ト松村寛駐西満洲國代理公使トノ間ニ満西友好通商航海條約ニ調印ヲ了シタ旨発表セリ。

〔日〕海軍異動（十八日公表）
任海軍大将　豊田副武
補呉鎮守府司令長官

ノ運輸問題ニアルモノノ如シ。

〔重〕学良愈々出馬カ
ラチモアノ斡旋ニテ釈放サレタル学良ハ近ク重慶ノ要ポストニ就任スト云ハレ国共ノ連絡役タラシメントスルモノノ如シ

〔英〕香上銀行旧法幣対英米公定レート引下ゲヲ発表。

三四四

艦艇、洞庭湖ヲ制圧、各處ノ敵前上陸ニ成功
（中支艦隊報道部十八日午後十一時三十分発表）
数日来陸軍部隊ト協力、洞庭湖北岸ノ敵ヲ一掃シツツアリタル有力ナル海軍揚子江部隊ノ一部ハ十七日夜半突如新行動ヲ起シ陸軍部隊ト共同シツツ洞庭湖ヲ横断、反撃スル敵ヲ忽チニ制圧シテ南岸某地点ニ精鋭平野部隊ヲ上

補軍事参議官
海軍中将　日比野正治
補海軍艦政本部長
海軍中将　岩村清一

〔日〕陸相、決意ヲ放送
満洲事変十周年ニ際シ全東亜保全ノ大任務、不屈不撓底力ヲ出セト決意ヲ放送セリ

〔日〕ソ聯機雷流失ニ帝國厳重抗議
朝鮮帆船爆沈日本海ノ安全阻害。
外務省局談十八日発表

三四五

陸セシメタリ引続キ海軍陸戦隊モ他ノ一部ヲ占領目下潰走スル敵ヲ追撃中ナリ
（同時発表）
陸軍ト協力第九戦区西部ノ頑敵ニ対シテ一斉総攻撃ノ火蓋ヲ切リタル海軍聯合陸戦隊ハ本日未明新墻河ヲ渡河、洞庭湖東岸ノ敵ヲ南方ニ圧迫シテ猛進ヲ開始シタリ

十七日廣東市内ニ発生セル爆弾事件

八月二十五日以来北鮮東海岸ニテ機雷十数個ヲ拾得セルガ九月一日朝鮮帆船一隻爆沈九月十日一漁船ノ拾得セル機雷爆破ノタメ即死四名等ヲ出シ何レモソ聯製ノ機雷ナルヲ以テ日本海ノ平和及静謐ヲ念トスル帝國政府ハソ聯ニ厳重ナル抗議ヲ申込ミソノ除去ヲ求メタリ。

〔國〕國府イタリヤ駐剳大使決定

三四六

九・一九

ニ対シ南支軍當局ハ
當局談ヲ十八日発表
断乎テロノ根絶ヲ期
シ残念非道黙視得ザ
ル旨ヲ発表セリ

陸軍航空部隊敵司令
部ヲ爆砕敗敵一千ヲ
餌食トス
十九日拂暁突如第九
戰区司令薛岳ノ本據
〇〇ヲ急襲、市街東
南ノ大兵舎及軍事施
設ヲ爆砕セリ尚長楽
街南方ニ退却中ノ敵
密集部隊約一千名ヲ

十八日ノ中央政府
会議ニテ現考試院
考選委員会副委員
長呉執声ヲイタリ
ヤ大使ニ挙用スル
ニ決定。

〔日〕　司法次官更迭
大審院部長判事
大森洪太
任司法次官
〔日〕　風水害減免税
閣議デ決定
茨城、千葉、埼玉、
宮城、福島、栃木
ノ六縣ノ風水害地
ノ減免税ハ十九日

〔英〕　新嘉坡ノ防衛
ニ蘭印兵動員
ダフ・クーパー大
カス
ダフ・クーパーハ
記者団トノ会見ニ
於テ新嘉坡ノ防衛
ニ関シテハ蘭印兵
ノ動員アルベキコ
トヲ仄カセリ。

三四七

爆撃セリ
汨水北岸要街ニ突入
一九日午前十時十四
分汨水北岸ノ要衝長
楽街ニ突入之ヲ確保
セリ
海軍航空部隊
反復強襲
（中支艦隊報道部十
九日発表）
海軍航空部隊ハ本日
再ビ營田西方ノ敵陣
地ニ対シ反復強襲ヲ
決行セリ。
事変勃発以来ノ陸軍
航空隊戰果発表
十九日陸軍航空部隊

ノ閣議デ正式決定
セリ人員ハ三千百
余人金額ハ一万二
千余円ナリ。
勅令ハ二三、四日頃
公布ノ筈。
〔日〕　防空訓練十日
間繰上ゲ実施
十九日内務省防空
局発表
本年度防空訓練ハ
来ル十月二十二日
ヨリ十日間実施予
定ノトコロ十日間
繰上ゲ実施、監視及
通信ハ全国的ニ実
施スルモ消防、燈

〔米〕　中南米鑛物資
源ノ買占メノ進
捗
智、亜、伯、墨ト
契約
米國ノ中南米ノ戰
時物資買占ハ進捗
シ各國別ノ状況左
ノ通ナリ。
智利ハ米国ニ対シ
銅ヲ年五〇万トシ
（之ハ同國銅産額
ヲ略全部）及マン
ガン鑛ノ大部分ヲ
供給スル契約ヲ結
ビ居レリ。
亜爾然丁

三四八

ハ事変勃発以来ノ戰
果ヲ発表
敵撃破機総数一、九八
五、

火管制、警報傳達
ソノ他一般防空ノ
訓練ハ各市ノ区域
及特ニ必要ト認メ
タ町村ノミデ行フ
予定ナリト発表セ
リ。
〔独〕　独軍兵員損失
発表
（六月二二日ヨリ
八月三十日迄）
陸軍空軍合計戰死
八五、八八六
負傷者
二九六、六七〇
行方不明
二〇、二九九

タングステン全産
額ノ略半額ヲ供給
スル旨保証、又戰
争ノ継続スル限リ
亜鉛鑛ヲ年十万屯
供給スル契約モ成
立シテ居ル。
ブラジル
米国ハ毎年ブラジ
ルヨリ
ボーキサイト　十万トン
綠柱石　千六百トン
クローム鑛　六千トン
ニッケル鑛　六百トン
工業用ダイヤモンド　三千万カラット
マンガン鑛　五〇万トン
雲母　二十トン

三四九

飛行機損失　七三五機
之ニ反シ赤軍捕虜
ハ一八〇万、戰死
者ハソレ以上ニ上
ルト発表セリ
〔独〕　独軍キエフニ
入城
十九日独軍最高司
令部発表
独軍ハキエフニ入
城セリ
キエフニハ独旗ガ
飜飜トヒルガヘル
アリ。
〔國〕　華北運輸公司
創立。
〔日〕　港湾作業会社

水銀　二千トン
ゴム　一万二千トン
金紅石　五百トン
ヂルコニウム　千六百トン
メキシコ
同國軍需資源ノ全
部ヲ米國ニ輸出ス
ルコトヲ保証シキ
ューバハ既ニマン
ガン鑛、クローム
ノ全産額ヲ米國ニ
供給シツツアル。
〔比〕　比島ニ戰時イ
ンフレノ兆
比島経済界ハ漸ク
戰時インフレノ兆
候ガ濃厚トナリハ

九・二〇

汨水南岸ヲ完全制圧
敵軍第二線潰滅ス
二〇日拂暁、汨流ヲ乗切ッテ汨水ヲ敵前渡河同十時敵市城内ノ敵ヲ完全ニ全滅セ

新設荷役ノ最高率ヲ発揮、港湾運送業統制令実施。

〔日〕災害地ノ税減免ヲ商議決定、所得一万円以下ニ適用。

〔日〕大東亜文化ノ建設
翼賛会デ政府ニ上申
大政翼賛会ニテハ東亜共栄圏建設ニ

月三十一日現在ノ通貨ハ二億一千七百七十八万七千七百三三ペソ三五センタヴォデ七月末ニ比シ四百万ペソ一年前ニ比シ三千七百万ペソノ激増ニシテ國防費ノ膨脹ナリ。



シメ引続キ周辺ノ敵ヲ掃蕩中ナリ。
又一隊ハ午前十一時遂ニ要衝掃義ニ突入之ヲ占拠セリ。
敵援軍続々北上
敵ハ湘江デルタヲ中心ニ漢寿沅江・湘陰・平江ヲ結ブ線ニ防衛第三ラインヲ構築セント必死ノ努力中ナリ。
南支デモ新作戦
南支軍二〇日発表
南支軍ハ九月十八日東江右岸地区増城福和墟方面及神岡、花

伴フ文化的事項ニツキ調査中ナリシモ十四日ノ総務会ヲ経二十日政府ニ上申セリ。

〔日〕融資一億五千万円決定 預金部資金運用委員会ハ二十日一億四千九百七〇万円ノ資金融通ヲ決定セリ。

〔日〕南方委員会台湾ニ設置
台湾総督府ハ南方基地ニ於ケル文化、経済、資源等ノ中央ノ方針ニ準拠シ



縣方面ヨリ各有力ナル部隊ヲ以テ一斉ニ作戦ヲ開始シ所在ノ敵ヲ撃破シツツ目下逐次戦果ヲ擴張中ナリ。
佛印派遣軍ニ侍従武官御差遣
佛印派遣軍二十日発表
畏キ辺リニアラセラレテハ佛印派遣軍ノ平和進駐ノ目的達成ト将兵ノ労苦ヲ思召サレ今般侍従武官山縣有光中佐ヲ御差遣アラセラレ優渥ナル

台湾ニ於ケル重要事項ノ調整審議ノタメ南方委員会ヲ設置シ二〇日委員ヲ発令セリ。

〔泰〕厳正中立ヲ守レ
泰首相、ラヂオデ強調
ピブン泰首相ハ二十日夜ラヂオ演説ヲ行ヒ大要次ノ如ク泰國ノ中立ヲ強調セリ
國民ハ一致団結政府ガ声明セル厳正中立ノ意ヲ体シテ



聖旨並ニ令旨ヲ賜ル
軍最高指揮官将兵一同恐懼感激、聖恩ノ宏大ニ感泣シ益益威武ヲ宣揚、粉骨砕身、任務ニ邁進シ聖旨ニ副ヒ奉ランコトヲ期シ居ル次第デアリマス。

九・二一

南支作戦更ニ擴大ス
西江地区ニ大攻勢
（南支軍二十一日発表）
吾ガ軍ノ有力ナル一部隊ハ昨二十日朝来西江方面ニ一大攻勢

慎重ニ事ヲ処セネバナラヌ。

〔勃〕國家非常時宣言
首相枢軸支持ヲ言明。

〔佛印〕佛印守備兵、支那軍衝突。

〔佛印〕佛印ノ経済打開。
日本ニ頼ル外ナシ
ドクー総督重要放送（二十一日発表）。

〔國〕第二期清郷工作開始。

ヲ敢行目下戦況ハ我ニ極メテ有利ニ進展シツツアリ。

海軍部隊協力

（二十一日発表）

一、原田部隊長ノ率ヒル海軍○○艇隊ハ二〇日未明西江基地○○ヲ出発、敵ノ抵抗ヲ排除シテ水路ヲ啓開シツツ陸軍部隊ニ協力湖江進撃シツツアリ。

二、藤井指揮官ノ率ヒル海軍部隊ハ二十日未明○○沖海

〔日〕鉄、銅製品製造禁止更ニ強化、禁止品目一五〇種ヲ追加既製品販賣ハ三ケ月。

三五四

上ニ進出陸軍部隊ノ敵前上陸ヲ援護シ、續イテ二十一日朝陸軍部隊ノ○○攻略ニ側面ヨリ援護砲撃ヲ加ヘ敵ヲ撃破附近ニ逃避碇泊中ノ援蔣密輸ジャンク約三十隻ヲ完全ニ焼却シ武器弾薬多数ヲ押收セリ。

抗日軍ニ大鉄槌

輸送機能ヲ徹底的ニ破壊、

南支軍報道部長談

西江方面ニ於ケル一

三五五

大新攻勢ノ展開ニ関シ南支軍ハ二十一日左ノ報道部長談ヲ発表セリ。

我ガ軍ノ有力部隊ハ中支方面ニ於ケル作戦並ニ南支東江西岸地区及神岡、花縣方面ノ進撃ニ呼應シテ今回新ニ西江方面ニ一大攻勢ヲ敢行セリ。今次作戦ノ目的ハ西江下流右岸地区ヨリ支那奥地向ケ軍需物資ノ輸送ニ足掻ク頑迷ナル抗日軍ニ一大鉄槌ヲ加ヘ同地方ニ

三五六

於ケル敵軍需輸送ノ諸機能ヲ根底カラ覆滅スルト共ニ南支方面ノ民衆ニ吾ノ皇軍ノ真意ヲ認識セシムルニアリ。

鹿角・九馬嘴占據

（二十一日発表）

海軍陸戦隊ノ主力ハ十九日ノ夕刻陸軍ト協力シテ鹿角及九馬嘴ノ陣地ヲ占領セリ

九・二二

〔日〕日華提携策協議　全支總領事会議開催

〔重〕五ケ国会議開催ヲ蔣、英米ニ懇請　蔣介石ハ米國當局

〔英〕泰包囲陣ヲ強化　英宣傳ニモ活動開始。

三五七

三五八

九・二三

國民政府ノ擴大強化ヲ図ルタメノ具体的方法ヲ協議スル全支総領事会議ハ本多大使主催ノ下ニ二二日午前九時ヨリ大使館ニ於テ開催セラレタリ会議ハ二十四日迄行ハル。

〔日〕　第十回生存者論功行賞
輝ク殊勲甲二〇名
受賞者五万四千名
（二三日発表）

〔満〕　満洲国輸入税

ニ対シ英・米・ソ・蔣・蘭ノ五ケ国会議ヲ開催シテ東亜平和ノ共同保障ヲ決定スベキデアルトノ懇願書ヲ送リ同時ニ英・ソニモ電報ヲ発セリ。

〔重〕　儲備銀行常熟弁事処開業。

〔英〕　香港政廳、法幣勘定ヲ凍結。

〔米〕　米商船ノ武装進捗
中立法改廃ヘ
ル大統領準備中ト
言明
二三日ルーズヴェ

三五九

九・二四

汨水南方包囲圏内ニ敵五十万
我ガ誘導作戦奏功ス
我ガ果敢ナ進撃ニヨッテ汨水南方ニ十キロ内外ノ線ニ包囲サレテヰル敵ハ第四軍

引上
今日カラ新従量税率（二三日）。

〔国〕　國府、非占領地区移出禁止ヲ布告。

〔満蒙〕　満蒙国境確定委員会会議開始。

〔日〕　十六年度予算節約
閣議決定
十三億二千三百万円
國防国家建設ニ集中

〔重〕　何應欽湖南前線ヘ
重慶モ重大危機ヲ承認
重慶軍事委員会ハ二四日湖南戦局ガ重大危機ニ直面シ

ルト大統領ハ記者団トノ会見ノ席上米国政府ハ米国船ノ武装問題ヲ研究シツツアリト語レリ。

三六〇

第二十六軍、第三七軍、第九九軍ノ主力約二十数万デ天嶮ヲ利スルト云モ敗色蔽フベクモナク誘導作戦ニヨリ圏内ニアル総数ハ実ニ五〇万ニ達スルナルベシ。

昭和十六年度予算節約ニ関スル方針ニ就テハ七月十五日ノ閣議決定ヲ踏襲スルコトトナリ二四日閣議ニ附議決定セリ。
一般会計八億三千四百七十余万円
特別会計十四億千九百七十余万円
総節約額十三億二千三百三十余万円
昭和十六年度予算ノ節約ニ関スル件
（前年度予算繰越額ヲ含ム）ノ節約

テヰルコトヲ承認シ外人記者ニ対シ目下湘陰平江間ニ展開サレテヰル戦闘ガ湖南防衛ノ運命ヲ左右スルナラント語レリ。尚軍事委員会総参謀長何應欽ヲ現地ニ派遣スルコトトナリ二四日衡陽ニ到着シ指揮ニ任ジツツアリト言ハル。

三六一

金額並ニソノ「節減」及「留保」ノ区分ハ之ヲ別表ノ通リトスナホ各省ハ現下ニ於ケル政府支出ノ極メテ巨額ナルニ顧ミ常ニ最小ノ経費ヲ以テ最大ノ効果発揮ニ努ムルト共ニ今後共時局ノ推移ニ即應シ一層経費節約ノ実ヲ挙グルモノトス。

〔伊〕　伊国デ独貨流通
貿易為替ノ新協定

独伊両国ノ貿易為替當局間ニ於テ最近協定成リ爾今イタリヤ國並ニソノ屬領ニ於テドイツマルク貨幣支拂ヲ承認セリ

〔日〕　全支総領事会議ノ収獲

全支総領事会議ハ二四日ヲ以テ終了シタルモ今次ノ会議ニ於テノ成果次ノ如シ。

一、豊田外相ハ右会議劈頭ノ訓示ニ於テ事変處理

三六二

方針ハ毫モ変更ヲ加ヘザル旨闡明セルコト

一、重慶政權ノ崩壊状況ヲ精査セルコト

一、國民政府ノ育成強化在留邦人ノ活動指動ニ対スル具体策ノ確立

等ニ付多大ノ成果ヲ挙ゲタルコトナリ。

〔日〕　翼賛壮年団ヘ合流

大日本壮年団聯盟

三六三

決議

二四日理事会二五日ニハ評議員会ヲ開キ単位団（市町村）二千五百、団員二十余万ヲ上ゲテ新生翼賛壮年団ニ発展的合流スルコトト決定セリ。

〔日〕　満業増資実行要綱決定。

〔日〕　日満支運輸懇談会開催。

〔日〕　華北煙草配給中央会創立。

〔國〕　上海銭業同業会ノ米弗紙幣交換

三六四

所閉鎖。

九・二五

陸軍航空部隊長沙猛爆

（二十五日発表）

二十五日陸軍航空部隊ハ大編隊ヲ以テ第九戦区司令部所在地長沙大爆撃ヲ実施セリ。

督軍公署、行政廳、燃料倉庫等ニ必中彈ヲ浴セ全市二十数ケ所ヨリ大火災ヲ生ジタリ。

重慶ヲモ空襲

（二十五日軍報発表）

〔國〕　國府軍一部ノ武装ヲ解除

重慶側ニ通牒

（二五日総軍発表）

軍ハ蘇州附近ニアル國民政府ノ一部軍隊ガ重慶側忠義救國軍ト通牒シ清鄕工作妨害及鉄道破壊等ニ関シ策動中ナルヲ探知シ軍事委員会ト連絡ノ上其ノ武装ヲ解除シ前後處理ヲ講ジツツアリ尚其ノ他

〔重〕　米国ハ近ク支那人飛行士養成ノタメ大規模ノ訓練ヲ行フコトトナレリ、ソノタメ支那人操縦士約五百名ガ五十組ニ分レテ順次到着スルモ之ハ六箇月間ニ亘リ米國デ高等訓練ヲ受ケル筈ナリ。

〔英〕　佛領ソマリヘ英軍突如侵入

英艦、佛艦船ヲ拿捕撃沈

ジブチノフランス放送局ノ二四日発表ニヨレバ英軍ハ佛領ソマリランドニ対シ軍事行動ヲ起シ南部國境ヨリ二部隊ニ分レテ侵入、フランス駐屯軍ニ対シテ砲火ヲ開キ、佛軍ハ後方ノ山地ニ退却防戦

三六五

二四日航空部隊ハ重慶ヲ空襲又一隊ヲ以テ岳南地域ニ於ケル地上作戦ニ協力セリ。
敵二個軍団完全殲滅
汨水南方ノ包囲戦事変以来稀ノ戦果
中支軍二五日発表
軍ハ二二日以来汨水南岸ノ敵大軍ノ包囲ニ成功シ随処ニ殲滅戦ヲ展開二五日迄ニ敵約二ケ軍団ヲ剿滅セリ更ニ全線ニ亘リ潰乱スル敵ヲ南下捕捉シツツ救援ノタメ北上スル新タナル敵

ノ方面ニハ影響ナク清郷工作ハ予定ノ如ク進捗中ナリ。
〔日〕　海軍航空廠令
海軍ニテハ今回海軍航空兵器陣ノ整備強化ノタメ所要ノ地ニ海軍航空廠ヲ創設スルコトトナリ二十五日附公布十月一日ヨリ実施ノコトトナレリ。
〔国〕　儲備銀行無錫辦事処開行。
〔国〕　華北護謨協議会成立。

三六六

中ナリ。

九・二六

ヲ撃砕スベク進軍ヲ開始セリ。
陸軍航空部隊退路遮断
二五日航空部隊ハ長沙東北方二十キロ撈刀河架設ノ軍橋ヲ爆破、敵ノ退路ヲ遮断セリ。

蒋軍窮余ノ決戦態勢
四十万撃滅ノ好機
中支軍発表
二十六日中支軍ハ今次湖南方面ノ作戦ニ就キ次ノ如キ当局談ヲ発表セリ。

〔日〕　翼賛壮年団結成ニ民軍的役割ヲ強調
六大都市組織部長会議
〔日〕　一周年記念ニ郷軍支持ヲ声明。

三六七

〔英〕　ニーマイヤー重慶ニ派遣。二六日英政府発表ニヨレバ重慶ニ蘭英銀行理事サー・オットー・ニーマイヤーハ派遣セラレタリ。

其ノ要旨
四〇余万ノ大軍ヲ協力空軍ヲモ併セテ決戦態勢ニ出デ来リシコトト
一、支那軍ハ米國軍ノ援助ヲ得テ抗戦力ヲ著シク恢復シ総反攻モ不可能ナラズ
二、日本ハ南地ニ兵力ヲ駐留シ今ヤ在支軍ハ極度ニ弱体トナリ進攻ノ余地ナシ
トノ宣伝ノモトニ決戦態勢ノ止ムナキニ

伊藤情報局総裁放送
日、独、伊三国同盟成立一周年記念ニ際シ放送ヲ行ヒ根本精神揺ギナキ旨ヲ強調セリ。
〔日〕　中支ノ物資移動ヲ調整
陸海軍当局談ヲ発表（二十六日）
中支部ニ於ケル物資移動ノ合理的ノ調整ニ関スル当局談要旨
一、日華関係当局協力シ中央及地

三六八

右ニ伴ヒ米国政府代表コックレンモ同行スルモ之ハ対重慶援助ニ関シ英米両國ノ協力シツツアルヲ示シ重大意義アルモノトシテ注目セラレアリ。
〔米〕　米運通銀行天津支店閉鎖。

至リシコト南支其ノ他ノ新作戦開始モ之ト関係シ蒋介石ノ所謂磁鉄戦術ハ今ヤ完全ニ我ガ軍ノ逆用スルコロトナリ蒋介石直系軍ノ弱体ヲ天下ニ暴露スルモノニシテカクテ重慶進撃ノ関門ハ正ニ累卵ノ危キニ直面セリ。
敵本拠長沙ヘ一斉進撃
汨水南方ノ山嶽地帯ニ敵大軍ヲ包囲殲滅シタル我ガ部隊ハ二十六日態勢ヲ整備シ

方ニソレゾレ日華軍、官ヨリナル物資統制委員会ヲ設ケテ物資統制ニ関スル事項及上海ヨリ各地区ヘ搬出スベキ物資ノ数量等ヲ審議スルコトトシ本日第一回中央物資統制委員会会議ヲ南京デ開催セリ。
二、物資移動取締ノ重点ヲ上海周辺ノ統制強化ト前線ニ於ケル対敵封鎖遮断ニオキ占拠地区

三六九

依然長沙方面ノ敵陣ニ向ヒ猛進撃ヲ開始セリ

抗戰經濟ニ大痛棒
報道部長談南支作戰ノ戰果（二十六日）
南支方面ノ猛烈ナル攻勢ヲ敢行シ就中四邑地方ニ於ケル作戰ハ敵第一五六師ソノ他約一万ニ敵ニ大打擊ヲ與ヘルト共ニ重慶側ガ經濟窮迫ノ打開策トシテ対外航空路タラシメント狂奔セル四邑地方水陸交通ノ要衝ヲ完全ニ制約シ輸送諸施設ノ覆滅四邑地方水陸交通ノ要衝ヲ完全ニ制約シ輸送諸施設ノ覆滅四邑軍政當局ハ軍政當局ノ軍糧調弁企画ノ事前粉砕、隠匿軍需品ノ摘発、押收等ハ瀕死ノ重慶側抗戰經濟ニ一大痛棒ヲ加ヘタノデアル、カクテ重慶ガ呼号画策シタ廣東奪回ノ夢ト化シ重慶ノ抗戰力ガ枯渇シタコトヲ内外ニ暴露シ第三國ノ信用ヲ失墜セルモノト言フベク重慶側ガ軍事經濟精神等凡ユル部門ニ亘リ蒙リタル打擊ハ蓋シ痛烈ナルモノアリ。

佛印派遣軍、抗日分子ヲ大量検挙

九・二七

長沙市街ニ殺到
第九戰区ノ本據潰ユ
我ガ林、横沢、早渕、阿久刀川、川崎ノ諸部隊ハ二六日夜撈刀河ヲ渡河進擊シ二七日長沙東北方瀏陽河北岸ヨリ雪崩ヲウッテ同市街ニ殺到セリ。

敵ノ死傷十万以上
陸海空ノ協力大成功
軍當局談（二七日）
今次作戰ハ快速果敢ナリシト戰場ハ森林幽谷等ノタメ調査十分ナラザルモ敵ノ損害ハ甚大ニシテ死傷十万ヲ下ラズ敵ノ兵力約三十ヶ師ノ中大部ハ潰乱、就中約十ヶ師ハ殲滅的打擊ヲ受ケ第九戰区ノ戰力及指揮系統ハ全ク破壊セラレタリ
戰場ニオイテ鹵獲セル大砲、迫擊砲、

内部ニ於ケル移動制限ハ努メテ之ヲ緩和スル。
三、現行物資移動取締ニ関スル規定ヲ前述ノ趣旨ニ副フゴトク改正公布シ、民衆ノ理解ト協力トヲ促ス
尚物資配給機構ノ合理化及生活必需物資特ニ塩ノ適正配給ト敵地流入阻止ヲ企図シアルモ之ガタメ日華商人同等ノ待遇ヲナスノ趣旨ヲ尊重シ逐次所要ノ調整ヲ行フト共ニ速カニ前線附近ニ切符マタハ之ニ準ズル制度ヲ実施スル方針ナリ暫行規程公布尚楊子江下流軍占據地域物資移動取締暫行規程ハ二六日公布十月一日ヨリ実施スルコトトナレリ

〔日〕緊急食糧対策商議決定、大都市離島ニ非常貯蔵

〔日〕三國同盟記念日午餐会開催
豊田外相挨拶ヲ行フ
人類崇高ノ使命達成
前途ノ困難ヲ一致協力シテ克服。

〔日〕印度、西亜方面ヘ邦人引揚船派遣
日枝丸デ約三〇〇名
二十七日外務省當局談ヲ発表、二十二日日枝丸ヲ派遣邦人ヲ乗船セシメ十一月十五日神戸着旨ヲ発表セリ。

〔日〕下期石炭價格ノ水準ハ据置
價格形成委員会答申（二七日）。

〔独〕独軍キエフノ戰果発表（二七日）
捕虜　六六万五千

〔米〕米軍事代表続々重慶へ
重慶ニ対スルアメリカノ支援ハ經濟金融、軍事交通ノ各部門ニ亘リ着々具体化ノ一途ヲ辿リアルモ軍事代表団ノ重慶入ハ益々頻繁トナリ最近ハ爆擊機、戰闘機ガ四川西康両省ノ飛行場ニ送ラレ第一班ハ二十八日マニラヨリクリッパーニテ香港ニ飛来スル予定ナリ。

〔米〕ラチモア香港到着
蒋介石政治顧問ラチモアハ二七日空路重慶ヨリ香港ニ到着セリ。

三七〇
三七一
三七二
三七三

重軽機始メ軍需品ハ多大ノ数量ニ上リ加フルニ二年有余ノ根據タリシ軍需品倉庫製造所ハ殆ンド我ガ手ニ陥リソノ處置ニ困惑シアル状態ナリ

之ニ反シ我ガ軍ハ天候ニ恵レ陸海空ノ協力極メテ密ニシテ損害又甚ダ少ク将兵ハ天候ヲ感謝シツツ猛追ヲツヅケ士気益益軒昂ナリ

長沙陥落

戦車　八八八台
砲　三、七一八門

三七四

九・二八

中支那発表二七日二〇時
軍ハ早渕部隊ヲ以テ本九月二十七日午後六時二十五分長沙ニ突入セリ

株州ヘ突入
長沙ヨリ潰走スル薛兵麾下ノ大軍ノ退路ヲ遮断スベク我部隊ハ南下シアルガ二八日夜株州ニ先遣部隊ノ一部ハ突入セリ。

北江ニ新作戦展開
南支軍二八日正午発表

〔日〕主要食糧ヲ確保 切符制ヲ擴充、農林、漁業新体制ノ全貌
井野農相ハ二十八日農村視察途上福井市デソノ内容ヲ大体発表セリ。

〔日〕海南島循環バ

〔國〕何應欽、湖南、廣東、廣西三省防衛総司令官ニ任命サル。

〔英〕印度カラ雲南ヘ、新援蒋路計画
英東洋防衛線結成ヘ
英国ハビルマルートガ月四万トンノ輸送路タルニスギズ援蒋ルートトシテ十分期待ガ出来

三七五

軍ハ九月二四日以来、北江方面ニ一大攻勢作戦ヲ実行中ナリ

陸軍航空部隊
韶関ヲ痛爆
第七戦区ノ據点潰滅
二十八日地上部隊ニ協力大挙韶関ヲ爆撃セリ。

ス全通。

ザルニヨリインドヨリ直接交通路ノ開発ガ考慮サレ直接航空路ノ外、インドノアッサム州ヨリビルマ北境ヲ通ジ雲南ニ入ルビルマルート並行ノ交通路ガ開設ガ報ゼラレアリ。

九・二九

南支西江作戦部隊
新作戦地ヘ向フ
所期ノ目的全ク達成
（南支軍二九日発表）
西江右岸三阜及四邑方面ノ我ガ作戦部隊ハ敵ヲ圧倒シカツ援

〔日〕独、伊大使主催三國條約締結一周年記念開催。

〔伊〕地中海デ伊英ノ海空戦
ネルソン号（英）傷ツク

〔國〕雲南国境重慶兵越境

〔英〕二九日香港政廳封鎖法幣預金一部解除。

三七六

蒋物資ハコトゴトク搬出若ハ焼却シ茲ニ完全ニソノ目的ヲ達シタルヲ以テ軍ノ新企図ニ應ズルタメ兵力ヲ転用シ九月二九日以降悠々現作戦地ヲ撤去シ現ニ新作戦地ニ向ヒ進撃中ナリ。

海軍部隊モ進攻
陸軍部隊ノ台山縣方面作戦ニ協力シ西江ノ啓開ニ沿岸敵兵潰滅ニ戦果ヲ收メタル海軍部隊ハ二九日以降陸軍ノ新企図ニ應ズルタメ兵力転進ニ

（イタリヤ政府二九日発表）
イタリヤ空軍ハ地中海ニ於テ英巡洋艦三隻ヲ撃沈同ジク巡洋艦二隻ヲ破損セシメ他ノ英艦二隻ヲ大破セシメタリコノ戦ハ二七日午後一時火蓋ヲ切リ同十時迄実ニ九時間ニ亘ルモノナリ。

三七七

即應、新作戰地ニ向ケ水路進擊ヲ開始セリ。

陸軍航空隊
　重慶其他奥地攻擊
　（二九日発表）
二十八日森田部隊長ノ率ユル戰鬪機部隊ハ重慶並ニ梁山、芷江（岳陽西南方四百キロ）・恩施（宜昌西方一八〇キロ）ニ対シ低空攻擊ヲ敢行セリ

敵ノ輸血路ヲ覆滅
物資搬出モ完了
南支軍報道部長談発

三七八

表（二九日正午発表）。

奥地進攻モ易々タリ
皇軍嚴然茲ニ立証
支那派遣軍報道部長談（廿九日）
派遣軍ハ報道部長談ヲ発表重慶側ノデマヲ爆碎今次作戰ノ意義ヲ闡明セリ。

株州攻略諸部隊
長沙方面ニ集結
（二十九日中支軍発表）
軍ハ一部隊ヲ以テ長沙ヲ越エ南方ニ進擊シ本二九日株州ニ到

三七九

達セルモ敵ハ既ニ潰走セシヲ以テ該部隊ハ長沙方面ニ集結シツツアリ。

晋南ニ新作戰開始
　九八軍ヲ擊破
　軍長武士敏ヲ捕フ
中原会戰後証河下谷地区ニ蟠踞シ居タル武士敏麾下ノ中央軍九十八軍三万ニ対シ行動ヲ起シ居タル我部隊ハ二九日拂曉一斉ニ猛攻軍長武士敏参謀長春逸、四二師長王克敬以下ヲ捕ヘ捕虜二、二〇〇、遺棄

三八〇

死体目下判明セルモノ五〇〇、鹵獲品無数ノ大戰果ヲ收メタリ。

軍長ノ捕虜ハ今事変以来始メテノコトナリ。

九・三〇

出動実ニ五三〇回
湖南作戰陸軍航空隊ノ戰果（三〇日発表）
湖南戰三〇日迄ノ戰果
出動回数　五三〇
攻擊セル敵兵力　六万四千
破壞軍用列車　三八輛
船舶　五三〇隻

〔日〕第十一回生存者行賞
殊勲甲　百十名
金鵄勲章　四九〇〇名
（三十日）

〔日〕夏秋蚕予想收繭高三、一六〇万貫前年比ニ割七分強ノ減收。

〔重〕、佛印国境ヘ廿個師
南部佛印ニ皇軍増派後重慶側ハ廣東、廣西、南雲ノ西南辺区防備強化ニ奔命、雲南ノ中央化及佛印支那国境ヘ兵力ヲ集中シシキ

〔英米〕抗戰経済ノ建直シ
英米蔣、香港デ会談
三十日重慶ヨリ報道ニヨレバ英米両國ハ従来ノ援蔣経済政策ヲ再検討シ更ニ之ヲ強化スル

三八一

三八二

軍橋　　　　七
衡陽、韶関ニ巨弾、三
〇日引続キ衡陽及韶
関ヲ大爆撃セリ。

〔日〕　鉄鑛原料配給
機構整備、鉄鋼原
料統制会社創立

リニ英米トノ合作
ヲ企図シツツアリ
九月現在ニテハ佛
印、支那国境方面
ヘ廿個師九旅（ウ
チ中央直系十二個
師十四万、廣西軍
六個師、雲南省軍
二個師）ヲ集中陣
地構築ソノ他戦備
ヲ急ギツツアリ。

タメ来ル十月六日
ヨリ十日間ノ予定
ニテ香港ニ英米蔣
三国ノ経済会議ヲ
開クコトトナレリ。
ソノ内容
一、英米蔣三国ヨ
リ同数ノ委員ヲ
以テ構成スル財
政顧問委員会ヲ
設置シ香港又ハ
マニラニ本部ヲ
置ク
一、重慶ノ抗戦経
済現状ニ即應シ
テ幣制ヲ改革ス
一、英国ヨリ一千

三八三

万ポンド、米国
カラ五億万ドル
ノ旧法幣安定基
金供與ノ件
一、中央儲備銀行
始メ日本及南京
國府側ノ財政金
融機関ノ攻勢ニ
対處スベキ方策
一、重慶ノ戦時経
済ニ対スル必需
物資ノ輸入為替
割當許可額ノ再
検討並ニ対重慶
資産凍結ノ緩和
等ナリ
〔英〕（十二）　英土新通

一〇・一

海軍航空隊
吉安ヲ急襲。
（一日）
作戦ノ目的ヲ完遂シ
皇軍長沙ヨリ反転。
中支軍、原態復帰発
表
（十月一日発表）
軍ハ御稜威ノモト今
次作戦ノ目的ヲ完全
ニ達成セルヲ以テ明

〔日〕　國民労務手帳
法
愈々十月一日ヨリ
実施。
〔日〕　國債消化高
七月ヨリ九月マデ
ノ国債消化高ハ市
中賣却十億九千四
百万円、官廳買入
二億三千万円、郵
便局売出シ二億六

〔重〕　安定資金平衡
ヲ香港ニ決定。

三八四

商協定
土国発表
トルコ政府ハ今回
英土新通商協定ガ
締結サレソレニヨ
リ英国ハトルコヨ
リ約三〇〇万ドル
ノ食糧品ヲ購入ス
ルコトニナツテヰ
ル旨三十日発表セ
リ。
〔英〕　英首相ノ演説
独軍上陸ノ脅威強
調
三〇日ノ議会ニ於
テチヤーチル首相
ハ演説ヲ行ヒ大陸

三八五

ヘノ援ソ軍派遣ノ
余裕ナキコト、独
軍ノ上陸ノ脅威ヲ
強調セル演説ヲ行
ヘリ。
〔米〕　米国、生糸ニ
最高價格決定。
〔ソ・英・米〕　モスコ
ー三国会談終ル。
〔泰〕　駐日海軍武官
ニプラチヤツト大
佐任命。
〔米〕　ノツクス海軍
長官枢軸国打倒ノ
タメノ海軍力増強
ヲ強調戦後ニ於ケ

十月二日長沙並ニソノ周辺一帯ノ地ヨリ反転ヲ開始シ原態勢ニ復帰ス。
汨河作戦ノ戦果
遺棄死体　一、九四六
捕虜　五〇一七
鹵獲品、山砲二、迫撃砲八、重機二二、軽機一三二、
我ガ損害、戦死員習士官一、兵二、負傷兵五、

百万円、預金部引受四億円合計十九億三千百万円ヲ示セリ。
発行高二十一億円ニシテ消化率八九一・九％ナリ
年初以来九月末迄ノ発行高八五六億八千三百万円ニシテ消化高五四億一千四百万円トナリ消化率九五・二％ナリ。
［日］　乗客満載ノ列車三輌水中ニ没ス
一日大分発熊本行

ノ旅客列車ガ豊肥線竹中駅北方ニテ顛落セリ死傷一三〇余名ノ見込ナリ。
［満］　満洲開拓青年義勇隊開拓団ヲ結成。
［満］　満洲國通行税ヲ徴収。
［日］　無盡会社ノ合同順調、大日本無盡、五社ヲ合併。
［日］　枢府本会議重要御諮詢案五件ヲ可決。
［日］　左近司商相、金属回収ニツキ國





ル米国ノ重要役割ヲ誇稱。

一〇・二

新旧黄河ヲ奇襲渡河
鄭州前面ニ迫ル
（北支軍二日発表）
軍八十月二日未明黄河並ニ新黄河ノ奇襲渡河ヲ敢行、新黄河以西、黄河南岸地区ノ敵軍ニ対シ作戦ヲ開始セリ。
陸軍航空部隊
鄭州爆撃（二日発表）
今二日大挙シテ鄭州ヲ襲ヒ停車場、軍事施設ニ必中弾ヲ浴セ

［国］　駐日大使ニ徐良氏
國民政府ハ今回駐日大使更迭ヲ行ヒ新駐日大使ニ現外交部長徐良氏ヲ任命、外交部長ニハ現駐日大使褚民誼氏ヲ復帰セシメルコトニ二日ノ中央政治委員会議ニ於テ決定発表セリ。
［泰］　セナ泰國初代大使信任状捧呈
［日］　地銀整理順調

全機帰還セリ
伊号第六潜水艦沈没
二日九州北西海面ニテ夜間作業中伊号第六一潜水艦ト水上艦トノ衝突事故アリ同艦ハ間モナク沈没セリ（三日発表）。
湖南作戦綜合戦果
敵死　六、一七万
捕虜　六、五六〇
鹵獲品多数
我方戦死　四六一

ニ進捗、全国普通銀行数二一三行、前年ニ比シ七三行減。
［日］　馬淵大本営報道部長、長沙作戦ノ結果並ニ事変遂行ニ関スル確信披瀝「武力推進コソ事変解決ノ中枢ニシテ聖戦目的ノ完遂ニヨツテノミ東亜百年ノ平和ヲ招来シ得ル」ト強調。
［日］　教育審議会特別委員会、教育行政改革要綱ヲ決定。



民ノ協力要望。

［イラン］　イラン我公使館ヲ圧迫
イラン政府ハ二日日本公使館ニ対シ暗号電報使用権及外交使不可侵権ヲ停止セリ。右ハ英・ソノ圧迫ノタメト称サレ公使館ハ近ク退去ノ外ナカルベシト称セラル。
［米］　米国・ペルー商ニ軍需物資輸出協定成立。



［米］　油槽船ホワイトヘパナマ籍七、〇五二トン）ブラジル沖ニテ撃沈サル。

一〇・三

鄭州ハ二里ニ迫ル
我ガ鯉登部隊ノ主力ハ二日夜ヨリ三日未明ニカケ敵ノ抵抗ヲ排除シ遂ニ賈魯河ヲ渡河ソノ先鋒ハ鄭州ヘ二千里ノ点ニ迫レリ。

〔日〕三笠宮殿下御成約納采ノ御儀（三日）

〔日〕第一回米予想収穫高
五九一三万石
前年比二分八厘ノ減
（三日農林省発表）

〔日〕外地米買入価格引上ゲ
拓務省ニテハ外地米ノ生産確保並ニ供出促進ノタメ買入價格ヲ引上ゲ及生産奨励金ノ交付

三九〇

〔濠〕濠新首相カーチン氏、三日労働党首カーチンハ総督ヨリ新内閣組織ノ命ヲ受ケタリ。内閣ノメムバーハ七日ノ選挙ニヨリ決定ノ筈。

〔米〕ニューヨーク定期砂糖第三号約定明年七月限以降取引中止、

〔列〕近東経済会議パレスチナニ開催、

〔比〕ポパム英東亜総司令官、空路マニラ着、

ヲ行フコトトナリ三日商議ノ後當局談ヲ発表セリ。右ニヨレバ鮮米ハ四円ノ引上ゲトナル筈。

第十二回生存者論功行賞（海軍五回）殊勲甲　二五名。

〔独〕ヒ総統伯林ニ帰還放送
伯林ニ帰還セルヒツトラー総統ハ三日放送ヲ行ヒ赤軍ノ主力既ニ潰滅ト作戦順調、英ト最後マデ決戦ノ決意

三九一

マツカーサー米極東軍司令官、ケソン大統領、マグルーダー重慶派遣米使節団長ト重要会談開始。

ヲ述ベタリ。
右ノ中赤軍ノ損害ヲ次ノ如ク発表セリ
捕虜　二五〇万人
大砲　二万二十
戦車　一万八千
飛行機　一万四千五百

〔國〕中支棉花共同購販組合設立ニ決定。

〔日〕硝子、石鹸工業ノ企業整備要綱決定。

〔日〕昭和製鋼所鉄鋼石ノ浮游選鑛ニ成功

三九二

〔日〕イラン我公使館特権停止措置ニ関シ同国政府及英國政府ニ厳重抗議提出。

〔日〕石井情報局第三部長蘭印ノ対ソ物資貢却ハ非友好行為ト見做ス旨言明。

〔日〕野村大使、ハル長官訪問日米同交通問題ニ関シ米政府ノ努力ヲ要請。

〔伊〕總額二四〇億リラニ上ル新規戦

三九三

三九四

一〇・四

鄭州ヲ完全占領
北支軍四日発表
十月二日未明黄河並新黄河ヲ奇襲渡河、進撃セル我ガ部隊ハ敵ヲ追ヒ鄭州周辺ニソノ主力ヲ撃滅シ四日午前十時鄭州ニ入城セリ。

債発行令公布。

〔日〕鮮米ノ収穫予想
約二、五〇〇万石
四日入京ノ大野朝鮮政務総監ハ鮮米ノ収穫予想ヲ大体二千五百万石トミテ可ナリト語レリ。

〔満〕満関貿易聯合会会長ニ古海氏決定。

〔日〕外国郵便ニ検閲制施行（スパイ防止ノタメ）。

〔日〕統制会指定ノ

〔重〕軍事委員会総参謀長何應欽香港ニ於テ國土関係調整問題ニ関シ孫科其他ト重要協議。

〔蘭印〕我情報部当局ノ声明ニ対應、援ソ物資責却方針ハ今後モ変更セズト表明。

〔泰〕バンコックノ中華総商会、利益金ノ二割ヲ重慶ニ献金スルヲ條件ニ華僑ノ日本商品取扱ヲ許可。

〔米〕ハル長官、ホワイト号事件ニ関シ対英援助自衛権ノ発動ナリト主張、

三九五

一〇・五

孫麾下ノ三軍団潰滅
皇軍黄河一帯ヲ制ス

急務[illegible]産協政府ヘ遂進。

〔日〕農林省遊休製糸施設整理断行（現在二十一万釜ノ中十万釜ヲ整理）

〔日〕織維製品配給機構ノ整理ニツキ商工当局案ヲ指示。

〔日〕外務省ポーランド大使館ヲ廃止スル旨発表、名実共ニ同國ノ存在ヲ否認。

〔佛〕佛、駐泰公使更迭

〔重〕鄭州失陥ヨリ趙ニ死刑宣告

船籍ノ如何ハ問題ニ非ズト談話。

〔比〕英米軍事会談続行。

〔比〕マニラ英米会談終ル

三九六

吾ガ河南進攻作戦ハ栄沢、鄭州、中牟ヲツナグ高原地区一帯ノ確保ヲ以テ第一期戦ヲ終了第一期戦ニ於ケル綜合戦果（二日ヨリ五日マデ判明ノ分）ハ左ノ如シ

| | |
|---|---|
| 遺棄死体 | 二、一五〇 |
| 捕虜 | 二八二 |
| 鹵獲品MG | 二五 |
| 軽機 | 三一 |
| 迫射砲 | 六 |
| 小銃 | 二八六 |
| 手榴弾 | 三、八七一 |
| 軍服 | 一万着 |

長沙、鄭州ノ相次グ

佛印外交部長モ
佛政府ハ五日ロジヤー・ガロー駐泰公使ヲ罷免シ新公使トシテジヨセフ・マリー・ドベレフオン氏ヲ任命セル旨発表セリ。又駐在桑港総領事クロード・マリー・ブレアール・ベイサンジエ氏ハ佛印政府外交部長ニ任命セラレタリ。

〔日〕若杉公使メキシコ着
若杉公使ハ五日午

孫桐萱姿晦ス
鄭州地区防衛ノ直接責任者タル第三八軍長趙寿山ハ敗戦ノ科ニヨリ五日重慶ニ於テソノ罪万死ニ値スソノ部下将兵ハ悉ク武装解除ノ上鏖殺スベシトノ判決ガ下サレ之ガ処分ノタメ六個師ガ中原ニ向ケ急派セラレタリト、又第三集団総司令孫桐萱ハ虚偽ノ報告ヲナシタル問責ヲ恐レ何レニカ

英米東亜軍ノ首脳会談ハ三日ヲ費シ五日午後終了セリ、特ニ重視スベキハポパム、マックアーサー英米両軍司令官ノ会談ニシテ戦略的情勢ヲ検討シタ旨発表セリ。

〔米〕米国軍事視察団香港着。

三九七

瓦解ニ当リ支那派遣軍報道部長談話発表
蔣軍ハ全ク戦意ヲ喪失、抗戦態勢ノ潰滅近キニアリト。
陸軍機廣西省西南部ノ憑祥、下右街ヲ猛爆。

後メキシコ海岸アカプルコ港ニ安着セリ。

〔佛印〕ド・ボアサンジ氏ヲ佛印政庁外交部長ニ任命。

〔佛〕佛駐泰公使更迭。

姿ヲクラマセリ、

一〇・六

河南進行作戦
栄沢、鄭州、中牟ヲ繋グ高原地帯一帯ノ確保ヲ以テ第一線終了、戦局第二段階ニ入ル。
宜昌、沙市周辺ノ残敵殲滅

〔泰〕泰國ノ日和見外交
英米ノ策動ニ乗ゼラレ動揺シ親日系官民ニ圧迫募ル。

〔日〕泰向輸出入貿易ヲ一元的ニ統制、

〔日〕対佛印貿易ノ

〔米〕情報機関新設
米政府ハ欧洲ニ於ケル枢軸側ソニユース網独占ノ対抗策トシテ全世界ニ亘ル独占的情報機関ノ設置ヲ計画シ目下之ガ組織化ヲ

三九八

中心西貢領事館ニ決定
〔日〕 東亜電力興業解散ニ決定。
〔日〕 鑛石ノ輸送調整ヲ図ルタメ賣買送付ニ商工省強制命令発動。

急ギツヽアリ。
首班ニハウイリアム・ジヱー・ドノヴアン大佐ガ任命セラルル筈。
〔英〕 英、邦人ノ凍結強化
一月ノ俸給引出シ百ポンド迄
六日英大蔵省ハ今後在英日本人ニ対シ凡ユル手當ヲ含メ一ケ月百ポンド以内ノ俸給引出ヲ許可スル旨発表セリ。
〔米〕 日系米市民等

三九九

ニ対米忠誠ヲ強要ニ重国籍問題ニ新法案
スチムソン陸軍長官ハ米市民ニ重国籍問題解決ノタメ新法案ヲ議会ニ提出セル旨六日言明セリ。
〔エヂプト〕 エヂプト政府輸入制限発表。
〔印度〕 印度ジート工場労働時間延長。
〔英・ソ〕 英・ソノアフガニスタン圧迫強マル。

四〇〇

一〇・七

陸、海航空隊敵ニ巨彈
海軍航空部隊ハ沙洋鎮周辺ニ蟠踞シ叛撃機ヲ窺ヒヲリシ敵ノ

〔日〕 商工大臣車中談
七日西下ノ商工大臣ハ車中談ヲ発表シ統制ノ強化、生

〔重〕 重慶軍事会議延期
重慶政権ハ十月上旬各戦区長官以下ノ軍東代表会議ヲ

〔米〕 カルフオルニア州ニ「日本人保護委員会」創立
名誉委員ニオルソン加州知事、委員長バロース元加州大学総長就任。
〔米〕 カーネギー・イリノイズ製鋼会社従業員二万三千名罷業ニ入ル。
〔列〕 香港デ敵性経済会議
英・米・重慶代表到着（七日）。
〔米〕 実情統計局ヲ

四〇一

ガナル部隊ニ対シ三回ニ亘リ猛爆ヲ敢行大打撃ヲ與ヘタリ。又陸軍部隊モ同ジク七日宜昌奪還ヲ企図セル敵大軍ニ爆撃ヲ敢行大打撃ヲ與ヘタリ。

活切下ゲモ當然トシ國民ニ覚悟ヲ要望セリ。
〔泰〕 泰、佛印、國境劃定
六日サイゴン市デ開カレタル画定委員会ハ三國間ニ完全ノ意見ノ一致ヲ見、十月下旬ヨリ作業着手、延長二、五〇〇粁ニ亘ル現地作業ヲ開始スルコトトナレリ
〔日、滿、支〕 日滿支貿易懇談会開催
（貿易機構ノ改革

重慶ニ開催、抗戦陣営建直シニ付協議スル筈ナリシモ、長沙、中原、鄭州方面ノ敗戦ノ結果十一月迄延期ノコトトナレリ。

新設
米、各省ノ宣傳行政統一（七日）
（輿論ノ指導啓蒙ノタメ）
〔米〕 ニユーヨーク定期砂糖第四号約定十二月限新規商内中止サル。
〔米〕 ハル長官、フインランド軍ノソ領ヨリノ撤退ヲ要求。
〔英〕 十月一日ヨリ四日ニ至ル戦費総計六千五百九十二万磅、一日當リ邦

四〇二

一〇・八

十月總反攻ヲ擊碎

等ニ関シ）
〔國〕上海各市場一斉暴騰ヲ演ズ。
〔滿〕滿洲國第二次五ケ年計画審議開始。
〔日〕轉廢業者減免税及ビ營業免許制実施方ヲ日商要請。
〔日〕農報聯合会長ニ石黒忠篤氏決定。
〔國〕双十節祝賀式南京ニ挙行、汪主席、日華提携ヲ強調。
〔日〕食糧ノ絶対的

〔重〕マグルーダー

貸約三億円。
〔米〕米棉作柄及ビ

四〇三

皇軍江北デ果敢ニ出擊
宜昌、隨縣等皇軍占據スル江北一帯ニ亘ッテ十月總反攻ヲ企図セルモ皇軍ノ果敢ナ攻擊ニヨリ何レモ大損害ヲ受ケ敗退シアリ。
湖南席捲ノ殊勲部隊原態勢ヘノ復帰ヲ完了。

確保
戦争必勝ノ要諦三浦農林次官放送國民ニ協力ヲ要請。
〔日〕日本貿易会ヲ（仮称）設ケ輸出入ヲ一元化
日満支貿易連絡協議会（八日）。
〔日〕三笠宮殿下ノ御婚禮二十二日ト御決定（八日）
〔日〕鮮米第一回收穫予想高二千四百二十万石前年高收比一割二分増（八日）。

米軍事代表重慶着。

收穫予想発表。
〔ペルー〕ペルー砂糖輸出ニ許可制実施。
〔米〕英、米、蘭印三國間ニ対日石油輸出ノ全面的停止ニ関シ協定成立説
〔米〕若杉公使、ワシントン着任。

四〇四

一〇・九

陸軍機敵八十一師ノ根據地羅桐ヲ猛爆
湖南作戦大戦果発表
遺屍　八万二千八百
捕虜　八、三〇〇
鹵獲兵器　多数

〔独〕独軍オリヨール占領。
〔日〕第十三回支那事変生存者論功行賞発表（陸軍十一回）及第四十一回同死殁者行賞（陸軍三十回）
金鵄勲章七二三名
殊勲甲　一柱
〔独〕独新聞長官独ソ戦線ニオケル独軍ノ勝利ヲ内外ニ聲明。
〔國〕國府縣糸布ニ

〔米〕米國建築資材ノ統制強化発令。
〔米〕米國鉄鋼屑ヲ全面的ニ統制
〔米〕米國亜國産亜麻仁、罐詰類輸入税率引下ゲ決定。
〔米〕米財務省十二億ドルノ新起債発表。
〔米〕マグルーダー大將重慶入リ。
〔米〕ル大統領商船武装ノ緊急性ヲ強

四〇五

輸出許可制実施。
〔日〕佛印ニ資源調査団派遣ニ決定団長横山正幸氏（前スペイン公使）
〔日〕官界新体制ノ確立ト統制会急速設置ヲ全産協重ネテ要望。
〔日．満支〕日満支連絡会議終ル（中央ニ調整機関ヲ設置）。
〔日〕農林計画委員会ニ農村保険部ヲ新設。
〔日〕小林亀久雄ア

調セル中立法改正ヲ要請セル教書ヲ議会ニ提出。

一〇・一〇

敵包囲ノ鉄環成リ
山東剿共戦進ム
十日未明台児荘東北地区共産軍殲滅ノ火蓋ヲ切ツタ我ガ部隊ハ敵包囲ノ鉄環ヲ形成中ナリ。

フガニスタン公使カブールニ於テ客死。

〔日〕大学、高専出身者モ予備士官ニ採用
海軍予備士官制改正。

〔独〕駐南京独大使ニスターマー氏任命。

〔日〕三浦農林次官渡満。

〔日、満支〕日、満支貿易懇談会終ル（貿易新体制確立

〔重〕英米蒋三國経済会議上海銀行ニ於テ開催。

〔米〕パナマノクーデター米果然支持ヲ聲明
ル大統領ハ十日パナマ共和国ノクーデターニ関シ今回ノ大統領更迭ハ明カニ同国憲法ニ準ジテ行ハレタモノニシテ米国トパナマトノ関係ニハ何等変化ナシト声明セリ。

四〇六

根本方針決定）。

〔日〕満洲炭輸入價格引上ゲニ決定。

〔日〕緊急食糧対策確立ノタメ二千四百五十万円支出閣議決定。

〔日〕非常時食糧貯蔵ノタメ食糧公社新設。

〔日〕本年度麥実収高（東北六縣及長野縣ノ分）発表。
大麦　百二万石
裸麦　二万石
小麦　六七万五千石

〔日〕六大都市陸上

〔米〕援蒋輸送ヲ強化
帰途ノグレイヂー特使マニラデ語ル。

〔列〕香港ニ英、米、蒋三國経済会議開催。

〔泰〕クロスビー英公使ピブン首相ト重要会談。

〔米〕下院武器貸與法ニ基ク總額六一億六千万弗ノ第二次予算案ヲ可決。

〔米〕米支共同出資商社ノ凍結資産解除ノ旨発令。

四〇七

一〇・一一

宜昌附近ノ中央直系軍三万ヲ急追壮烈ナル包囲戦展開。

小運送ニ運輸統制、鉄道省通牒ヲ発ス。

〔日〕琺瑯鉄器工業ノ企業整備要綱決定。

〔満〕第八回協和会全國聯合協議会皇帝陛下ノ臨幸ヲ仰ギ新京ニ開催。

〔日〕対米交通杜絶緩和ニ旅客船三隻ヲ配船
日米間ニ話合成立
外務當局談
帝國政府ハ米國向ケ配船方ニツキ米

〔重〕軍事委員会宜昌奪還ヲ発表
虚偽宣傳ニ躍起。

〔ソ聯〕婦人子供モスクワ撤退
十一日夜ソ聯政府発令。

〔英〕英国中央傭船局ヲ新設傭船統制ニ乗出ス。

四〇八

國政府ト協議中ナリシトコロ取敢ズ本月十五日龍田丸以下三隻順次米國太平洋岸ニ差向ケラレルコトトナリタリ。
逓信省発表
龍田丸　十月十五日横浜発
新田丸　十月二十日　〃
大洋丸　十月二十二日　〃

〔独〕モスクワノ危機増大
独軍数里ニ迫ル
（十二日発表）

〔日〕チエンマイ領事館開館式挙行。

〔米〕米国経済作戦委員会新設。

四〇九

一〇・一二

鄭州奪還ヲ狙フ蔣軍大打擊ヲ受ケ擊退サル。

〔日〕 製鉄用品統制強化ニ需給統制協議会設置。
〔日〕 川合操陸軍大將逝去、享年七十八。
〔満〕 協和会全聯協議会皇軍ヘノ感謝決議案ヲ可決。
〔國〕 サイゴンニ通商代表部新設。
〔独〕 フンク独経済相欧洲経済再編成方針ヲ放送。
〔日〕 結城日銀総裁大陸視察ニ東京出

〔蘭印〕 ポールテン陸軍参謀長マニラニ向フ。
〔米〕 アラスカ海空軍基地所屬火薬庫

四一〇

一〇・一三

宜昌周辺ノ敵十数万ニ鉄槌、潰滅的打擊ヲ與フ

発。
〔國〕 國府西貢ニ通商代表部設置。
〔日〕 内山佛印公使空路赴任。
〔日〕 沈没潜水艦乗組員ハ殉職
海軍省十三日公表
十月二日九州ノ北西海面デ沈没セル潜水艦伊号第六一ノ乗員ノ生死不明者ハ遂ニ殉職ト認定セザルノ已ムナキニ至レリ。
〔独〕 独軍ツヤジマ

〔重〕 沿岸都市産業與地移転弁法八ケ條発布。
〔重〕 カー英大使、外交部長郭泰祺ト用談。

突如爆発。
〔米〕 「コロンブス・デー」ル大統領南北米大陸諸国ノ提携ヲ謳歌。
〔ビルマ〕 ビルマ棉花統制令公布サル。
〔米〕 米、ドル紙幣三五元ニ迫ル。
〔蘭印〕 蘭印軍総司令官プレンショット中將、バタヴィヤ空港ニ於テ墜落慘死。
〔米〕 ハル国務長官下院外交委員会

四一一

占領。
〔日・蘭〕 日、蘭航空協定調印、東京ヨリパラオ経由チモールヘノ定期空路開設サル。
〔独〕 外務當局対英和平ノ意図絶対ニナシト言明。
〔日〕 保税工場製品ノ課税ヲ緩和、大藏省公布実施。
〔日〕 特殊鋼協議会ハ統制会ノ外廓団体トシテ存続決定。
〔日〕 教育審議会最終総会、教育行政

公聴会席上中立法ノ商船武装禁止條項ノ即時改正ヲ力説。
〔米〕 若杉公使、ウエルズ國務次官ト会談。
〔米〕 ホイラー上院議員、商船武装ニ反対表明。
〔佛〕 今年四月一日現在全人口三、九三〇万二五一一人。
〔比〕 ポールテン蘭印参謀総長マニラ着、米極東軍首脳部ト会談開始。

四一二

一〇・一四

財政等中案可決。
〔日〕 近衛首相参内一般政務ニツキ委曲奏上。
〔佛印〕 内山公使、空路ハノイ着。
〔独〕 独軍カルガ地區突破モスクワ必死ノ防禦。
〔伊〕 伊土経済協定モ成立。
〔日満〕 新京デ日満食糧会議開催。
〔日〕 統制会ノ設立促進ニ関シ閣議申

〔米〕 ヘンダーソン米物價統制局長官生産力増大、國民所得ノ激増ヲ謳歌。
〔米〕 フォール・リヴアーノ火災デ米ゴム貯藏会社一万余トン喪失。
〔米〕 米亜通商協定調印。

四一三

一〇・一五

合セ
（官廳ノ主管爭ヒ
一掃、会長ニ廣汎
ナ権限附與）
〔日〕　纖維製品配給
機構整備要綱決定
（商工省）
〔日〕　農報聯盟改組
（下部実践組織ヲ
擴充）
〔日〕　朝香宮湛子女
王殿下朝見ノ儀ト
リ行ハセラル。
〔佛印〕　内山公使、
ドクー總督訪問。
〔日〕　大学、専門学

〔重〕　英、米ソ顧問

〔蘭印〕　總司令官後
任ニポールテン少
將任命。
〔米〕　ハル長官、日
米交渉ハソノ後何
等ノ新展開ナシト
言明。
〔米〕　ル大統領、対
英ソ武器援助ハ順
調ニ進行中ト言明。
〔米〕　ヘンダーソン

四一四

校ノ卒業繰上ゲ
情報局発表
一、大學、學部ノ
在学年限又ハ修
業年限ノ臨時短
縮ニ関スル件
二、昭和十四年法
律第一号兵役法
中改正法律中改
正ノ件（十二月
ニ臨時徴兵検査）
ノニ勅令ヲ御裁
可アラセラレタ
リ（二〇日公布）
本年度ハ三ケ月國
防、生産ヘ動員、
女大、女専生モ適

団重慶軍ヲ指揮
軍事参謀委員会組
織
重慶ヨリモスクワ
ニ派遣セラレタ楊
杰ハ本月上旬帰來
米國ノ軍事顧問団
長マグルーダー代
將以下ハ更ニ協議
ノ結果次ノ事項ヲ
決定セリト称セラ
ル。
一、ソ聯ノ重慶派
遣軍顧問団ヲ増
加スルコト
二、マグルーダー
代將ヲ中心トス

米物價統制局長官
明年一月ノ自動車
生産ヲ本年一月ニ
比シ五割一分方縮
減スル様発令。
〔印度〕　印度日本品
ノ輸入制限緩和。
〔ブラジル〕　ブラジ
ル棉業者会議開催
サル。
〔米〕　米、芬ヘクレ
ヂット及食料品ノ
供給停止ヲ通告。
〔米〕　中立法改正案
下院外交委員会及
議事委員会ヲ通過。
〔米〕　ノックス海軍

四一五

用。
十二月ニ臨時徴兵
検査。
〔独〕　独軍カリーニ
ンニ突入。
〔日〕　總力戦研究所
長更迭
海軍少將岡　新
總力戦研究所長心得ヲ命ズ
〔日〕　海軍異動発令
伊藤軍令部次長
任海軍中將
〔日〕　陸軍第十二回
生存者論功行賞発
表
殊勲　二〇九〇名
〔日〕　企業ノ国有民

ル英米ノ顧問団
トモスクワヨリ
ノ顧問団ニヨッ
テ英、米、ソ軍
事参謀委員会ヲ
組織シ重慶軍ノ
指揮ニ参與セシ
メル。
三、コノ軍事参謀
委員会ト重慶軍
事委員会トノ密
接ナ連繋ヲ図ル
タメニ張群ヲ主
班トスル連絡機
関ヲ設置ス。
而シテ右ノ軍事参
謀委員ハ各戦区ヲ

長官商船ノ武装、
兵員乗組ノ用意完
了ノ旨言明。

四一六

營ヘ
政府産業振興営団
ヲ考究中。
〔日〕　甘藷大増産
（予想收量十一億二
千万貫
（九月一日調査十
五日発表）
〔日〕　陸軍進級異動
発表
憲兵司令官
中將　田中靜壹
補東部軍司令官
陸軍中將　中村明人
補憲兵司令官
陸軍大佐　大平秀雄
補大本営陸軍報道部長

巡視シテ重慶軍ノ
指揮ヲ分担シ作戦
計画ヲ樹立スルト
言フノデアル。
〔英、米、蔣〕　英、
米、蔣三國経済会
議終ル。

四一七

四一八

〔日、滿、蒙〕滿蒙國境確定
十月十五日滿蒙両國全権委員間ニ前記諸文書ノ署名調印ヲ了セリ。

〔日〕中支ニ於テ國債ヲ常時賣出ス。

〔日〕
平出大本営海軍報道課長 太平洋情勢ニ関シ國民ノ重大覚悟ヲ要望、日米関係ハ今ヤ最後ノ岐点ニ近ヅケル旨警告、帝國海軍ハ最悪ニ対處スル準備ヲ完了セリト述ブ。

四一九

一〇・一六

魯南地区ノ瘤八路新四軍ノ本據西役滅ノ総攻撃開始サル

〔日〕護國ノ神トシテ靖国ノ社ニ神鎮マル新合祀一万五千十三柱ノ招魂式三万遺族ノ感動裡ニ厳カニトリ行ハセラル。

〔日〕作附統制規則要綱
十六日公布、二十五日実施
（中央デ作附統制）

〔日〕近衛内閣総辞職
近衛首相「国策遂行方途ニ関シ閣内意見不一致ヲ理由ニ全閣僚ノ辞表ヲ闕下ニ捧呈。

〔英〕英国経済代表団重慶入リ。

〔米〕米財務省ハ政府機関ノ借入権限ヲ財務省ニ一元化スベク計画。

〔米〕ニユーヨーク生糸解合方法決定

四二〇

〔佛印〕佛印砂糖輸入ニ免税。

〔泰〕泰米糠輸出禁止

〔日〕天皇、皇后陛下ニハ近ク離任帰國ノ褚民誼中華大使ヲ召サセラレ御陪食ヲ仰付ラル

〔日〕靖國神社臨時大祭第一日、参列遺族ノ昇殿拝礼差許サル。

〔ソ聯〕オデッサ陥落

〔米〕近衛内閣総辞職ノ報ニル大統領、ハル長官以下軍政首脳部緊急会合。

四二一

一〇・一七

〔日〕岡本陸軍少将御軍大会ニ於テ演説「今コソ帝國経倫ヲ遂ゲ、一大雄飛ヲナス天與ノ好機ナリ、対米譲歩ニモ限度アリ、最悪事態ニ當面スルコトナシトセズ」ト重大決意要望。

〔日〕東條陸相ニ大命降下
組閣工作急進展。

〔重〕九中全会来月開催ニ決定

〔米〕米駆逐艦カーニー号氷島西南方水域ニ於テ襲撃サル。

〔米〕米國商船武装禁止條項ヲ廃棄ス

一〇・一八

〔日〕　東條新内閣成
立
「鉄石ノ意志ト迅
速的確ナル実行」
ヲ東條首相闡明。
〔日〕　東條内閣閣僚
左ノ如シ
首相、内相兼陸相

陸軍中将　東條英機
外相兼拓相
東郷茂徳
蔵相　加屋興宣
海相
海軍大将嶋田繁太郎
法相　岩村通世
文相　橋田邦彦
農相　井野碩哉
商相　岸　信介
逓相兼鉄相
海軍中将　寺島　健
厚相
陸軍軍医中将
小泉　彦
國務相兼企画院総裁
陸軍中将　鈴木貞一

四二二

ベキ中立法改正案
下院本会議ヲ通過。
〔米〕　若杉公使、ハ
ル長官、ウエルズ
次官訪問、長時ニ
亘リ会談。
〔米〕　全米船ニ避難
命令発セラル。
〔印〕　印棉第二回植
付反別予想発表。
〔泰〕　臨時閣議、東
條新内閣成立ニ伴
フ國際情勢ノ新変
転ニ関シ協議。
〔イラク〕　対日通商
断交ヲ決定

四二三

一〇・一九

ラル。
〔日〕　情報局総裁谷
正之、書記輸長星
野直樹、法制局長
官森山鋭一ソレゾ
レ任命発令。
〔日〕　及川前海軍大
臣軍事参議官ニ補
セラレ、横鎮長官
後任ニ平田昇中将
親補サル。
〔独・伊〕　独伊郵便新
協定成立
〔日〕　帝國ソ聯大使
館各国外交団ト共
ニクイブイシエフ

四二四

〔日〕　北支開発総裁
賀屋興宣氏蔵相ニ
就任。
〔日〕　新民会副会長
安藤紀三郎中将翼
賛会副総裁ニ。
〔佛印〕　佛印資源調
査団横山団長以下
ハノイ着。
〔日〕　天皇陛下靖国
神社臨時大祭ニ行
幸
護国ノ英霊ニ御親
拝アラセラル。
〔日〕　東條首相、陸
軍大将ニ親任、特
ニ現役ニ列セシメ

四二五

〔ソ聯〕　モスコーニ
戒厳令発布
〔米〕　外交官ニ非ル
政府官吏、陸海軍
人等ノ日米交渉ノ

一〇・二〇

晋察冀赤色地区ノ作戦終了、敵屍七、二〇〇、捕虜四、七〇〇。

ニ移転。

〔日〕三浦農林次官満洲ヨリ帰ル

〔日・エ〕日・エ貿易ニ関スルエクアドルノ暫定措置。

〔独〕フンク独経済相ローマニテ演説独伊経済提携ヲ叫ブ。

〔日〕東條兼摂陸相事変処理ニ対スル

〔重〕法幣拋棄説ニ上海各市場大波瀾ヲ演ズ。

四二六

進行ヲ妨害スルガ如キ好戦的言辞厳禁。

〔米〕日本向ケ郵便物ノ検閲開始。

〔ブラジル〕ブラジル小包郵便ノ内容制限。

〔米〕米、蘭印船腹調整協定成立。

〔米〕米國棉綿布ニ伸縮制最高価格実施。

〔ソ聯〕極東ソ聯軍（蒙古人）ノ大部分モスコー死守

不退転ノ決意ヲ披瀝、全軍ノ団結ヲ要望。

〔日〕東郷外相外交方針闡明、帝國外交ノ目標ハ世界平和ノ維持増進ニアリ帝國ノ生存、権威ニ関スル場合ニハ毅然タル態度ヲ以テ皇國ノ歴史的使命達成ヲ計ルベシト正義外交ヲ強調。

〔佛印〕日、佛、泰國境劃定委員現地へ出発。

四二七

ノタメ急派サル。

〔米〕日米会談再開説有力ニ行ハル。

〔米〕海軍當局カーニー号襲撃艦ハ独潜水艦ナル旨正式発表。

〔米〕新航空母艦ホーネット号就役。

〔英〕英、泰石油契約締結

毎月十五万比ノ供給ヲ内容トスルモノ。

〔英〕続落中ノ日本公債俄然反撥。

〔濠〕カーチン首相

一〇・二一

栄沢西方河陰縣城占領、栄沢奪還ノ敵ノ企図粉砕

〔日〕商工省異動新次官ニ椎名総務局長決定。

〔日〕日本損保協会発会式ヲ挙行。

〔日〕軍票対法幣相場三十円ヲ割ル。

〔泰、佛印〕泰、佛印國境確定作業開始

〔泰〕泰國麻袋製造ニ着手。

〔日〕三井合名ニューヨーク支店ノ訴訟事件デ生絲解合延期サル。

〔独〕独軍スタリノ占領。

〔日〕陸軍第三十一回死歿者行賞発表

四二八

米、英、蘭印、ニュージーランド、濠洲五ヶ國間ノ太平洋共同戦線交渉ノ完了ヲ発表。

〔佛〕敗戦責任者ダラジエ・レイノー・ブルム各元首相、ガムラン元総司令官、マンデル元内相終身監禁ヲ求刑サル

〔佛印〕横山資源調査団長ドクー総督ト会見。

〔米〕海軍省敵性国

四二九

船舶ノ入港防止ノタメ紐育港出入全船舶ニ対シ厳重ナル統制ヲ行ヒツツアル旨発表。

〔米〕ル大統領商船武装ノ必要ヲ強調。

〔英〕軍當局、軍需生産ノ立遅レノタメ大陸作戦ハ不可能ナリト言明。

〔蘭〕蘭交戦國向輸送ヲ禁止。

〔佛〕占領地独軍當局、ホルフ大佐暗殺事件ノ報復トシテ逮捕佛人五十名

尤栄ノ英霊四、八六三柱。
殊勲甲ノ優賞者一四柱。

〔日〕 東條首相、内閣首脳部ニ初訓示官紀ノ振粛、行政事務ノ簡捷化、國民ニ対シ親切第一ヲ期スベシト強調。

〔日〕 外務次官ニ西春彦公使起用発令。

〔滿〕 國民皆労運動ノ強化ヲ目指シ労働統制法ノ改正断行。

〔國・米〕 上海米海

四三〇

ヲ就役。

一〇・二二

江北沙市南方ノ敵拠点郝穴占領

兵、我方ト協力租界テロ鎮圧ニ乗出ス。

〔日〕 預金部預入資金範囲ヲ擴張、改正勅令公布実施。

〔日〕 内閣九参議ノ辞任ヲ発令。

〔日〕 大政翼賛会副總裁ニ安藤紀三郎中將決定。

〔日〕 本期産糖八五百九十万担増收予想。

〔滿〕 滿洲國ノ在支機関ノ一部北京、

四三一

〔米〕 米棉カナダ向輸出補助率ヲ引上グ。

〔米〕 米國大豆ノ融資計画決定。

〔米〕 米國海軍委員会対ソ援助物資輸送ニウラヂオ経由ヲ中止声明。

〔米〕 米対墨クレヂット設定。

〔米〕 新鋭駆逐艦ブリストル号潜水艦

上海、天津、鎮南、ノ在華各通商代表部並ニ弁事處ヲ一斉ニ領事館ニ昇格。

〔日〕 皇弟三笠宮崇仁親王殿下、高木正得子第二女百合子姫ト御目出度御結婚ノ禮ヲ挙ゲサセラル。

四三二

トリガー号就役。

〔米〕 スターク海軍作戦部長、英国内ニ四ヶ所海軍根拠地ヲ建造中ナル旨発表、援英転ジテ英支配ニ発展。

〔米〕 海軍委員会、浦塩向ケ援ソ船ノ運航中止ヲ発表。

〔英〕 軍當局、太平洋属領ノ軍備強化ヲ誇示。

〔英〕 モイレ植民相「対独上陸作戰ハ自殺行為ナリ」ト政府ノ立場ヲ言明、

一〇・二三

沙市奪回ヲ目指ス敵軍ニ猛反撃開始。

〔日〕 低物價策堅持ヲ岸商相闡明。

〔國〕 上海棉取新規賣買ヲ中止。

〔國〕 特別円相場裁

四三三

國内輿論ノ分裂深刻化。

〔佛〕 ボルドー駐屯独軍高官又モヤ暗殺サル。

〔佛〕 ペタン主席、テロ事件続発ニ鑑ミ國民ノ自重要望。

〔墨〕 一九三八年以来断絶中ノ対英國交回復ノ旨発表。

〔米〕 フォックス・ホールパッチ重慶ヨリ香港着。

〔米〕 農産物平衡價格百パーセント融

定基準ヲ変更。

〔独〕 フンク独経済相ローマニテ更ニ独伊経済ノ統合ヲ強調。

〔伊〕 独伊全般的経済協定成立、フンク独経済相帰國。

〔日〕 皇后陛下、靖國神社ニ行啓、護國ノ英靈ニ御拜アラセラル。

四三四

資案、米下院委員会ヲ通過。

〔米〕 米國海外送金取締ヲ更ニ強化。

〔英〕 ビーバーブリユック英軍需相モスコー帰還報告ヲ行フ

〔米〕 スチムソン陸軍長官空軍徵募兵ヲ現在ノ三倍、四十万人ニ増加スベク準備中ト発表。

〔米〕 上院、武器貸與追加予算五十九億八千五百万弗ヲ可決。

一〇・二四

漢水支流東荊河ニ壯烈ナル敵前渡河決行敵十五師、百三師總崩レ。

〔日〕 臨時議会召集ヲ奏請
召集八十一月十五日
会期五日間
（増税、米穀対策案ヲ提出）

〔重〕 在重慶ソ聯大使館蒋介石ニ対シ援将軍需品ノ停止ヲ通告。

四三五

〔米〕 中央日本人会並ニ羅府日本人会司法省調査官ノ取調ヲ受ク。

〔葡〕 ポルトガル政府、日葡航空協定ニ対スル英米側ノ歪曲的宣伝ヲ否定スル声明発表。

〔ソ聯〕 ソ聯援蒋停止ヲ通告。

〔蘭印〕 蘭印米國向積荷契約統制。

〔米〕 ノックス米海軍長官対日暴言ヲ吐キ「日本ガソノ

〔日〕 軍管理工場ハ統制会カラ除外、関係官廳ノ意見一致

〔日〕 低物價ト生産増強トノ調整ニ関スル具体方策ヲ経聯政府ニ建議。

〔國〕 褚大使帰國ノ途ニツク。

〔日〕 軍票対法幣相場二十五円ヲ割ル。

〔独〕 独軍ウクライナノ首府ハリコフ占領、ドネツ工業地帯ノ制圧迫リソ聯抗戰力ニ大打擊。

四三六

膨脹政策ヲ遂行スル限リ東亜ニ於ケル日米衝突ハ不可避」ト演説。

〔米〕 若杉公使ウエルズ次官ト会談。

一〇・二五

〔重〕 コクラン氏重慶ヨリ上海着。

四三七

〔米〕 米國凍結資産ノ商品市場出動禁止

〔米〕 米國資料統計局新設

〔米〕 米商船武裝案上院外交委員会ヲ通過

〔ソ聯〕 ハリコフ・ビエルゴロド陥落

〔米〕 ペッパー上院議員、対日強硬聲明

〔米〕 独占領地ニ於ケル反独テロニ対

一〇・二六

山西省西部ニ蟠踞スル中央直系軍四、五〇〇ニ対スル殲滅戦開始。

〔日〕結城日銀総裁視察中止、帰朝ニ決定。

〔重〕ソ聯ニ対シ極秘裡ニ対枢軸軍事同盟締結方ヲ提議セリト傳フ。

スル独当局ノ報復的人質処刑ヲ激烈ニ非難
〔米〕上院孤立派議員連ロヲ極メテノックス海軍長官ノ対日好戦論ヲ攻撃
〔蘭印〕ポパム英極東軍司令官バタヴィヤ訪問ポールテン新陸軍司令官ト会談。
〔米〕ル大統領ノックス海軍長官ニ書翰ヲ送リ「米海軍ハ兇悪ナ

四三八

一〇・二七

陸軍機陝西省宜川ヲ急襲、軍事施設猛爆。

〔日〕歳入、歳出トモニ前年ニ比シ六億余円ヲ増加（九月末國庫現計）
〔日〕火保現行協定料率二割以上引上ゲ認可、十一月一日ヨリ実施。
〔日満蒙〕日、満、蒙北京経済懇談会開ク。
〔日〕内山公使西貢着。

〔重〕法幣記録的ニ大暴落、奥地ノ物價天井知ラズニ暴騰、重慶ノ物情騒然。

ル敵軍ノ前ニソノ力ヲ実証スベキ用意アリ」ト強調。
〔英〕綿糸布在庫薄ニ香港政廳統制令。
〔米〕米自動車製造ニアルミ等ノ使用禁止。
〔エヂプト〕エヂプト棉関係法案議会通過
〔米〕ルーズヴエルト大統領海軍記念日ニ際シ外交演説ヲ行フ。日米関係ニ言及セ

四三九

〔独〕独機モスコー空襲市民ノ降伏勧告ビラ撒布。

ズ。
〔米〕米國ノ第二次武器貸與追加予算案六一億六千万弗両院ヲ通過。
〔泰〕戦時国民義務令公布「全國民ハ最後ノ血ノ一滴迄戦フベシ」ト命令。
〔米〕ノックス海軍長官中立法全廃ヲ再強調。
〔米〕ウオルシユ上院海軍委員長、米海軍ハ直チニ参戦スル実力ナシト演説。

四四〇

一〇・二八

山西省西部ノ中央直系軍完全ニ駆逐、黄河重要渡河点確保。

〔日〕重要産業第一次指定発表
指定業種（鉄鋼、石炭、原動機、電気機器、精密機器、車輌、自動車、セメント、鑛産物、非鉄金属、貿易業、造船事業）
〔日〕鉄道運賃値上ゲヲ物價対策審議会ニ諮問決定。
〔日〕三品取引所、名古屋綿糸布取引所閉幕。
〔日〕芳沢佛印特命全権大使赴任。

〔重〕英・米・蒋ソ四ヶ國会議第一次聯合会議重慶ニ開催、蒋介石以下軍政首脳部ガウス米大使、マグルーダー米軍事施設団長、カー英大使、パニューシャンソ聯大使出席、対日軍事合作ニ関シ協議

〔米〕北京ニ於テ米兵狙撃サル。
〔泰〕在留インド人続々引揚グ。
〔米〕タフト上院議員、ル大統領ノ演説ハ國民ヲ瞞着スルモノナリト抗議。

四四一

一〇・二九

〔日・國〕日、華経済懇談会終ル。
〔満〕各兵科ノ制式ヲ日本陸軍制式ニ倣ヒ徹廃。
〔伊〕ファシスト・ローマ進軍十九周年記念日
現在ノ党勢ハ成人党員四〇〇万、大学生党員十三万七千、一般青年党員八百十八万、女子党員九十三万八千、
〔日〕野村信託、野村証券ノ投資信託

〔墨〕メキシコ輸出制限ノ強化。

四四二

業務（ユニット・トラスト）ヲ認可（大蔵省）。
〔日〕第二回中央協力会議、十二月八日開催ト決定。
〔國〕安定資金十一月分ノ為替割当ヲ十四特許銀行ニ通告。
〔独〕独、鉄東貯蓄勘定ヲ創設。
〔日〕臨時議会召集詔書公布。
〔國〕徐良新駐日大使南京発赴任。

〔英・ソ・イラン〕英・ソ・イラン三国協定成立
〔英〕ロンドン・ゴム相場発表當分中止
〔ソ聯〕建川大使・ヴイシンスキー外務次官ト会談。
〔米〕在華府日本大使館スポークスマン、米國ニシテ太平洋ノ平和ヲ欲スルナラバ両国間ノ経済戦争ヲ停止スベシト率直ニ所信表明。

四四三

一〇・三〇

〔日〕東條首相会総裁役職員ニ初訓示、未曽有ノ困難迫ル秋、清新ノ気力ニテ翼賛運動ノ真義ヲ発揚スベシト。
〔日〕東郷外相、外交団初接見
〔日〕鉄鋼、石炭両統制会ニ設立命令。
〔日〕池田成彬氏枢

〔ペルー〕ペルー下院、昨年五月ノ反日暴動賠償金一四二万四千五百ソールノ支出ヲ可決
〔米〕米ヨリ英、蒋ニ東西資源処理交渉提議説伝ハル。
〔米〕リンバーグ「米國第一委員会」ノ演説会ニ於テ米國ノ危機ハ外敵ノ侵入ヨリモ國内ノ独裁政治ノ危機ニアリト痛論。

四四四

密顧問官ニ親任。
〔日〕生糸買入價格ヲ改正、固定格差制ヲ告示。
〔日〕第二回夏秋蚕前年ニ比シ千三百万貫ヲ減収予想ト発表。
〔日〕日本通運、小運送ヲ合計一六二社合併。
〔日〕空爆保険ノ実施東商具体案ヲ建議
〔國〕上海郵政局航空郵便料金引上ゲ。
〔佛印・泰〕佛印ノ

四四五

一〇・三一

皇軍鄭州ヨリ撤退開始。
平田中将佛印方面軍状奏上。

泰上陸貿易再開
〔日〕支那事変生存者陸軍第十三回論功行賞発表
金鵄勲章授賜者　四、四一二名
殊勲甲　八五名
〔日〕購買力吸收ヲ主眼トスル増税案要綱発表。
（本年度六億三千万円増徴）
（初年度一億七千万円）
〔日〕煙草値上ゲ

〔米〕米駆逐艦リューベン・ジェームス号氷島西方海上デ撃沈サル。
〔泰〕明年度予算支出二億五千九百万バーツ、收入一億六千五百万バーツ、

四四六

（最高十割、最低七分）平均二割七分之二ヨル増收年額一億四千六百万円。
〔独〕独軍モスコーヘ十粁ノ地点ニ迫ル。
〔日〕第十二回明治神宮国民体育大会高松總裁宮殿下ノ台臨ヲ仰ギ敢騎ノ幕開ク。
〔日〕総力戦研究所長ニ遠藤喜一海軍中将任命。
〔日〕谷口尚真海軍

国防費増加ニヨル支出超過九千四百万バーツニ達ス
〔ソ聯〕ソ聯當局、英政府ニ芬、洪、羅三國ニ対シ宣戦布告方ヲ要請。
〔米〕ル大統領、対独外交関係ハ當分断絶セザル旨言明。
〔米〕ハル長官、対蒋基地要求説ヲ否定。

四四七

一一・一

正陽ノ陥落迫ル
信陽東北ニ新殲滅戦一日払暁ヨリ信陽羅山ノ線ニ猛攻撃ヲ開始セル陸軍諸部隊ハ夕刻正陽正面ノ線ニ進出セリ。
河南作戦ノ主力
新基地ヘ転進
第三集団孫桐萱第四集団孫蔚如ノ中央直系軍十余万ニ対シ再ビ起ツ能ハザル打撃ヲ與ヘタル河南作戦部隊ハ主力ヲ栄沢附

大将逝去。
〔日〕対支政策強力遂行ノタメ在支行政機構ヲ統合。
（外務省及興亜院ト統合）
〔日〕「食糧國防団」結成
全米商聯ガ新発足
〔日〕空爆保険法案通常議会ニ提出決定。
〔日〕本年度麦類実收高二、三九二万一千七百石前年ニ比シ二割二分ヲ減少。

〔重〕西南防衛ニ狂奔
蒋、昆明ニ軍官派遣
蒋介石ハ近ク高級軍官ヲ昆明ニ派遣シ滇緬、滇越両路ノ軍事配置及駐防地劃分問題ヲ繞ル雲南土着軍対中央派遣部隊間ノ軋轢ヲ調整スルコトトナレリ。
〔重〕潼関、西安方面ニ二十八個師ヲ集

〔英〕英ヨリ米向ケ戦時海保料率七％半ニ引下ゲラル。
〔米〕対蒋基地要求聞知セズトハル國務長官記者団ニ答弁。
〔英・重〕対日謀略活潑化、英・蒋呼應強ガリ宣伝。
〔米、加〕キング・カナダ首相ハルーズヴエルト大統領ト会見ノタメ一日

四四八

近ニ転進落陽、西安ヲ衝キ得ル体勢ニ至レリ。
敵屍三万六千
武漢周辺地区十月中ノ戦果
中支軍十一月一日発表ノ戦果次ノ如シ。
（長沙作戦ヲ除ク）
敵屍　三六、一五六
捕虜　七二二
小銃　二、六七四
重機　四八
軽機　二四二

〔泰〕泰國鉱山採掘料引上ゲ。
〔國〕廣東省内物資搬出入管理ヲ中國側ニ移管。
〔滿〕関東州、北支貿易会議開幕。
〔蒙〕蒙疆全地ニ塩ノ切符制実施。
〔滿〕満洲國政府資本所得法人所得油脂ノ三税創設。
〔日〕桑港税関當局日本行郵便物ヲ開封検閲、我方不満表明。

結重慶否ガ次期作戦ニ怯エ、
〔重〕宋慶齢ヲ中心ニ反国民党運動激化。
重慶ノ抗戦理論分裂。
〔重〕雲南省主席龍雲「日本軍来襲セバ最後ノ一人迄抗戦スベシ」ト揚言。

ハイドパークニ到着セリ。
〔米〕米・帝國宛郵便開封
米國税関當局ハ一日突如帝國総領事館ニ対シ郵便物ノ開封検閲ヲ行フ旨申入レタリ。
〔英〕英・米ノ対日戦阻止説伝ハル。
〔米〕米ペルシヤ湾ニ新定期航路ヲ開設対ソ援助愈々活潑。
〔米〕巡洋艦クリーヴランド号進水。

四四九

一一・二

河南平野ヲ猛進撃正陽ニ突入
京漢線東側殲滅戦（中支軍二日発表）湖南第九戦区ノ敵ヲ屠リ進撃中ノ部隊ハ二日朝坂本部隊主力ヲ先頭ニ正陽ニ突入セリ。

〔日〕日本厚生団（仮称）設立、厚生運動ヲ刷新強化。

〔英〕ウエーベル英印度軍司令官星港へ

〔英〕ダフ・クーパー濠商議へ出席
英國東亜特派使節ダフクーパー濠商議ニ出席ノタメシンガポールヲ出発十一月五日到着ノ予定ナリ。

〔ビルマ〕ビルマノ独立ニ根強キ反英 英弾圧・懐柔ニ躍起

〔英〕英印度軍司令官突如シンガポールへ

金鵄勲章賜叙者七一九名。

〔日〕神宮大会、皇太子殿下ノ台臨ヲ仰ギ敢闘裡ニ閉会。

四五〇

一一・三

汝南ヲ占領
湯恩伯軍ヲ殲滅セント一日信陽ヲ進発セル精鋭ハ三日汝南ヲ占領セリ。

〔日〕芳沢大使基隆発赴任。

〔日〕第十六回生存者論功行賞 優賞者七一名（海軍第六回）

〔重〕山東省南部沂水県ニ於テ國共両軍衝突山東縦隊代理司令成湘北戦死。

〔英〕在天津英人ニ引揚勧告
在天津英國総領事代理ハ二日天津英租界ニ居留スル英國人七百名ニ対シ全面的引揚ヲ勧告セリ。

〔米〕米農務省一九四二年度土壌保全計画発表。

〔米〕数千名ヲ増員 米、比島ノ軍備強化ヲ急グ。

四五一

〔比〕比島、鉄鉱石ト紙ノ輸出禁止
十月三十一日限リ許可ヲ一切取消シ許可ヲ要スルコトトセリ、

〔蘭印〕蘭印空軍強化
蘭印空軍ハ近ク米國ノース・アメリカン航空NA四A爆撃機ニヨリ増強セラルルコトトナレリ。

〔英・米・蔣・蘭〕対日経済包囲協定 敵性四ケ国デ最極メ。

四五二

〔米〕対ソ戦ノ中止ヲ米・芬ニ通告セル旨、ハル長官記者団ニ声明（三日）

〔英〕英・対芬宣戦説
ソ聯ハ独ソ戦開ト共ニフィンランドニモ英國ガ宣戦ヲ布告スルヤウ要請セルガ、ハル國務長官ハ三日ソ聯トノ講和ヲ拒否セル芬蘭ニ対シ、英國ハ正式ニ宣戦ヲ布

四五三

四五四

告スルモノト見ラ
ル。
〔米〕スチムソン陸
軍長官、ハワイプ
エルトリコニ戒厳
令実施権ヲ大統領
ニ附與スル様議会
ニ要請。
〔米〕海軍省、大西
洋某水面ニ於テ爆
撃機一機ガ墜落セ
ル旨発表独艦トノ
交戦説行ハル
〔米〕トムゼン独代
理大使、米政府ノ
ロビン・ムーア号

四五五

一一・四

沁陽ニ進出
汝南ヲ攻略セル我部
隊ハ四日朝以来敗敵
ヲ急追シテ西南ニ反

〔日〕明年初頭ヨリ
許可、認可等行政
事務處理簡捷化ニ
関スル要綱案閣議

〔重〕抗戦作戦検討
蔣介石ハ湖南省南
岳ニ全國各戦区遊
撃隊司令ソノ他軍

撃沈賠償要求ヲ一
蹴。
〔英〕ビルマニ自治
領ノ地位ヲ要求、
ロンドン滞在中ノ
サウ・ビルマ首相
対英交渉ノ失敗ヲ
発表不満表明
〔比〕七ヶ師ノ比島
予備軍、アメリカ
極東軍ニ正式編入。
〔英〕香港政廳綿糸
布輸出禁止令公布
〔米〕米油槽船サリ
ナス号氷島南西デ

四五六

転沁陽ニ一部進出セ
リ。
黄河要衝ヲ確保
沁西作戦共匪ノ剿滅
近シ
師家灘、槐木凸、船
窩、禹門口ノ黄河四
渡河点ヲ確保シ河評
御寧ヲ結ブ大包囲陣
ヲ縮少中ノ部隊ハ全
力ヲ挙ゲテ剿滅中ナ
リ。
稷城附近二十一ヶ村
ノ佛教徒救援ノ掃共
戦展開、赤匪地区包
囲網完成

決定（原則トシテ
三十日）。
〔日〕日本発送電、
電源開発五ヶ年計
画ヲ樹立。
〔國〕工部局ノ物價
統制、領事団權限
ヲ承認。
〔国〕棉易公会総解
合。
〔國〕國府通行税暫
行條令公布（最高
一割）
〔宣〕北支開発総裁
津島壽一受諾回答
（四日）
〔日〕予算膨脹ニ対應シ

事将領ヲ招集シ全
國軍事会議ヲ開催
スルニ決セリト伝
ヘラル同会議ハア
メリカ代表マグル
ーダー代将及英ソ
軍事顧問モ出席シ
抗日作戦ヲ根本的
ニ検討スル筈。

魚雷攻撃ヲ受ク、
〔英〕英、南阿沿岸
沖合航行中ノ佛船
五隻ヲ拿捕ス。
〔英〕英帝領会議キ
ヤレベラニ開カル。
〔英〕印度、日満製
綿糸等ノ輸入制限
ヲ再強化ス。
〔泰〕ルアン・ビチ
ツト外務次官、東
條首相ノ平和声明
ニヨリ東亜危機ノ
疑惧ノ念ハ解消セ
リト声明
〔英〕ハリファック
ス駐米英大使反戦

四五七

貯蓄目標ヲ改訂増
額。
昭和十六年度
一三五億円
〔日〕重要機械製造
事業法
愈々施行ノ運ビ
〔日〕内外情勢ノ認
識徹底ヲ計ルタメ
二十四日臨時地方
長官会議招集ニ決
ス
〔満〕イドマン初代
フィンランド公使
新京着任。
〔国〕外交部常任次
長ニ陳允文行政院

婦人連ノ奇襲ヲ受
ク。
〔佛〕英国軍艦ノ商
船拿捕事件ニ朝野
ヲ挙ゲテ憤激、対
英厳重抗議提出。
〔比〕米國極東陸軍
航空隊司令官ブリ
アントン少將マニ
ラ着。
〔濠〕カーチン首相、
対枢軸態度決定ノ
タメ英帝国領各国
会議ヲ開催中ト言
明。
〔濠〕クーパー英東
亜代表カーチン首

四五八

法制局長就任.

相ト重要協議.

一一・五

山東省南部ニ新作戦共産軍二万殲滅ヘ皇軍精鋭ハ五日拂暁一斉ニ進撃開始蒙陰沂水、臨沂ノ三方面ヨリ緊密ナル包囲線ヲ形成シツツ猛攻ノ火蓋ヲ切レリ.青駝寺ニ突入五日午後五時敵ノ根據地青駝寺ニ突入セリ.

〔日〕日米関係打開ニ来栖大使ヲ派遣.
〔日〕興亜院華中連絡部機構改革.
〔國〕棉易公会市場規則改正後再開。
〔泰・佛印〕泰、佛印國境確定委員現地ヘ。
〔日〕價格ト租税負担区別ノ明確期ス増税案ニ関シ東商政府ヘ建議.
〔日〕興債発行限度擴張四十億ニ増額ヘ倍

〔重〕重慶デビルマルート防備ニ関スル会議開ク.
〔重〕九中全会ヲ延期
重慶内部摩擦ヲ暴露.

〔ソ聯〕ソ聯・中共ニ軍隊派遣要求説傳ハル.
〔蘭印〕蘭印チモール向ガソリン輸出ヲ禁ズ.
(高オクタン價ガソリン)
〔濠〕米濠航空協定(米クリツパー機ノ航路延長近ク成立
対米依存益々濃厚.

四五九

一一・六

陸軍航空隊ハ六日午後南支ノ敵軍事據点韶関ヲ急襲セリ.
信陽北方作戦
湯恩伯麾下八十五軍

額)論有力トナル
通常議会ニ改正案提出.
〔日〕谷口大蔵次官「将来預金ノ引出制限等ハ絶対ニ行ハズ」ト放送。
〔國〕皇軍管理下ノ第三國権益ノ一部ノ中國側移管調印式挙行.
〔日〕気比丸日本海デソ聯機雷ニ触レ沈没船客四二八名ノ安否気ヅカハル.
〔日〕外務當局気比

〔重〕蔣直系軍続々雲南省ニ進駐.
〔重〕マグルーダー米軍事使節団長重慶発昆明ニ向フ。

〔英〕香港政廳金融統制令実施.
〔英・米〕英米トラスト華北煙草中央配給組合ニ加入。

四六〇

ヲ急追、溝竹ヲ抜キ
毛集ニ殺倒
魯南戦線、共産軍山東縦隊司令部所在地孫祖ヲ占領

丸事件ニツキソ聯ニ厳重抗議誠意アル回答ヲ要求
〔國〕天津対日輸出組合成立
〔國〕上海棉取営業規約改正ニ決定
〔國〕大沢中銀副総裁東上
〔日〕李王垠殿下教育総監部ニ御転補
〔日〕日伯文化協定リオデジヤネイロニ於テ批准書交換ヲ了ス、十二月五日ヨリ発効

〔米〕米・ソ聯ヘ十億ドル供與決定
〔ソ聯〕リトヴイノフ前外相駐米大使ニ任命
〔ソ聯〕革命二十四年記念日、スターリン首相放送演説、独軍ノ死傷捕虜ハ四百五十万ニ達シ電撃戦ハ失敗セリト述べ、赤軍敗勢ノ原因トシテ独軍ノ優勢、戦車ノ不足ヲ指摘、英國軍ノ欧洲上陸作戦ノ

四六一

断行ヲ要請.
〔ソ聯〕ウーマンスキー前駐米大使、政府機関タス通信社長ニ仕命サル.
〔米〕ル大統領、白亜館ニ開催ノ國際労働会議閉会式ニ臨ミ演説枢軸國ト闘争スル諸國ノ努力ヲ徒労ニ終ラセズト強調。
〔巴〕在留日本商社、全面的ニ営業ヲ禁止サル。米政府ノ圧力ニヨルモノ。

四六二

一一・七

沂河上流敵前渡河
坦埠ニ向ケ一斉進撃
魯南山岳地帯ノ戰況
ハ進捗シ六日夕ヨリ
七日朝ニカケ包囲陣
ヲ完成沂河上流ヲ渡
河一方他ノ有力部隊
ハ坦埠向ケ進撃シツ
ツアリ。

〔日〕第二十回総動員審議会ニ於テ五勅令案可決答申。
一、馬事団体ニ関スル勅令案要綱
二、獣医師職業能力申告令中改正ニ関スル勅令案要綱
三、獣医師等ノ徴用ニ関スル勅令案要綱

〔重〕重慶當局、滇緬公路ノ米國管理案ヲ受諾スル用意アル旨言明。


〔濠〕日本ニ避難中ノポーランド系ユダヤ人五〇名ノ入國許可ノ旨発表。

〔英〕香港弗レートノ釘付決定。

〔英〕厦門英人ニ最後的引上ゲ命令。

〔米〕米中立法改正案上院本会議ヲ通過。（商船ノ交戰國港湾航行禁止並ニ交戰國水域航行禁止解除案）

〔米〕米・キューバ

四六三

四、農業生産ノ統制ニ関スル勅令案要綱
五、土地工作物管理使用収用令中改正ニ関スル勅令案要綱
〔日〕北支開発会社総裁ニ津島日銀副総裁決定
〔日〕日銀副総裁ニ山内静吾氏決定。
〔國〕中支紡績、製油軍管理工場讓渡。
〔日〕北支開発三週年記念。
〔日〕天皇、皇后両

ト武器貸与協定締結。
〔米〕米海軍サンデイエゴ軍港ノ罷業ニ対シ工場接収ノ強圧手段ヲトル旨声明。
〔米〕固体燃料モ統制下ニ置ク。
〔泰〕総額二億五千九百万バーツノ明年度予算案議会通過
〔米〕ル大統領駐支海軍陸戰隊ノ引揚（北京、天津、上海、総員千五百名）

四六四

陛下葉山へ行幸啓アラセラル。

〔日〕興亜院蒙疆連絡部長官ニ岩崎氏男陸軍少将任命。


ヲ考慮中ト言明。

〔英〕チャーチル首相「戰況ノ前途ハ好望ナリ」ト演説。

〔佛〕ペタン主席「反共十字軍ニ積極的ニ参加セヨ」ト重大声明。

〔巴〕秋山公使、邦人圧迫策ニ関シ厳重抗議ラ・グアルディア大統領ハ考慮ノ餘地ナシト之ヲ拒否
〔比〕來栖大使マニラ着ケソン大統領ト會見

四六五

一一・八

諸部隊原態勢ヘ
正陽、汝南、駐馬店、確山、明港等京漢線東西ノ敵第五戰区ヲ攻撃湯恩伯ノ八五軍ノ三箇師ヲ殲滅セル皇軍ハ八日ホボ原態勢ニ復帰セリコノ間ノ戰果左ノ通リ
遺棄屍体　一、八〇〇
捕虜　一三六
重機　三
軽機　一四
小銃　一八二
ソノ他多数

〔日〕パナマ政府ノ在留邦人締出シニ外務省抗議。

〔日〕芳沢大使海防着歓迎裡ニハノイ大使府ニ入ル。

〔国〕工部局價格形成委員会日本側委員決定。

〔國〕褚民誼新外交部長「中日満三國條約精神ノ実現ニ邁進スベシ」ト就任挨拶。


〔重〕郭泰祺談発表八日北氷新聞聯合ノ重慶特派員ト郭泰祺ノ單独会見談発表要旨。第一、民主主義國家ガ戰闘機並ニ爆撃機ヲ續々重慶ニ送ル第二、ＡＢＣＤ諸國ハ聯合シテ佛印ヨリ日本ヲ駆逐スルト述べ対日包囲陣強化ヲ叫ビアリ。


〔米〕米農務省棉花穀物ノ一日ノ値動キ限度ノ半減ヲ全商品取引所ニ要請。

〔米〕コクラン重慶ニ向フ米金融代表コクランハ、八日香港ヨリ再ビ重慶ニ向ヘリ。

〔佛印〕ドクー総督芳沢大使ヲ迎へ声明発表日佛印関係ノ緊密化ヲ強調。

四六六

〔氷〕　駐独代理大使更迭ジヨージ・ブランド新任。

〔米〕　昨年七月ヨリ本年十月ニ至ル罷業労働者総数一九六万三三一名、損失労働時間二四二八万四九八一労働日ニ達ス

〔米〕　海軍超大飛行艇マルス号ヘ六七噸）進水。

〔比〕　来栖大使マニラ発空路渡米。

四六七

一一・九

信陽北方作戦終了

中支軍九日午後四時発表

信陽作戦ハ昨八日終了原基地ニ帰還シソノ戦果ハ（昨八日記載通リ）別掲ノ如シ

魯南作戦包囲網縮少共産軍ニ万全ク袋ノ鼠、随所ニ殲滅戦展開

〔國〕　四中全会宣言発表

九日第一日ノ四中全会ハ成案及建議案ハ合計八十七件ニシテ対日提携ノ決意ヲ宣言セリ本会議ハ十一日終了ノ予定

〔満〕　満洲國第二次五ケ年計画案素案作成

輸出力ニ倍ニ躍進近ク青木企画處長渡日ノ予定

〔国〕　上海共同租界工部局食米ノ價格、

〔巴〕　パナマ政府、三八〇名在留邦人ノ営業許可ヲ取消シ邦人締出シヲ企ツ。

四六八

持運ビ等ヲ制限。

〔独〕　ヒ總統ミュンヘンデ中立法改正ニ最後ノ警告ヲ発ス。

〔國〕　四中全会開幕

四中全会ハ九日午前十時ヨリ南京中央党部ニ開催セラレタリ、而シテ中日提携ノ決意ヲ宣言トシテ発表

一一・一〇

大洞窟ノ敵ヲ殲滅、雁門口完全ニ占領（十日薄暮）

〔日〕　通常議会召集

第七八回帝國議会ハ十二月二十四日

〔重〕　蒋、米ニビルマ・ルート維持策援助要請。

〔英〕　チヤーチル英首相マンション・ハウスニテ対日恫

四六九

魯南ノ共産軍殆ンド潰滅、早クモ建設工作態勢ニ入ル。

東京ニ召集スル旨ノ詔書ハ十日附官報ヲ以テ公布セラレタリ。

〔日〕　大蔵大臣戦時財政策闡明（十日）於金融協議会役員会

（國家的見地ニ立脚シ國民ノ積極的貯蓄ヲ要望、預金ノ引出制限ハ絶対ニ行ハズト言明）

〔日〕　鉄鋼統制会長決定

平生釟三郎氏ニ、

〔日〕　日鉄後任社長

喝演説ヲシ米国ガ対日戦争ニ捲込マレシ場合ハ英國ハ直チニ対日宣戦ヲ布告スベシト演説。

〔米〕　野村大使「日米関係ヲ平和的ニ解決スル可能性アリト確信ス」ト言明。

〔米〕　上院孤立派、チヤーチル英首相ノ演説ハ徒ニ米國ノ対日戦ヲ煽ルモノトシテ猛烈ニ非難。

一一・一一

ニ豊田前外相決定。

〔國〕上海棉取再開。

〔日〕十日現在気比丸遭難者内訳
乗船員総数　四四五名
内生存者　二九〇名
死亡　二二名
行方不明　一三三名

〔独〕対ソ開戦以来ノ捕虜総数三六三万二千ニ達ス。

〔日〕外交顧問任命
佐藤尚武
川越茂
外務省外交顧問仰

〔重〕國防委員会、西藏経由印度ヘノ新輸血路ヲ立案中ト。

〔米〕ル大統領休戦紀念日ニ参戦辞セズト演説。

〔英〕英系商船重慶

四七〇

付
右ニヨリ外交陣ノ強化ガ行ハレタルモノト言フヲ得ベシ。

〔日〕産業設備営団要綱成ル（十一日情報局発表）。遊休、未働設備活用閣議決定今議会提出（資本金二億円第一回拂込五千万円）。

〔日〕首相衆議院代表者招待（協力要

〔重〕龍雲合作ヲ容認
西南軍司令ニ白崇禧
西南地区ノ防備問題ニツキ重慶側ト第十路軍長兼雲南省主席龍雲トノ往来ハ最近極メテ頻繁トナルモ昨今ノ接衛ニ関シ次ノ如キ情報アリ。
一、政治顧問ラチモアハ去月十五日十九日ノ二回ニ亘リ昆明ニテ龍雲ト会見シ蒋

軍ニ砲撃サル
十一日宜昌下流四キロニ於テ碇泊中ノ英系商船ニ対シ重慶軍ハ数十発ノ小銃弾、砲弾ヲ発砲セリ。

〔泰〕バンコック放送局「今雨期ノ終リヨリ乾期ノ初メニカケ泰國ハ戦火ニ捲込マレルニ至ラン」ト放送

〔蘭印〕ホーフストラーテン経済長官代理「蘭印ガ攻撃ヲ受ケシ場合ハ断

四七一

請）。

〔泰〕泰國大蔵省明年度貿易見積発表、

〔日〕興亜院会議開ク。

〔國〕四中全会閉幕事案八五件採択。

〔國〕徐良新中華大使東京着任。

〔國〕本多大使、南京発帰朝ノ途ニツク。

介石ノ意図ヲ伝ヘ、雲南省ノ税収調整、西南防衛ノ擴充並ニ指揮系統ビルマルート防衛ヲ中心ニ協議セリ。
二、去ル十月二十一日ヨリ湖南省衡山ニ開カレシ南岳軍事会議ハ本月八日終了セル模様ナルモ予想サル雲南攻略、ビルマルート遮断ノ場合ノ対策ニツキ検討

然焦土政策ヲトルベシ」ト放送。

〔米〕パナマ運河補強工費一、一六〇万弗ヲ議会ニ要求。

〔米〕総額一、五〇〇万弗ノ対ソ工作機械ノ優先供給決定。

〔ペルー〕ペルー議会昨年五月勃発ノ在留邦人暴行事件ノ賠償金一四〇万ソール（約百万円）ノ支出ヲ可決。

四七二

シ軍事委員会副参謀長白崇禧ガ西南地区ヲ主宰スルコトニ意見一致セリ。
三、軍事委員会総参謀長何應欽ハ去月下旬アメリカノ軍事代表五名ト昆明ニ同行シ龍雲ト会談シ龍雲モ重慶側トノ全面的合作ニツキツヒニ同意ヲ表明セリ。

〔重〕南洋華僑ノ巨頭陳嘉庚、参政会

四七三

一一・一二

〔日〕海軍各要港部警備府ト改称（大阪ニモ新設）（十一日公表）

〔日〕鉄道運賃審議会引上ゲ案可決答申

重要物資ノ割引擴充、改正引上ゲハ旅客ニ重点

〔日〕湯河食糧管理局長官ノ放送

南方ハ東亜ノ穀倉

ヘノ出席ヲ拒絶、紊乱セル抗戦財政ノ公表ヲ要求。

〔重〕ジャンノート米予備陸軍航空大佐引率ノ米人義勇飛行隊員一行重慶着、星條飛行中隊三中隊ヲ編成。

〔英〕英戦艦急航ダフ・クーパー特使誇示

ダフ・クーパーハ十二日メルボルンニ於テ準備ナレル英國ノ大型戦艦ガ可能ナル破局ノ中心ヘ急航シツツアリトノチャーチル英首相ノ言ヲ引キ誇示ヲ行ヘリ。

〔英〕英皇帝南院式



ナリト放送セリ。

〔國〕上海共同租界工部局必需品輸入用外貨獲得。

〔日〕北支開発会社法改正ニ内定

〔日〕東條首相、貴族院代表ト懇談

〔佛印〕芳沢大使歓迎ノゴーチエ総務長官主催晩餐会開催。

ニテ近東軍ノ強化ヲ力説。

〔米〕米國防資材優先割當局三ヶ月内ニ産業別ニ直接割當制ヲ実施スル旨発表。

〔米〕ビドル司法長官、日米関係ノ険悪化ニ鑑ミ外人取締ヲ強化スル旨発表。

〔米〕財務當局重慶政権援助ノ米支向ノ金融取引並ニ貿易ヲ制限スル旨発表。



一一・一三

鄭州北方蠢動ノ敵潰走

十三日未明黄河南岸ノ鄭州北方ノ吾ガ陣地ニ対シ約一千、同日夜ハ約九百ノ敵攻撃シ来リタルモ遺棄屍体五名ヲ残シ南方ニ潰走セリ、吾ガ損害負傷一。

第一七回生存者論功行賞発表

殊勲甲　五〇名

金鵄授賜者　三、三六二名

〔日〕米穀証券及借入金ノ最高限度ヲ十二億五千万円ニ擴張。

〔滿〕滿洲開拓農場法公布。

〔日〕本多大使東上。

〔日滿華〕奉天デ日鮮滿華北鉄道年末輸送対策ヲ練ル。

〔國〕上海諸物價落

〔英〕香港政廳金銀交易所ニ清算取引中止ヲ要求。

〔英・米〕英米支間金融貿易統制権限ヲ安定資金ニ附與。

〔米〕米中立法改正案危ク下院通過。

〔濠〕濠洲、船舶武装命令ヲ公布。

〔泰〕米政府トノ間ニ軍用機購入交渉進捗中ト発表。

〔米〕〃武装船舶ノ交戦区域立入禁止解除ヲ中心トスル中立法改正案二一二



一一・一四

勢顕著。

〔日〕臨時閣議、予算膨脹ニ伴フ浮動購買力、吸収消費節約ノ励行、物資消耗ノ抑制ニ主眼ヲ置ク増税案ヲ決定、臨時議会ノ協賛ヲ経十二月一日ヨリ実施ニ決ス。

〔日〕臨時議会提出予算閣議決定

臨時軍事費　三八億円

一般会計追加歳入　二億一三百万円

〔重〕軍事當局、ビルマ・ルート方面ニ於テ日本軍トノ衝突勃発セバ直チニ佛印ヲ爆撃スベシト恫喝。

票対九四票ヲ以テ下院通過。

〔米〕ル大統領在支米マリン総引上ゲ言明。

〔英〕英航空母艦アーク　ロイヤル号西方地中海ニテ撃

歳出　五億千五百万円

鉄鋳採算割補償一手買取販賣ニ統制機関ヲ設立本年下期ヨリ実施而シテ受益者ハ六社ニ限定。

〔日〕産報理事長小畑忠良氏ニ決定。

〔日〕野村信託ノ投資信託業務正式認可。

〔国〕聯銀券大幅低落。

〔泰〕ピブン泰首相陸海空軍最高指揮官ニ就任。

沈ザル。英戦艦マラヤ号モ同附近デ大損傷ヲ受ク。

〔泰〕ピブン首相、陸海空軍最高指揮官ニ任命。

〔米〕ル大統領ノ斡旋ニ係ル製鋼用炭坑争議ノ労資代表者会議白亜館ニ召集。

〔米〕外国人ノ出入ニ関スル厳重ナル取締規則発表。

〔米〕低質石油製品ノ輸出許可制一部

四七八

一一・一五

〔日〕阪谷芳郎子爵逝去。

〔國〕江蘇省内ニ蘇北行營設置、行營主任ニ臧卓中将任命。

〔日〕来栖大使桑港着。

〔日〕第七十七臨時議会召集。

〔日〕兵役法施行令ヲ改正、第二国民兵（丙種）モ兵籍ニ編入。

〔国〕新民会副総裁ニ鈴木美通中将内

〔重〕ビルマ路共同防衛ニ関スル英米重慶協定成立説。

改訂蘭印、重慶、佛、英カナダ等ヘノ輸出再開許可。

〔ペルー〕ペルー昨年五月ノ暴動事件ノ賠償金トシテ約百万円ヲ日本ニ支拂陳謝ノ意ヲ表明。

〔亜〕亜国、穀物ノ定期取引中止ヲ発表。

四七九

一一・一六

敵遺棄屍四千名

定。

〔日〕大日本製糖海南島進出ニ決定。

〔日〕中支ヘ棉花視察団派遣ニ決定。

〔日〕来栖大使華府ニ到着。日米国交改善ノタメ最善ノ努力ヲ致スベシト談話。

〔日〕第七十七臨時

〔泰〕政府スポークスマン危機ノ切迫ヲ国民ニ警告「ピブン首相ハ一切ノ責任ヲ負ヒ辞職ヲ決意シツツアリ」ト放送。

〔米〕炭坑争議悪化罷業炭田ノ軍徴用必至ト見ラル。

〔比〕聯邦第六回記念日ケソン大統領比島ハ米国ト運命ヲ共ニスベシト演説。

〔英〕香港金銀交易

四八〇

一一・一七

沂南剿清戦共産軍ヲ潰滅

山東省、江蘇省北部、安徽省北部ニ展開サレシ剿清戦ノ戦果次ノ如シ（括弧内ハ共産軍関係）

交戦回数　四八（二八二）

交戦敵兵力　八三、〇二六（四三、四五）

遺棄死体　四、二二四（三、七九四）

小銃　一、九七九

其他多数

議会開院式挙行。

〔泰〕ピブン泰首相辞意表明説伝ハル。

〔日〕東條、嶋田陸海両相貴衆両院ニ於テ戦況報告、交交現下ノ國際危局ヲ暗示シ全陸海軍ノ決意ヲ強調。

〔満〕満ソ西部国境ニ於テソ聯兵三名越境逮捕サル。

〔日〕第七十七臨時議会席上東條首相外交三原則ヲ闡明シ鉄石ノ決意ヲ表

〔重〕重慶国民参政会第二次大会開ク蒋介石「日、独両国ハ明春ヲ期シ民

所清算取引中止ニ決定。

〔米〕炭坑争議労資交渉遂ニ不調、全国的罷業不可避。

〔英〕香港金銀交易所再開。

〔日、米〕野村、来栖、ルーズヴェルト

四八一

明。

〔日〕上海邦人紡七割操短ニ決定。

〔日〕天津外銀ノ対英米為替相場上海並ニ変更、

〔独〕独東部領省新設ローゼンベルグ氏就任。

〔日〕東郷外相日米交渉ハ長時間ヲ要セズ結末近キニアリト言明。

〔日〕衆議院「臨時軍事費予算追加案」ヲ満場一致可決。

主國ニ対シ一大攻勢ニ転ズベシ」ト演説。

ト、ハル四者白亜館ニテ第一次日米会談開ク（再会）。

〔イラク〕イラク対日國交断絶ヲ声明。

〔米〕米・七十億ノ軍事予算案提出。

〔米〕ニューヨーク商品取引所三井合名ノ訴訟却下ヲ地方法院ニ申請ス。

〔米〕鑛山労働者組合所属坑夫五万三千一斉罷業開始。CIO第四回年次大会坑夫罷業ニ無制限援助ヲスル決

四八二

一一・一八

〔日〕米ノ専賣ハ行ハズト米穀委員会席上農相言明。

〔日〕營業免許制、本年中ニモ実施ト商相言明。

〔日〕事変以来十一月十五日迄ノ新規公債発行高ハ二四一億円、マタ本年度公債消化率九割余ノ成績ヲ挙グ。

〔日〕遊休未働設備現在高二五億円前後ト商相説明。

〔重〕蒋介石、陝甘寧辺区ニ於ケル国共相剋緩和ノタメ張学良ヲ東北戦区司令長官ニ任命スベク中共側ニ提議。

〔重〕日米会談終了直後胡適重慶大使ハル長官ト会談。

議案採択

〔日・米〕第二次日米会談野村、来栖ハルノ間ニ開カル。

〔米〕米商船武装開始発表。

〔米〕米農務省対ソ小麦供給困難ヲ声明。

〔米〕上海共同租界地区ノ米陸戦隊一部警備区ヨリ撤収開始。

〔泰〕バンコック各紙、日本ノ事変完遂決意ト日米会談

四八三

〔日〕日銀條例ヲ改正、具体案ヲ考究中ト藏相言明。

〔日〕鮮米第二回收穫予想高二千四百万石ト発表前年ニ比シ一割四分増。

〔國〕工部局最高小賣價格制実施。

〔國〕済南地方煙草卸賣配給組合結成。

〔日〕芳沢大使ドクー総督訪問。

〔日〕「臨時軍時費追加案」貴族院ヲ全会一致通過成立。

〔日〕衆議院「国策

ノ進行ニ共感表明。

〔泰〕ピブン首相前線総指揮官ニ就任軍事大異動発令。

〔泰〕クロスビー英公使、ピブン首相ト時余ニ亘リ会談。

〔米〕ル大統領CIO大会ニ対シ国防生産ニ全面的協力ヲ要請。

〔米〕ノックス海軍長官、商船武装ヲ発令。

〔比〕ダバオ地方ニ於ケル邦人漁業權取消、対日圧迫露

四八四

完遂決議案」ヲ一致可決。

〔日〕岸商相、總動員法ニ基ク「企業許可令」ヲ近ク実施スル旨言明。

〔日〕東條・島田陸海両相「陸海軍ハ如何ナル事態ニモ應ズル万全ノ用意アリ」ト言明。

〔満〕外務局、在哈爾浜ソ聯総領事ニ対シ赤軍越境事件ニ関シ嚴重抗議。

〔佛印〕芳沢大使、ドクー総督会見。

骨化。

〔キューバ〕キューバ政府、海空軍港湾、海岸地帯飛行場其他ノ基地ヲ挙ゲテ米国ニ提供スル法案ヲ議会ニ提出。

四八五

一一・一九

〔日〕工作機械事業ヲ許可制ニ改正令実施。

〔日〕直接税八十億円見當ノ大増税見込ト藏相増税委員会ニ於テ暗示。

〔日〕中支邦人生必品ニ公價決定。

〔国〕怡和太古両汽船華北華南線運賃引上ゲ。

〔国〕上海七華商銀行ニ為替取扱許可。

〔日〕衆議院、追加予算案増税案等ヲ一致可決。

〔日〕宮沢胤男代議士ノ演説内容ニ関聯翼賛議員同盟分裂。

〔日〕台北ニフランス領事館新設。

〔國〕上海海関長英人ローフオード退任、赤谷龍助（青島海関長）次席昇任

〔日〕河相駐濠大使エヴアツト外相訪向太平洋問題並ニ日米交渉ニ関シ意見交換、

四八六

〔米〕米ノ炭坑罷業益々激化、ルイス合同坑夫組合長、大統領ノ調停案ヲ拒絶ス。

〔ソ聯〕ソ聯東亜政策ノ基礎ハ日ソ條約トロゾフスキー情報局次長声明。

〔米・墨〕米・墨協定調印サル。

〔泰〕第一回臨戰会議ピブン総司揮官司令ノ下ニ開会。

〔米〕日米非公式会談。

〔米〕ペツパー上院議　対日強硬論。

〔英〕イーデン外相「日本ガ若シビルマ路ヲ攻撃セバ重大事態惹起セン」ト下院ニ於テ答弁。同時ニソ聯ノ要求ニ應ジ芬羅、洪三国ニ対シ軍事行動ヲ開始セル旨言明、

〔英〕政府ハエヂプト政府ニ対シ同国所在ノ日本、スペイン・フランス各國領事館ノ閉鎖ヲ要求セリト。

四八七

一一・二〇

中川廣、越生虎之助、人見與一各陸軍中將山村治雄、遠藤春山中將帰還天皇陛下ニ拝謁仰付ラル、

〔日〕臨時議会閉幕貴衆両院ヲ通過成立ヲ見タ政府提出議案ハ合計十三件

予算案四件

一、昭和十六年歳入歳出総予算追加案（第一号）

一、昭和十六年各特別会計歳入歳出予算追加案（特第一号）

一、予算外国庫ノ負担トナルベキ契約ニ関スル件（追第一号）

一、臨時軍事費追加予算案（臨第一号）

法律七件

一、酒税等ノ増徴ニ関スル法律案

一、昭和十二年法律第八四号中改正法律案（支那事変ニ関スル臨時軍事費支弁ノタメ公債発行ニ関スル件）

一、昭和十三年法律第二三号中改正法律案（関東局、朝鮮総督府及樺太廳

〔重〕印度駐在武官ニ易徳明中佐任命、

四八八

〔日・米〕野村、来栖・ハル第三次会談行ハル。

〔米〕米労働爭議擴大、参加炭坑五百、従業者十五万人ニ達ス。

〔佛〕ウエーガン将軍下野ス。

〔米〕國務省ウエーガン将軍罷免ニ伴フ独佛関係ノ増進ニ不満表明。

〔泰〕坪上大使ピブン首相訪向時余ニ亘リ懇談

〔蘭印〕フアン・モーク経済長官ロンドン亡命政府ノ植民相ニ就任。

〔米〕ナイ上院議員「政府ハ日本ニ対シテ譲歩シ太平洋ノ緊迫ヲ緩和スベシ」ト意見表明。

〔英〕イーデン外相日米会談ニ言及、会談ニ対スル米國ノ態度ヲ絶対信頼スル旨強調。

四八九

四九〇

ノ各特別会計ニ於ケル租税収入ノ一部ニ相當スル金額ヲ臨時軍事費特別会計ニ繰入ルコトニ関スル件）

一、昭和九年法律第二九号中改正法律案（米穀需給調節特別会計法中改正法律案）

一、台湾米穀移出管理特別会計法ノ特例ニ関スル法律案

四九一

一、産業設備営団法案

一、防空法中改正法案

承諾ヲ求ムル件、二件

一、昭和十六年勅令第九百二十三号

一、臨時郵便取締令

〔蒙〕蒙古政府煙草ニ増税。

〔国〕華北交通ダイヤ改正。

〔日〕第十八回（陸軍十五回）

一一・二一

四九二

生存者論功行賞発表

金鵄勲章　四四三名

〔日〕海軍異動発表

中将　住山徳太郎

補軍事参議官

中将　谷本馬太郎

補佐世保鎮守府

司令長官

中将　小林　仁

補大阪警備府

司令長官

〔日〕南支戦線御転戦中ノ李王垠殿下帝都御帰還。

〔日〕外務當局ワエラーリ・パナマ公

四九三

使ニ対シ邦人圧迫問題ニ関シ重ネテ厳重抗議。

〔日〕臨時議会閉院式挙行。

〔日〕米第二回予想収穫高五、五四六万二千石ト発表、前年実収高ニ比シ五百三十五万五千石ヲ減少。

〔日〕鉄鋼統制会理事長ハ小日山直登氏ニ決定。

〔国〕江海関輸出許可品目ヲ擴大。

〔重〕蔣介石、龍雲ニ対シ重慶ニ来リ軍政部長ニ就任スル様要求説。

〔重〕蔣介石「日米会談ハ世界大局ノ規模ニ於テノミ進メラルベク重慶ヲ犠牲トシテノ平和ハ承服シ得ズ」ト米政府ニ泣訴。

〔伯・亜〕伯亜協定調印サル。

〔米〕ル大統領「日米会談ハ未ダ別段ノ進展ヲ見ズ」ト述べハル國務長官「会談ハ未ダ一般的段階ニアリ」ト言明。

〔米〕CIO議長ニ現議長マレー再選。

〔英〕アレクサンダー海相、極東艦隊

四九四

〔日蒙〕　日蒙商郵便貯金払戻シ制度改正

〔日〕　坪上大使ピブン首相懇談。

〔国〕　上海諸市場落勢ニ拍車。

〔日〕　東條首相談話発表

「国民ノ信念ヲ彼盾トシ重大ナル内外ノ事態ニ即應シ断乎國策ノ完遂ニ邁進スベシ」

〔日〕　日商定時総会藤山会頭、我ガ経済力ノ強靭性ヲ強ノ実質的増強ヲ確認。

四九五

調、難局ニ対處スル財界人ノ決意ヲ披瀝。

〔佛印〕　ドクー総督、芳沢大使訪問。

〔独〕　軍当局、独ソ開戦以来ノ戦果発表

占領面積　一七〇万平方粁
捕虜　三七九万二
撃破師団　三八九師団
装甲車　二.二万
飛行機　一.五八八万
軍艦撃沈　四七
商船　一一九

四九六

一一・二二

〔日〕　國民勤労報國協力令公布、十二月一日実施。

〔日〕　国民貯蓄目標ヲ百七十億円ニ改訂
（大蔵省議）

〔国〕　上海共同租界工部局最高價制ヲ擴大。

〔國〕　上海税関長ニ赤谷竜助氏就任

〔満〕　熱河省対華北貿易調整会開ク。

〔独〕　独軍ロストフ占領。

〔佛印〕　サイゴン・

〔重〕　奥地ト印度ヲ結ブ新公路建設工事ニ近ク着手スル旨発表。

〔米〕　ハル長官英、濠、蘭印及重慶ノ代表ヲ招キ太平洋問題ヲ議ス。

〔米〕　米炭坑罷業労資ノ妥協ナリルイス組合長復業指令ヲ発ス。

〔米〕　ハル長官、英、濠、蘭蔣ノ極東関係諸國代表ヲ招致、日米会談ノ経過ヲ報告、意見交換。

〔米〕　日米会談野村、来栖、ハル間ニ二時間半ニ亘リ会談。

四九七

ショロンヲ中心トスル抗日華僑九〇名一斉検挙。

一一・二三

山東南部ノ掃共戦果

交戦回数　六一
交戦敵兵力　二一、〇〇〇
敵屍　一、六五〇
捕虜　三三〇

〔日〕　新嘗祭

天皇、皇后、両陛下御視察ノ下ニ御祭儀トリ行ハセラル

〔重〕　重慶＝ビルマ間ニ約　千粁ノ送油管建設計画発表。

〔英〕　英軍北阿ノ要所ドムバスヲ占領ス。

〔キューバ〕　バチスタキューバ大統領ハ「米国参戦セバ直チニ起ツテ米国側ニ味方スベシ」ト宣言。

一一・二四

〔日〕　臨時地方長官会議開催、地方長官及外地要路者ノ

〔米〕　ハル長官四ケ国代表会議再度開催。

一一・二五

奮起要望。

〔日〕 対米第二次配船龍田丸ヲ派遣ニ決定（在米邦人並ニパナマ在留邦人引揚ノタメ）。

〔佛印〕 佛印 佛本國他植民地間郵便取扱中止、

〔日〕 防共協定更ニ五ケ年延長、加盟國八十三國ニ達ス。

〔國〕 國府防共協定

二時間ニ亘リ会談（英・濠・蘭・重）。

〔米〕 米・蘭領ギアナニ鑛山防衛ノ名義デ派兵。

〔比〕 歩兵予備兵八個聯隊及野砲兵同六個大隊、米極東軍ニ編入。

〔亜〕 日亜通商協定延長ニ関スル帝國政府ノ要求ヲ拒否。

〔米〕 ル大統領軍政首脳者ヲ招集シ、東亜問題ヲ凝議ス

〔泰〕 一部予備兵ニ

四九八

一一・二六

ニ参加伯林ニ於テ調印。

〔日〕 中央信託局来月三日開業ニ決定。

〔日〕 北支開発総裁津島壽一氏北京着。

〔日〕 翼賛会主催「難局突破大講演会」東條首相「生活戦線ニアル全国民ハ戦友意識ヲ以テ未曽有ノ難局ヲ克服突破セヨ」ト演説。

〔日〕 石炭統制会設

〔重〕 重慶側畢沢宇、

動員下令、戦争不可避ノ空気益々濃厚。

〔ソ聯〕 開戦以来ノ赤軍死傷及行方不明二百十二万二千名ト発表。

〔米〕 コナリー上院外交委員長近ク佛領ギアナ及ビマルチニツク島ヲ接収スル旨示唆。

〔米〕 ハル長官、英、濠、蘭蒋各國大公使ト個別会談、

〔米〕 北京米大使館

四九九

立 会長ハ松本健次郎ニ決定。

〔日〕 機械部門五統制会組織要綱決定。

〔日〕 綜合物價対策樹立

物價統制協力会議ノ基本方針決定。

〔日〕 瀬戸内海航路ヲ統制、関西汽船創立。

〔日〕 関東州臨時増税内容発表。

〔満〕 満洲國明年度予算七億円ニ圧縮。

〔日〕 故邦憲王妃賀

文大可和平陣営ニ参加。

〔重〕 第二次國民参政会閉会。

華北蒙疆ノ米人ニ引揚勧告。

〔日・米〕 第四次野村・来栖・ハル会談開カル、米・文書ヲ以テ見解ヲ披瀝ス。

〔英〕 英巡ドラゴン号ソルム沖デ撃沈サル。

〔米〕 米下院全面的物價賃銀最高價格設定案ニ対シ強硬反対表明

〔米〕 駐日米大使館、在留米人ノ引揚ヲ

五〇〇

一一・二七

陽宮好子殿下薨去アラセラル御年七十七歳

〔國〕 マルドナード・スペイン公使汪主席ニ親任状捧呈。

〔國〕 汪主席「日華相携ヘテ苦難ヲ突破、将来ノ和平ヲ享受セン」ト強調。

〔日〕 農業団体ノ統合案農林計画委員会デ承認

〔日〕 第二期満洲入植二十二万戸ニ決

勧告。

〔米〕 天津英租界在住米人約百名引揚。

〔米〕 國務省「日米会談ハ今ヤ最高潮ニ達セリ」ト発表

〔米〕 ル大統領、胡適重慶大使ト謀議、

〔日・米〕 野村、来栖、ルーズヴェルト・ハル白亜館ニ第五次日米会談ヲ開ク、会談愈重大局面ニ到達。

五〇一

定。
〔日〕日銀兌換券四七億円台ヘ限外発行ヲ示現。
〔蒙〕蒙古政府最高顧問ニ大橋忠一内定
〔日〕対満事務局次長ニ竹内新平決定。
〔國〕北京市場会社開業。
〔伊〕伊羅通商協定調印サル。
〔日〕第十九回（陸軍側十六回）論功行賞発表
殊勲甲　九名

三二三名ニ金鵄勲章。
〔國〕徐良新中華大使信任状捧呈。
〔國〕周佛海財政部長、國府財政ノ健全性ヲ強調。
〔佛印〕ドクー総督主催、芳沢大使、栗山事務総長歓迎午餐會開催
〔独〕ヒットラー総統、防共各國代表ト会見欧洲新秩序問題協議

五〇二

〔米〕米亜通商協定締結サル。
〔米〕米陸戦隊三百名上海引揚ゲ。
〔泰〕ピブン首相放送演説
國民ハ如何ナル事態ニモ対處シ得ベキ一致団結ノ臨戦態勢確立ヲ期スベシト強調
〔ソ聯〕モスコー危機緊迫全市民ニ市街戦要綱ヲ指令、
〔英〕「全國女子徴用法案」下院ニ提出。

一一・二八
陸海航空部隊大挙昆明ヲ急襲
（支那派遣軍二八日午後四時発表）
我が陸軍航空部隊ハ二十八日数次ニ亘リ大挙出動廣東、江西、廣西ノ各省境附近ノ敵軍事施設並ニ陣地ニ対シ爆撃ヲ敢行セリ。

〔華北〕新民会副総裁鈴木美通北京着。
〔日〕帝國海軍砲艦等ヲ国府ニ譲渡。
〔国〕軍管理家屋返還
皇軍ハ事変以来管理シ来レル中支各地ノ家屋一五〇軒ヲ国民政府ニ返還スルコトトナリ二十八日國民政府大礼堂ニ於テ返還式ヲ挙行セリ（南京五五、蕪湖十七、安慶十七、鎮江十六其他各地所在ノモ

五〇三

〔英〕下院三二六対二票ヲ以テチャーチル内閣信任。

ノ）。
〔國〕陳群国府内政部長来朝。
〔日〕閣議、新聞聯盟ノ新聞統制案ヲ承認。
〔日〕芳沢大使ドクー総督ト時余ニ亘リ懇談。
〔独〕伯林ニ開催中ノ防共各國会議終了。

五〇四

〔英〕香港政廳香港弗、法幣持出シニ許可制。
〔米〕ルーズヴェルト大統領ウオームスプリングスヘ保養ニ出発。
〔米〕米市中銀相場三五仙八分ノ一ニ引上グ。
〔米〕米、物價統制法案下院通過。
〔米〕上海米陸戦隊總引揚ゲ。
〔米〕ル大統領、ハル長官、ノックス、スチムソン海陸長

五〇五

官、マーシャル参謀総長、スターク海軍作戦部長ヲ招集、最高外交軍事会議開催、太平洋戦略協議。
〔米〕ル大統領、日米会談ハ未ダ終結セズ、太平洋上ノ船舶ニ八日目下武装ヲ施ザズ、ト意味深長ニ言明。
〔米〕國務省、防共協定ニ参加セルフインランドニ不満表明
〔比〕ケソン大統領

五〇六

一一・二九

〔日〕鑛山統制会ニ設立命令。
〔満〕于與農部大臣東上
〔満〕張國務総理、日満華共同宣言一周年ヲ迎ヘ談話発表、英米ノ策動ヲ断乎排除シ全東亜民族ノ大同団結ヲ強調
〔國〕汪主席、日華條約成立一周年ヲ

〔重〕ガウス米大使、郭外交部長ト日米会談ニ関シ協議

陸軍省首脳部ト重要協議。
〔米〕ル大統領予定ヲ変更シテ急遽華府ヘ帰還ス。
〔ソ聯〕新鋭航空母艦スターリン号黒海ニ於テ撃沈サルト。
〔米〕ル大統領、ウオームスプリングスニ於テ演説、米国参戦ハ来年ニアリト示唆。
〔米〕最悪ノ場合ニ備ヘル在米日本領

五〇七

一一・三〇

陸軍航空部隊
廣西省欽縣西方、望溪附近ニ於テ蝟集セル敵大部隊ヲ爆撃、機銃掃射ヲ浴セ更ニ敵司令部ヲ爆破ス。
韶関爆撃
同部隊ハ同省韶関ノ

迎ヘ声明発表、全面和平反共建國ノ貫徹ヲ強調。
〔國〕上海租界警察部機構改革、渡正監、スマイス大尉主席警視総監ニ任命。
〔日満華〕日・満・華締盟一週年記念日
東條首相、英米ノアジア制覇ノ野望ヲ排撃シ、大東亜共栄ノ経綸達成ニ邁進スベシト強調、

事館ノ一部閉鎖ヲ考慮中ト。
〔英〕全マレー駐屯軍及ビ空軍ニ対シ待機命令発セラル。
〔米〕米政府在泰米人ニ引揚命令
〔米〕ル大統領、軍政首脳ヲ集メ再ビ東亜問題ヲ議ス。
〔英〕英、ラングーンノ兵力ヲ強化包囲戦備ニ狂奔ス。

五〇八

軍事施設及停車場附近ノ集積軍需品ヲ爆砕シ、又恵州ノ軍事施設ニ爆撃ヲ加フ。

東郷外相東亜ノ現実ヲ認識セザル米国ノ態度ニ遺憾ノ意表明、興亜ノ聖業達成ノタメ難関突破ノ確固タル決意ヲ披瀝。
〔國〕軍艦和平号ノ國府ヘノ譲渡式、我南支海軍特務部ニ挙行。

〔泰〕国境地帯ノ濠洲兵五万、侵入態勢完了説、形勢重大化。
〔米〕ハル長官、ハリファックス英大使ト会談。
〔米〕国務省、ハル長官ハ十二月一日野村、来栖両大使ト会談ノ予定ト発表。
〔米〕國務省「イカナル突発事件ニ対シテモ万全ノ準備ヲ整ヘツツアリ」ト発表。

五〇九

一二・一

陸軍航空部隊ハ陝西省西安ノ市外内ノ軍事施設、停車場、飛行場、兵舎ソノ他ヲ爆破ス。

〔日〕増税実施
〔日〕日米第二次公式会談
両大使ハル長官ト懸案ノ諸問題討議
野村大使來栖大使ハ一日午前十時（日本時間二日午前零時十五分）國

〔重〕香港法幣預金ノ引出シ弁法
重慶政府ハ米英ノ資金凍結ニヨリ香港銀行ニ凍結サレテ井ル法幣引出弁法ヲ一日発表セリ。
〔重〕重慶側四行ノ上海撤退準備成ル

〔英〕印度人ノ大分遣隊ラングーンニ上陸、軍艦数隻、東亜ニ派遣サル。
〔比〕第五列活動防止ノタメ外人入國検査ヲ強化。
〔米〕ル大統領軍政首脳ト会見
ルーズベルト大統領ハ一日午前両大使バル会談ノ最中ワシントンニ帰還シハル長官ノ退出ヲ待チ会見ノ打合セヲナシ正午ヨリ

務省ニハル長官ヲ訪向一時間五分ニ亘リ会談ヲ遂ゲタリ。

〔日〕洋灰統制会ニ設立命令
商工省ニテハ告示ヲ以テ重要産業団体令第八條第一項及セメント製造及販賣ニ関スル事業ノ統制会ノ設立命令ヲ発シ資格ヲ有スル製造業者二十社及セメント共販会社ヲ指定明年二月二十日迄ニ設立

重慶側中國、中央、交通、農民四行ノ上海分行ノ撤退ハ愈々濃厚トナレリ。

スターク海軍作戰部長ト協議セリ。

〔英〕英國軍、タイ國境ニ戰時配備ヲ完了一日緊急状態ノ布告ト共ニ發令サレタ全マレーノ予備兵、義務兵ノ動員ハ発令後ニ時向ヲ出ズシテ開始四日迄ニ完了スル予定ナリ。

〔米〕新規募債ハ國際情勢ト無関係ト発表。
アメリカ財務省ハ過般十二月第一週

五一〇

認可ヲ申請スベキ旨ヲ命ズルコトトナレリ。

〔日〕總動員関係勅令実施状況
總動員法ノ全國的発動ハ決戰態勢下ニ於ケル官民一致ノ要請ニシテ既ニ五九件ノ勅令案ヲ可決、内五一件ヲ実施残ル八件モ実施準備中ナリ。列記スレバ次ノ如シ

〔労務関係〕
第六條

二十二億ドルノ新規募債ヲ行フ旨発表セルモモーゲンソー長官ハ一日新聞記者トノ会見ニ於テ右起債ガ行ハレナイカモ知レズト発表日米関係ノ動向ニ左右サルルモノニ非ズト言明。

〔米〕鉄道争議解決ス
賃銀引上問題ヲ廻ッテノ争議ハ解決セリ

〔英〕英貨邦價急落。

〔英〕十一月末ノイギリス錫在荷高

五一一

| | | |
|---|---|---|
| 合計 | 五八、四五トン | 前年同期 四、〇三五 |
| 海峡錫 | 一 | 三六 |
| イギリス錫 | 五七、八〇 | 三、九三九 |
| 支那錫 | 二五 | 二九 |
| バンカ錫 | 一 | 二一 |
| ソノ他 | 一 | 一〇 |

〔印度〕印度政府、法幣為替援助実施、

〔英〕怡和、太古両汽船北支向航路停止。

〔米〕米領事館、在上海一般米人ニ即時引揚勧告。

従業者移動防止令　一五・二
青少年雇入制限令　一五・二
船員使用統制令　一五・二
学校卒業者使用制限令　一・八
工場就業時間制限令　一四・三
賃銀統制令　一五・一〇
賃銀臨時措置令　一四・一〇
船員給與統制令　一五・一〇
第五條
國民勤労報國協力令　一六・一〇
第四條
國民徴用令　一四・七
船員徴用令　一五・一〇
第二一條

五一二

國民職業能力申告令　一四・一
船員職業能力申告令　一四・一
医療関係者職業能力申告令　一三・八
獣医師等職業能力申告令　一四・二
第二十二條
学校技能者養成令　一四・三
工場事業技能者養成令　一四・三
船舶運航技能者養成令　一四・二
〔生擴関係〕
第八條

五一三

農業水利臨時
調整令　一五・八
第十三條
工場事業場管
理令　一三・五
工場事業場使
用収用令　一四・三
土地工作物管理
使用令　一四・三
臨時農地等管
理令　一六・二
第十六條
総動員業務事
業設備令　一四・七
〔物資ノ統制動員
関係〕
第八條

五一四

米穀搗精等制
限令　一四・二
生活必需物資
統制令　一六・三
金属類回収令　一六・八
製鉄用輸入原料
配給等統制令　一五・七
第十條
総動員物資使
用収用令　一四・三
〔電力関係〕
第八條
電力調整令　一四・一〇
第十八條
配電統制令　一六・八
日本発送電株式
会社ト東北振興

五一五

電力株式会社ト
ノ合併ニ関スル勅
令　一六・九
〔運輸交通関係〕
第八條
陸運統制令　一五・二
海運統制令　一五・二
第十八條
港湾運送業
統制令　一六・九
〔貿易関係〕
第九條
貿易統制令　一六・五
〔資金関係〕
第十一條
会社経理統制
令　一五・一〇

五一六

銀行等資金運
用令　一五・一〇
会社所有株式評
価臨時措置令　一六・八
第十九條
株式価格統制令　一六・八
〔企業統制関係〕
第十八條
重要産業団体令　一六・八
〔其他〕
配電統制令、陸運
統制令、海運統制
令、港湾運送業統
制令、総動員業務
統制令
〔価格関係〕
第十九條

五一七

價格等統制令　一四・一〇
宅地建物等價格
統制令　一五・二
臨時農地價格統
制令　一六・一
海運統制令
軍需品工場事
業場檢査令　一四・七
地代家賃統制令　一五・一〇
小作料統制令　一四・三
賃金統制令　会社
經理統制令
〔其他〕
第三條
總動員業務
指定令　一四・七
第二十條

五一八

新聞紙等掲載
制限令　一六・一
第二十四條
總動員業務事
業主計画令　一四・七
第二十五條
總動員試驗研
究令　一四・八
〔發動準備中ノモ
ノ〕
〔勞務関係〕
第六條
勞務調整令、重要
事業場勞務管理令
第四條
医療関係者徴用令
獣医師等徴用令

五一九

〔生擴関係〕
第八條
農業生産統制令
〔物資ノ統制動員
関係〕
第八條
物資統制令
〔企業統制関係〕
第十八條
馬事団体令
〔價格関係〕
第十九條
森林等價格統制令
〔滿〕　滿洲開拓第二
期計画決定
第二期計画ハ向フ
五ヶ年間ニ二十二

五二〇

万戸ヲ入植セシム
ル筈
〔國〕　新民会最高顧
問鈴木美道中將
（一日正式發令）。
〔日〕　國民勤労報國
令実施。
〔日〕　十一月末ノ円
系通貨發行總額ハ
概算八十億円ニ達
ス。
〔日〕　簡易火保料率
引下。
〔日〕　紙配給統制規
則実施。
〔日〕　機械統制会ニ
設立命令。

五二一

一二・二

南鄭急襲
九機爆砕
陸軍航空部隊ハ二日拂曉陝西省ノ漢水地岸南鄭飛行場ヲ急襲同飛行場ニアリシSB爆撃機九台ヲ発見之ヲ爆砕セリ。安康（江西）ノ軍事施設モ痛爆
二日南鄭、西安ニ引統キ安康ヲ急襲軍事施設ヲ爆撃セリ。

〔日〕電力消費規正、五需要別ニ実施。
〔日〕金、銀、銅ノ買鑛條件ヲ統一。

〔日〕定例閣議開催
重要懇談
日米交渉ハ重大局面ニ直面第六次会談ガ開カレシ二日十時臨時ニ引続キ定例閣議ヲ開催東條首相以下出席重要懇談約四十分ニシテ散会セリ。
〔日〕坪上、ピブン会談、坪上駐泰大使ハ二日官邸ニニ見公使、内山、浅田総領事ナドヲ招致会議ノ後午前十一時首相官邸ニピブン首相ヲ訪問重要会談ヲ行ヘリ。
〔日〕日米第七次会談開催サレ米側ヨリ対日覚書提示セリ。
〔蘭〕上海工部局、小麦粉販売開始。

〔重〕西南指揮権ヲ要求
米マグルーダー顧問
蔣政権軍事顧問マグルーダー代将ハ十一月七日以来昆明ニ於テ西南防備計画ヲ検討シツツアリシガ同月十九日何應欽、程潜、楊杰商震ヲ交ヘ蔣介石ト会議ノ席上西南防備計画ヲ実施スルタメソノ指揮権ヲ全面的ニ要求セリト伝ヘラル。
〔重〕重慶側廣東省政府ノ財政困難
韶関ニアル重慶側廣東政府ハ極度ノ財政窮乏ニヨリ法幣五千万元ト補助券二千万元ノ発行許可方ヲ重慶側ニ要求シソノ準備ニ着手セリ。

〔比〕比島ニ非常警戒令
比島米極東軍司令部ハ一日比島各地区司令官ニ対シ非常警戒ヲ発セリト云ハレ右ニツキ二日ノマニラブレティン紙ハ米極東軍司令部ト密接ノ関係アル當局筋ノ言ヲ掲ゲタリ。
〔濠〕南太平洋デ海戦
独濠両艦トモ沈没
二日英海軍省ハ濠洲艦隊所属巡洋艦シドニー（七、八三〇トン）ガ附近ニ於テ独艦シユタイエルマルク号（九、四〇〇トン）ト交戦両艦共沈没シタル旨公表セリ。
〔英〕新編ノ英極東艦隊
早クモ星港集結
フイリツプス司令長官モ着任。

五二二

五二三

プリンス・オブ・ウエールスヲ旗艦トスル数十隻ノ相當有カナル極東艦隊ハシンガポールニ到着。
新任司令長官フイリツプス司令官モ坐乗シテヰルト報ジアリ。
〔米〕太平洋航路ニ集団護送制実施カ
アメリカノ海運業者ハ東亜情勢ノ逼迫ニヨリ全船舶ノ國家管理ヲ実施護送制ヲ実施スルモノト見ラル
〔英〕東亜向ケ輸出許可制実施
イギリス政府ハ三日以後極東ニ向ケ積込マレルイギリス商品ニ対シ許可制ヲ実施スル旨ニ日発表セリ。
〔英〕蘭印ヲ誘ツテ対日貿易完封ノ方策決定ト伝ヘラル。
〔米〕中南米ノ邦商ヲブラツク・リストニ載ス。
〔英〕英、在支船舶ニ香港集結命令。

五二四

五二五

一二・三

空雞ヲ急襲
三日我ガ航空部隊ハ早朝空雞ヲ爆撃セリ。

〔日〕専任鉄相ヲ設置
（二日附）　八田嘉明
任鉄道大臣
農林大臣　井野碩哉
兼任拓務大臣

〔日〕　第二十回生存者論行行賞発表
久邇宮殿下ニ行賞
第二十回（海軍第七回）ノ生存者論功行賞ハ三日発表
優賞ハ七名

〔日〕　日米第七次会談
米側ハウエルズ次官出席日米第七次会談ハ三日行ハレルコトニ決定シ会談ノ結果現下ノ諸問題ニ米側ハ日本側ノ意向照会ヲナセリ。
右ハ大統領自身ガ会談ニ介入シ来ツタコトヲ意味スル。

〔日伊〕　堀切・チアノ会談
帝国ノ決意ヲ表明
堀切大使ハ三日チアノ外相ヲ訪問日本ノ断乎タル対米決意ヲ表明シタルモノト解セラル。

〔重〕　奥地ニ於ケル重慶側金融網現状
重慶政府ハ事変勃発ト共ニ金融網擴大ニ躍起トナッテヰルガ以来四年西南、西北ノ銀行増設五四三行、ウチ政府系四行、分支行増設数一八〇ナリ
モットモ重慶直轄県市数六七三中半以上ノ三六六市ニハ未ダ銀行設立サレズ計画ノ不徹底ヲ物語リアリ。

〔支〕天津銀号ノ閉鎖続出
資産凍結以来ノ銀号ハ極度ニ梗塞セラレ十一月一日ノ一銀号ノ取付ヲ始メトシ十一月二十九日五軒、閉鎖八軒取付十二月ニ入リテヨリモ相当数ニ達セリ。

〔米〕　米、英自治領使用両国間ニ諒解成立
米・濠・ニュージランド間ニ米ニ対スル空軍基地ナラビニ給油施設ヲ供與スル点ニツキ諒解ガ成立セリト報ゼラル。

〔米〕　ハル長官日米会談ノ経緯ヲ暴露
米責任転嫁ニ詭弁

〔米〕　英艦隊星港増強
米政府ニ事前通告
ノツクス海軍長官ハ三日記者団トノ会見ノ席上プリンス・オブ・ウエールズ号以下英艦隊ノシンガポール増強ソノ他米國建艦状況等ニツキ次ノ点ヲ明カニセリ。
一、米国ハシンガポールノ英艦隊増強ニツキ事前ニ通告ヲ受ケテヰル、
一、十二月一日迄ニ戦闘用艦艇三四三隻ガ建造サレ他ニ両洋艦隊ノタメ三四四隻ノ艦艇ガ目下建造乃至改装中ナリ。
一、日本ノ海軍力ニ就キテハ正確ニハ知ラザルモ海軍長官トシテ一種ノ所見ハ持シアリ。
一、大西洋ノ輸送状態ハ良好ニシテ英米両国ノ哨戒ニヨリ船舶ノ損失ハ激減セリ。

五二六

五二七

〔日〕　明春、総選挙ヲ施行。

〔泰〕　泰政府重要協議
坪上大使ニモ打合セ（三日）

〔日〕　報国債券発行
限度倍額十億ニ擴張貯蓄債券モ擴張セン。

〔日〕　洋灰統制会長
浅野総一郎ヲ推薦
二日設立命令アリタルセメント統制会ハ会長ニ浅野総一郎ヲ推薦セリ

〔國〕　中央信託公司上海ニ開業
去ル十一月十八日創立ヲ見タル中央信託股份有限公司ハ三日中央儲備銀行上海支店楼上デ開業式ヲ挙行セリ

〔米〕　米軍事予算総額六八〇億弗
八〇億ドル追加案委員会通過
米下院予算委員会ハ三日陸海軍費武器貸與法関係行政費、国防関係住宅、公路並ニ動力設備建設費ヲ含ム八十億ドル（邦貨換算約三三〇億円）ノ追加予算ヲ可決右予算ノ成立ノ暁ハ一九四〇年六月以来政府ノ国防関係支出契約権限ハ実ニ六八〇億ドル

五二八

五二九

五三〇

（約二、八五〇億円）ニ達ス

〔米〕　十五億円ノ新規募債ヲ発表ス。

〔米〕　航空母艦ニ商船続々改装中
米海軍高官証言（三日）

〔米〕　下院罷業法案ヲ可決ス。

〔米〕　米、トルコヲ誘引
米国政府ハ三日トルコニ対シ武器貸与法ヲ適用スル旨発表セリ。

〔英〕　香上銀行本店

五三一

一二・四

荒鷲西安ヲ痛爆
陸鷲ノ精鋭〇〇機ハ四日午前大挙西安ヲ爆撃多大ノ戦果ヲ収メタリ
陸軍航空部隊ハ四日再ビ南鄭飛行場ヲ急襲シ残存軍事施設ヲ

〔日〕　東亜経済懇談会第三回大会開催
日・満・華・蒙各国政府関係官、会員、民間有力産業経済人五〇〇名分加ノ下ニ四日ヨリ三日ニ亘リ帝国ホ

〔重〕　重慶九中全会本月中旬開催
重慶一派ノ国民党中央執行委員会及監察委員会第九次全体会議（九中全会）ハ本月中旬重慶ニ於テ開催サレ

移転
香港上海銀行本店ハ香港総督ノ命令ニヨリ近ク某地ニ移転スル旨官報号外デ発表サレタリ。移転先ハシンガポールト見ラル。

〔英〕　日米会談ノ裏面ニ英対日戦備ヲ急グ
米ト連絡、対日侵略ノ構ヘ。

〔英〕　英船上海カラ総引揚ゲ
英吉利海運省ハ二日在支

五三二

爆撃。
同部隊ハ引続キ安康飛行場ヲ襲ヒ地上ニアリシ敵戦闘機一機ヲ爆砕。

テルニ開催セラル。

〔満〕　中小工業ノ再編成
最近ニ於ケル満洲國中小工業ハ資材、資金ノ入手難或ハ労働力ノ逼迫等各種ノ悪條件ガ重ナリ経営ガ困難トナリシニヨリ政府ハ中小工業ノ積極的育成ヲ計ルタメ弱小工業ノ再編成ヲ行フ方針ノ下ニ全満ノ業態調査ヲ実施中ナリ。

〔日〕　総選挙ハ明春

ルコトニ決定セリ。
第二次全國参政会議ハ五日ヨリ六日間重慶ニテ挙行セラル。

イギリス船全部ニ対シ香港集結ヲ命ジタト伝ヘラレ之ガタメ上海ノ動揺ハ極メテ著シク太古公司ノ所有船涼州、岳州ハ二日イギリス海軍省ノ徴用令ヲ受ケ南方ニ出航北海、南寧ノ二隻モ三日徴用セラレタリ怡和洋行ノ三隻モ目下香港ヨリ上海ニ向ケ航海中二隻ハ香港ニ引返セリ。

〔英・米〕　船舶難デ上

五三三

四月執行ニ決定。

〔日〕　米穀生産奨励金交付規則公布
五日米穀生産奨励金交付規則ヲ公布十五日ヨリ実施ノコトニナレリ。

〔日満華〕　日・満・華北海事懇談会開催。

〔日〕　産業機器統制会ニ設立命令。

〔日〕　第二次電力会社評價格決定、二三社ノ日発出資総額四億五千百万円。

海租界困窮ニ陥ル。

〔英〕　十月中ノ全支対香港貿易
十月香港輸出一億八百三十四万二千元（前月ニ比シ七九％増）
輸入六、七八九万九千元（前月ニ比シ四五％増）

〔濠〕　濠、軍政首脳会議
東亜事態ニ積極介入ノ態度
濠洲戦時内閣ハ四日海陸空軍ノ各参

一二・五

陸軍航空部隊ハ重ネテ五日安康飛行場ヲ爆撃、敵爆撃機一機ヲ対地射撃ニヨリ撃破炎上セシム。同部隊ハ湖南省衡陽ヲ爆撃、飛行場附近ノ燃料、弾薬、機械庫ソノ他ヲ爆砕ス。谷本中将帰還復状奏上（五日）

〔日〕　農林省機構改革

農林省ニテハ時局即應ノ態勢ヲ確立スベク根本的機構改革ヲ断行シ戰時食糧省ヘノ編成替ヲ行フガ之ニ先立チ転廃業対策食糧輸送ノ万全、農村労力ノ確保等、時局ノ要請スル分野ニ即應スルタメ一部課ノ廃合ヲ行ヒ五日ノ閣議ニ之ニ伴フ官制改正ヲ附議正式決定セリ。

〔日〕　生産資金円滑化ノタメ勧銀法改正、改正案通常議会ニ提案、

五三四

課総長ヲ列席セシメテ重要閣議ヲ開催東亜問題ニ積極介入ノ態度ヲ採レリ。

〔米〕　海保組合、太平洋ノ海上保険率ヲ引上グ。

〔英〕　國民総力動員案下院ヲ通過ス。

〔ソ・波〕　友好援助條約締結サル。

〔英〕　英、最後通牒ヲ発ス

芬、洪、羅ノ三国ニ

英政府當局ハ五日フィンランド、ハンガリー、ルーマニヤ三國ニ対シ期限附通牒ヲ発セル旨発表セリ

尚芬蘭ハ英國ノコノ通牒ヲ拒否セリト。

五三五

五三六

〔日〕　海務院官制決定

海務院官制並ニ同附属勅令案ヲ五日ノ定例閣議ニ附議正式決定セリ。

〔日〕　大蔵、商工両省事務調整決定（情報局発表）

大蔵、商工両省間ニ於テ左記事務ノ範囲ニツキ所管事務ノ調整ヲ行フ

1. 大蔵省ヨリ商工省ニ移管スベキモノ
   (イ) 国民更生金庫
   (ロ) 外國貿易ニ伴フ外國為替ノ管理
   (ハ) 酒精ノ専賣
   (ニ) 工業塩及樟脳ノ配給
2、商工省ヨリ大蔵省ニ移管スベキモノ
   (イ) 保険
   (ロ) 取引所及有價証券業
   (ハ) 計理士
   (ニ) 商品券

〔日〕　大政翼賛会科学振興対策等決定

五三七

科学振興対策（第五調査委員会）治山対策（第九）ニ関シ夫々調査立案ヲ進メアリタルモ五日ノ總務会デ正式決定

井上匡四郎、次田大三郎、両委員長ヨリソレゾレ政府ニ上申セリ

〔日〕　産業設備営団施行令実施。

〔國〕　北方券相場低落

五日ノ聯限券対法幣相場ハ前日ノ四

五三八

九円五十銭ヨリ四二円二十五銭ヘ漲中相場、三九円ヨリ四〇円五〇ヘ、上海向法幣為替ハ七九元二十五仙ヨリ九四元二十五仙ヘト可ナリノ動キヲ示セリ。

〔日〕　第八次会談

両大使回答ヲ手交

野村、来栖両大使ハ、ハル長官ヲ訪問、ルーズヴエルト大統領ヨリノ照会ニ対スル帝國政府ノ回答ヲ齎シニ

五三九

一二・六

（咸陽爆撃）

陸軍航空部隊ハ隴海線ノ要衝、咸陽ヲ急襲、飛行場ノ格納庫燃料庫、火薬庫其ノ他ヲ爆破ス。

同部隊ハ湖南省中央

十五分ニ亘リ会談セリ

〔日〕　坪上大使、泰外相要談

（五日午前十一時半）

〔佛〕　佛政府、日佛印根本政策不変ヲ言明。

〔日〕　東亜経済懇談会終了

四日ヨリ開催中ノ懇談会ハ日程ヲ終了大会ヲ終リタリ。

〔日〕　共栄圏経済ノ確立

〔英〕　英国、芬、洪羅ニ対シ宣戦布告

六日午前零時ヲ期シソ聯トノ戦争ヲ中止スベシトノ英側要求ニ対シフィンランド・ルーマ

五四〇

部ノ要衝、宝慶ヲ襲ヒ軍事施設及軍需品集積場ヲ爆撃ス。

同部隊ハ河南省西部盧氏（潼関東南九〇キロ）ニ建設中ノ敵秘密飛行場ヲ爆撃兵舎、燃料庫、弾薬庫等ノ附属施設及滑走路ヲ爆破ス。

東亜歴史ノ意思

鈴木企画院総裁演説（六日）

〔泰〕　ピブン首相、独裁権掌握

泰國議会ハピブン首相ニ対シ一年向ヲ限リ全権ヲ賦與スル案ヲ可決セリ

カクテ同首相ハ事実上泰國ノ独裁者タル実権ヲ掌握スルニ至レリ。

〔満〕　満鉄本社ト鉄道総局ヲ一元化。

〔日〕〔米〕　日米会談重大段階ニ到達

ニア・ハンガリー三國ハ現在迄ノトコロ満足ナル回答ヲ與ヘザリシヲ以テ之等三國ト英國トノ向ニ戦争状態ガ発生スルデアラウ、尚英國ガ前記三國ト実際ニ戦争ヲ開始スル時刻ニツイテハ更ニ英國側ヨリ正式ニ前記三国ニ向ツテ通告スル予定ナリト英外務省ハ発表セリ

〔英・蘭〕　英・蘭共同戦線ヲ宣言

五四一

ハル国務長官八日米問題ニ関シ六日午後三時間半ニ亘リ政府首脳部ト重大協議ヲ行ヘルモ態度硬化シ重大段階ニ到達セリ。

〔日〕帝國石油会社総裁橋本日石社長ニ決定。

〔日〕関東配電評價格八億五千万円ニ評價設立委員会電気廳ニ提出。

〔日〕十一月末國債現在高三五六億四百二十六万三千円

一二・七

ト発表。

〔日〕昭和十七年度食糧増産計画農林省原案成ル。

〔独〕東部作戦休止ヲ声明ス

五四二

蘭印ヘ濠戦車隊派遣。

〔比〕比島軍ニ重大命令カ

マニラ市民ニ引揚勧告

フイリッピン政府ハ六日夜マニラ市民ニ対シ地方ニ避難出来ルモノハ直チニ避難スルヤウ布告セリ尚アメリカ東亜陸軍司令官マックアーサー中将ハ七日飛行機デバギオニ赴キケソン大統領ト協議セルモ東亜軍ニ対シ重大命令ガ出ルモノト予想セラル。

五四三

〔米〕ルーズヴエルト大統領ハ陸海軍ニ対シカネテ用意サレタ行動命令ヲ即時実施スル様命ゼリ。

一方スチムソン陸軍長官ハ七日午後八時ヲ期シ全陸軍ニ総動員令ヲ下セリ。

〔英〕英國香港総動

五四四

員令ヲ発ス。

〔巴〕パナマ全邦人ヲ逮捕ス。

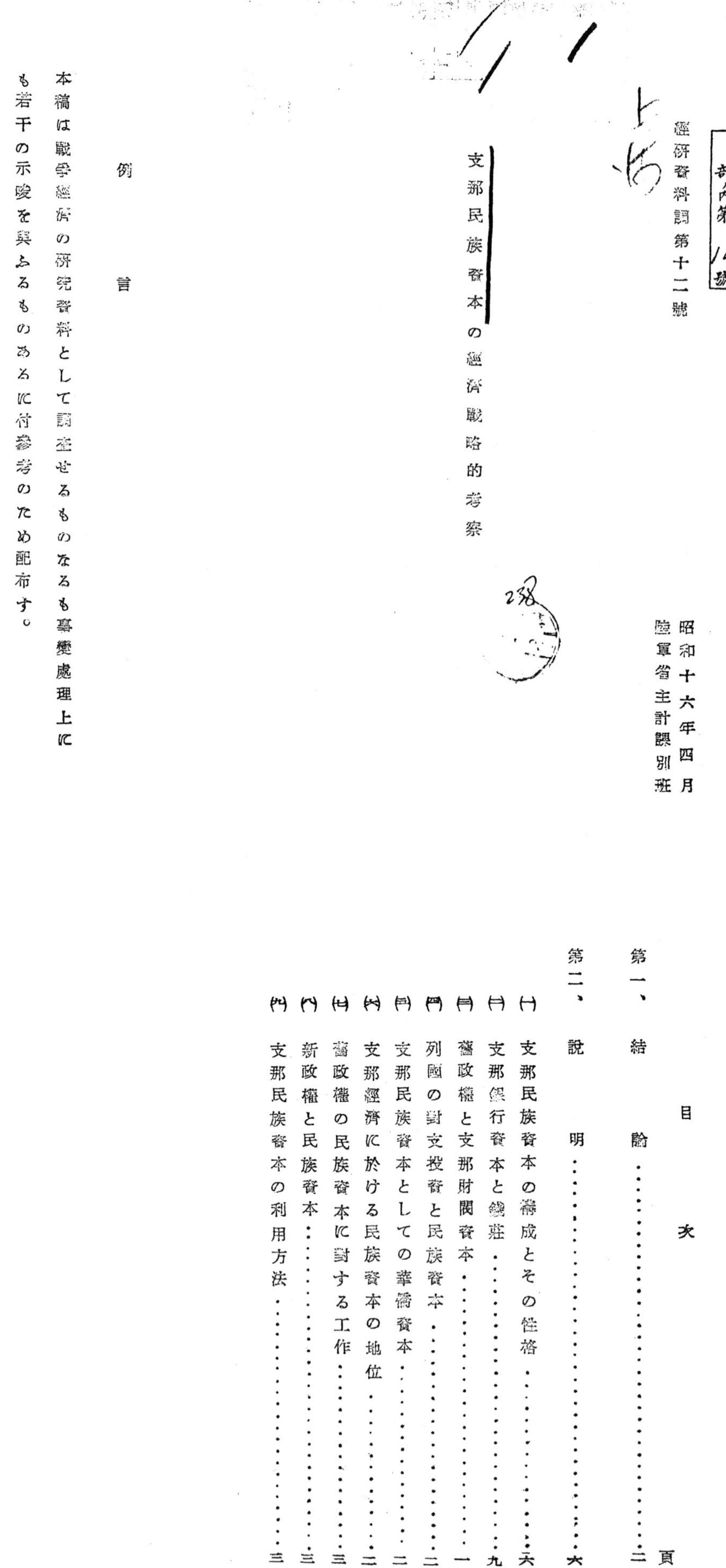

極秘

部内第14號

經研資料調第十二號

# 支那民族資本の經濟戰略的考察

昭和十六年四月
陸軍省主計課別班

## 例言

本稿は戰爭經濟の研究資料として調査せるものなるも事變處理上にも若干の示唆を與ふるものあるに付參考のため配布す。

## 目次

## 第一　結論

一、事變勃發と同時に香港並奥地に逃避した支那民族資本は、舊政權の奥地逃避後、避難民の歸還と共に上海一帶に復歸し、殊に、第二次歐洲戰勃發、蔣介石の敗戰に拍車をかけられて、愈々その勢を增し、その遊資流入額は約三十億元に達すると推定されてゐる。

この老大なる遊資は、正當なる投資對象を求める事の困難なる爲、商品への思惑操作に使用されて物價高を招來する原因を作り一方法幣不安に基く換物人氣も加つて中支に於ける物價の著しい昂騰を來し、更に歐洲戰局の推移が反映して、變態的な景氣を現出しつゝある。

また支那民族資本の中核をなす浙江財閥、廣東財閥を中心とする銀行資本は、今なほ舊政權の命令下にある敵性資本であるとは云へ、上海を中心とした長江一帶の魅惑より離れ得ずして、和平を希ひ、民族工業への進出の機をねらひつゝあり、更に民族資本の一部門として大きな援蔣勢力を保持する海外華僑資本も、舊政權の沒落に伴ひ逐次占領地域内の投資對象物を求めんとする傾向にある。

かかる支那民族資本の情勢下に於て、之が誘導利用に對する新政權並に日本の政治的、經濟的工作の如何は、事變處理の難易を齎す重要なる要件にして、經濟戰的見地より極めて重視さるべきものである。

二、一方舊政權に於ては、宋子文の中國建設銀公司等を利用することによつて、民族資本の經濟建設への誘導をなし、その結果奥地に於て、西南貿易公司、西南實業協會等の商業機關が設立され、天利窒素廠、天原電化廠、昆明紡績廠等の工業の創設を見、また工業合作社への資金融通等、舊政權の民族資本への働きかけは愈々熾烈を極め、更に南洋華僑に對しても積極的に働きかけ、南洋華僑代表大會をして「抗戰建國力の充實」を決議せしめ、華僑資本の喰ひ止め策を講じ、經濟的抗戰力の延命を策しつゝあるに鑑み、我が占領地域内に誘導するの方策を樹つることを緊要とする。

三、以上の見地に基き、民族資本を我が占領地域内に誘導し活用する爲には、次の着意を必要とする。

1. 老大なる過剩資本をして、停滯せる民族工業の復興に進出せしめる。
2. 日本資本と民族資本とは平等なる立場に於て合作し、從來の日本資本の行過ぎを是正する。
3. 資本の自由性、臆病性、高利率追求性等を其儘活用し、之に對し單純なる正義、權力等の制肘を一切加へざること、
4. 日本資本の參加は、飽く迄も助成的であることを第一義とし、一、二指導者の參加以外は經營の内部に迄容喙せしめない。

5. 民族資本就中浙江財閥關係のものに和平運動の中樞的地位を與へ、今後の活動指向を確定せしめる。

6. 華僑資本の誘導には、急速に國家統一とその統一國家增强への協力を求むるが如くし、經濟建設への一半を負擔せしめる。卽ち他國資本と激烈な競爭により築き上げた彼等の貴重なる体驗と、それより生れ出た根强い國家主義的思想を尊重し利用する。

7. 新政府又は日本事業家側に於て彼等資本の一部借入方法を講じ之を以て上海方面の工業その他の復興に充當せしめる。但し右に對しては相當高率の利子保證、經營に於ける利潤分配、充分なる物的擔保提供等をなす必要がある。

8. 新政府又は日本軍に於て民族資本の事業投下に對して、事業、物資、交通、土地等に關する特權を附與すること。

9. 事業の種類範圍を限定せず封建的たると近代的たるとを問はず彼等の思ふ儘にやらせ、事業開始等に當り資材提供其他各種の便宜を與ふること。

10. 企業形態に付いても任意たらしめ、國民性に照し、必ずしも株式會社經營に多くを期待せざること。

11. 民族資本の買辦的、官僚的基本性格を無視することなく、之を巧に利用し、日本資本との結合を計り、漸次英米資本の支配より離脫せしめる。

12. 民族資本の利用は能く迄も、上海を中心とする長江一帶の民族工業復興を第一義的工作とし、漸次全支への波及進展を計る。

13. 當分の間長江一帶をその本來の性質に還元して、產業的、資金的、貿易的に可成自由に放任し、物資統制を出來るだけ廢止し、日本よりの輸入品の制限のみに重點を置くの政策を採り、徐ろに將來に於てコントロールにするやう仕向けること。

四、民族資本を民族工業へ誘引利用する爲には、各々その特性に應じ

3

た資本の進出を策することが必要である。

卽ち第一に支那農村經濟と合一的不可分性を有する手工業、家內工業に對して、急速に近代工業化を計ることなく、その具有する封建的性格に適合する助長策を講じ第二に列國資本支配下にある近代工業に對しては、重工業、輕工業の支那經濟に持つ比重を檢討することによつて、資本進出の速度と量を定め、一方列國資本進出による工業の破壞等を招來せしめざる樣、日本資本との合理的　合作を策する等の工作方法が採らるべきである。

新くて上海中心に集中されてゐる金融機關その他の遊資の活用はかゝる二途の何れかに進出せしめ、その活路を開くべきであるが、既述の諸條件を念頭に工作することによつて民族資本は、我が占領地域內に導かれ、舊政權の經濟的勢力は先づ上海及長江一帶より退潮を開始し、新政權の經濟的基礎の確定と、日本資本との合作が奏效するものと信ずる。

五、但し、かゝる成果は、凡て現下流通の法幣を英米資本支配の關係から脫却せしめ、法幣の流通力を消失せしめた曉に於てのみ可能であることを前提條件とするものである。從つて窮極に於て、支那民族資本の經濟戰的價値の發揮は法幣問題の處理如何にかゝつてゐる。

民族資本が、支那金融機關によつて把握され、それが又列國資本に從屬的被支配關係にある限りに於ては、經濟工作の鍵は舊政權に掌握せられ經濟戰的には常に受働的とならざるを得ない。從つて先づ法幣の流通を禁止し、之に代るべき新法幣發行の中央銀行を設置すると共に、日本資本の全幅的援助等、舊法幣の驅逐と新法幣の流通强化の實現が絕對的必要條件である。之には日本の政治力と資本力が最も有力に作用されねばならない。

新法幣實現の過程に於ては

4

1. 暫定的に舊法幣を利用し、漸進的轉換を計るとか、
2. 或は私帳式代表貨幣の流通化を計るとか、

その他各種の方法、對策が講ぜらるるであらう。然し要は舊法幣の驅逐によつて、民族資本の新事態への發足を可能ならしむるにあるので、急速に理想型の新法幣の流通を望むことは現下の情勢に於ては頗る困難な問題であり、逐次舊法幣の驅逐に伴ひ、新中央銀行强化、新法幣の流通擴大へと進むより外はない。

從つて法幣の流通を禁止して新法幣を發行するか、又は舊法幣驅逐の役割を持ち、新法幣流通の完成迄の繋ぎとなる代表貨幣發行制度を利用するかの二對策が中心課題となる。

筆者は、その發行技術、運營さへ誤らしめねば、第二案の私帳式代表貨幣發行による法幣驅逐を妥當と考へる。支那人の最も親しみ易き、而も流通容易なる代表貨幣發行により、新政權の信用度を昂め、その進展如何によつて、新中央銀行券の發行、聯銀券と連繋、と云ふ經路が、最も容易に且つ破綻なく、民心を安定せしめつゝ成果を擧げ得らるゝものと信ずる。又之が類似的對策として上海銀行中の有力なるもの及地方有力錢莊に對して通貨發行權を認め、發行額に應じ相當の擔保を提供せしめその流通區域を限定し、法幣の内面に喰入る方策により統一への工作を進めることも有效である。

六、之を要するに法幣問題が善處される事によつて、支那民族資本の新しい發足が約束され、民族工業への無理なき進出が可能となる。

上海を中心とする長江一帶の民族工業の復興が第一義的に促進され、成果を得れば、それが最大の導火線となつて民族資本の廣汎なる分野が開かれ、支那經濟全体への普遍的進出と發展が可能となる。

從つて必然的に、日本資本との合作は容易となり、英米資本の後退は漸次現實化され、舊政權の支那支配は、先づ經濟的に瓦解するに至り、こゝに民族資本利用の經濟戰的勝利を導き得るものと信ず。

## 第二　說明

### (一)支那民族資本の構成とその性格

近代支那に於ける民族資本の母体を構成するものは、一は官僚資本であり、他は買辦資本である。この兩者の前身は何れも、舊支那封建社會に於て育成された官僚、軍閥、商人、鄕紳、高利貸業等の擁せる前期的資本である。

△官僚資本――舊支那社會に於ける官僚階級は、支那政治過程に於て政治的權力の掌握者として、華しい足跡を印したものであるが、この過程に於て「國家の利得ある役所に於ける公共の資源を漁り歩いたり、租稅、通行稅の成立及びこの請負を委任されたり」して富の蓄積を行ひ、「役人的金利收得者たる理想の下に搾り取り掻き集め」によつて恐しい富蓄積の騎士となつたのである。

而してこの官僚の富は大部分は、彼等の財產を高利貸として機能させるための手段として、質屋、銀莊、獨立的農民への金融をなし、就中獨立農民への金融は土地所有權の沒收と云ふ行爲に迄進展した。加之この權力者に追隨する商人、郷紳等も一連の高利貸業的機能を發揮することによつて、官僚を中心とする富の蓄積は愈々膨張するに至つた。

かくの如く舊支那社會に發展した官僚資本は、清末以後に於ける他動的、部分的資本主義化に對して、最初は相一致し難いものを示してゐたが、漸次その線に沿ひ、近代化する事に努め、官吏の手に新しく容れられた軍需工業の經營、鐵道の敷設經營によつて、更に新しい蓄積の道を發見した。即ち外國勢力の舊支那社會への進出に際しても彼等は、この國の近代化の種々なる線に沿ふて重要なる役割を演じつつ、却つて一層自らを膨脹せしめたのである。かくして「官僚資本は自ら獨立してか、それとも外國資本或は買辦資本と相提携してか、ともかくもその何れかの形に於て資本主義化せる支那國民經濟の分野にも依然として重要なる任務を盡してゐる」（註一）と云ひ得る根據も成り立つのであらう。

註一　大上末廣「支那國民經濟序說」

かかる官僚の自ら肇造せる政權の中より自己の富を蓄積した資本、或は商人、郷紳が獨自の資本及び信用を基礎とし、政權をその背景とし官僚に追隨して搾取蓄積した資本を抱括して官僚資本と名づける。從つて清末より最近迄勢力を保持してゐた軍閥なるものの蓄積資本も一樣に官僚資本に一括される。

△買辦資本――買辦は外國資本の支那への進出の當初の段階に現れ、外國商品を支那地方市場に入り込ませる商業仲介業である。南京條約を契機として幾多の港灣が開放されるに從ひ、上海、廣東等の主要港灣地に於ける外國商館は凡て買辦を使用した。買辦は外商の支那語、支那に於ける商慣習、その他一般知識の不充分なるを奇貨として、種々の策をめぐらし私利私慾を圖り、巨大な富を蓄積した。然し買辦を本來の業とするものゝみによつて所謂買辦資本と名づけられる巨大な資本が生成されたわけではない如何に巨額を得ても、舊來の買辦資本が民族資本の母體の一翼とはなり得ないのである。官僚資本と併立して、民族資本の母體を構成するものは、廣義の買辦資本であつて、本來の買辦を業とするものの資本と更に港灣都市を中心として直接、間接外國貿易と關聯を有する商業資本の大部分を包括するものでなければならない。本來の買辦のみならず列強資本主義の對支侵入後に於ける支那商人、就中港灣に於ける商人は、支那農業生產の商品化（國際商品化）が強化されるに從ひ、多かれ少かれ、買辦的性格を賦與されねばならなかつた。即ち「農業と家內工業との合一」の基礎の上に置かれた從來の支那社會にあつては極めて狹い活躍分野のみし得なかつた商人の資本は、外國資本との關聯、對外貿易の發展に伴ひその活動分野は擴大された。その必然の結果として、支那商人は、直接、間接、外國資本に支配され、買辦的行爲を敢行する事によつて自らの富を蓄積せざるを得なかつたのである。それが、彼等の存立の基礎たる農村及び都市の經濟に重大なる打擊を與へるであらう事を豫期しつつも、さうするより外にない程、外國資本の侵入が急激であつたのである。ここに商業資本が買辦資本の範疇に入り民族資本構成の一翼として評價される所以があるわけである。

かくして官僚資本と買辦資本は列國の侵入資本を共通の救世主的扱ひする事によつて、彼等の前期的資本を更に膨脹せしめるに至つた。

即ち官僚資本は、この國の近代化の流れに一層の膨脹を遂げその結果として民族資本としてその範疇に溶け込み、買辦資本は、舊支那に於ける商業、高利貸資本が、外國資本の對支收取關係に參寄することによつて發展し、その蓄積は増大し、漸次本來の買辦性より脱却しつつ民族資本の範疇へと進入し、ここに兩資本が民族資本としての役割を待つ様になつた。かくの如く近代支那の民族資本は、官僚資本と民族資本の二つの前期的資本より轉化することによつて緒を上げられたものである。從つてその性格には未だに、官僚性と買辦性の相交錯せる二つの性格の根强き潜勢力が内包されてゐることは否めない。この基本的な性格が、この國民族資本の構成を、より畸型的ならしめ、特色付けてゐるのである。

民族資本は初め軍需工業等の工業方面への進出を目指したが、時既に外國商品の支那侵入が著しく、支那民族工業に發展の余地を與へなかつた爲、彼等の蓄積する産業資本としての進路は塞がれ、或一部分が産業投資せる外は、大部分之を外國銀行への預金と不動産投資とそして、支那の近代銀行或は錢莊への投資並に預金に振り向けられた。就中近代的銀行資本への轉換は、最も彼等の性格と適合した轉換であつたに相違ない。

政府財政の慢性的紊亂、貨幣制度の全國的不統一、金銀比價の變動、租界土地價格の昂騰等は銀本資本への莫大な利潤が約束されてゐたし、銀行の政治借款乃至公債賣買による大きな儲け、而して高率の利息と配當に參加し得る等、銀行資本への投資は文字通り彼等の蓄積慾を滿足せしめる對象物であつたのである。

かかる民族資本の態度は、産業資本の緩慢なる發展に拘らず、銀行資本の地位を加重せしめ、支那近代銀行の繁榮をもたらし、一般民族産業が、全般的に下降線を辿りつつある間に獨り銀行資本のみが逆に、畸型的な發展をすると云ふ奇現象を呈するに至つた。

從つて民族資本の跛行性、畸型的進展は、その様相を變へる事なく、益々その特異性を發揮する事によつて、舊政權(南京政府)と結び付き、近代的財閥をも形成して、その地歩を確立したのである。舊政權に於て强力なる發言權を有するものは、依然として官僚、軍閥と一聯の金融資本であつた。

## (二) 支那銀行資本と錢莊

支那の銀行は、清末外國銀行侵入の刺戟を受けて創設されたのであるが、初期に於ては官廳を對象として、官營的な特殊金融機關であつて、一般商業銀行的業務は、これを舊封建的金融機關たる錢莊の支配に委ねてゐた。ところがその後官廳との特殊關係による特權、例へば内外債の處理等や外國貿易の展開、流通部面の擴大に伴ふ貨幣流通量の増加、更に外國銀行との緊密なる關聯[illegible]る等種々な好條件に惠まれて利益をあげたのみならず、支那全體の高利貸的環境により、商業資本家(錢莊)その代表的なる一連工業經營者への貸付からも利益をあげ、漸次目覺しい膨脹を示したのであつた。

かかる條件下にある近代銀行の新情勢に更に拍車をかけたのが、支那民族資本であつた。それが爲、軍閥割據時代に入るや省銀行、商業銀行等の設立は雨後の筍の如く増加し、殊に世界大戰當時の好景氣中には最も著しかつた。而もこれ等の諸銀行は、開設と同時に銀行券の發行を開始し、貨幣を通じての封建的搾取の强化手段として最も有效に働かしめた。一九一七年－二三年の濫興期、一九二八年以降の躍進期と、支那近代銀行發達はこの二大發展期になし遂げられ支那民族資本が支那金融資本として膨脹したのもこの期間からである。

支那銀行の利潤獲得の手段としては、紊亂せる貨幣制度を利用しての貨幣賣買、昂騰する租界内の土地投機等も、その最も魅惑的なものであつたが、最も重要な投資形態は公債引受にあつた。之は支那民族資本として最も弱點とされてゐる産業部門への投資面がなく産業部面を發達せしめる手段方法もなかつたので、政府の公債收入によつて、中央集權の確立と國內市場開發に當てられる事を切望し、將來の發展を目標に政府と一体、之が公債引受けに主力がそそがれたものであらう。若し之が成功すれば、支那銀行資本の產業資本支配も可能であつたらうが、一九二九年から感じ始めた世界恐慌の打擊は、遂に一九三一年に至つて表面化し、銀行資本の產業資本支配は坐折し、政府と銀行資本とは公債を通じて腐れ緣が深くなり、國內經濟回復の急激な要望は、この兩者を更に、外國資本への依存關係を深からしめるに至つたのみであつた。貧弱なる民族資本だけでは、到底支那經濟の回復は出來なかつたのである。ここに目をつけたのが、英國で、それ迄の對支經濟活動の敗北を挽回すべく、日支經濟提携の氣運を阻害する一方、例の幣制改革を斷行し、弱体支那銀行資本の不安に附け込んだ捨身の戰法を以つて在支權益擴大強化を計つたものである。

この事實は、民族資本としての支那銀行資本を、英米資本の支配下に置かしめたものと云ひ得るし、又支那產業は、支那民族資本による發展の可能性は消失して、外國就中英米資本の利益と一致する場合にのみ、その發展が期待されるだけであると云ふ事が證明されるのである。

「支那の金融界は一個の畸形兒である、支那民族資本は、十數年の奮鬪にも拘らず、まだ寄生的狀態を離脫し得ない、依然として國際金融資本の在支勢力の支配下にある」（註一）と極論される程外國銀行の資本力は支那の新舊金融機關を支配してゐる。

註一　王承志（支那民族資本の特質）

支那の銀行及錢莊は、外國銀行から資金の融通を受け、外國銀行の爲の內國爲替の取扱をなす。卽ち外國商品の內地に於ける賣却、販路の擴大に協力する、一方又內地工業者が外國商品を購入する場合には銀行又は錢莊の手により外國商人に支拂はれ、銀行錢莊、外銀の三者は極めて緊密なる關係に置かれ、それが外國資本力の強大なるが爲に、全く支那銀行錢莊の立場は隷屬的となる。就中舊式金融機關たる錢莊の如きは、列國金融資本の道具に轉化してゐた。

近代支那銀行に對比する錢莊に就いて少しく述べると、その歷史は非常に古く、內國爲替業務より漸次改良されて今日の如き錢莊になつたのであるが、錢莊中で代表的なものは、匯劃錢莊で、預金貸付、爲替業務を經營してゐる。又一方に於ては外國銀行及び支那銀行を代理して商工業への貸付、更に上海及び國內大商業都市の銀錢爲替を取扱ふと云ふ頗る廣範圍に亘るものである。大部分の錢莊は海港都市に集中し上海がその中心をなしてゐる。

銀行が新式金融機關なら錢莊は舊式金融機關で、封建的な金融勢力を代表してゐるものと云へよう。この錢莊は、民族資本が近代銀行資本に溶け込んだとは異り、買辦資本が本來の買辦資本、商業資本そのままに營まれ、發展し居る處に特色がある。勿論民族資本の內の買辦資本が錢莊と云ふ金融機關に乘り替り、封建的な金融勢力を保持しつつ、尙買辦性を多分に含有してゐると云ふだけで、支那に於ける金融資本として相當な地步を占めてゐることには變りない。

今日民族資本と云へば、支那金融資本の代名詞の如く考へられ、その代表的なものとして、上海を中心に集中する近代支那銀行資本が擧げられてゐるが、現實に於て支那銀行資本が民族資本の代表として、近代支那の凡ゆる分野に勢力を持し、活動を續けてゐる。

以下支那銀行の現勢と錢莊內容に就き略述して見る。

蔣介石政府は支那金融機構の健全化を圖り、中央の金融機構を改組し、中央銀行の資金を充實して銀行の銀行たらしめた、資本金を千萬元から一億元に增資し、又中國銀行は四千萬元に、交通銀行は二千萬元に夫々增資して、政府系銀行の資力を充實して金融政策の推行と全國金融の穩定を計つた。

日支事變發生後は更に政府系銀行の發展を計り、省市立銀行方面は、地方金融の調整を爲して、政府の金融政策を推進した。又農商各銀行方面は、商工業資金の援助、農業貸付を活潑に行ふ等全般的金融に心掛けた。

民國二十八年（一九三九年）に於ける支那銀行の現狀は大約次表の如くである。

第一表　支那銀行業地域分布表

| 地別 | 總行數 | 分行數 | 合計 |
|---|---|---|---|
| 東支那 | 八四 | 五五五 | 六三九 |
| 北支那 | 一五 | 三三八 | 三五三 |
| 中支那 | 一一 | 二七四 | 二八五 |
| 西支那 | 一二 | 二二三 | 二三五 |
| 南支那 | 一三 | 二二三 | 二三六 |
| 東北 | ― | 三〇 | 三〇 |
| 西北 | 三 | 二五 | 二八 |
| 國外 | 一二 | 四二 | 五四 |
| 計 | 一六〇 | 一、七二〇 | 一、八八〇 |

第二表　最近二年間の支那銀行實收資本

| | 二七年 千元 | % | 二八年 千元 | % |
|---|---|---|---|---|
| 中央及特許 | 一六七五〇〇 | 三八 | 一六七五〇〇 | 三九 |
| 省市立 | 七九、八八四 | 一八 | 七九、八八四 | 一八 |
| 商業儲蓄 | 八四、二四八 | 一九 | 八三、四一九 | 一八 |
| 農工 | 二八、六八六 | 七 | 二八、六八六 | 七 |
| 專業 | 一八、一三九 | 四 | 一八、一三九 | 四 |
| 華僑 | 五七、六四五 | 一三 | 五七、六四五 | 一三 |
| 計 | 四三六、一〇二 | 一〇〇 | 四三五、二七三 | 一〇〇 |

13

第三表　最近二年實收資本の分配狀況

| | 二七年 行 | % | 二八年 行 | % |
|---|---|---|---|---|
| 五萬元以下 | 五 | 三 | 五 | 四 |
| 五萬元以上 | 一三 | 八 | 一三 | 八 |
| 十萬元以上 | 三二 | 二〇 | 三三 | 二一 |
| 五十萬元以上 | 三三 | 二一 | 三三 | 二一 |
| 百萬元以上 | 五五 | 三五 | 三四 | 三四 |
| 五百萬元以上 | 九 | 六 | 九 | 四 |
| 一千萬元以上 | 九 | 六 | 九 | 四 |
| 未詳 | 二 | 一 | 四 | 三 |
| 計 | 一五八 | 一〇〇 | 一六〇 | 一〇〇 |

第四表　八商業銀行預金額（單位元）

| | | 二七年 | 二六年 |
|---|---|---|---|
| 中國 | 當座 | 四六四、九八一、六三〇 | 四二一、二〇三、五一一 |
| | 定期 | 七八五、九一八、五四〇 | 四九九、二八八、七四八 |
| 中南 | 當座 | 七三、二六七、三八一 | 五六、六四九、三一六 |
| | 定期 | 三一、〇七三、六三五 | 三七、八二八、二五二 |
| 上海 | 當座 | 七三、一九三、六六六 | 五一、九〇七、五八五 |
| | 定期 | 二八、九七九、一二七 | 四二、六六四、五三五 |
| 浙興 | 當座 | 三八、九五二、三九六 | 二九、二八八、七九一 |
| | 定期 | 二一、〇九九、六三八 | 二七、〇七六、八一六 |
| 國華 | 當座 | 三五、八一七、五八二 | 二五、九一一、七一六 |
| | 定期 | 五四〇、一四七 | 七、八九八、一六三 |
| 浙實 | 當座 | 三二、三〇五、八一九 | 二四、四八七、二四五 |
| | 定期 | 一二、五三八、三〇三 | 一二、一二三、〇二八 |

14

| | | | |
|---|---|---|---|
| 中孚 | 當座 | 一、二三六、五八〇 | 一〇、三六〇、三三三 |
| | 定期 | 九四三四八六三 | 一〇、二七五、七三四 |
| 總計 | 當座 | 一三、一九三、七五四 | 一〇、二一〇、一四四 |
| | 定期 | 一、一一七、一六二 | 一、一八三、八九七 |

註（右各四表は滿鐵上海事務所發行「支那銀行業の戰時動態」より引用す）

右第四表に見る如く各銀行の預金は增加してゐる。定期預金は減少の趨勢にあるが、當座預金は增加の傾向にある。（最近支那銀行は營業内容を公告せぬため凡て不詳であるが、參考的に公告された一部によつて全体を推察するより外にない）

次に錢莊の内容であるが、支那錢莊の中心は依然上海にある。上海に於ける現存の錢莊數は（一九三五年現在）一五十七軒で、支店及び代理店は全國の都市に設立されて居り而も、南京、北京、天津、青島、香港、廣東、重慶の各錢莊は凡て、上海の錢莊と營業上及び爲替上緊密な關係を持して、支那商業界、中小產業界に牢固たる地盤を持つてゐる。從つて、現在に於ても近代銀行と併列的に支那金融機關として重きをなしてゐるのであるが、如何せん、その資力が僅少な爲近代銀行に壓せられ氣味である。その資力は最大なもので四十萬元、最小なもので十三、四萬元と云ふ處である。

錢莊中最大とされてゐる匯劃錢莊の一九三五年に於ける正附兩資本總額は一九、三四二、〇〇〇元で余り大きな資力とは稱し難い。一九三五年の全國銀行年鑑によると錢莊の數は

| | | | |
|---|---|---|---|
| 江蘇省 | 上海市五七軒　その他各縣一〇五軒 | | |
| 浙江省 | 二六九軒 | 山西省 | 三九軒 |
| 山東省 | 七七〃 | 河南省 | 二五 |

15

| | | | |
|---|---|---|---|
| 陝西省 | 六軒 | 河北省 | 九九軒 |
| 四川省 | 五三 | 安徽省 | 一九 |
| 江西省 | 七三 | 湖北省 | 九九 |
| 湖南省 | 四〇 | 福建省 | 八五 |
| 廣東市 | 五四 | 仙頭市 | 一〇〇 |
| 綏遠省 | 二〇 | | |

合計一、三〇三軒となつてゐるが、支那銀行の本店及び支店數一、三四七軒に比較すると四四軒だけ少い。

而も最近漸次近代銀行に、その地盤を浸蝕され、その上農村の破產と都市の不景氣によつて全々營業上苦しくなつて來てゐる。中には自ら錢莊の舊式營業より近代銀行に移行するものもあり、昔日の如き力はなくなつて來てゐる。民族資本としての働きも漸次消失し近代銀行への移行が顯著となりつゝある。それだけ又支那銀行資本の買辨性は錢莊業務の繼承によつて更に拔く能はざるものあることに注目する必要がある。

## (三) 旧政權と支那財閥資本

支那舊政權と支那財閥資本の關係を記述する上に、最も重點となるものは上海中心に集結する銀行團と、その銀行團を支配してゐる浙江財閥の對政府關係でなければならない。

一八四三年上海が開港場となつて以來、上海の膨脹は著しく、これに伴ひ、各地商人の集結、內地地主富豪の轉住、等の現象は年と共に增加し、遂に上海を中心にした、同鄉團体或は同業團体なるものが發生し、所謂鄉幣、業幣が生れた。上海には各種の鄉幣、業幣が存在してゐるが、最も最大なものは寧波幣、廣東幣、浙江幣、江蘇幣で、就中寧波幣の上海に於ける發展は著しく、棉花、雜貨、煤炭、錢莊、藥材、漁業、貿易、勞働等凡ゆる業務を掌握してゐた。浙江財閥はこの寧波幣を中心とせる江浙鄉幣の地緣的に集結せる上海資本家階級

16

の總稱であつて、それが上海市の發展の速度と、江浙兩省諸地方より集る土着資本の蓄積、國民革命に使命を擔へる浙江軍閥の發展、等の諸要素も加つて、遂に今日の如き財閥を結成するに至つたものである。この財閥の推進的事業が所謂近代支那銀行で、上海中心に存在する大部分の銀行資本はこの財閥の手中にあると稱して過言ではない程、支那銀行資本を掌握し、併せて、各種產業にも觸手を伸してゐるのである。

南京政府の成立後に於ては、南京政府は、資本家的政權として、この浙江財閥と膠着關係を結びつつ、政府は財閥の　利益を擁護し財閥は政府の政治的統一工作を支援すると云ふ具合に進展し、この關係の緊密强化に從ひ、文字通り支那に於ける新興民族資本全体を包括する迄に發展した。

一九三五年以來政府の銀行統制、幣制改革等によつて、この財閥内部も編成替へが行はれ、金融中心勢力の强化を中心に、質的な[illegible]換をしたが、浙江財閥は、上海を中心として、支那金融機構の全体を壟斷し、支那のあらゆる產業を支配してゐる。

然しこの財閥が、日本その他の國の財閥と同樣の性格を持ち、組織を持つてゐるとは斷じ得ない。元來が買辦資本、官僚資本の合流により發展したものだけに、依然として買辦性、官僚性を包藏してゐる。この財閥の最高地位にある宋子文、孔祥熙、張公權等の大銀行家に於ても、多分に買辦的性質を有し、舊政權の外國金融資本への隷屬と云ふ關係も、その性格の一端を物語るものであらう。ここにも支那民族資本としてこの財閥の特異性が見られるわけである。

浙江財閥の產業支配網を擧げて見ると次の如きものである。

イ、銀行業（中央、交通、四明、浙江興業、浙江實業、中國通商、中國、江蘇、上海商業儲蓄、鹽業、金城、中國農工、大陸、國華の諸銀行、並中央信託公司、上海錢莊業の大半）
ロ、取引所（華商紗布、華商證券、雜糧、油餅の各取引所）
ハ、通關業
ニ、航運業（招商局、三北、寧紹、鴻安、恒安、交記の各汽船會社）
ホ、石炭業
ヘ、機械工業、（上海中心の各種機械工業及びその輸入業者、取引商の大半）
ト、紡織業（新申、華豐、振泰、崇信の各紡績業）
チ、綿布、綿糸、綿花業の大半
リ、綢緞業（主なる上海當業者全部）
ヌ、製紙業（上海、鎭江、無錫等製糸業全部）
ル、雜工業（上海中心の製粉、顏料、製藥、人參、精糖の各種工業の大部分（註一）

註一　尾崎秀實著（現代支那論より）

この浙江財閥を中心として、他の群小財閥例へば廣東財閥等民族資本の代表的なものは、日支事變を契機としてどうなつたか又政府はこれ等に對し、如何なる處置をしたか、上海銀行業を中心に、その情勢を見れば一應判然とするであらう。

浙江財閥を以て代表される上海支那銀行と舊政權は、管理通貨制及び、公債投資關係から、その利害不可分の狀態にあり、舊政權の崩壞は、彼等にとつても致命的であつた。從つて政府の西南地域への逃避に伴ひ、彼等も、彼地に赴いたが、やはり安全地域である上海を離ることが出來ず、一方政府との關係を絕たぬ樣工作する外上海市場の確保に努めた。而も上海は戰區の擴大と共に奧地各都市の有產階級を始め無產大衆さへ續々避難し來りたるため、上海兩租界中心の商工業界は畸形的な繁榮を呈し、それに伴ひ上海支那銀行の營業も恢復し、當座預金の增加を見せ、戰前に劣らぬ、資金の集中さへ示すに至つた。一方一時逃避した資金の上海還流も增加し、上海市場には投資對象物を求める遊資が尨大なる額を示した爲一般に豫想されてゐた支那銀行の營業は泡沫的景氣にせよ、窮境を

脱して居たことが解るのである。

上海支那銀行の現状は（第一表）の

第一表、上海に於ける支那銀行資本金

| | |
|---|---|
| △中央及特許銀行 | |
| 中央銀行 | 一〇〇、〇〇〇、〇〇〇元 |
| 中國銀行 | 四〇、〇〇〇、〇〇〇〃 |
| 交通銀行 | 二〇、〇〇〇、〇〇〇〃 |
| 中國農民銀行 | 七、五〇〇、〇〇〇〃 |
| △市立銀行 | |
| 上海市銀行 | 一、〇〇〇、〇〇〇〃 |
| △商業儲蓄銀行 | |
| 中南銀行 | 七、五〇〇、〇〇〇〃 |
| 金城銀行 | 七、〇〇〇、〇〇〇〃 |
| 上海商業儲蓄銀行 | 五、〇〇〇、〇〇〇〃 |
| 浙江興業銀行 | 四、〇〇〇、〇〇〇〃 |
| 中國通商銀行 | 四、〇〇〇、〇〇〇〃 |
| 中匯銀行 | 三、五〇〇、〇〇〇〃 |
| 東萊銀行 | 三、〇〇〇、〇〇〇〃 |
| 國華銀行 | 二、六三二、一〇〇〃 |
| 大中銀行 | 二、六〇〇、〇〇〇〃 |
| 四明商業銀行 | 四、〇〇〇、〇〇〇〃 |
| 中孚銀行 | 三、〇〇〇、〇〇〇〃 |
| 新華信託儲蓄銀行 | 三、〇〇〇、〇〇〇〃 |
| 統原商業銀行 | 一、一一七、五〇〇〃 |
| 上海主中商業銀行 | 一、〇〇〇、〇〇〇〃 |
| 上海通和商業儲蓄銀行 | 一、〇〇〇、〇〇〇〃 |
| 江海銀行 | 一、〇〇〇、〇〇〇元 |
| 國信銀行 | 一、〇〇〇、〇〇〇〃 |
| 辛泰銀行 | 一、〇〇〇、〇〇〇〃 |
| 上海永亨銀行 | 七〇〇、〇〇〇〃 |
| 恒利銀行 | 七三〇、〇〇〇〃 |
| その他五十萬元以下十萬元迄 | 十六行 |
| △農工銀行 | |
| 中國國貨銀行 | 五〇〇、〇〇〇〃 |
| 中國農工銀行 | 五〇〇、〇〇〇〃 |
| 浙江實業銀行 | 四〇〇、〇〇〇〃 |
| 中國實業銀行 | 四〇〇、〇〇〇〃 |
| 農商銀行 | 三〇〇、〇〇〇〃 |
| 中華勸工銀行 | 一、〇〇〇、〇〇〇〃 |
| △專業銀行 | |
| 鹽業銀行 | 七、五〇〇、〇〇〇〃 |
| 中國墾業銀行 | 二、五〇〇、〇〇〇〃 |
| 上海綢業儲蓄銀行 | 一、二〇〇、〇〇〇〃 |
| 中國企業銀行 | 一、〇〇〇、〇〇〇〃 |
| 邊業銀行 | 一、〇〇〇、〇〇〇〃 |
| 上海煤業銀行 | 四〇〇、〇〇〇〃 |

而して一九三六年に於ける中國通商、四明商業、中國實業の三行を除く五十二行の資力は

| | 全國銀行 | 在上海銀行 | % |
|---|---|---|---|
| 拂込資本額 | 四〇二、六九五千元 | 二五五、五〇四千元 | 六三、八 |
| 預金額 | 四、三三一、二六八〃 | 三、九六五、四五四〃 | 八七、一 |
| 貸付額 | 三、四六六、一二〇〃 | 二、七五四、七三七〃 | 八九、七 |

| | | |
|---|---|---|
| 兌換券發行額 | 一、六三三、一〇六〃 | 一、二九六、九四八〃　六八、六 |
| 有價證券保有高 | 三〇一、〇〇七〃 | 三二三、三六三〃　六四、四 |

（註二）

の如くであり、舊政權と上海支那銀行の利害關係は、上海兩租界の繁榮と、その營業の順調繼續といふ二條件により、浙江財閥を中心にした、民間有力銀行の支配の强化と云ふ處迄進捗し、政府財閥の合作に基く民族資本の强制動員、經濟再建の方針が具体化されたのである。上海支那銀行が、支那全國金融の殆んど全部を支配し居るだけにその動向は、全國銀行の動向を左右する力を持ち、それが政府との關聯に於て財閥の一擧手一投足に操られることは多言を要しない。

政府と上海支那銀行の特殊關係は、全部が全部政府と直接特殊關係があるのではない。浙江財閥の支持を得て成長した、舊政權の財政的基礎の確立のため、政府、財閥兩者が一体となつて銀行抱き込の政策を强度に實行した結果浙江財閥支配下にある上海支那銀行が直接的或は間接的に、政府と結びつかねばならぬ狀態に置かれた事によるものである。政府の銀行抱き込み策は

イ、資本的參加

ロ、金融公債の發行

ハ、中央、中國、交通、三大銀行の國家銀行化

ニ、中國農民銀行の設立と、ユダヤ財閥との提携による支那銀行との資金關係强化

ホ、民族資本と國家資本の緊密强化

ヘ、民族資本の代表たる浙江財閥の主腦者を政府機關の重要ポストに就かしめる。

等で就中、上海支那銀行の主腦部が政府の重要ポストに就き、一般民間銀行の主腦部が政府系銀行の重役に就任する等、舊政權對上海

21

支那銀行卽ち支那民族資本との連りは、豫想以上に不可分性を持してゐたもので、容易にこの紐帶の切斷はなし得ぬものの如くである

註二（一九三六年支那銀行年鑑に據る－中支經濟研究所譯）

參　考　一九三七年銀行年鑑による全上海銀行の資本（拂込）額は二六二、一九九、二〇〇元で内政府系銀行の資本（拂込）額は一八九、五〇〇、〇〇〇元と七二％を占め、一般民間銀行資本は僅かに七二、六九九、〇〇〇元でその二八％を占むるに過ぎない。政府の民族資本支配、抱込策の奏效を物語るものである。

## (四) 列國の對支投資と民族資本

支那に於ける列國の資本導入口を開いたのが、一八四二年の南京條約であるが、列國の對支活動はそれより開始され、大体五期に區別することが出來る（註一）

**第一期は阿片戰爭より日淸戰爭に至る時期**

**第二期は日淸戰爭より北淸事變に至る時期**

**第三期は北淸事變（團匪事件）より歐洲大戰の始に至る迄の時期（この時期が所謂經濟侵略と稱される時期である）**

**第四期は歐洲大戰より滿洲事變迄の時期**

**第五期は滿洲事變より今日に至る時期**

註一　尾崎秀實（現代支那論より）

右期間中に最も活躍したのが、英國と日本で、それに次いでフランス、米國、獨逸、ソ聯の順であるが、今日最も注目されてゐるのは、英國、米國、フランス、日本の對支活動であるから、この四ケ國の對支資本關係に就いて略述し、民族資本との關係を觀察することにする。

支那民族資本は前項に於ても屢々記述せる如く、産業資本への轉化を見ることなく、封建的官僚支配に從屬的關係を結び封建的地代の取得の爲の土地購入、或は農民に對する、高利貸付に投じ、封建

22

側に依存寄生しつつ蓄積をなして來た。この本質的な性格は、先進國たる外國資本勢力に接觸するに及んでも、外國資本の進出に寄生從屬することによつて對立を見ずに、外國資本と支那經濟社會の仲介者たる役割を演ずることとなり、所謂買辨の發生と共に、列國資本と結び付き、外國資本への從屬關係を持續し、今日に到つてゐる。

勿論その進展に從ひ、產業活動への幾分の進出、或は獨自の銀行資本活動も相當伸張はしたものの、產業資本活動への進出微弱は、それ自体の根底を脆弱にし、政府の諸方策と關聯を持し乍らも一度列國の經濟的重壓ある場合は、自らの資本に於ては如何ともなし得ぬ弱さを曝露せる事は二三に止らぬ程である。浙江財閥を中心とせる支那金融資本が依然として、官僚買辨性を具有し居るのも、列國資本浸入以前より植えつけられた、本質的性格であつて容易に離脱得ないものである。

就中英國資本に對する民族資本の從屬性は最も甚しく、滿洲事變以後は從來の產業活動（例へば鐵道建設、生產業への投資）より金融資本方面にその主力を傾注した。政策的には國民政府を强め、それに金融的勢力を扶植し、更に經濟的な利益を約束せしめて、同時にその安定せる條件の下に於て蔣政權の强化を計ることによつて、日本の對支活動を牽制する擧に出たのである。一九三五年の幣制改革を契期として、法幣價値の支持等は、最も重要なるポイントで、支那政府を不可避的に英國資本に從屬せねばならぬ機工作し、その工作によつて自らの對支權益を增大し支那民族資本の操縱に奏効したのであつた、

以下英國を始め列國の對支投資に就いて記述して見る。

列國の對支投資は、之を支那政府に對する貸付と事業投資に大別して考へる必要がある。

一九三七年七月一日に於ける列國の對支貸付現在高は（百萬元）（註二）

23

| | 一般的な借款 | 鐵道借款 | 合計 | % |
|---|---|---|---|---|
| 英國 | 三五一、八 | 三二一、四 | 六七三、一 | 四〇、九 |
| 佛國 | 二一八、七 | 六五、三 | 二八四、〇 | 一七、三 |
| ベルギー | 二三、四 | 一七三、〇 | 一九六、四 | 一一、九 |
| 日本 | 八三、七 | 九九、〇 | 一八二、七 | 一一、一 |
| 米國 | 一二三、五 | 三三、五 | 一五七、〇 | 九、四 |
| ドイツ | 九七、七 | | 九七、七 | 五、九 |
| オランダ | | 三七、九 | 三七、九 | 二、三 |
| 計 | 八九九、八 | 七五〇、一 | 一、六四八、九 | 一〇〇 |

註二　東亞經濟調査局（支那滿洲經濟研究）

次に列國の事業投資額を見るに、これに就いては米國のリーマー敎授の一九三一年に關する計算以外に據り處はないのであるが、リーマー氏によれば一九三一年滿蒙を除外した支那に於ける事業投資額は

一九三一年投資額（百萬米弗）

| | 投資額 | % |
|---|---|---|
| 英國 | 九六三、四 | 五六、一 |
| 日本 | 三六二、六 | 二一、二 |
| 米國 | 一五五、一 | 九、一 |
| 佛國 | 九五、〇 | 五、五 |
| ドイツ | 七五、〇 | 四、四 |
| ベルギー | 四一、〇 | 二、四 |
| オランダ | 一〇、〇 | 〇、六 |
| ソ聯 | 六、二 | 〇、四 |
| 伊國 | 四、四 | 〇、二 |
| その他 | 二、〇 | 〇、一 |
| 計 | 一、七一四、七 | 一〇〇 |

この計算以後の投資額の變化を見るに、英國は凡ゆる部門に於て二

24

億元の増加、日本は紡績方面に於て一億元の増加、米國は洞油等の對支貿易の増大に伴ふ商業資本増で六千萬元、ドイツ二千萬元その他合計二千萬元と推定して、一九三一年以後の増加は大約四億元となり、一九三七年七月には列國の對支事業投資額は・

| | 一九三七年投資額（百萬元） | ％ |
|---|---|---|
| 英國 | 三、四一一、四 | 五六、〇 |
| 日本 | 一、三〇八、七 | 二一、三 |
| 米國 | 五六七、〇 | 九、三 |
| 佛國 | 三二六、七 | 五、三 |
| ドイツ | 二七〇、〇 | 四、四 |
| ベルギー | 一四一、七 | 二、三 |
| オランダ | 三六、四 | 〇、六 |
| ソ聯 | 二〇、七 | 〇、三 |
| 伊國 | 一四、七 | 〇、二 |
| その他 | 八、七 | 〇、一 |
| 計 | 六、一〇六、〇 | 一〇〇 |

註三――東亞經濟調査局岡崎三郎の推算によるものにして元換算率は一九三七年上半期の爲替相場により一元＝〇、[illegible]とし計算せり（支那滿洲經濟研究より）

右の計算に基き一九三七年に於ける英、米、日、佛の對支投資は次の如くである。

△英國

支那政府に對する貸付金　六七三二十萬元、事業投資額三四一一四十萬元合計四〇八四六十萬元となり、支那に於ける列國投資額總計七七四三九十萬元に對し、その過半を占めてゐる。

その投資對象は、銀行を始め、紡績、鑛業　煙草、土地等であるが、支那の鐵道の大部分は支那の對英借款により建設され支那國有鐵道の九割迄が列國資本によつて建設され、その九割の大部分は英佛日の資本によつて占められ、英國がその第一位にある。

△米國

支那政府に對する貸付金一五七百萬元、事業投資額五六七百萬元、計七二四百萬元で、事業投資は各部面に亘つてゐるが、最も重要なものは商業投資である。事業投資で特殊の意義を持つてゐるのは、上海電力公司と中國航空公司である。

△日本

支那政府に對する貸付金一、八二七十萬元、事業投資額一三〇八七十萬元、計一四九一四十萬元で列國總投資額の約五分の一を占め、その投資對象は、紡績、鑛山、金融、その他各種製造工業である。

△佛國

支那政府に對する貸付金二八四百萬元、事業投資額三二六七十萬元、計六一〇七十萬元である。佛國の投資對象は鐵道、金融公益事業、土地等である。

以上列國就中英、米、佛、日の對支投資の概略であるが、支那民族資本は、之等巨額の列國資本の左右する支那經濟内に於て自らを呼吸せねばならない情勢下にあり、支那經濟に於ける絶對的な地歩はかち得て居ない。依然として、支那金融資本によつて代表されてゐる民族資本は、金融資本が買辦的官僚的である如く列國資本に從屬的であり、殊に英米資本に對して隷屬關係が濃厚である。

(五)　支那民族資本としての華僑資本

華僑の支那本國宛送金は、支那の國際收支に於て極めて重要な役割を有し、貿易の入超を殆んど全部若しくは大部分を補つて來たと窮されてゐる。一九三五年の支那國際收支を見ると支出累計十五億六千九百萬元に對する收入は、輸出貨物の六億六千二百萬元を除いては、銀輸出の二億八千九百萬元に次いで、華僑送金が二億六千萬元を示し、その重要性を物語つてゐるが、更に、支那本國への事業投資もあり、支那民族資本としての重要性が期待されてゐる。

支那民族資本としての華僑資本を見る場合は、華僑の本國送金額と、本國事業への投資狀況を硏討する事に止め、華僑現地に於ける諸狀況に就いては之を除外する

△華僑送金

華僑（南洋華僑）の送金方法は、信局、郵便局、銀行、個人託送の四方法によつてゐるが、最近では郵便局、銀行による方法が普及してゐる。近代的金融機關としては、次の樣な群小銀行が南洋各地に存在してゐる。

南洋各地の主要華僑銀行

| 銀行名 | 所在地 |
| --- | --- |
| 廣東銀行 | 香港、廣東、暹羅 |
| 中興銀行 | マニラ |
| 富懐銀行 | 安南 |
| 四海通銀行 | 新嘉坡、暹羅 |
| 華僑銀行 | 新嘉坡 |
| 黄仲涵銀行（建源銀行） | スマラン、スラバヤ |
| 中華商業銀行 | メダン |
| 東亜銀行 | 安南 |
| 利華銀行 | 新嘉坡 |
| 順福成銀行 | 暹羅 |
| 炳泰銀行 | 〃 |
| 黌利銀行 | 〃 |

27

右の内最大なものは華僑銀行で四〇、〇〇〇、〇〇〇新嘉坡弗の資本金を有し、南洋各地、支那本土に支店を有してゐる。更にこの外に中華銀行、華南銀行等があり華南銀行は支那を舞臺に活動してゐるがその資本の大部分は華僑資本である。

次に南洋華僑からの送金額であるが、E、カン氏の推定によると

| | |
| --- | --- |
| 一九三五年 | 二五〇、〇〇〇千元 |
| 一九三六年 | 二六〇、〇〇〇千元 |
| 一九三七年 | 二〇〇、〇〇〇千元 |

で又中國銀行の年次報告によると

| | |
| --- | --- |
| 一九三三年 | 二〇〇、〇〇〇千元 |
| 一九三四年 | 二五〇、〇〇〇千元 |
| 一九三五年 | 二六〇、〇〇〇千元 |
| 一九三六年 | 三三〇、〇〇〇千元 |

となつて居るが、之は在外華僑の送金總額で、國際收支の上から推定したもので、南洋華僑のみの送金を意味してゐない。大体華僑送金と所謂南支送金とは、相當の開きがあり、一九三〇年南支送金は六六、五〇〇、〇〇〇弗（谷爾木氏の統計）に對し、レーマー氏の調査によると全世界華僑からの香港宛送金額は二七二、〇〇〇、〇〇〇弗となつて居り、驚くべき數字の差異がある。目下の處詳細な數字がないので華僑送金の内容性質、方向は不明である。

事變發生以來、華僑の本國向捐金が經常的送金に加つて、その總額は漸次增大しつゝあり、一九三八年には約六億、一九三九年は五億を突破したと傳へられてゐるが詳細は不明である。（註一）

然し、華僑主として南洋華僑の本國送金は、支那現下の情勢下に於ては最も重要なる問題である。華僑が主として、廣東、福建、廣西の出身者によつて占められ、從つてその出身地への送金、即ち郷土向送金が、相當な額を占め、更にそれが、廣東財閥等との連繫により南支に於ける經濟的勢力を持つに至つてゐる事は見逃し得ぬ事である

28

う。

南洋に於ける華僑の分布を見るに

佛印　三八一、四七一人　濠洲　二、五〇〇、〇〇〇人
蘭印　一、二三三、六五〇人　比島　一一〇、五〇〇人
馬來　一、七〇九、三九二人　英領ボルネオ　七三、〇〇〇人

で内福建、廣東出身は佛印では七〇%、暹羅では潮州人六〇%に次ぎ二〇%、蘭印では七〇%比島では八〇%、馬來では五八%、となつてゐる。（註二）

（註一）、（註二）企畫院（華僑研究資料）

△華僑の本國投資

支那政府實業部編「中國經濟年鑑二十三年版」によると、上海に於ける支那人經營の銀行會社、工場等は約二五〇あり、その總資本は約三億元に達するが、少くともその一割は華僑の投資であると評價してゐる。而して永安紡績公司、南洋兄弟煙草公司の生産事業を始め先施、新々、永安の各百貨店は凡て華僑資本であると發表してゐる。又一九〇四年の建設に係る潮汕鐵道も華僑の出資によるものであり、華北實業公司も同じく華僑の經營によるものであると發表してゐる。

この外錢莊北銀行方面への華僑資本の出資は相當の額に上つて居ると見られて居り、南支に於ける南支出身者の投資等を勘定に入れると、莫大なものとなるであらう。華僑資本が支那民族資本に合流し、民族資本としての活動は、支那經營には大なる魅惑であり、今後愈々重要なる意義を有するものである。

(六)支那經濟に於ける民族資本の地位

支那經濟が次第に從來の封建的要素をば資本主義的色彩に塗り替へつゝあることは、一九三五年の幣制改革後に於て、特に顯著となりつゝある。又蔣政權の國民經濟建設運動も大きな力となつてゐる

29

古くから、專ら、官僚、軍閥、豪族の獨占的分野に委ねられて、全く國民生活からの遊離を以つて特徴づけられてゐた。支那の政治と經濟が、近年に來り漸く緊密なる聯繫を實現せしむるに至つたことは注目すべき事實である。

而して支那に於ける資本主義的な發展の推進力となつてゐるものは、外國資本と民族資本であり、就中外國資本の役割は特に大きい。

支那國民經濟に於ける列國勢力の支配的な力の強さは、政府並に民族資本が、列國の半植民地化から離脱して、支那獨自の体制を整備せんと、その經濟建設に全力を擧げて着手しながらも、之を列國の支配的援助を求めざるを得ざる迄に成長して支那經濟建設工作は殆んど全部列強の出資により行はれたるが如き、その顯著なる一例である。

就中英國の活躍は、政治經濟の全分野に亘つて極めて目覺しい。支那當面の經濟建設の爲には英國の支援なくしては到底完成し得ないと稱される程である。

支那經濟の今日迄の進展は、支那開國以來一世紀の間、列國の半植民地化と、列強資本への從屬化、それを誘導する事によつて、自らを築き上げた支那民族資本の畸形的な發展によるものであると云ふ事が出來るのであるが、それが支那經濟の持つ力強き進展であつたとは稱し難い、支那民族資本の發展外國資本の侵入、これによつてもたらされたものは、民族資本の銀行資本への跛行的進展と、外國商品進出による國内生産諸力の停滞とであつた。從つて支那民族工業は一部、特定の海港場に若干勃興したのみで全般的民族工業勃興の機運は阻止され、農業生産は、外國產業の況不況に支配され、支那農業は外國工業への隷屬的位置に轉落せられた。

かくの如く支那經濟は外國資本の支配下に於てのみ、畸形的な發展をなし、支那獨自の國内生産諸力の要求に基いたものではなかつた。それだけに支那經濟自立性は頗る脆弱である。元來資本主義的

30

強に伍してその体制を整へんには、各種工業部門、就中重工業の振興が不可缺の要件であるにも拘らず、鑛山製鐵、造船、鐵道等一聯の工業は凡て外國資本の支配下に置かれ、支那民族資本獨自の經營になるものは紡績製粉の一部と、その雜工業でしかない。

民族資本が跛行的に銀行資本（而も商業資本）にのみ發展し居る爲、又その買辦的性格より脱し切れぬ爲、外國資本と從屬關係にあることを必然の成行と考へてゐる處に大なる停滯性を見出し從つて支那經濟に於ける民族資本としての役割卽ち支那國民經濟の再建に積極的に當ると云ふ躍進的な力も薄弱である。事變後政府によつて種々なる經濟建設案が發表されてゐるが、戰時中ではあり又英米資本への依存關係濃化せる時でもあり、民族資本の全面的參加は不可能と見られてゐる。

支那民族資本現在に於ける地位は銀行資本を樞軸として、その代衰の浙江財閥及びその他財閥が舊政權と緊密なる關係を保持し得る限りに於て、現下支那經濟に於ては、良きにつけ悪しきにつけ拔くべからざる存在であることに變ひない。然しこの地位の強化は、支那國民經濟界を更に飛躍せしむるに役立つものではなく、愈々外國資本に從屬せしめ、農民を窮迫化せしめ、諸工業の勃興、發達を阻害せしむる以外の何物でもあり得ない。唯新事態への認識と民族資本の新しい發足に於てのみ、國民經濟に於ける貴族的地位が確立されるものである。

31

(七) 舊政權の民族資本に對する工作

支那抗戰力の基本的據點は、本來農村にあり、政府が奥地に遁入してゐる現在に於てその農村に依存する程度は更に強化されてゐる事は勿論であるが、これを指導してゐるものは、工人階級を除いては、浙江財閥關係の支那民族資本である。こゝに舊政權の對民族資本工作が積極的ならざるを得ない理由がある。而もその民族資本の大部分が淪陷區内に存在し、又產業資本もこの區内にあり、この兩者の關係は頗る微妙なる問題をかもしつゝある。

一九三九年支那銀行總數は一六〇行と稱されてゐるが、その内上海を中心に江浙兩省に本店を有するものはその六二％を占め、一九三六年その預金高に於ても上海のみで約四十億元（前掲「三、舊政權と支那財閥資本」）で、その他現金保有、錢莊手持に流通高五億と見て、それを加へて大約五十億を突破してゐるものと見られ、如何に魅惑的勢力であるかゞ窺はれる。

32

かくの如く、中支にその基盤を持つてゐる民族資本は、武漢の淪陷後舊政權との關係は頗る復雜な關係を持するに至つた。民族資本の大部分は、上海に據つて自らの繁榮を求めやうと努め、政府は租界の存在と、英佛米の外國資本の援助とを仲介として、これに對する自己の統制を常に强化せしめんとして來た。一九三九年五月より七月の間に於ける重慶の上海に對する金融政策、卽ち香上銀行の再度に及ぶ外貨賣禁止預金引出額の制限、更に同年十一月の占據地域工業製造品の非占據地域への移入禁示令等は、その强權統制を物語るものである。

しかしこの舊政權の政治的意慾と、民族資本の營利的意慾との間に發生すべき間隔は、舊政權の複雜的統制强化策によつて愈々甚しくなる。

從つて民族資本は、奥地經濟が工業合作社や、半國營企業の發達によつて抗戰的地盤を形成しつゝある時、このまゝの中立的活動狀態に放置し置く事を許されず、舊政權としても、民族資本の新政權への移行を恐れ、その吸收工作をより一層强化し來つた事は當然の工作であらう。一九四〇年三月上海民族工業救濟に關する辦法はその意味に於て重要視すべきものである。その內容は次の如くである。

イ、財政部及び實業部は上海にその代表者を派し上海所在の各公共團体と共に、各工場の生產販賣、組織狀態を調査し、その實狀を闡明にすること。

ロ、財政部は中央、中國、交通、中農の四行聯合辦事處に令して、上海及び他の地方にある支店に、前項により政府が鑑定した工場にして、確實なる證明を附して奥地向或は奥地より上海向送金を願出づる場合はそれを受理する樣命づること。

ハ、財政部は四行割引委員會に、上海民族工業の發達を援助する爲に貸附基金の增加を命じ、更に各種商業銀行に、工業資金貸附を

33

活潑化する樣命ずること。又工業貸附團の如きものを組織するも可なるべく、四行割引委員會及び上海銀行聯合準備會をして商業銀行へ抵當貸附をなさしむる事は、資金の利用ともなり、商業投機を防止する。

ニ、上海市商會及び各種團体は共同して工業聯合團体を組織し、上海工業の生產、販賣等の實狀を調査し、以つて政府或は銀行の參考に資すること。

ホ、上海各工場の香港或は南洋各地向商品の販賣は、財政部の輸出商品爲替取組辦法により、四行に向つて爲替賣却をなし、それにより政府の外貨收入を强化すべし。

これは明かに、舊政權の淪陷區內民族資本に對する支配力維持の積極的工作であり、新政權に對する、民族資本獲得上の抗爭であると見るべきであらう。

## (八) 新政權と民族資本

新政權が採るべき、經濟政策の基本的方向が、第一に占據地域に於ける民族資本の自由な發達にあることは否定出來ない。日支關係調整案に於て汪精衛氏が最も强く、主張した事は、「戰爭狀態の下に變形された占據地經濟の恢復を通じて民族資本に自由を與へる」と云ふことであつて、新政權の經濟的要求は實にこれを唯一の中心軸として動いて居る。新政權成立前發表された中華日報社說に於ても、

「經濟再建の前提は、一般的に言つて國內社會秩序の安定にあり、而して我々の經濟建設は民族資本の發展を必要とする。――和平運動は日支關係を調整し、而してこの關係を平等の基礎の上に置く事を目的とする一個の革命運動である。この狀態に於て初めて日支經濟協力は相互に利益をもたらし得る。日支經濟企業にして、支那に所在するものは支那政府の（新政權の）管轄下に入るべき

34

で、かくして支那民族資本とは初めてよく共存共榮し得るのである」。

而してその後日本軍より軍管理工場の返還、物資統制緩和、揚子江解放が行はれて、獨立、自主の新政權が確立し、上述の具体的要求が容れられたわけであるが、南京還都後直ちに、その工商部長は「支那政府最大の眼目とするは、民族資本の保護並にその發展の扶助である。又政府の最大責任は　萌芽する民族資本と之に對する外部からの壓迫を保護するにある」とラジオ放送をなし、且つ政綱として「友邦各國の正當なる權益を尊重し、並にその關係を調整し次つて友誼を増進す」「友邦各國の資本及び技術的合作を觀迎し、次いで戰後經濟の回復と產業の發展を圖る」と聲明し、民族資本に對する新政府の意のある處を示し、民族資本の復歸を希望した。

然し乍ら、一般の輿論は、未だに新政權を傀儡政權と稱し、無關心を裝ふ事を止めようとしない。この無關心に拘らず、新政權は民族資本の旗の下に結成される統一戰線の展開による和平救國の擴大に努めてゐる。その道は遠く、對舊政權との抗爭に於て頗る困難なるコースを辿るであらうが、漸次工作の進捗により、民族資本の復歸が、行はれるとすれば、それが自主的に且つ近代的に價値増殖を營むことの出來る近代產業への復歸が行はれて本格的なものとなり、又更に商業並に金融資本への復歸を促して本格化するであらう。

かくて新政權の望む、民族資本の指導の下に民族統一戰線は結成され、和平運動も强固に發展するわけである。

唯此處に問題となるのは從來の日本資本と支那民族產業資本との相剋であり、支那民族工業の特質より來る、外國資本に對する從屬的態勢の打破と云ふ問題である。

新政權の民族資本に對する自由性の認容と、民族工業發展への助成的任務の賦與に關聯して、日本資本との結びつき、更にその民族資本の利用方法の巧拙が問題となる。その工作如何によつて新政權の統一强化、民族資本の復歸と發展とが約束されるのである。

(九)　支那民族資本の利用方法

支那民族資本の利用方法は、新政權の民族資本對策に呼應する日本政府並に日本資本の出方如何により種々案出し得られるものと思はれるが先づ第一に着手すべきは、現下舊政府に於ても積極的に工作しつゝあり又新政權に於ても、それを慫慂しつゝある民族工業への民族資本の進出誘致である。元來支那民族資本の脆弱性は、產業資本の背景を持ち得なかつた事であり、余りに金融資本への跛行的發展にあつた。之を是正し、民族資本の健全なる發展を促すには、民族工業への復歸でなければならない。先づ支那民族工業の一般的特質より檢討して見る。

△支那民族工業の特質

既に見た如く支那民族資本の產業資本への轉化は著しく停滯的で、產業資本の蓄積、展開は極めて跛行的となり、外國資本に對する從屬　態勢は今日に至る迄打破せられず、從つて支那民族工業には次の如き特質が結果づけられてゐる。(註)

イ、支那民族資本工業に對し、外國資本が優位にあり、投下資本總額に於て、重要產業部門に於て、經營の合理性に於て、その他凡ての點に於て外國資本が民族資本のそれを壓してゐる。

ロ、地域的偏倚性が强い。支那に於ける工業は民族工業のみならず外國資本工業の凡てが外國勢力の强い影響下にある沿岸開港都市又は長港沿岸都市に存在してゐる。

支那六大工業都市の工業概況（外國資本を除く）

| | 投下資本額（萬元） | | 年金產額（萬元） | |
|---|---|---|---|---|
| 上海 | 一九〇八七 | 四〇% | 七二七七二 | 四六% |
| 天津 | 二四二〇 | 五% | 七四二〇 | 五% |
| 武漢 | 二〇八六 | 四% | 七三二九 | 五% |

| | | | | |
|---|---|---|---|---|
| 無錫 | 一、四〇六 | 三% | 七七二六 | 五% |
| 廣州 | 一、三〇二 | 三% | 一〇一五六 | 六% |
| 青島 | 一、七六四 | 四% | 二七〇九 | 二% |
| 小計 | 二八〇六六 | 五八% | 一〇八一四二 | 六八% |
| 全國總計 | 四八四六八 | 一〇〇% | 一三八六六二 | 一〇〇% |

（註二）

而して外國資本工業も無錫を除く右五大都市に集中せられて居る故、支那工業能力の八〇%は、この五大都市に偏在してゐるわけである。

ぺ、支那工業の生産が總体として、極めて低位にある。並に支那の各種工業資源が、支那近代工業に役立つこと少く、外國に輸出され、且つ交通運輸並びに貿易機關が外國資本の支配下にある。試みに交通運輸、貿易機關を見るに、

鐵道延長一、二一〇粁（一九三七年）中支那民族資本によるものは、僅かに一〇一二粁であり、支那各港出入船舶中、支那船舶は二七%、支那在籍船舶中、民族資本約一五四千噸、外國資本三七一千噸と云ふ割合である。

二、輕工業が壓倒的であり、勞働手段、生産部門が缺除されてゐる。支那民族資本工業中で輕工業が九〇%以上を占め、金屬機械工業は五%乃至一〇%見當に過ぎない。従つて機械その他の勞働手段、生産は、その大部分を外國に依存してゐる。

支那民族工業中に於ける輕工業の比重

| | 工場數 | | 投下資本金（萬元） | | 生産額（萬元） | |
|---|---|---|---|---|---|---|
| 紡織工業 | 八二一 | 三三・七% | 一六六八三 | 四一・二% | 五三五二八 | 四一・八% |
| 製粉工業 | 七一 | 二・九% | 二三二七 | 五・七% | 一八一七〇 | 一四・二% |
| 煙草工業 | 五九 | 二・四% | 二一二七 | 五・三% | 一二一五〇 | 九・五% |
| 其他輕工業 | 一、〇九〇 | 四四・八% | 一五七三七 | 三八・五% | 三七四一八 | 二九・二% |
| 小計 | 二〇四一 | 八三・八% | 三六八七四 | 九〇・五% | 一二一二七二 | 九四・七% |
| 全工業 | 二四三五 | 一〇〇% | 四〇六九六 | 一〇〇% | 一二八〇三三 | 一〇〇% |
| 金屬機械工業 | 三九四 | 一六・二% | 三八二二 | 九・五% | 六七六一 | 五・三% |

（註三）

ホ、近代的民族工業に於ける資本の有機的構成度が極めて低位にあるのみならず、手工業的生産が壓倒的比重を占めてゐる。

へ、廣汎な産業予備軍（債務農奴、苦力、並都市失業者）の存在壓迫によつて工場勞賃が極端に低廉であり、農村との關聯が末だに濃厚に殘存してゐる。

（註一）　昭和十五年度版支那經濟年報　三二二頁より

（註二、註三）　舊國民政府實業委員會資料「中國工業調査報告」中册（一九三三年四月――一九三四年十月）による。

以上支那民族工業の諸特質を見ることによつて、その發達が極めて畸形的であり、斷續的であり、更に停滯的であることが概括的に認らるゝのであるが、と同時に民族工業の寄生性と封建性の根强さとが判然とし、その自主性の限界とその解放への方向が頗る困難であることが確認されるであらう。この特殊性を如何に生かし、支那本來の近代的民族工業に成長せしむるかゞ民族資本利用の根本課題であり、日支兩資本の實務でなければならない。

右諸特質を檢討することによつて、支那民族工業が

イ、外國資本の壓迫下にあり依然として封建的停滯性を有すること。

ロ、地域的に上海を中心に長江一帶に偏在してゐること。

の二點に注目する必要がある。

この二點については、中支工業地帶をそのまゝ成長せしむる方法を採る事とし、一方從來外國資本の壓迫下乃至抗爭下に停滯してゐた工業を解放せしむることにある。例へば從來の日本紡績と支那防績との抗爭を禁絶して積極的に對立性より統一性に轉化せしむるが如く、或は英米資本に從屬的であつた諸工業を、獨立自營の方途に就かし

むることである。勿論急速に實現し得べくもないが、舊政權の抗戰力の後退と英米勢力の漸次的衰退は現實的に表はれつゝある折柄、日支兩國政府の合一的經濟政策の確立さへ出來れば、容易に實現し得ることである。卽ち、新政權の民族資本の復歸從慂に呼應して、日本總資本の統一、徒らなる個人主義の止揚、極端なる營利主義の自制をなし、從來日支資本の矛盾を調整することによつて、戰前より支那產業資本が外來的並に内在的に背つてゐた多分の買辦性を輕減せしめ、支那民族資本と、日本資本との有機的組織化が實現されねばならない。支それには、共產黨指導の下に誤導せられた抗日運動の方向を、正道なる支那民衆統一運動に發展せしめ、民族資本をして和平運動の中核的存在たらしむるにある。

民族工業は、「資本主義の子」として、或は「民族の子」として考へられるとすれば支那民族工業は「民族の子」である。この民族の子を近代的なものに育て上げるには、支那民族資本の從來の跛行的發展より、價値增殖のより基礎的な民族工業への進出を助成、保護せねばならない。

支那民族資本の利用は、既說の民族工業への活用より以外に採るべき道はない。然し乍ら民族資本は既に見た如く、尙多分に買辦性と官僚性の基本的な性格を具有し、而もそれが資本であると云ふ限りに於て獨立性を求め單純なる日本的な正義感や優越感による經濟合作を排除するであらうことは注目せねばならぬ。飽く迄も彼等が氣樂に容易に復歸し、その資本を自由に、自主的に活用出來る樣助成することにある。

合辦制の如きも「合辦と稱しながら、その事業の内部に入つて見ると完全に日本人のものである。人的構成に於て經營の方法に於て、それはまさしく非支那的である」と支那人より嫌惡される樣では、民族資本の利用は全く望み得ない。

日本資本の欲求としての合辦制を以つて完全な獨立を欲する民族資本に對置させることは眞實の經濟合作ではない。

民族資本の要求をも攝取した、より高度の經濟的關係を、政治的立場から、日本と新政權の間に結成さるべきであらう。

支那民族資本の民族工業への進出を助成發育せしむる方法としては、

イ、經營の主体を飽く迄も民族資本に委ねること。

ロ、日本資本參加は飽く迄も助成的なること。

ハ、人的構成も支那人を以て充つること。

ニ、但し資本代表或は經營指導者的立場に於て二、三人有能なる指導者を參畫せしめ、更に技術方面に於ては、その道の專門家を最少限度に於て參加せしむること。

ホ、民族工業を直ちに日本的な經營に脫せしめず支那在來の手工業家内工業を助長し、漸進的近代工業化を計る。（日本的經營の拙劣さと、民族工業の急速なる近代化の至難なることを自覺すべきである）

ヘ、原料入手、生產品の販賣等に就いては、自由性を與へ、特に日本と關係深き物品に就いてのみ相互に於て適宜考慮せしむること。

ト、從來より居た英米の經營指導者を追放すること。

チ、日本人の在支產業は、民族資本との抗爭なかしむるものに限ることゝし、可及的、民族資本の活動舞臺を廣めしめること。

等が民族資本の利用上必要な條件であると思料するが、この民族資本の民族工業への利用に際し、右の諸條件に先行的に解決し、處理し置くべき重要問題が二つある。

それは、民族資本が英米を中心にした列强資本の支配下にあると云ふ宿命的現狀から、招來される問題であるが、一つは法幣流通を根幹として支那經濟界を支配する英米資本の新支那產業自立性の阻止であり、他の一つは民族工業近代化が英米資本よりの離脫によつては頗る困難であると云ふ二點である。

この問題は、新政府並に日本政府の政治的解決を最も强度に要求

するものであるが、經濟戰略的解決の手段としては、

イ、日本資本による支那經濟界の信用回復工作と新法幣發行に伴ふ價値維持、流通圓滑化を計る經濟的援助である。

ロ、支那土着資本にして、英米列强資本と無關係に存在し、活動力を持つ、一般地方の分散資本の吸收と、民族工業への進出を助成すること。

ハ、民族工業の近代工業化は、日本の東亜共榮圏内に於て求め得らるゝ資本機械、技術、勞働の限度内の近代化であること。

ニ、現存の英米資本による工業は、可及的そのまゝ利用し、その支配的地位を漸次後退せしむる様人的に資本的に工作なすこと。

等が擧げられるであらう。

然し、法幣問題と地方分散土着資本の問題の詳細なる取扱は、本課題より切離し別途考究することゝし、唯民族資本の利用上不可避的に右の二問題の解決が大きな役割を持つと云ふ事、就中法幣問題は結論に於て少しく述ぶる如く、民族資本利用上には不可避的課題たることを添記して置くに止める。

秘

經研資料調第二〇号



# 支那沿岸密貿易の實證的研究

昭和十六年六月
陸軍省主計課別班

## 例言

本資料は當班の委囑により東亞研究所が所員平瀬巳之吉氏をして實地調査せしめたる報告である

對重慶經濟封鎖の强化徹底を益々必要とする現況に於て敵側の逆手を封するための一資料として參考に供す

昭和十六年六月

陸軍省主計課別班





## 内容目次

## まへがき

一、對重慶戰略を繞つて、密貿易の問題は今や當面焦眉の課題となつてゐる。その實体の一端をでも探らんが爲に、昭和十六年二月初旬より約一ケ月に亘つて中支方面、主として上海及び南京に出張して調査執筆したものが本稿である。

一、本稿は、現地に於ける諸機關の專門家からの聞き込みと、蒐集資料により書かれたものである。從つて、筆者としては之等專門家や資料の信憑性には勿論疑を挿む餘地はないが、唯、猫眼の如く變轉する現地の諸事情が、其の後もなほ刻々調査時と異つた樣相を呈しつゝあるであらうことは、これも亦同樣に推測に難くない處である。この意味で、本稿は全く調査當時の實狀を傳へたものとして理解せられ度い。

一、本稿は、密貿易の方法とルートとに力點が置かれてゐる。具体的な商品品目や金額數量に付いては、現地當局もかなり調査不足であり、資料も亦整備してゐず、且つ、出張の期間が短日月であつた爲に、調査の歩を伸ばすことが出來なかつた。

## 二、密貿易の概念

由來密貿易なるものゝ概念は頗る明確を缺き、何を以て密貿易となすかは俄かに斷定し難い。たゞ、事變前にあつては、それが比較的明瞭な概念のもとに促へられてゐたと云ふにすぎない。卽ち、舊國民政府の政治的統制力が本部諸省に及んでゐた當時にあつては、國民政府の政治的見地から見て「非合法的」貿易が、實は密貿易を滯成したのであつた。換言すれば、「脫稅の目的を以て海關を合法的に通過せざる商品」及び「禁制品」（武器・彈藥・鴉片等）が、かゝるものとして把握せられてゐたのである。かくの如き意味の密貿易は、滿洲國（大連又は長城線をルートとする）‖北支間、香港‖廣東省間、ソ聯‖蒙疆間に於て、量質的に最も盛んであると見られた。

右の如き意味の密貿易に關する調査には、今日迄の處優れたものが若干存在してゐる。例へば、林和三郞「南支に於ける密輸の研究」、蔡謙「粤省對外貿易調査報告」の如きがそれである。前者は香港に於ける密輸の調査

2

であり、後者は香港・廣州灣・澳門等をルートとする廣東省の密輸の調査であるが、いづれも研究の舞臺は廣東省に於けるものとなつてゐる。

而して、林氏の調査は、密輸の組織、方法及び品目に主として力點を置き、蔡氏は密輸の品目及び金額に專ら問題を集中してゐる。卽ち蔡氏の推定に據れば、廣東省の密輸入は事變前數年間にあつて大体四千萬元乃至五千萬元見當であり、密輸出は事變直前四百萬元と報告せられてゐる。その品目は、密輸入にあつては、砂糖・毛織物・人參・人造染料及び石油等を主とし、密輸出にあつてはタングステン・疲鐵・銅・マンガン・蒼鉛・錯等を主要なものとする。然るに、林氏の調査では、綿織物・鴉片・金及び銀等が密輸入の大宗と言はれてをり、その方法は民船・戎船を利用して夜蔭に乘じ之を行ふが、又は、稗私船や稅關吏を買收して行ふと報告されてをり、兩者の言ふ所必らずしも合致しないが、然しいづれも密輸の大勢を異つた視角から調査したものとして大いに參考に値するものと云へやう。

なほ、東亞研究所第一調査委員會では、滿洲國‖北支間の密輸を、山海關及び承德に於ける陸路貿易より推定して、事變直前の密輸出を一千五百萬元、同密輸入を一千八百萬元とした。更に、ソ聯‖新疆間の密輸出を事變直前一千六百萬元、密輸入二千三百萬元としてゐる。その推定の詳細な事情を今茲に傳へるわけにゆかぬが、參考程度に聞き置いてもらへれば幸である。

以上は事變前の狀況であるが此處に、事變の發生以來、右の如き密貿易の內容は激變を來し、その爲、密貿易の概念も亦、おのづから別異の見地から促へられることが必要となつて來た。蓋し、日本軍の占領地域が成立し、殊に、新政權が誕生してみれば、この方面から見て密貿易と思料せられるものも、舊國民政府の據つて立つ西南地方より見て必らずしも密貿易ならず、又、その反對のことも當然云ひ得るところだからである。そこで、今日、密貿易は、すくなくとも以下の如き三つの形態のもとに分別することが便宜であらうと思はれる。

3

(1)日本以外の第三國と支那との間に行はれる純然たる密貿易
(2)日本軍による占領地と非占領地との間に行はれる密貿易
(3)日本と支那との間に行はれる特殊貿易

但し、此處で(3)に示した特殊貿易は、「合法的密貿易」といはれるものであつて、問題とすることは出來ない。これは事變前に於ても特殊的には一部地方に存在したところであり、舊國民政府から見ての密貿易と云はるべきものであらう。即ち、冀東貿易は、その尤なるもので、確定輸入税率を拂はず日本商品が通過してゐたのであり、一部の推定に據れば年額七千萬元に上つたと云ふ。今日に於ては、此の種のものは、軍需品もしくは準軍需品の貿易となつてあらはれてゐる。これを支那側の輸入に就き見れば、建設資材、物動物資、宣撫用品等があり、無論その具体的數額は、海關統計にも大藏省統計にも掲上せられない。また、これを支那側の輸出に就き見れば、麻、棉花、皮革、羊毛、鹽等を擧げることが出來よう。

そこで問題は(1)と(2)に集中する。

(1)に示した密貿易は、一九三〇年の第一次關税改正以來特に盛となつて來たものであり、つまり、高率關税を免かれる爲、合法的に海關を通過せざる商品取引として行はれてゐる。但し、これは、事變前の盛行に比し、今日一般には次第に衰落の傾向にあり、たゞ、香港を控へた南支には依然として行はれるも、中支は著るしく減少したと見て差支ない。尤も、大連港を據點として、北支―滿洲間にも行はれてをるといふから、今日なほ無視することの出來ない存在ではある。

最後に、(2)に示したものこそ、今日の意味に於て密貿易の名に價するものであり、而も、當面極めて緊急の問題となつてゐる。これは、中支にあつては上海を據點とし、南支にあつては廣東省一帶に行はれる對西南貿易の中に最も著大にあらはれるのである。

そこで、以下(1)及び(2)の密貿易に就き簡單に概觀を與へることゝする。

三、密貿易の方法

一九三〇年以來今日迄約十年間に亘つて特に盛に行はれて來た此の密貿易は、それだけ巧妙を極めた組織と方法とを具へてゐる。而も次項に取上げ様とする占領地―被占領地間の密貿易ルートにも亦、往々この方法が運用せられるのであるから、一應の考察は是非とも必要であらう。ところでその方法の重要なものとして以下の如き三つのものが考へられる。（「財政評論」第五卷第二號所輯より摘錄）

(1)護　私

密輸業者が武力を備へ、商品を海岸の船まで護送して積込むので、發送地から海岸までは稍々數里の短距離に止まる。然し、その武力、人數共に相當巨大なものがあり、機關銃等の近代的武器を携行する場合すらある。從つて、護送の途中發覺する時は警官と衝突抵抗を生ずることが少くない。密輸對象は輸出品が多く、桐油、タングステン、銅鐵砂等を主たるものとす。この種密貿易に從事する者は、以下の四者と見られる。

(イ)軍人（桐油を主とす）
(ロ)匪徒（タングステン、銅砂及鐵砂を主とす）
(ハ)村のあぶれ者（輸入・雜貨。輸出・桂皮、木材、麻、生油等を主とす。海岸から遠距離の村落にては、この種の者は參加しない。）
(ニ)土豪劣紳（組織頗る大）

(2)放　私

警吏、税關吏等と結托して一体となり、密輸業者が密輸を放認して貰ふ形態である。無論その際、巨額の賄賂（多分税金以下）が使はれ賄賂の金額は、貨物の數量、金額に從つて契約せられる。最近では桐油一桶は十五元、五倍子一包は十元、綿糸一包は十元といふ見當であらうか。この方法による密輸は大部分輸出の際に行はれるのである。

(3)包　私

最近式の方法で、密輸業者が發送地より貨物を專門密輸機關に委託して發送し、その際、密輸費用一切を豫め約定して置く。而も、密輸機關は、貨物の發送地買入値段を密輸業者に交付して保證金とする。密輸機關が約束通り目的を達した時は、改めて密輸業者より保證金の返還を受け、これと引換へに、密輸業者は首尾よく貨物を受取るのであるが、萬一目的を達しないとか、貨物に損害を生ずる時は、密輸業者は保證金を沒收することが出來る。方法としては極めて合理的である爲、各地に普及を見てゐる。なほ、密輸機關は小資本を醵出し、一種の會社企業形態をすらとつてゐると云ふ。從つて、輸送途次に於ても大規模の武備を擁し、リレー式方法を以つて遠距離輸送も亦可能なのである。廣州灣を終點及び發點として最も盛行を見てゐる形態であるといはれてゐる。

## 四、密輸ルート

**この意味の貿易は、一體なら支那人自身の立場より見て、一つの轉口貿易であり、正常貿易以外の何何のでもないのであるが、日本の政策的立場、もしくは、新政府の見地よりすれば、確かに密貿易といつて差支ないものであらう。こゝに至つて、密貿易の概念頗る曖昧なりと云ふ所以である。**

この密貿易は、ルートより見て、上海方面中心のもの（中支）と香港中心のもの（南支）とに分つて見ることが便宜であらう。

(イ)上海――西南ルート

此處に西南諸省とは、廣東、廣西、貴州、湖南、四川、雲南の六行政區を指し、今日最も直接的な援蔣背後地となれるものである。勿論、この西南地帶への物資流入通路は上海のみならず、中支占領地區一帶との聯絡が考へられるのであるが、便宜上、上海を以つて中支を代表せしめたわけである。この場合に、ルートを更に二つに分つて見ることが便宜であらう。

(A)　さて、西南地區への通路として、表玄關となれるものには、以下の二十港がある。卽ち、寧波、溫州、三都澳、福州、廈門、汕頭、廣京、九龍、三水、北海、拱北、瓊州、南寧、蒙自、梧州、龍州、騰越、江門、雷州、思茅がこれである。これら表玄關も形式上は日本軍の手に歸し、多かれ少かれ封鎖もしくは占領せられてゐることは云ふまでもないが、而もなほ實質は援蔣據點として今日策動してゐることも亦動かし得ない處であらう。

由來、事變前に於ける上海の販路構成は次の如くなつてゐる、（上海滿鐵支所岸川忠嘉氏の調査による）

北支へ　　四割

西南へ　　三割五分

揚子江デルタ地帶へ　　二割

そのうち、輸出は上海で生産せられるもの〻一割程度であり、殘りの大部分は仲繼貿易としての上海の地位より見て、當然轉口貿易であつたのである。然るに、事變後、北支では爲替管理を實施した爲、上海商品は北支へ向はず、多く西南に轉じたと見られる。而も、上海の移出額は、事變前に比して增加してゐるから、物價騰貴による當然の金額增加は一應度外視しても、それだけ西南への出廻は增加したと考へて差支ない。（勿論、上海から占領地區へ物資出廻增加があつたわけだが、これも亦一應度外視する）。このことは、表玄關たる西南二十港の移入額が增大したのに、移出額は減少を示したといふ事實と正に對應するものである。卽ち、その移入增加の分だけが、西南地帶に於ける消費增加と考へられて良いわけであらう。

さて、そこで、上海から西南地區への出廻額は、表玄關たる諸港を通じて、事變前には年額約二億元程度であり、事變後數量は殆んど不變であつたのに、價額は、昭和十四、十五の兩年度は一擧四億元に倍增してゐる。そのうち、八〇%が綿糸、綿布であり、一五%

が食糧品、綿製品であつた。これによつて見れば、その移出品は、日用生活品を主とすること明らかであるが、この中には、土産品と共に日系製品が少なからず織込まれてゐるのである。

今、一例として、一九三八年九月より三九年八月に至る一箇年の期間に於て、上海に於ける諸工廠だけからでも直接西南に出廻つた貨物及び金額を見れば、次の如き推定が加へられる。（中華工業總聯合會報告）

| | |
|---|---|
| 綿布、綿糸 | 一五〇、〇〇〇千元 |
| 藥品醫療器械衞生材料 | 一一、六〇〇 |
| ゴム製品 | 一四、一四〇 |
| 電柱、帆柱、電話材料 | 三、〇〇〇 |
| 衞生衣行袗褲襪 | 四、〇〇〇 |
| 魔法瓶 | 三、五〇〇 |
| 計 | 一八六、二四〇 |

かゝる上海——西南を結ぶルートは、事變の進行と共に色々と變化した。先づ、十二年には有名な寧波、温州ルートが猖獗を極めたが、幾ばくもなく、日本軍の手入れにより寧波、温州ルートの地位が弱まり、これと廣東ルートが相半ばするものとなつた。然るに、更に、寧波、温州ルートの打擊に遭ふや、北海、雷州、蒙自、龍州が擡頭したが、それも漸次機能を停止し、現在では北海、雷州が最も直接的なルートとして殘されてゐる。

かゝるルートに於ける密貿易を有力に支援してゐるものは、云ふ迄もなく外國汽船、殊に英國汽船であり、これと連絡せるものが、支那戎克船である。即ち、戎克は密貿易の尖兵とも云ふべきもので、或ひは、夜陰に乘じて日本軍の看視の目をかすめ、或ひは、船籍に貨物を蔭蔽して無事通過を計るわけである。本年でもこの戎克私用は純然たる密貿易の場合の一般的な方法であつたが、然し、多くは私人が單に商事隱蔽を免がれる爲の非組織的なものに過ぎなかつた。

然るに、最近に於ては、この戎克利用は遙かに組織的となり集團的となり、援蔣ルートの極めて有力な槓桿となり來つた。即ち、これを統制し、指導してゐるものに、他ならぬ「幇」がある。この幇は遊擊隊より成るものは別として、抗日意識から密輸を擔當してゐるものではあるまいと見られてゐるが、その組織や方法は未だ白日の下に明らかになつてゐない。最近、この點に着目して、南京の軍報導部で幇の密輸組織を調査し、併せてこれが對策を考究してゐる筈だと云ふことだけを附言しておく。

(B)

ところで、上海——西南を結ぶルートは、右の如き表玄關たる二十港に止まらず、裏口とも稱すべき隘路がある。この方面では、安徽及び河南方面が頗る盛大である。

今、上海より無錫、蕪湖方面を經て非占領地區たる安徽方面に流出する貨物を見れば、右の如く、依然として日系製品を織込んだ日用生活品が多い。これを「國民公論」民國二十九年四月十六日號により見れば以下の如し。

紡織品——蔴綢、毛織物、糸及び捺染綿布、生地綿布、インダンスレン、晒布、綿糸

化粧品——髮油、化粧水、クリーム、石鹸、香水

食料品——白砂糖、高粱、酒、海蔘、煙草、薄荷糖、薄荷酒

日用品——燐寸、タオル、洗濯石鹸、蠟燭、靴、シャツ、魔法瓶

文房具——インク、萬年筆、鉛筆、便箋、封筒

而して、東安徽に於けるその流出コースは次の如きものと推定せられる。

(1) 無錫—吳興—長興—泗安—廣德

(2) 通州—宣興—長興—泗安—廣德

(3) 南京—溧水—高淳—郎溪

(4) 蕪湖—烏溪—水陽—新河莊—宣城

(5) 蕪湖—辛塘—西河—清戈江

(6) 蕪湖—魯巷—黄墓渡—南陵—清戈江

(7) 大通—青陽—陵陽鎭—石埭

又、流出コースを北安徽に付き見れば、淮河及び渦河と津浦線との合流點たる蚌埠が、その地位より中心點となれる如くである。卽ち、貨物の運搬はすべてリレー式は行はれ、一旦各地より蚌埠に集つた貨物は、再び津浦線で北上して、隴海線に積み換へられ、歸德（商邱）に稍輸され、歸德より碭縣に入り、更に轉じて奥地遊擊地區に入るといふが如きである。

この方面に於ける密輸の方法に付いては、大規模の組織は見られない。蓋し、遊擊隊が占領地區への物資流出を阻止する爲、淮河民船の蚌埠への航行禁止を行ひ、多數民船を正陽關方面に集中すると共に、貨物を積載した多數航行船を抑留すると云ふ政策をとつた爲占領地區よりの物資流入の場合にも、却つて民船を自己の爲に自由に動員利用出來ないといふ不便が生じてゐる。そこで貨物は極めて少量づゝ、人間の肩によつて運ばれる。事例は幾分古いが昭和十四年末頃には「長淮公業公會」なるものが存在し、それが淮河下流の五河、上流の田家庵迄民船による輸送を擔當し、それから先はリレー式で遊擊地區の民船に積み換へて運ばれてゐたのである。

(ロ) 香港——廣東省ルート

南支は、香港、澳門、廣州灣等の第三國領地を控へてゐる關係上、在來からも密貿易が最も猖獗を極めたところである。然るに此處に考察に上せられた時期にあつては、更に一段と活潑になつたことは云ふ迄もない。

南支に於ける非占領地に對する密輸の中心地は、右の如く、香港、澳門、廣州灣であるが、これに亞ぐものに北海、雷州、蒙自等がある。而否、南支沿岸一帶は、密輸の中心地と判斷して差支ないであらう。而も、日本軍が封鎖もしくは監視を强行してゐる時は少し衰へ、その手を少しでも緩めれば直ちに猛烈にぶり返すといつた癖の頗る厄介な代

10

物なのである。

ところで廣東省への密輸入ルートとして最も重大なものは、港韶ルート（香港—韶州）、汕尾ルート（汕頭—汕尾）があり、殊に香港は、貿易全額の一〇乃至二〇％を廣東省相手に營んでゐるとする見方もある。更に、廣州灣、廣海寨も援蔣物資の輸入ルートとして無視することが出來ない。尙經營体は依然明らかでないが、佛印—南寧ルートも未だ殘存してゐると稱せられてゐる。

密輸の方法としては、舊國民政府の管轄下にある西南運輸公司が主體となり、その下に群小の運輸業者が從屬して、謂はゞ一種の下請運輸を營んでゐる。香港には、かゝる下請運輸業者が相當に存在してゐると云ふ。又、港韶ルートのある地點では、二十數軒の運輸業者の中、三軒が實際に舊國民政府の下請運輸業たる機能を果してゐたことが我軍の占領後明かとなつたといふ。のみならず、此の方面に於ける運輸は、右の點に於いて頗る組織的で、專門運輸の爲の苦力約五千人を擁し、各苦力一日運搬量四十瓩、從つて一日の輸送量は二百噸に達するといふ推定が試みられてゐる。かくして、南支の密輸組織は、上海に於ける幇制度、安徽に於ける私人——遊擊隊制度とも異なり、頗る專門化された特異な樣相を呈しており、從つて、その對策は極めて困難なることがわかるのである。

11

經研資料工作第一七號

# 上海市場ノ再建方策

昭和十七年三月
陸軍省主計課別班

## 一、要旨

(一)上海經濟ハ大東亞戰爭ノ勃發ニヨッテ一大危機ニ直面スルニ至ッタガ、ソレハ從來英米貿易ヘノ依存度ノ大デアッタコトノ當然ノ結果デアル。コノ危機ヲ脱スルニハ上海經濟ノ自立性ヲ高メネバナラヌガ、ソレハ即チ工業都市トシテノ性格ヲ强化スルコトニ外ナラナイ。重點主義ニ從ッテ先ヅ紡績業ノ擴充ガ要請サレル。紡績業コソハ既ニ上海ニ於テ目覺シイ發展ノ途上ニアリ、ソレガ持續サレルナラバ、上海ト奥地トノ物資交流關係ハ緊密トナリ、又上海經濟ニトッテ何ヨリモ重要ナ石炭ト米ノ南方カラノ輸入モ可能トナルカラデアル。

(二)中支棉ノ增産ハ固ヨリ必要デアルガ、ソレヨリモ更ニ重視スベキハ出廻ノ促進デアル。買付價格、買付機構、搬出入取締、等ニツイテ適當ナ措置ガ講ゼラレルナラバ、現在ニ於テモ最小限ノ原

1

棉ノ獲得ハ決シテ困難デハナイデアラウ。上海經濟再建ノ方策ハカクノ如キ工業化ノ線ニ沿ッテ進メラルベキデアラウ。

## 二、細説

(一)大東亞戰爭ノ上海經濟ニ及ボス影響

過去ニ於テ英米ニ依存スルトコロノ大デアッタ上海經濟ガ、大東亞戰爭ノ勃發ニヨッテ一大打擊ヲ受ケルニ至ルベキコトハ云フマデモナイ。ソノ打擊ノ程度ヲ貿易面デ推定シテ見ルナラバ、略々次ノ如クデアル。

上海貿易ハ支那事變後一時減退ヲ見タノデアルガ、周邊ノ戰火ガ治ルト共ニ顯著ナ恢復ヲ示シ、一九四一年度ニ於テハ、英貨ニ換算シタソノ貿易額ハ事變前ニ比シ約四割五分ノ增加トナリ、全支貿易總額ノ六八%ヲ占メルニ至ッタ。コレヲ海關税收ニツイテ見テモ、一九四一年度ノ全支總額五億四千萬元ノ中、上海一港デ三億四千萬元ニ上リ、實ニ六割余トナッテキル。併シ大東亞共榮圏ニ屬スル諸國ニ對スル上海ノ輸出入額ノ、上海貿易全体ニ對スル割合ヲ、一九四〇年度ニツイテ見ルト、

| | 輸出 | 輸入 |
|---|---|---|
| 日本 | 四・〇五% | 八・九三% |
| 關東州 | 三・二七 | 〇・五四 |
| 佛印 | 〇・七三 | 七・四四 |
| 香港 | 一五・二六 | 一・六一 |
| 比律賓 | 二・三一 | 〇・四二 |
| 泰 | 三・一一 | 二・〇七 |
| 海峽殖民地及馬來 | 四・三九 | 一・〇七 |
| 蘭印 | 三・二八 | 五・九三 |
| 合計 | 三六・四〇 | 二八・〇一 |

2

コレニヨレバ、上海貿易ハ今後英米系諸國トノ貿易杜絶ニヨリ、輸出ニ於テ一九四〇年ノ三割六分ニ、又輸入ニ於テ二割八分ニ激減セザルヲ得ナイコトニナル。シカモ實際ハコノ程度ノ貿易サヘモ困難ナ事情ニアル。ト云フノハ、後ニ述ベル如ク、上海カラノ輸出品ハ英米系諸國カラノ輸入原料ニヨルモノ多ク、ソノ原料ノ輸入ガ中絶スレバ、輸出ハ全ク不可能トナルカラデアル。トコロガ、輸出ガ著減スレバ、共榮圏内ノ諸國カラノ輸入モ亦減少スベク、カクシテ因ハ果トナリ果ハマタ因トナツテ貿易縮少ノ悪循環ヲ生ジ、ソノトヾマルトコロヲ知ラナイデアラウ。ソノ結果ハ、上海ノ對支那各地ノ移出入ニモ當然ニ影響ヲ及ボスベク、從來上海ノ物資ト交換サレ、ソレヲ獲得スルタメニ生産サレテキタ各地ノ物資ハ、上海ノ輸入難ニヨツテソノ販路ヲ失ヒ、生産ハ減少セザルヲ得ナイデアラウ。カクノ如ク、上海貿易ノ衰頽ハ全支經濟ヲ沈滯ヘト導キ、ソノ波及作用ハ甚大ナルモノガアル。

上海輸出品ノ中デ輸入原料ニヨラザル支那土産物、例ヘバ、桐油、豚毛、茶、生絲、等ニシテモ、共榮圏内ヘノ輸出ニ轉換セレ得ル部分ハ極メテ僅少デアツテ、ソレダケデ上海經濟ガ自立シ得ナイコトハ勿論デアル。タヾ鷄卵及ビ卵製品ノ内地向輸出ヘノ轉換ハ或ル程度マデ可能デアルカモ知レナイガ、併シコレトテモ彼我ノ價格差ノタメニ我國ガソレラドレ程輸入シ得ルカハ疑問デアリ、且ツソノ對價トシテ我國ノ貴重ナ物資ヲ輸出スルコトニツイテモ問題ナシトシナイ。

コレラノ點カラ、上海經濟、從ツテ又支那經濟ハ今ヤ、一大危機ニ臨ンデキルト云ハナクテハナラナイデアラウ。

## (二)　上海繁榮ノ基本的要因

上海市場ノ復興ガ貿易關係ノ調整ト云フ外面的處置ニヨツテ實現サレ得ナイモノデアルコトハ、以上ニヨツテ明カデアラウ。然ラバソノ再建方策ノ基底ハコレヲ何レニ求ムベキデアラウカ。コレニ關シテハ、上海經濟ノ内面的機構ニマデ遡ツテ、過去ニ於ケル上海ノ繁榮ガ抑ヽ

3

何ニ歸因シタカヲ、考察シナクテハナラナイデアラウ。

一般ニ上海繁榮ノ原因トシテ擧ゲラレルノハ、地理的條件ト政治的安定ノ二ツデアル。有名ナフイータム報告モ亦コノ說ニ從ツテキル。上海ガ支那東海岸ノ中央ニアリ、支那中央部ト西部ノ奥地ヲ排水スル全長三千哩ニ及ブ揚子江ノ河口ニ位シテキルコトハ、上海ヲシテ十八省ノ門戸タラシメ、マタ支那國内ノ政治的不安ニ反シテ、從來ノ租界政治ノ與ヘタ安全ト保護トハ、上海ヲシテ支那經濟ノ中心タラシメタコトハ、固ヨリ疑問ノ餘地ノ存シナイトコロデアル。併シコレハ云ハヾ上海經濟ガ既ニ確立サレタ後カラノ觀察デアツテ、上海ノモツカヽル地理的好條件ヲ效果的ナラシメ、ソレニ經濟的重要性ヲ與ヘ、政治的安定ヲ確保セシメタモノガ、ソレラノ二ツノ要因ニ先行シテキナクテハナラナイデアラウ。ソレハ外デモナイ、英米資本ノ進出デアル。英米資本ハ先ヅ第一ニ、支那ノ低廉ナ物資ヲ買入レテ自國ニ輸入シ、自國ノ物資ヲ輸出シテ支那民衆ニ高ク賣リツケテ、法外ナ利潤ヲ獲得スルタメニ、ソノ市場トシテ上海ヲ作リ上ゲタノデアツタ。全支ニ於ケル英米事業投資ノ壓倒的部分ハ實ニ上海ヲ中心トスルモノデアリ、ソノ總額ハ八億弗ト見積ラレル。ソノ中デモ貿易業ヘノ投資ガ最モ大ナル割合ヲ占メ、全体ノ約三割ニ上ルノハコノヤウナ事情ニヨルノデアツタ。貿易業ヘノ投資ハ必然的ニ金融、運輸、ノ二部門ヘノ投資ヲ伴ヒ、又ソレラト平行シテ他方デハ、電氣、瓦斯、水道、等ノ公共事業ガ英米資本ニヨツテ興サレ、上海ハ外國資本ノ角逐場トナツタ。

カクシテ上海ガ國際都市トナリ、貿易港トシテ確固タル地位ヲ占メルニ及ンデ、英國資本ハ上海ノ不動産ニモ投下サレ、地價ノ値上リニヨツテ莫大ナ利潤ヲ獲得シタノデアツタ。英國系諸會社ノ所有スル不動産ハ事變前約一億五千萬弗ト見積ラレタガ、ソノ大部分ハ評價益ヲ現スモノデアリ、最初ノ投資額ハソノ何分ノ　カニ過ギナイ。上海ガ國際商業ノ東洋ニ於ケル中心地トシテ繁榮スレバスル程、他方ニ於テ上海ハ支那ニ於ケル消費ノ中心地トモナリ、ソノ消費需要ヲ滿スタメ

4

ニマタ上海ヲメグツテ周邊ノ物資ノ交流ヲ見ルニ至ツタノデアルガ、併シソノ根幹ヲナスモノハ貿易關係デアリ、各地ノ物資ハ上海ニ集ツテ、外國船ニヨツテ輸出サレ、外國船ハマタ外國商品ヲ積ンデ上海ニ來リ、コレヲ上海市場ヲ通ジテ賣捌イタノデアツタ。

コレラノ貿易ハ上海ヲ繁榮セシメタモノ、上海乃至支那ノ經濟体制ハコレニヨツテ少シモ發展スルコトハナク、依然トシテ原料供給國タルニトヾマツタ。ソレノミデナク、却テコレガタメニ支那産業ハソノ自立性ヲ失ヒ、完全ニ國際需要ニ依存スルニ至ツタ。ソノ産物ハ自國ノ需要ニ應ズルモノデハナク、從ツテ外國商品ヲ輸入スルコトナシニハ自國ノ需要ヲ滿シ得ナイヨウニ、支那經濟ガ條件ヅケラレルコト、ナツタカラデアル。若シカクノ如キ經濟ノ段階ニ於テ、今回ノ如キ對英米貿易關係ノ斷絶ヲ見タナラバ、支那經濟ハ恐ラク收拾スベカラザル混亂ニ陷リ、急ニ自立的体制ニ編成替スルコトハ容易デハナカツタデアラウ。實際ニ上海經濟ガ既ニ發展ノ第二ノ段階ニ達シテヰタコトハ、マコトニ何ヨリノ幸ト云ハナクテハナラナイ。

## (三)　最近ニ於ケル上海經濟体制ノ變化

上海經濟ハ前述ノ如ク最初先ヅ貿易物資ノ集配地トシテ發展シタノデアルガ、併シ國際貿易ガ關税ノ障壁其他ニヨツテ次第ニソノ自由性ヲ失フニツレテ、純然タル貿易ノミニ依存シテキタ上海經濟モ漸次ソノ体制ニ變化ヲ生ズルヨウニナツタ。一方ニ於テ支那ニハ尚ホ未開拓ノ廣大ナル販路ガアリ、他方ニ於テ支那ノ賃銀ノ水準ハ著シク低ク、コレラノ條件ガヤガテ上海ヲ工業都市タラシメル傾向ヲ惹起スルニ至ツタコトハ當然ノ成行デアル。カクシテ上海ハ第二ノ發展ノ段階ニ入ツタワケデアル。各國ノ最近ニ於ケル對支事業投資ガ製造工業ノ方面ニ集中サレルヨウニナツタコトハ、カヽル事情ニヨルモノデアル。ソノ結果、上海ヲ中心トスル物資移動ノルートハ甚ダ複雜トナリ、奧地ノ物資ハ最早ヤ從來ノ如ク上海ヲ經テ外國ニ輸出サレルモノノミデハナク、上海ニ於テ製造加工サレテ再ビ奧地ニ移出サレルモノモアレバ、又製品トシテ海外ニ輸出サレルモノモアリ、外國カラノ輸入物資ニツイテモ同樣ニ、從來ノ如クソノマヽ支那各地ニ移出サレルモノダケデハナク、上海デ製造サレタ上、支那各地又ハ海外ニ再移輸出サレルコトモアルヨウニナツタ。勿論、上海ノ貿易港トシテノ重要性ニハ變リハナイガ、併シ貿易ノ内容ハ年ト共ニ變化シ、從來ハ主トシテ原料ヲ輸出シテ製品ヲ輸入シタノデアルガ、最近ニ於テハ反對ニ、輸出品ノ中デ原料ノ占メル割合ハ次第ニ小トナリ、輸入品ノ中デ原料ノ占メル割合ハ次第ニ大トナツタ。コノ點ハ天津、青島等ノ北支ノ貿易ト全ク事情ヲ異ニスルノデアツテ、北支ニ於テハ爲替集中制ヲ行ツテ原料ノ輸出ヲ條件トシテ製品ノ輸入ヲ許可シナケレバナラナカツタホド、原料ノ供給地デアリ、上海トハ正反對ノ關係ニアル。コノコトハ一九四〇年度ノ上海貿易ニ於テ輸出ノ第一歩ヲ占メルノガ綿絲布デアツテ全体ノ四割ニ及ビ又輸入ノ第一位ヲ占メルノガ綿花デアツテ、全体ノ二割九分ニ達シテヰルコトカラシテモ、容易ニ知ラレルトコロデアル。

又上海カラ支那各地ヘノ移出入ニツイテモ同樣ノ關係ガ見ラレ、上海ヘノ移出ノ主ナモノハ、桐油、棉花、石炭、葉煙草、綠茶、黄豆、豚毛等原料或ハ農産物デアリ、上海カラノ移出ノ主ナモノハ、綿絲、綿布、紙卷煙草、小麥粉、等工業製品デアル。

カクノ如ク上海ガ工業都市トナリ、移輸入サレル原料ヲ製造加工シテ再ビ移輸出シ、ソノ關係ヲ基本トシテ貿易ガ行ハレル限リハ、上海經濟ハ外國ヘノ全面的依存性ヲ脱シ、自立性ヲ有スルニ至ツタモノト見ナクテハナラナイ。卽チ上海ト奧地トガ原料ト製品ノ交流ニヨツテ結バレルナラバ、外國貿易ガ杜絶シテモソノ面ダケハソレト關係ナク存續シ得ルワケデアリ、經濟活動ノ萎縮ハソノ點ヲ限度トシテ喰ヒトメラレ得ルカラデアル。從ツテ上海市場再建ノ方策ハコノ線ニ沿ツテ進メラレネバナラヌ。

（四）　支那民族資本ノ誘導

上海ヲ工業都市トシテ強化スルコトハ、マタ同時ニ今日喧シク論ゼラレテキル支那民族資本ノ問題ノ解決ニモ役立ツコトニナル。

支那デハ一般ニ金利ガ高ク、上海ノ如キ大都市ノ銀行ニ於テモ、支那人經營ニカヽルモノハ、今日尚ホ定期預金ニ對シテ五、六分ノ利子ヲツケ、貸付ノ種類ニヨツテハ一割以上ノ利息ヲ徴スルコトモ決シテ稀デハナイ。コレハ支那經濟ニ於テ如何ニ信用ノ要素ガ缺除シテキルカ、支那資本ガ如何ニ強ク安全性ヲ求メテキルカ、ヲ物語ルモノニ外ナラナイ。カクノ如キハ長年ニ亘ル政治的動搖ノ經濟ニ反ボシタ必然的結果デアルトハ云ヘ、コレヲソノマヽ放置シテハ支那經濟ノ發展ハ永久ニコレヲ望ムコトガデキナイ。上海ニ於テスラ今日尚ホ確固タル資本市場ガナク、長期資金ノ貸借ガ組織的ニ行ハレズ、偶ゝコレヲ融通スルモノガアツテモ、非常ニ高イ利子ヲ要求スルガ如キ状態ニ於テ、多クノ固定設備ヲ要スル生産ガ行ハレ得ナイコトハ云フマデモナイ。單ニ金融關係カラバカリデナク、不斷ニ社會的不安ニサラサレテキル支那人ニ、長期生産計畫ヲ要求スルコトハ、ソレ自体ガ既ニ無理デアル。併シ支那人ハ本來、商業上金融上ノ確實ナ利潤ヲ追及スルコトニカケテハ先天的ニ優レタ才能ヲモツテキルカラ、製造工業ヘノ投資ニシテモ、ソレガ確實ニ有利ナコトガ實際ニ示サレルナラバ、ソノ例ニ從フコトヲ躊躇スルモノデハナイ。現ニ邦人又ハ英人經營ノ紡績業ニ倣ツテ、華人紡ガ起ツテキタノハ、ソノ有力ナ證據デアル。從ツテ邦人企業ガ率先シテ優秀ナ成績ヲ擧ゲテソノ範ヲタレルナラバ、支那民族資本ヲ誘導スルコトモ決シテ困難デハナク、寧ロ進ンデソレヘノ參加ヲ申出ルニ至ルベキコトハ、疑ヲ容レナイトコロデアル。又ソウスルコトガ、大東亜共榮圏ノ指導者國家トシテノ我國ノ任務デモアル。

上海經濟ヲ工業化スルコトハ、即チ支那經營ノ生産性ヲ高メルコトデアリ、ソレハ一方ニ於テ上海經濟ヲ英米依存カラ全ク脱却セシメルコトヽナリ、他方ニ於テ又支那資本ヲ正シイ方向ヘ誘導スルコトニモナル。

（五）　紡績業ヲ中心トスル上海經濟ノ工業化

上海經濟ヲ一段ト工業化スルニシテモ、我國ノ資本ヲソノタメニ新タニ投下スル餘裕ハナク、從ツテ既存設備ト、我方ノ接收シタ英米權益ヲ最大限ニ利用スル外ハナイガ、ソノ場合ニモアラユル部門ニ亘ツテコレヲ整備スルコトハ目下ノ所困難デアルカラ、重點主義ニ從ツテ、トリ敢ヘズ先ヅ第一ニ紡績業ノ擴充ニ力ヲ集中スベキデアル。紡績業コソハ既ニ上海ニ於テ目覺シイ發展ノ途上ニアリ、ソノ發展ガ持續サレルナラバ、上海ト奥地トノ物資ノ交流ハ勿論ノコト、對英米貿易ノ斷絶ニモ拘ラズ、共榮圏内ノ諸國トノ間ノ貿易モ或ル程度マデ維持スルコトガデキルカラデアル。

上海ノ現存紡績設備ハ次ノ通リデアル。

| | 精紡機（千錘） | 撚絲機（千錘） | 織機（千臺） |
|---|---|---|---|
| 邦人紡 | 一、三七一 | 三四八 | 一九 |
| 軍管工場 | 二六七 | 三 | 三 |
| 英人紡 | 五四二 | 五一 | 六 |
| 華人紡 | 三五二 | 一三 | 三 |
| 合計 | 二、五三二 | 四一五 | 三一 |

綿絲月生産高ハ設備全運轉ノ場合ニハ約十三萬梱（一梱ハ四百封度）ニ上ル筈デアルガ、大東亜戰爭勃發前ニハ電力不足ノタメニ邦人紡ハ約五割、英人紡ハ約三割、操短シテキタノデ、月産約七萬五千梱デアツタ。ソノ中、綿絲トシテ輸出サレルモノハ約一割デ、一九四一年上半期ニ於ケルソノ仕向地、數量、金額ハ次ノ通リデアル。

| 仕向地 | 數量（キンタル） | 金額（米弗） |
|---|---|---|
| 蘭印 | 二八、〇九四 | 一、一八九、一三六 |
| 香港 | 二三、八一〇 | 九二二、九五七 |

| | | |
|---|---|---|
| 臺灣 | 九、五二四 | 三八一、二五八 |
| 泰 | 六、四七九 | 二五四、一三六 |
| 比律賓 | 三、三四四 | 一四二、八七一 |
| 佛印 | 二、四一九 | 一二五、二四七 |
| 英印 | 九四 | 六、六九六 |
| 其他 | 八、一一二 | 四五四、九七三 |
| 合計 | 八一、八七六 | 三、四七七、二七四 |

（約四萬五千梱）

コレニ綿布及ビ綿製品ノ輸出ヲ加ヘルト、上海綿絲生産高ノ一割八分乃至二割ハ輸出ニ向ケラレ、殘リノ八割弱ガ支那各地ノ消費ニ充當サレルコトニナル。ソノ輸出ニヨツテ佛印、泰、等カラ、米ト石炭トヲ輸入スルコトガデキルワケデアルガ、戰爭ニ伴フ南方各地ニ於ケル購買力ノ増大ニツレテ輸出ハ今後一層伸長スルモノト期待サレルガ、ソレガ綿絲生産高ノ三割乃至三割五分ニ達スルニ至ルナラバ、上海ハ綿絲布ノ輸出ダケデ、米三十萬噸、石炭九十萬噸ノ輸入ガ可能トナリ、必要最小限ヲ確保シ得ルコトニナルデアラウ。コノ米ト石炭ノ輸入ニヨツテ、上海經濟ハ始メテソノ安定ヲ保證サレルコト、ナルカラ、コレヲ確保スルコトハ上海復興ノ先決問題デアリ、ソノタメニハ紡績業ノ活動ヲ如何ニシテモ現水準ニ維持スルコトガ必要デアル。

## (六)　棉花獲得ノ問題

上海紡績業ノ衰退ヲ防止スルニハ、何ヨリモ先ヅ棉花ノ問題ヲ解決セネバナラヌ。上海紡績ノ棉花消費能力ハ設備ノ全部ヲ運轉スレバ、年ニ邦人紡、二百九十萬擔、英華人紡、百九十萬擔、合計、四百八十萬擔デアリ、實際ニ一九四〇年ノブーム當時ニハコレニ近イ原棉ヲ消費シタノデアルガ、併シソレハ異常ノ狀態デアリ、一九四一年上半期ノ實績ハ、邦人紡、六十萬擔、英華人紡、八十萬擔、合計百四十萬擔デアツタ。ソノ中デ輸入棉約百萬擔デ、ソノ輸入先及ビ輸入額ハ次ノ通リデアル。

| | |
|---|---|
| 英印 | 三〇〇萬磅 |
| ブラジル | 一〇〇 |
| 米國 | 一〇〇 |
| エジプト | 一二 |
| 其他 | 三〇 |
| 合計 | 五四二 |

コレラノ輸入ハ全部杜絶シタノデアルカラ、年二百八十萬擔、約九十萬俵ノ棉花ヲ他ニ求メネバナラヌ。蘭印、比律賓等ニ於ケル棉花増産計畫モ考慮サレテハキルガ、ソレガ實現ニハ少クトモ今後五年間ヲ要シ、到底今日ノ急ニ應ズルコトハデキナイ。從ツテ殘サレタ方策ハ、中支棉ヲ獲得スルノ外ハナイガ、併シ他面カラ云ヘバ、ソレガ又上海ト奥地トヲ經濟上密接ニ連結セシメル最上ノ方策デモアル。

中支棉ノ産額ハ一九三六年度ニハ四百二十萬擔ニ上ツタガ、支那事變ヲ契機トシテ減産ニ陷リ、一九三八年度ニハ三百三十萬擔トナツタ。併シコレダケデモ實際ニ上海紡績ガ獲得スルコトガデキレバ、目下ノ所不足スルコトハナイノデアルガ、實際ノ出廻量ハコレヨリモ遙カニ少ク増産ニ轉ジター九三九年度ニ於テ百萬擔、一九四〇年度ニ於テ百五十萬擔ニ過ギズ、本年八月ニ終ル一九四一年度ニ於テモ、若シ適當ナ方策ヲ講ジナケレバ、二百萬擔ヲ出ルコトハナイデアラウ。卽約二十萬俵不足スルノデアルガ、コノ分ハ現在ノストック三十萬俵ヲ以ツデ補ヘバ、コノ一年間ハトニカク戰前ノ操業程度ヲ維持スルコトガデキルデアラウ。尙ホ現在綿絲ノストックモ二十四萬梱ト見積ラレルカラ、南方向輸出ニ差當リ不自由スルコトモナク、米ト石炭ノ輸入ハコレデ當分ハ賄フコトガデキルデアラウ。英人紡ハ去ル一月九日以降操業ヲ全面的ニ停止セシメラレタカラ、ソレニ代ツテ邦人紡ハ少クトモ戰前直前ヨリハ増産シ得ルコトニナル。

ソコデ問題ハ一ニカ、ツテ中支棉ノ増産トソノ出廻ノ促進ニ存スルコトニナリ、ソレガ順調ニ運ブナラバ、華中棉花改進會ノ第二期計畫タル昭和十七年以降七ケ年間ニ中支棉ノ產額ヲ一千萬擔ニ增加セシメルコトモ決シテ困難デハナク、上海ハコレニヨツテ完全ニ紡績都市トナリ、以前ニモ增シテ繁榮スルコトニナルデアラウ。事變前マデ上海ノ紡績ガ輸入棉ヲ必要トセズ、專ラ地場ノ棉花ヲ使用シテキタコトヲ思ヘバ、棉花自給モ決シテ無理デハナイ。併シ中支棉ノ增產ト出廻トヲ妨ゲルガ如キ事情ガ存スルトスレバ、上海經濟ハ苦境ニ陷リ、ソノ影響ノ波及スルトコロ、寔ニ憂フベキモノガアル。

(七)　棉花ノ增產ト出廻ヲ促進スル方策

事變以後、中支棉ノ產出高ハ減少シタトハ云ヘ、ソノ程度ハ實際ノ出廻高ノ減少シタホドデハナカツタ。ソコデソノ原因ガ究明サレルナラバ、今後ノ方策モ自ラ決セラレルコトニナルデアラウ。

從來、中支棉ノ出廻ヲ妨ゲタ第一ノ原因トシテ、邦人側ノ買付價格ガ不當ニ低カツタコトヲ擧ゲネバナラヌ。例ヘバ昨年十一月頃ノ通棉ノ市場相場ハ一擔六百五十元見當デアツタガ、在上海興亞院ノ公定シタ最高價格ハ三百十元デアリ、市場相場ノ半分以下デアツタ。實際ニ栽培者ハ出廻ノ不良トナルコトヲ恐レテソレヨリモ六割高ク、卽チ約五百元デ買付ケタトノコトデアルガ、ソレデモ尚ホ英華紡ノ買付價格ヨリハ百五十元モ安カツタ。興亞院當局ハ物價騰貴ヲ抑止スルタメニコノ措置ヲトツタモノト推測サレルガ、併シタトヘ邦人側ガソノ最高價格ヲ嚴守シタトシテモ、實際ニ市場デハソノ二倍以上ノ價格デ賣買サレテヰル以上、物價ガソレニヨツテ抑制サレルコトハナク、ソノ結果ハタヾ出廻高ヲ減少セシメルニ過ギナイデアラウ。北支ノ棉花增產對策ガ最近著シイ效果ヲ收メツヽアル最大ノ原因ハ、北支當局ガ大英斷ヲ以テソノ買付公價ヲ引上ゲタコトニアル。勿論、買付價格ヲ不當ニ競上ゲルコトハ嚴ニコレヲ避ケネバナラヌガ、他ノ農產物ノ價格ニ比シテ適當ト思ハレル點マデハ、中支ニ於テモ買付公價ヲ引上ゲル必要ガ

11

アルデアラウ。

第二ハ現在ノ買付方法ノ改善デアル。現在デハ中支棉花協會ガ現在ニ於ケル買付、輸出機關トシテ活動シテヰルガ、タヾニ棉花ニ限ラズ一般ニ支那ニ於ケル農產物ノ蒐集ニハ多クノ段階ノ中間仲買人ヲ經由スル傳統的集配機構ガアリ、彼等ハ地域的ニ牢固ナ公會（同業組合）ヲ組織シ、或ハ幇ヲ結成シ、コレラハ何レモ商業ギルド的性格ヲモチ、他面彼等ハ土地所有者トシテ農村秩序ノ維持者デモアリ、農產物ハ彼等ヲ通ジテノミ商品化サレルノデアルカラ、棉花ノ買付ニ當ツテモ、務メテ彼等ヲ排除スルコトナク、ソノ機能ヲ我方ニ協力セシメルヨウニ工夫スルコトガ肝要デアル。特ニ非占領地域ニ於ケル買付ニハ、彼等ヲ利用スルコトナシニハ、充分ニ目的ヲ達スルコトガデキナイデアラウ。

第三ハ物資搬出入取締ノ問題デアル。軍當局ハ一昨年六月以降、援蔣利敵行爲ノ阻止ト軍票對策ノ見地カラ、上海ヲ中心トスル物資移動ヲ嚴重ニ取締ツテキタ。ソノ必要ナルコトハ固ヨリ言ヲ俟タナイノデアルガ、タヾソレガ爲ニ物資ノ交流ハ著シク阻害サレ、中支經濟ノ受ケタ影響ハ少カラザルモノガアツタ。軍當局モ昨年十月ヨリソノ取締方針ヲ若干變更シ、重點ヲ前線ニ於ケル對敵封鎖遮斷ニオキ、占據地區內ノ移動制限ハ努メテ之ヲ緩和スルコトニナツタ。棉花ノ買付ニツイテハソレガ大東亞戰爭勃發以後ノ上海經濟ノ興亡ニ關スル重要性ヲモツ點ニ顧ミテ、ソノ搬入ニハ最大限ノ便宜ヲ與ヘル措置ガ講ゼラルベキデアラウ。治安ノ維持ガ經濟回復ノ必要條件デアルト同時ニ、又經濟ノ復興ガ人心ヲ安定セシメル所以デモアル。棉花ノ買付ト綿布類ノ販賣ニヨツテ、上海ト奥地トガ經濟上不可離ノ關係ヲ結ブニ至ルナラバ、ソレハ和平地域ノ擴大トモ見ラレ得ルノデアツテ、奥地ノ民衆ガ上海經濟ニ全面的ニ依存スルコトニナレバ、物資ハ自然ト上海ニ向ツテ流レ、期セズシテ重慶側ニ對スル封鎖遮斷ガ行ハレルコトニナルデアラウ。

12

## (附) 香港ノ經營方針

香港ハ英領植民地デハアツタガ、併シ一般ノ植民地トハ著シク相違シテヰル點ガアツタ。第一ニ、香港ハ英國ニ對スル原料供給地デハナカツタ。香港ハ概シテ荒蕪地デアリ、土産ノ原始生産物トシテ擧グルニ足ルモノハ一ツモナイ。第二ニ香港ハ英國商品ノ消費地デモナカツタ。香港人口ノ九七%ハ支那人デ、シカモソノ多數ハ勞働者デアルカラ、高級商品ノ需要者タリ得ナイ。第三ニ香港ハ英國トブロツク經濟ヲ構成シテハヰナカツタ。オツタワ會議ニヨツテ英帝國ブロツク經濟ノ結束ハ固メラレタガ、タヾ香港ダケハソノ圏外ニ置カレテ殆ド問題トハサレナカツタ。

然ラバ香港殖民地ノ意義ハ如何ナル點ニ存シタカト云ヘバ、ソレハ當時世界ノ工場トシテ産業界ノ王座ニ君臨シタ英本國並ニソノ各殖民地ト、他方將ニ世界經濟ノ渦中ニ捲キ込マレヨウトシテヰタ支那市場トノ間ニアツテ、支那内地ノ政治的不安ノ影響ノ及バザル安全地帶トシテ、兩者間ノ連絡ヲ圖ルコトニアツタ。卽チ香港殖民地ノ存在理由ハ、原始生産地、加工地、或ハ消費地トシテデハナク、生産地ト消費地トヲ連絡スルトコロノ中間的活動、卽チ仲繼貿易港タルコトニ存シタノデアツタ。シカモソノ性質ハ、英國ノ手カラ離レタ今後モ、ソノ大部分ガ存續シ得ルモノデアル。

過去ノ香港貿易ノ商品移動形態ニ於テソノ第一位ヲ占メタノハ、南支那ヘノ輸出デアツテ、ソレガ香港總輸出高ノ三分ノ一餘ニ上ツタ。更ニ輸入ニ於テ第一位ヲ占メタモノハ、北支那カラノ輸入デアツテ、ソレガ總輸入高ノ一割五分前後ニ及ンダ。從ツテソノ貿易形態ノ中デ最モ主要ナモノハ

北支那↓香港↓南支那

ノルートデアツタ。次ニ輸入ノ第二位ヲ占メタノハ、南支那カラノ輸入デアリ、輸出ノ第二位ヲ占メタノハ、北支那ヘノ輸出デアツタ。從ツテ第二ニ主要ナルルートハ

南支那↓香港↓北支那

ノ方向ヲトルモノデアツタ。此ノ如ク香港ハ、北支那ト南支那トノ國内貿易ヲ仲繼シ、必ズシモ英米ブロツク圏トノ貿易ヲ主トシタモノデハナカツタ。

從ツテ香港ハ今後トモ、南支那唯一ノ理想的海港場タル地理的條件ト、優秀ナ港灣設備トヲ以テ、共榮圏内ノ仲繼港トシテ重要ナ地位ニツイテハ特別ニソノ繁榮ヲ譲ズベキ必要ヲ見ナイノデアルガ、タヾ變更ヲ要スルト思ハレル點ハ、從來ノ如キ自由貿易主義ヲ固執シナイデ、支那關税域内ヘ參加スベキコトデアル。ソノ理由ハ、第一ニソレニヨツテ香港ヲ中心トスル支那内地ヘノ密貿易ヲ防止シ、第二ニ多額ノ關税收入ヲ擧ゲ、第三ニ將來單ニ貿易港トシテダケデハナク、産業地トシテモ發展シ得ル素地ヲ作リ得ルカラデアル。